目次

第八章　一九七九年　盛夏　5
第九章　一九九七年　晩夏　51
第十章　一九七九年　初秋　109
第十一章　一九九七年　仲秋　151

永遠の仔〈下〉

天童荒太
Tendo Arata

永遠の仔《えいえんのこ》

下

幻冬舎

第十二章　一九七九年　晩秋——一九八〇年　冬　205
第十三章　一九九七年　冬隣　261
第十四章　一九八〇年　春　329
第十五章　一九九七年　初冬　383
終　章　一九九八年　早春　473

第八章　一九七九年　盛夏

1

山側からの蟬《せみ》の声が、次第に激しく、ひとつの大きな耳鳴りのように、双海小児総合病院を包みはじめた。

梅雨もとうに明けて、七月半ば、病院内で最も海側に建っている養護学校分教室内においても、窓越しに聞こえる潮騒の音が、ときおり蟬の声にかき消された。

優希は苛立っていた。

あと一週間で、一般の学校はもちろん、養護学校分教室も夏休みに入る。

第八病棟を退院する子どもたちの、霊山への記念登山は、八月十一日と聞いていた。優希もそろそろ退院が決まっていないと、登山に間に合わないのではないか。

優希は、明神山で一時行方不明となった事故ののちは、ずっと病院の規則も守り、看護婦や教師たちの言うことにも素直に従ってきた。

花壇作りや院内掃除などの作業療法、土橋とのカウンセリングや心理検査など、表面上にしろ、治療に対しても積極的に取り組んできた。

グループ・ミーティングでも、発言するように努めていた。ただし、詳しいことは何も語らず、

「今日も一日、おだやかに過ごせました」

と答える程度のことではあった。

心の深い部分には、変わらず、しっかりとふたをしていた。外界の出来事と、自分の感情をつなげることも、ほとんどなく、つないだときも、あくまで細々としたものだった。感情の回路を、いつでも切れる状態にして、用心しながら、少し感じたり、感じたふりをしているに過ぎなかった。

それでも、霊山への登山を支えに、入院前と同様の〈いい子〉を、ふたたび演じられるようになっていたし、演じているという意識がなくなることもあった。若い看護婦たちから信頼を受けはじめていることも、気配として伝わってきた。

ただし、年配の看護婦や土橋たちからは、まだ信用されていないのか、

「あまり無理しなくてもいいよ」

と言われたことが、何度かあった。

そのため、わざと食事時間に遅れるなどして、適当にバランスをとることも試みた。

左腕の傷はほとんど完治し、かさぶたも取れた。髪の毛も伸び、最近の外泊のとき、志穂にまた美容院に連れてゆかれて、ショートカット風に切りそろえられた。外見上、問題があるようには見えないはずだった。

優希は、なんとしても、神様が降りてくるという山に登りたかった。

「久坂さん、どうしたんだね」

目の前に、担任教師が立っていた。

午後二時限めの授業中だった。

「教科書を読むように言ったの、聞こえなかったかな」

優希は慌てて国語の教科書を手に持った。

「動物園の奴らは、相変わらず鈍いな」

ばかにしたように言う声が聞こえた。慢性の腎臓疾患で入院している子どもたちが座っているあたりからだった。

優希は、腹が立つよりも、驚いた。

外科病棟の子どもたちならわかる。だが、慢性病棟の子どもたちが、授業中あからさまに第八病棟の患児をばかにするのは、珍しい。少なくとも、優希は初めて聞いた。

「なんだと、てめえ」

ジラフが立った。

「おぼえてろよ」

モウルが座ったまま指を差す。

「やめなさい」

担任教師が止めた。

優希は、小さな声で、教科書を読みはじめた。

ほどなく授業の終わりを知らせるチャイムが鳴った。担任の言葉も待たず、外科病棟の子どもたちが、大声を発して、教室の外へ飛び出してゆく。

慢性病の子どもたちの何人かも、外科病棟の子どもたちと同じように、声を上げ、教室から足早に出ていった。

優希が廊下に出ると、すでに低学年の児童たちが走り回っており、笑い声とともに、泣き声も聞こえた。松葉杖《まつばづえ》でチャンバラごっこをしている者、友人の車椅子を二台並べて、レースまがいに、こちらに向かって押してくる者もいた。車椅子レースは、すぐに教師に見つかり、止められたが、はしゃいでいる子どもたちのなかには、やはり慢性病の患児が混じっていた。梅雨の頃までは見

かけない光景だった。

優希は、分教室の外に出て、第八病棟に戻ってゆく途中、後ろから歩いてくるジラフとモウルを振り返った。

「少し、訊きたいことがあるんだけど」

同じ病棟の上級生たちも、こちらに向かって歩いてくるのを見て、優希は浄水タンクがあるほうに曲がった。

浄水タンクを囲む、金網のフェンスの前では、野良猫が寝そべっていた。子どもたちが与える餌のためか、目つきが鋭いわりに、太って、動きも鈍い。優希たちが近づいてゆくのに目を開き、けだるそうにフェンスの下をくぐって、タンクを支える土台の前で寝転んだ。

優希は、フェンスの前で立ち止まり、

「慢性病の子たち、少し変じゃない」

ふたりに訊ねた。

ジラフとモウルは緊張気味だった表情を崩した。

「そんなことか。いま頃、気づいたの？　七月に入ってずっとだよ」

ジラフが答えた。

優希は、自分の退院のことで頭がいっぱいだったため、気づくのが遅れたのかもしれない。

モウルが、肩をすくめ、

「慢性病棟や、喘息病棟の連中の様子は、夏休みが近づくにつれて、どんどん変わってるよ。毎年のことらしいんだけどね」

「……どういうこと」

優希は訊ねた。

「この夏、退院を許されるかどうか、気が気じゃないんだよ」

ジラフが言った。

「いつもは、外科病棟の連中が浮いてるよね、じきに退院できると思ってるからだけど。慢性病の連中も、夏休み前に退院できないかって期待してる。だから落ち着かないんだ」

モウルが説明を加えた。

「けど……退院を願っているのは、別に夏休みの前だけじゃないでしょ」

優希が言うと、

「この時期は、普通より退院しやすいんだ。長い休みの前は、いつもそうなんだよ」

ジラフが答えた。

モウルが、それにうなずいて、

「分教室が休みになるだろ。子どもたちは一日中病室に

いなきゃいけないし、長期休暇をとる看護婦や付添いのおばさんもいる。子どもたちも、外の世界では、みんな羽を伸ばしてるのを知ってるから、当然、いつもの時期より気が荒れて、事故も増えるみたいなんだ。だからじゃないかな、休みの時期は、なるべく家に帰すようにしてるみたいだよ」

「長く入院してる連中は、それを知ってるからさ。早々に退院の決まった奴ははしゃいでるし、まだ決まってない奴はいらいらしてる。退院できないことがわかってる奴は、ふだんより落ち込んだ顔をしてる」

「動物園も、状況は同じなんだけどね。それほど変わった感じはないだろ?」

モウルの言葉に、優希はうなずいた。

彼は、第八病棟の建物のほうに目をやって、

「うちの連中は複雑だからね。家に帰りたい奴ばかりじゃないし、逆に、家族のほうが退院を受け入れない場合もあるから。みんな、反応をあまり表に出さないんだ」

「そう……」

優希は目をそらし、自分の退院に想いを馳《は》せた。

日だまりに寝転んだ猫が、あくびをしていた。

「どういうつもりでいるの?」

ジラフの声がした。

優希は顔を戻した。

「何が?」と訊き返す。

ジラフは、言いにくそうに、

「夏さ。どうするつもりでいるの」

優希はすぐには答えなかった。すると、

「祭りがあるんだよ、夏。盆踊り大会」

モウルが無理に明るくしたような口調で言った。

ジラフも、とりつくろったような笑みを浮かべ、

「退院できない連中のために、病院側も考えてんのか、お盆に、運動場にやぐらを組んでさ、近所の人も集まって、盆踊り大会を開くんだ。おれたちも去年見たけど、屋台も出るし、花火も上がるし、わりとにぎやかだぜ」

「祭り自体は、民謡を流して踊るのが、延々とつづくから、白けなくもないけど、それなりに暇つぶしになるし、院内の管理も甘くなるからね。去年ぼくたちは、職員の自転車を盗んで、病院の外へ一時間くらい抜け出したんだ」

「そのときは、もういない」

優希はさえぎるように言った。むしろ自分に言い聞か

せるように、

「きっともう退院してるはずだから」

ふたりの顔が強張った。間を置いて、

「退院したいの?」

ジラフが訊く。

優希は、首を横に振り、

「したいんじゃなくて、するの」

「もう決まったの?」

モウルが訊く。

「まだだけど、しなくちゃいけないの。夏、山に登るんだから」

優希は、霊山のある南東の方角に、目を上げた。病院の前の山が視界をふさぎ、霊山までは見通すことができない。

「山に登るために、退院するの?」

モウルの声が聞こえた。

優希は答えなかった。

ふたりには、明神の森でのことがあって以来、親しいものを感じていた。こうして話すこともできる。だが、内面に関わることは、話せなかった。誰であっても、自分の内側の真実については、話す気になれない。

優希は、ふたりに目を戻し、

「ふたりとも、退院する気はないの?」と訊いてみた。

ふたりは、戸惑った表情を見せ、顔を伏せた。

重ねて訊くことは避けた。彼らも、軽々しく自分のことは、話せないのだろう。

病棟に戻って、グループ・ミーティングに参加したあと、優希は診察室に呼ばれた。

カウンセリングの日ではない。ジラフやモウルと退院について話した直後でもあり、予感があった。

診察室に入ると、土橋と並んで、児童精神科の部長である、水尾《みずお》が椅子に腰掛けていた。

水尾は、六十歳前後で、髪はすべて白く、体型も顔の形も丸くて、ずんぐりとした感じに見えた。

病棟全体の責任者である彼に、優希は直接診察を受けたことはない。学会か何かで留守がちのこともある。それでも回診のおりなど、調子はどうかと、声をかけられたことはあった。

水尾は、カルテから目を上げると、

「掛けなさい」

自分たちの前の、木製の椅子を指差した。ふだん保護者が座る椅子だった。

優希は浅く腰を下ろした。

水尾は、優しげにほほえみ、

「最近は、ずいぶんと調子がいいみたいだね」

しわがれた太い声で言った。

優希はうなずいた。

「規則を守って、きちんと生活を送れているようだ。山登り療法には、とくに積極的だと聞いている。最初のときに事故があったが、そのあとは指示に従って、活動的に参加してるそうだね。自然が、好きなのかな」

優希はまたうなずいた。好きかどうかは、よくわからない。だが、落ち着くのは本当だった。自分を森のなかに埋めてしまいたいと思うこともある。

「きみは話すのが嫌いなのかな」

水尾が少し眉根を寄せた。言葉による答えを求められているのを感じ、

「山は、好きです」

優希は慌てて答えた。退院のためなら、できるかぎりのことはするつもりだった。

「どこか痛いところとか、気になって仕方がないことは、ないかな」

「ありません」

「本当に?」

「はい」

「あることを考えると、苦しくて仕方がないとか、悲しくて泣けてくるとかは?」

「ないです」

水尾は、少し間を置いてから、

「じゃあ、少し夢の話でもしようか。夢は見るよね」

優希は、首を傾げ、

「……あまり」

「夢は、誰でも見るものだよ」

「……見ても、おぼえてません」

「そう。よく眠れてるのかな」

「はい」

水尾は、うなずき、隣の土橋にカルテを渡した。

土橋は、ほとんど表情を変えず、カルテを自分の膝の上に置いた。

優希は、土橋が何か言いだすかと身を固くしたが、彼は黙ったままだった。

「ご両親のほうから、退院についてのご相談が来てるんだけどね……自分ではどうかな。おうちに帰るのと、もう少しここで生活を見直してゆくのと、どちらがきみの

「本当の希望かな」

水尾が言った。

優希が答えずにいると、

「ご両親には秘密にしておくよ。正直に打ち明けてごらん」

即座に答えるのは、かえって何かを疑わせるのではないかと考えていた。

優希は、わざと間を置いて、

「退院したいです」と答えた。

「本当に？」

水尾が念を押す。

「はい」

優希ははっきりと答えた。

水尾は、土橋のほうに、何か言うことはないかと問うような視線を送った。

土橋は首を横に振った。

水尾は、優希のほうに顔を戻し、

「じゃあね、八月に入る前か、入ってすぐあたりに、退院するという方向で考えよう。明日、ご両親は外泊のために迎えにこられるね」

「はい」

父の雄作の出張などで、二回ほど外泊がなかったこともあるが、あとは両親そろって、迎えにきた。そして、そろって病院に送ってくれた。

「ご両親とも相談して、もし問題がなければ……どうだろう、この先の二週間を、退院に向けてのプログラムにあてるということで」

水尾は土橋に言った。

土橋がうなずいた。

「そうですね」

優希は、土橋の反応が心配だっただけに、内心ほっとした。

水尾は、柔和な笑みを見せ、

「きみは、入院当初から、退院記念の登山に参加したいと言っていたそうだが、いまもそうかな」

優希はうなずいた。言葉での返事を求めるように、水尾が眉を動かした。慌てて、

「登りたいです」と答えた。

「体力は大丈夫？」

「はい」

「うん。明神山で、だいぶ鍛えてるはずだからね。でも、保護者と一緒ということになってるんだが、両親のどち

らか、登ってくれそうかな」

優希は、退院のことばかり願って、そこまで考えていなかった。

「登ってくれると思います」

自信はなかったが、答えた。

水尾は、腕を組み、

「確かに、年をとられたお遍路さんも登っている山だけどね、ふだん運動をされていないと、やっぱりきついから。二千メートル近くあるし、ご両親は健康なのかな」

「お母さんが、少しからだが弱いようだね」

先に、土橋が言った。

「大丈夫です、登ってくれます。わたしのために……」

優希は顔を伏せながら言った。

「よし。それでは最後まで気を抜かずに、自分に厳しく過ごしてください」

水尾が言った。

優希は、診察室を出て病室に戻る途中、喜びがこみ上げてきた。霊山に登れる……救ってもらえる……。

階段の前を通るとき、踊り場のところに座っていたジラフとモウルに気づいた。

優希は、嬉しさのあまり、思わず笑みを浮かべた。

ふたりの表情が、一瞬のうちに翳った。泣きだしそうにも見えた。どういうことかわからず、優希はそのまま通り過ぎようとした。

ふたりが階段を駆け降りてきた。ナース・ステーションのほうを気にしながら、小さい声で、

「あのさぁ、脱走しないか？」

ジラフが言った。

優希は、立ち止まって、彼らを見つめた。

「病院を抜け出して、旅に出ない？」

モウルが言った。

ふたりの表情は真剣だった。

優希は困惑した。しかし冗談として聞き流さないと、重荷になりそうな気がして、

「だめよ。神様の山に登るんだから」

笑って答えた。

彼らを置いて歩きだし、振り返らずに病室に入った。

室内では、アダが腕立て伏せをし、テイパーはぬいぐるみに自分のファンタジーを語っていた。イフェメラもいつもと変わらず『遺書』を書きつづけていた。

優希は、なぜかほっとするものを感じ、自分の机の前に腰を落ち着けた。

2

翌日の午前中、雄作と志穂が優希を迎えにきた。

優希が外泊の準備をして病室を出たとき、ちょうどふたりが食堂に入ってゆくところだった。

雄作はスラックスにポロシャツ、志穂はブラウスにスカートといった、普段着に近い恰好だった。看護婦たちと挨拶する態度も、優希の入院当初と比べれば、ずいぶんおだやかなものに変わっている。

「売上げ成績が戻ってきたよ」

食堂のテーブルに着くなり、雄作が言った。向かいに腰掛けた優希に、上機嫌で、

「本社の社長から、じきじきに電話があってな、ほめられたよ。このままの調子なら、またうちの営業所が、西日本で一番に返り咲く。あとは、優希が退院してくれることだけだ」

「で、どうなの」

志穂が優希の状態をうかがうように言う。彼女の表情も、いつもより優しげだった。

食堂で話しはじめて、十分ほど経った頃、看護婦が両親を呼びにきた。診察室で医師たちが待っているという。

「退院についての相談だよ」

雄作が、優希に笑いかけながら、立ち上がった。

「本当に調子はいいのね」

志穂は、念を押すように言って、診察室に向かった。

優希は、しばらくじっと待っていたが、いてもたってもいられなくなり、食堂を出て、診察室の前に進んだ。なかに入るわけにもゆかず、部屋の前でうろうろしていると、いきなりドアが開いた。土橋が出てきた。

彼は、優希の姿に驚いたようだったが、すぐに眼鏡の奥の目を細めて、

「ご両親は、部長先生と退院についてのお話をなさってるよ」と言った。

優希は、見透かされたようで恥ずかしく、目を伏せた。

「きみとも、もうお別れだね」

土橋の声には感情がこもっていた。

優希は顔を上げた。

土橋は、診察室の向かい側にある、プレイルームをのぞき、誰もいないのを確認してから、ガラス扉を開けた。

彼は、優希のほうを振り向いて、

「ぼくもね、この夏に、転任が決まったんだよ」

と言って、プレイルームに入っていった。

優希はしぜんとあとについて入った。

プレイルームは、床に淡い緑色の絨毯が敷かれ、壁には、ぶつかっても怪我をしないよう、水色のラバーが張られていた。

この部屋では、子どもたちが、絵を描いたり、粘土で好きなものを作ったり、ぬいぐるみや人形に物語を演じさせたりして遊ぶ。それが治療になると言われていた。

部屋の隅には、一メートル四方の、底の浅い箱がふたつ置かれている。なかには、白い砂が敷かれていた。箱庭と呼ばれ、ミニチュアの家や木々、また人形や動物の模型などを、思い思いに配置して遊ぶ。それも、治療に役立つと言われていた。

優希は、どれも一応参加したが、心の底から楽しんだこともなければ、気持ちを入れて遊んだこともない。

箱庭に、家の模型を置くときなど、気持ちがあらわれそうに感じると、慌てて感情を閉ざして、適当に配置した。それでも何かがあらわれそうに思うと、砂を崩して、模型を投げ出した。

いま土橋は、箱庭に手を入れ、砂を軽くかき回しながら、

「外国に、勉強に行くことになったんだよ」

つぶやくように言った。

優希は、彼の背中を見て、

「じゃあ、神様の山には登らないの?」と訊ねた。

「うん。たぶん無理だね」

彼が振り向いた。表情に、何か迷っている様子がうかがえ、

「本当に……退院でいいのかい」と言った。

優希は意味がわからなかった。

土橋は、もどかしそうな笑みを浮かべ、

「確かに、退院したいと、きみは言ったけど……きみは、まだ正直に心を開いていない気がするんだ。退院することが、きみの真の望みなのかい?」

言葉に鋭さはなかった。むしろ友人のような親しげな口調だった。

優希はそれでも警戒心を抱いた。

土橋は、察してか、首を横に振って、

「問いただそうというんじゃないんだ。ただ、これは、ぼくの力不足でもあるんだけど……きみは、診察のときも、検査のときも、当たり障りのないことしか、答えて

こなかったように思ってね。このまま退院して、本当に、きみの望みをかなえたことになるのかと……ちょっと心配してるんだ。ぼく自身、ずっとこの病院にいるなら、何かのサポートも考えてゆけるんだけど、日本にさえいなくなってしまうから……心残りでね」

　彼の打ちとけた感じの言葉に、優希は戸惑った。どう答えるべきか、考えがまとまらない。

　土橋は箱庭のほうに顔を戻した。指の隙間から砂を落としながら、

「きみは頭のいい子だから、ぼくなんかに悩みを話したって、どうにもならないと思ったのかもしれない。でも、話せば楽になるというのは、本当なんだよ。悩みを、口に出して、話せるようになれば、解決に向かうきっかけになる。頭のなかでだけ考えていると、小さな悩みが、どんどんふくらんで、いつか、すごく大変なもののように思えて、冷静な対処ができなくなる……。でも、口に出すことができれば、悩みの大きさが、客観的に見えてくる場合がある。相手と一緒に、現実的な対処方法を探すこともできる……」

　土橋がふたたび優希を見た。目に、訴えかけてくるものがある。

　優希は不安をおぼえた。心のふたを取れと、求めてくる目だと思う。顔をそむけ、

「悩みなんて……別にないから」

　突き放す口調で言った。

　優希は立ち去りたかった。だが、動けない。思い切って話したらどうかという誘惑を、心のうちに感じていた。楽になれるだろうか、救ってもらえる可能性があるだろうか……。

　いや、もっと傷つくだけ、と思い直す。軽蔑され、薄汚いものを見る目で見られるだけだ……。

「そう。じゃあ仕方ないけど」

　土橋があきらめたように言った。

　優希の、喉もとまで出かかっていた言葉が、力を失い、しぼんでゆく。

「ただ、おぼえておいてほしいんだけど、誰でも、悩みを話せる相手がいるかいないかで、変わってくるもんだよ。できれば、そういう人を見つけるか、みずから作ってゆくといいと思うよ」

　土橋は、言葉を切ると、不意に照れたように笑った。手の砂を払って、

「誤解しないでくれね。きみの退院に、反対してるわけ

じゃない。きみが退院して、もとのような生活を送れるようになるのは、ぼくたちの望みでもあるんだ」

土橋は、優希の脇を通って、プレイルームの扉を開いた。うながすように首を傾け、

「食堂で待ってなさい。じきにご両親も出てこられる」

優希は、彼の足もとに目を落とし、

「誰でも、そんな相手がいるの」と訊いた。

「なんだって？」

「悩みを話せる相手……いるの？」

「ぼくかい？　ぼくは、いるよ」

「誰」

土橋は、少し考え、

「まあ、女房かな」

「何もかも話せるの。かっこつけたり、隠したりせずに、生まれてからいままでのすべてを、話せてるの」

「何もかもって、わけじゃないけど……悩みがあれば、たいてい相談してるよ」

優希は、顔を上げて、

「どんな悩み」

「え……まあ、いろいろさ」

「もし奥さんが、そんな難しい悩みは聞きたくないって言ったら、どうするの」

土橋は、困ったような表情を浮かべ、

「……そりゃ話せないだろうけど」

「そんなことが、いままであった？」

「いや。そこまでのことは」

「結婚してない頃は、どうしてたの」

「……友だちに話してたかな」

「友だちに、何でも話せてたの」

「まあ、話せてたよ」

優希は、彼を睨み、

「嘘」

「嘘ってことはないさ……」

優希は、彼のほうに一歩踏み出し、

「人が聞くのがつらいような悩みを打ち明けても、罪にならないの。どうしてそんな話をするんだって、怒られたら、どうするの」

「それは……すぐには答えられないが……」

土橋が言葉を濁すのに、

「じゃあ、だめじゃない」

優希は吐き捨てた。彼を押し退けるようにして、

「悩みを話せる相手を見つけろなんて、軽々しく言わな

いで」

プレイルームを出た。

すぐに、後ろから腕を取られた。

「もう少し、そのことについて話さないか」

土橋が言った。

優希は、彼の手を振り払い、

「人は、どんなに重くてつらい悩みを打ち明けられても、耐えられると思う?」

「それは、人にもよるだろうけど……」

「どんなにひどい悩みでも、耐えられるとしたら、何も感じずに聞いてるからよ。耳では聞いているふりをして、心は閉ざしてるからよ。本当に、相手と同じ心で受け止めようとしたら、きっとつぶれてしまう悩みだって、あるんだから」

土橋は、あいまいにうなずき、

「否定はしない。人の悩みを、相手の立場になって、真に感情移入して聞くことは、大変なことだからね」

優希は、彼のこの答えだけは、かえって安堵できるものとして聞いた。

もし、どんな悩みでも同じ心で受け止められると、彼に言われていたら……どうにか保っているものが崩れ、すべてをさらけ出したかもしれない。そして、きっと何もしてくれない相手をなじり、暴れて、傷つけるようなことを、しでかしたかもしれない……。

「確かに、自分と同じ気持ちで、悩みを受け止めてくれる相手を見つけることは、難しいだろう。でもね、ただ単純に話を聞いてくれる相手がいるだけでも、救いになることはあるんだよ。たとえば、ぼくたち医者は、それなりの訓練も受けてるし、よかったら今度のカウンセリングの時間に話してみないかい」

土橋の言葉は、優希にはもう意味がなく、

「面白半分に聞かれたくない」

言い捨てて、食堂に駆け戻った。


優希たちが柳井港に到着したのは、夕方の四時だった。

車やフェリーのなかでは、雄作が、たびたび笑って、

「初めは、あんな病院で、何が本当によくなるのか、半信半疑だったけどな。ともかくよかった。夏休みには、みんなで、東京あたりにでも旅行に行こう」

優希の退院について語りつづけた。

両親は、部長医師の口から、優希が聞いたのとほぼ同じ話を、聞かされたらしい。

志穂は、それでも多少の不安が残っているのか、

「月曜日からは、退院に向けてのプログラムがはじまるそうだから、最後まで気を抜かずに、しっかりやるのよ」

釘を刺すように言った。

だが、彼女の表情も暗くはない。希望に根ざした明るさが、内からにじみ出ているようだった。

優希たちは、これまでの外泊時と同じに、まず志穂の実家に聡志を迎えに寄った。

優希の退院が近いことが、志穂から実家にも報告された。祖母と伯母が、車のところまで迎えにきて、優希に上がってゆくよう、しきりに勧めた。

優希は雄作の表情をうかがった。志穂の実家にコンプレックスを抱いている雄作を、できるだけ傷つけたくない。

だが雄作は、優希の退院が決まったことが嬉しいのか、機嫌よく、

「調子がいいなら、上がらせてもらうか」

優希に言った。

優希も、登山のことを両親に承知してもらいたいという願いがあり、

「じゃあ、ちょっとだけ」

祖母のほうにほほえみ、車を降りた。

紅茶とクッキーをごちそうになるうち、いつか日も暮れ、伯父も寄り合いから帰ってきた。結局、夕食も一緒にということになった。

近くの寿司屋からも料理が取られ、ふた家族でにぎわうなか、優希は、祖母や伯母たちから、

「喘息の発作なんて、全然出ないわねえ」

と、何度も言われた。

喜んで言ってくれる言葉だとわかっていても、そのつど優希の心は乱れた。だが、わざと笑って、

「だって、もう大丈夫なんだから」

できるだけ明るくふるまった。

志穂も雄作も、ほかの大人たちと一緒に、優希の言葉を笑顔で聞いていた。

志穂は、実家にいると、ふだんの険しい表情がゆるみ、娘時代に返ったように、活き活きとして見える。

この日は、優希も知らない実家の家族の昔話を、手ぶり身ぶりを入れて話し、よく笑った。ビールもコップに何杯か飲んだ。自分の母親とふたりだけで、別の部屋にたんすを整理しにいったりもした。

伯父は、陽気な性格だが、繊細さに欠け、雄作に、車の運転があるというのに、ビールを何度も勧めた。

雄作が、そのたび断ると、酔いが回ってきたこともあってか、ついには、

「相変わらず、気の小さい男だなあ」

と笑った。祖母や伯母も苦笑した。志穂は、何も言わず、洗い物を下げに、台所へ立った。雄作は、気がよさそうに笑って、頭を下げるだけだった。

聡志は、ふた家族がそろってにぎやかにしていることで、とりわけ嬉しそうに騒いでいた。

優希は、飛び回る聡志を押さえて、鼻水を拭いてやったり、甘える彼の口に料理を運んでやったりした。

聡志は、鼻をぐずぐずいわせ、ふだん好物のものも食べたくないなどと言い、優希を困らせた。

はたから見れば、いい姉ぶりに見えたかもしれない。だが優希は、聡志をそばに置いておくことで、病院について訊かれることから逃げていた。自分を守るために、弟を利用している気がしてつらくなり、いっそうこまめに世話を焼いた。

「ああ、安心した。前と同じ優希だ」

晩餐《ばんさん》が終わる頃、祖母が安堵したようにつぶやいた。

雄作と志穂を交互に見て、

「子どものことは、やっぱり親次第なんだから、ちゃんとみてあげてね」

念を押すように言った。

伯父は、酒の一升瓶を雄作に持たせ、

「もっと飲みにきなさいよ」

強めに、雄作の肩を叩いた。

十時過ぎ、優希たちはようやく志穂の実家を出た。

戻る車のなかでも、聡志は、学校で流行《はや》っているというテレビ・アニメの主題歌を歌い、ヒーローの物真似をした。雄作も志穂も、打って変わって黙り込んでいたため、聡志のはしゃぎぶりは、むしろ暗くなりそうな車内の空気を救った。

自宅に帰り着いたときには、さすがに聡志も疲れた様子で、眠り込み、雄作が抱えて、家に入った。聡志は、部屋に運ばれ、ベッドに寝かされた。

優希は、汚れ物を洗濯するため、脱衣所に進んだ。

志穂が、顔を出し、

「遅いし、洗濯はしてあげるから。あなたは、お風呂に入りなさい」と言った。

優希は、首を横に振り、

「自分でやるから」

汚れ物をわけて、洗濯機に入れた。

部屋に戻って、明日からの着替えをそろえ、登山のときに着る服装は、あれかこれかと、たんすのなかを見直した。風呂に入って、パジャマに着替えるあいだも、いつ登山のことを切り出そうかと迷った。

結局言いだしきれず、明日の朝にしようと、二階に上がりかけたとき、

「ちょっと来なさい」

雄作に呼ばれた。

部屋着に着替えた雄作と志穂が、ダイニング・テーブルの前の椅子に、腰掛けていた。

ふたりは、テーブルをはさんで両側にわかれ、雄作の前には水割りのグラス、志穂の前には水の入ったコップが置かれていた。

優希は、ふたりを左右に見る席に、腰を下ろした。

「山に、登りたいんだって」

雄作が言った。

優希は、驚きながらも、

「そう」

ほっとして、うなずいた。

「かなり高い山だそうだな」

優希は、身を乗り出し、

「高いけど、登山道がしっかりしてるし、毎年春と夏には、病院の子どもたちが大勢登ってるの」

「退院する子が、全員登るわけでもないと聞いたぞ。病院が許可したうえで、なお希望者にかぎると、先生はおっしゃってた」

「わたしには、登っていいって、許可が出てるの。聞かなかった？」

「保護者が一緒じゃないと、だめだって話だ」

「だから……」

優希がふたりに頼もうとしたとき、

「反対よ」

志穂がさえぎった。

優希は彼女を見た。

志穂は、固い表情で優希を見つめ、

「登山道がいくらしっかりしてても、二千メートルに近い山なんて、危ないに決まってるし、大変なことじゃない。あなたにも、お母さんにも、とても無理よ」

「おれも、自信ないしな」

雄作が薄く笑った。

優希は、地図を持ってくればよかったと悔やみつつ、

「お遍路さんって言って、願いごとのあるお爺さんやお婆さんだって、登ってるの。体力なんてそんなに要らない山なのよ。ハイキング感覚で登れるの。だいたい、七合目あたりまでは、バスで登ってゆくし、実際に足を使って登るのは、少しの距離なんだから」

「先生方から聞いたよ」

雄作が、テーブルの上に、プリントを広げた。

病院から渡されたものらしい。『双海小児総合病院第八病棟　退院記念登山』という文字が読め、その下に、山や谷や木々などの自然の情景が、イラストで描かれていた。登山道なども描き込まれており、ポイントとなる地点の目標物と、標高も記されている。

明るい感じのイラストであり、子どもと大人が一緒に手を振っている様子も描き添えられていた。

「病院で行くのは、一番安全なコースらしい。鎖場といって、垂直に切り立った崖を、鎖だけを頼りに登る場所もあるが、用意されてる迂回路のほうを登るとおっしゃってた」

「そうよ、だから誰でも登れるの」

優希は言った。

「どうしてそんなに登りたいの」

志穂が言い返した。彼女は、不満げな吐息をつき、

「山なんて、好きでもなんでもなかったでしょ。先生も、安全なコースを登るからって、大変なことには違いないっておっしゃってたし、無理して登る理由が、お母さんにはわからない」

優希は、懸命に言葉を探して、

「山登り療法のこと、聞いてるでしょ。山の風景とか、空気とか、いまの自分に、とってもいい感じなの。頂上まで登ると、気持ちも晴々するし」

「山登り療法で登ってるのは、病院の裏手にある低い山でしょ。今度の山とは、スケールが違うじゃない」

「だから、もっと気持ちがいいはずでしょ。からだのなかの悪いものが、汗と一緒に外に出て……代わりに、山頂のきれいな空気を吸ったら、生まれ変わったようになるかもしれないじゃない」

優希は、ここでふたりを説得できないと、我慢して過ごしてきた日々が、すべてむだになると思った。椅子から腰を上げて、ふたりに顔を近づけ、

「治ってほしいんでしょ。わたしに、よくなってほしいんでしょ。そのためには、神様の山に登ることが大事な

のっ」

声も、しぜんと高くなった。

「わかった。とにかく、まず座りなさい」

雄作がなだめるように言った。

優希は、目を伏せ、椅子に腰を戻した。それでも山のことだけは退《ひ》けないため、

「お願い。本当にいい子になるから、約束するから……」

自分の言葉は、嘘とわかってる。嘘をつく自分にも、つかせるふたりにも、腹が立った。

だが、自分を救うためには、神様の山に登るほか、いまは方法が見つからない。

明神の森でさえ、自分を優しく迎え、すがすがしい空気のなかに包んでくれた。神様の山なら、もっと確かな形で受け入れてくれると思う。もしかしたら、本当に生まれ変わらせてくれるかもしれない……。

「約束できるのか」

雄作が言った。

優希はうなずいた。

「前のような、いい子になるって？」

優希は重ねてうなずいた。

雄作が、志穂のほうを見て、

「考えても、いいんじゃないか」と言った。

だが志穂は、首を小さく横に振り、

「わたしは、反対」

「どうしてっ」

優希は声を上げた。

「危ない気がするの」

志穂が答えた。

優希は、うんざりした表情を作って、

「やめてよ。お爺さんお婆さんが登ってる山なんだって、言ってるじゃない」

「わたしが言ってるのは、そういう意味じゃないの。なんて言うのか……優希が、危うい感じがするの」

優希は胸をつかれた。とっさに、

「わけ、わかんない」

突き放すように言った。

「わたしも、よくわからないんだけど……」

志穂は視線をテーブルに落とした。言葉に困った様子で、ひと言ひと言区切りながら、

「とにかく、このところの優希も、危うかったけど……山に登りたいって言う優希にも、普通でない、危ういものを感じるの。このまま山に登ったら、何か恐ろしいこ

とが起きそうな気がして……」

優希は両手でテーブルを叩いた。

「大嫌い。なんだって邪魔するんだから」

椅子から立って、部屋に上がろうとした。

「待ちなさい」

雄作に手を取られた。

彼は、優希の手首を握ったまま、志穂に向かって、

「おまえも、あやふやな理由で、優希の希望を聞かないのは、よくないぞ。この子なりに、いろいろ考えてのことかもしれないだろう。自分から何かをしたいって言いだすのも、珍しいことじゃないか」

「だから、いっそう危うく感じるの」

志穂が自信なさそうに言う。

「だったら、おまえは、優希にどうなってほしいんだ。じっと、ふさぎ込んでたほうがいいのか」

志穂は答えなかった。

「優希は、自分の心の状態がよくなかったことを自覚して、よくなりたいために、山に登りたいと言ってるんだ。いい子になると、約束もした。明確な理由もなく、反対できることじゃないだろ」

優希は、つかまれた手首が痛かったが、我慢した。

志穂は顔を伏せたままでいる。

雄作は、ようやく優希の手首を離し、

「ともかく、優希の希望はわかった。都合もあるし、もう少し、お父さんたち話し合うから、優希は寝なさい。いい登るって方向で考えるようにするから、安心して。いいね」

「……ありがとう」

優希の口から、しぜんと感謝の言葉が出た。

雄作だけでなく、志穂も驚いたように顔を上げた。

「おやすみなさい」

優希は、ふたりの視線を避け、階段に向かった。背後から、

「おやすみ」

雄作の声がし、つづいて志穂の細い声も聞こえた。

優希は、いったん自分の部屋で横になったが、しばらくして聡志の部屋に移った。外泊の際、ふたりは同じ部屋で寝るようになっていた。最初は聡志が望んだことだが、いまは優希もそのほうが安らいだ。

聡志のベッドに入り、彼の背中を抱くようにして横になった。

ベッドのなかが、気のせいか、いつもより温かく感じ

られた。
霊峰への登山について話し合い、興奮がつづいている
のか、なんとか登れそうなことで安堵し、体温が上がっ
ているのだろうか……。
優希は、聡志のことが、いつにも増していとしく感じ
られ、柔らかな髪を何度も撫でた。
妙な音を耳にして、優希は目を開いた。
いつのまにか眠っていたらしく、窓の外がうっすらと
明るんでいた。
妙な音はつづいていた。
犬が走ったあとにする、荒い息づかいと似ていた。同
室のアダが運動をはじめたのかと、錯覚した。
ここが自宅で、聡志の部屋であることを思い出し、優
希は身を起こした。
荒い息づかいは、聡志のものだった。目を閉じ、口は
半開きにして、はあはあと薄い胸を上下させている。悪
い夢にでも、うなされているのかと思い、
「聡志……聡志……」
呼びかけ、肩に手を置いた。
聡志は起きる気配を見せなかった。手に、熱を感じた。
寄り添ったからだにも、熱が伝わる。
彼の額に手を置いた。さらに額を押しあてた。
優希は一階に駆け降りた。両親を起こし、彼らが起き
出してくるあいだに、タオルを水で濡らして、聡志のそ
ばに戻った。
聡志の熱は三十九度を超えていた。
聡志は病院に運ばれた。医者からは、風邪だろうと言
われたが、嘔吐もしたため、入院して詳しい検査をする
ことになった。
手続きなどもすませ、家族全員がひと息ついたときに
は、すでに十二時を回っていた。
優希が乗る予定だったフェリーの時間には、もう間に
合わなかった。
優希は聡志のそばを離れる気にはなれなかった。自分
を責めていた。早く気がつくべきだった。聡志の様子がおかしかったのに、
早く気がつくべきだった。昨夜、聡志の様子がおかしかったのに、
食べずに、からだも妙に熱っぽかった。
もしかしたら聡志は、調子がよくないのに、優希の退
院が決まった喜びを台無しにしないよう、あえて陽気に
ふるまっていたのかもしれない。それを思うと、胸が痛
む。
聡志のベッド脇に腰掛け、もう少し、もう少しだけ聡

志のそばにと願ううち、時間はどんどん過ぎて、窓の外の日も傾いてきた。

「あまり遅いと、病棟のほうでも心配するだろうし、今日中にお父さん、こっちに帰ってくる都合もある。優希、そろそろ行くよ」

雄作が言った。

「だって、聡志が……」

優希は動くのがつらかった。

「お母さんがついているよ」

雄作が言う。

優希は志穂を見た。

志穂は、聡志の汗をガーゼで拭きながら、

「大丈夫だから」

と、うなずいた。

優希は、雄作の車で、いったん自宅に戻った。ジーンズに長袖のTシャツ姿だったが、時間もないため、その恰好で病院に帰ることにし、着替えを入れたバッグだけを持った。

柳井港を出たのは、午後五時。四国の三津浜港に着いたときは、七時半を回っていた。

港から、雄作が病院に電話を入れた。

志穂と話す雄作の表情が、次第に明るくなり、

「熱が下がったそうだ」

後ろで待つ優希に言った。

彼は、しばらく話したのち、電話を切って、

「やっぱり悪性の風邪だったようだ。薬が効いたらしい。おなかがすいたなんて言って、いま、おかゆを食べてるところだそうだ」

優希はほっと息をついた。

雄作も、ほほえみ、

「優希に安心するようにって、お母さんが言ってた。さて、こっちもなんだか腹がへってきたな」

雄作が運転する車は、港近くのレストランの前を通り過ぎ、松山市内に向かって走った。松山市内のレストランにでも入るのだろう。雄作は何も言わなかったが、食堂のようなものはない。

「本当に、よかったね……」

優希は、聡志のことを思って、父に言った。

雄作からの返事はなかった。

優希は、気になり、雄作のほうを見た。

雄作の横顔は、怖いほど緊張し、唇を固く結んでいた。日が落ちて暗いため、はっきりとはわからないが、顔

色も鬱血《うっけつ》したように黒ずんで見えた。

優希は息をつめた。素早く顔を戻し、シートに深く身を沈めた。どこまでも沈み、二度と浮かばないことを願った。

目を閉じるのはかえって恐ろしく、懸命に開けておこうとした。

「ふざけやがって」

雄作がつぶやいた。

憤りに満ちた、陰鬱《いんうつ》な声だった。

「あの連中……人をばかにしやがって。全部、親が遺《のこ》したもののくせに、偉そうに」

雄作が言っている相手が、志穂の実家の人々であることは、優希にも察しがついた。聡志のことが落ち着いたため、いまになって怒りがこみ上げてきたのだろうか。

「酒酔い運転で捕まってみろ、困るのは誰だ。家族がいるんだぞ……。女房のくせに、あいつまで、ぐるになりやがって」

雄作は、いきなりハンドルの握りの部分を、片手で叩いた。

優希は身を縮めた。

雄作は、車のスピードを上げ、前を行く車を何台も抜いた。

優希は、何度もぶつかるのではないかと危ぶみ、いっそそのほうがいいとさえ思った。

信号で、車が停まった。

「優希だけだな、お父さんの味方は」

雄作が前を向いたまま言った。

優希は答えなかった。声が出ない。

「登山のことで、お父さん、頑張っただろ」

雄作の口調は、表面上は優しいものに変わっていた。だが、声がしわがれ、からみついてくるように聞こえる。

「優希の希望だからな、きっとかなえてやりたいと思った。あいつは、どういうわけか、絶対だめだって反対したから、あのままだったら、優希は山に登れなかったぞ。でも、おれがあれだけ言えば、大丈夫だ。また反対するようだったら、二、三発殴ってやる。優希のためなら、あいつを殴るくらい平気だからな。どうだった昨夜、お父さん、かっこよかったか?」

優希は答えなかった。

視線を横顔に感じた。どうしようもなく、うなずいた。

「そうだろ。かっこよかっただろ。優希のために戦ったんだからな」

ウインカーの音がした。

車が曲がるのを感じた。

優希は、なんとか目に力を込め、窓の外を確かめようと努めた。

高層ビルが、進む先に見えてくる。そのビルの地下にある駐車場に、車は入ってゆく様子だった。

「このホテルに、おいしいレストランがある。ここで食べよう。いろいろあって、少し疲れたしな。おまえも大変だったろ」

優希は首を横に振った。

雄作の笑い声が聞こえる。

「大変だったさ。少し汗も匂うぞ。そのままじゃ、病院に戻ったときに、みんなに笑われてしまう。とりあえず部屋で休んで、汗を流したらいい。食事は、ルーム・サービスだって頼めるんだから」

車が止まった。

優希は、左腕を顔の前に上げ、袖のまくれた手首と肘のあいだに歯を立てた。

「何をしてる、やめないかっ」

頬を張られた。

優希は何も見えなくなった。

3

どうする、いったいどうすればいい。

優希が退院するというのに、自分たちが何をすべきか、答えを出せずに、ジラフとモウルは金曜の夜を送った。優希が自宅に戻った土曜日も、黙り込んで過ごした。

土曜日の夕食時、ジラフは、じっと座っていることさえつらくなり、発作的に、目の前の食事の盆をひっくり返した。

すぐ前のテーブルにいた看護士が、振り返って、床に落ちた食事を拾うように、ジラフに命じた。

平日は、八人から十人の看護スタッフがついているが、土曜の午後から日曜にかけては、看護士と看護婦がふたりずつ、計四名の勤務になる。病棟全体で、三分の二の患児が自宅に帰ることもあって、看護スタッフも一緒に食事をとりながら、子どもたちに注意を払っていた。

「有沢君、食事を粗末にしちゃいかんだろ。食べたくても食べられずに困っている人が、世界中には多いんだよ」

看護士が冷たい表情で言ったのに対し、

「うるせえよ」

ジラフは小さく吐き捨てた。

「早く拾わないと、罰点一だよ。いいの?」

看護士が立とうとした。

モウルは、それを見て、自分の食事の盆も床に落とした。

隣のテーブルにいた若い看護婦が、それを見とがめ、

「勝田君」

眉をつり上げた。

モウルの母の旧姓は長瀬だが、去年結婚した男の名字が、勝田だった。もっとも、モウルはその男に一度も会ったことはない。

「わざとやったでしょ。あなたも、罰点をもらいたいのかしら?」

看護婦が言うのに、

「手が急にしびれたんだ」

モウルは右手をぶらぶら振った。彼は、外泊できずに病棟に残った、ほかの十名の子どもたちを見回して、

「毒が入ってるかもしれないから、気をつけたほうがいいよ」と言った。

とたんに、中学二年生の男子と、中学三年生の女子が、つづけて食事の盆を床に落とした。

四人の看護スタッフが、顔を振り向け、

「何をしてるの」

「やめなさい」

険しい表情でとがめた。

だが、中学一年生の女子が、食べかけだった食事の盆を、テーブルから床にすべり落とした。そして、看護スタッフたちの死角になったところの男子も、次に盆を落とした。

子どもたちは次々に、無表情で、食事の盆を床に落とした。

ささやかな反抗を試みたことで、歓声を上げる者など、ひとりもいない。外泊できなかったことの鬱屈を晴らすというような、明確な意図もうかがえない。ただ、おとなしく食べつづける行為に、虚しさをおぼえただけといった雰囲気だった。

「やめなさい。みんな罰点よ」

看護婦たちが立ち上がって止めるのも聞かず、九人目となる小学四年生の女子も、ずるずると食事の盆をテーブルから押し出し、床に落とした。

看護スタッフたちも、言葉を失い、なす術もなく立ちつくした。

食事の盆を落とさなかったのは、カバの英語名、ヒポポタマスを略して、ヒッポと呼ばれている、体重が百キロ近い小学校五年生の男子だけだった。からだをこわしても、食べることだけはやめられない彼は、あだ名の由来である虫歯だらけの大口を開け、周りの子どもたちの行動も無視して、食べつづけた。

最初に席を立ったのは、ジラフとモウルだった。ほかの子どもたちも、椅子から立って、床を掃除することも、声を上げることもなく、病室に戻っていった。

結局、ジラフにもモウルにも、ほかの子どもたちにも、罰点はつかなかった。

日曜の朝食のときには、急遽《きゅうきょ》呼び寄せられたのか、看護スタッフが六人に増えていた。だが、子どもたちの誰もが、さめた顔で、ふだんどおりに食事を進めた。

朝食後のぽっかりと空いた時間、ジラフとモウルは、外に出る気力も湧かず、病室のベッドで横になっていた。

洗濯をするにはいい天気だったが、ふたりとも、下着はすりきれ、靴下にも穴が開いている。これ以上洗って、糸がほつれたり、穴が広がるのは避けたかった。

隣の病室からは、朝からずっと声が聞こえてくる。

「お父さん、ごめんね。こんな点数しか取れなかったんだ。え、いいの？　努力したから、いいって？　お母さん、お父さんが、ぼくは別にいい点なんて取らなくたって、可愛いって。え、お母さんも、そう思うの？」

ジラフもモウルもうんざりした。

ポーキュと呼ばれている中学一年生の、人がいない土曜や日曜にかぎっての、ひとり遊びだった。

ポーキュは、ヤマアラシの英語名であるポーキュパインを縮めたものだった。彼は、いつもは自分のなかに閉じこもり、決して他人と関わろうとしない。無理に仲間に引き入れようとすると、自分の髪をかきむしり、毛を逆立てるようにして反抗してくる。そして、ひとりきりになると、決まって〈想像上の家族〉という、ひとり遊びに没頭する。

彼だけでなく、患児の多くは、それなりに〈想像上の家族〉を持っている。

離婚や失踪などで会えなくなった親を、自分のなかで理想化し、きっといつか自分を迎えにきてくれると、考えているケースが多い。

また両親がそろっている場合でも、自分の理想とする

ような親であったらと想像し、その空想のなかに遊ぶケースもある。

たいていは口に出さず、頭のなかで考えているだけだが、ポーキュのように、理想の家族が実際にいるようにふるまう子どもたちも、珍しくない。

その状態が進行すると、当の子どもは、病棟からいなくなることがあった。専門的な施設に転院したのだろうが、子どもたちのあいだでは、〈想像上の子ども〉がいると本気で考えている大人のもとへ、養子にやられたんだと、ささやかれたりした。

ポーキュの声がつづけて聞こえてくる。

「お父さん、男らしいって難しいよ。あいまい過ぎて、わかんないよ。え、男らしくなんて、無理に考えなくていいの？　でも前はいつも、男らしくしろって怒ってたよ。浮気も男の甲斐性だって、お母さんを叩いたじゃない。違うの？　間違いだったの？　そうなんだ、もう無理しなくていいんだ……」

ジラフは、隣の部屋と仕切られている壁を、拳で二度叩いた。

ポーキュの声はすぐにやんだ。

しばらくして、またひそひそと、〈想像上の家族〉との会話を楽しむ声が聞こえてきた。

「ふたりだけで、脱走するか……」

ジラフはつぶやいた。

モウルは黙っていた。

以前は、ふたりだけで逃げるつもりでいた。なのに、いまは優希という存在を抜きにしては、何もかもが虚しく感じられる。

午後になって、看護士が病室に来て、

「有沢梁平君、食堂へ来なさい」

ジラフが呼ばれた。

「面会だよ」

ジラフは、驚き、モウルと顔を見合わせた。

ふたりとも、親が面会に来ることなど、まず考えられなかった。

昨年の七月、ジラフが双海病院に入院することが決まったとき、ジラフの父親は、いい厄介払いができたという態度でいた。

確かにジラフは、入院前には、様々な行為で、父親をはじめ周囲の大人たちを嘆かせ、困惑させていた。

たとえば、小学校で飼っていたウサギや鶏を捕まえて、

ライターで毛を燃やしたり、煙草を押しつけたりした。女性教師が教える授業は、きまって騒いで、妨害した。町のなかで、煙草を吸っている女性に、石を投げたり、つかみかかったりすることもあった。

昨年の六月には、同級生のグループから、プールで裸にされそうになり、暴れて、なかのひとりに失明寸前の怪我をさせた。そのことで注意を受けたため、学校の窓をバットで割った。

ジラフは、養護の教諭や保健婦、また町の内科医からも、情緒障害だと言われた。対処に困っていたジラフの父親は、双海病院を勧められて、すぐに手続きをとった。

ジラフは、父親から、

「よくならないなら、一生病院にいろ」と言われた。

自宅は隣県の香川なのに、父親は、仕事が忙しいからと、ジラフの外泊を一度も受け入れたことがない。病院側が、今後の相談のために来るようにと何度連絡しても、今年の一月に訪れたきりだった。

その一月のおり、親子で医師の面談を受けたが、ジラフの父親は、責任者の水尾に、

「うちには、こういう血統はありません。女房の血統だと思います」

と言った。そのうえで、

「すべておまかせしますから、完全に治ったと言い切れるまで、退院させないでください」

さめた顔で言い、金が入っているらしい封筒を水尾に渡そうとした。

以来、彼は半年以上も面会に来ていない。病院からの電話にも、適当な返事しかしていないらしい。そのくせ、文句を言われないためにか、入院費だけはちゃんと払っているようだった。

まさか、離婚した母親だろうか……。

ジラフは、それを思い、しぜんと足がすくんだ。

母親だったら、どうしよう。

わかっている。殴ってやればいい、蹴ってやればいいんだ。

でも、どうして、いま頃面会なんかに来たんだろう。例の若い男と、別れたんだろうか。一緒にやり直したいと、言いにきたんだろうか……。

何度そのことを想像したか、わからない。

ごめんねと、床に頭をすりつけて泣く母の姿……自分のことを抱きしめたときの母の匂い。ようやく気づいたの、一番大切なのは、おまえよ、梁平、これからは、お

まえに一生捧げるから、という甘い言葉……。

ジラフは、激しい不安と、わずかな期待で、からだがふるえた。

「とにかく行ってみろよ」

モウルに押され、おぼつかない足取りながら、ようやく食堂に進んだ。

入口から、恐る恐るなかをのぞいた。

記憶にある母親の姿はなかった。

一番隅のテーブルのところに、大人の男女がいた。ふたりは、ジラフと目が合うと、椅子から立ち、ぎごちない笑みを浮かべた。

どちらも、三十代後半といった感じで、男は地味な灰色の背広姿。汗かきなのか、脇の下に、黒いしみができていた。小柄で丸顔、柔和な目をして、人がよさそうな印象だった。

女のほうは、やせて、面長、目のあたりが少し窪んでいた。型の古い、毛羽立ったような、桃色のスーツを着ている。気が弱そうで、自信なさげに男の隣に控えている。

「こんにちは、おぼえてるかな」

男が愛想笑いを浮かべた。

目鼻が中央に向かって、くしゃっと縮むような笑顔に、見おぼえがあった。

叔父だった。実際は、父の従弟のはずだった。父の母親と、この男の母親が、実の姉と妹の関係だった。

だが、幼い頃のジラフには、どういう関係になるのかよくわからず、面倒だったのか、父親からはたんに、

「親戚のおじさん」

と教えられていた。

だが、母のほうが、『叔父』と漢字まで書いて、ジラフに教え、いつのまにか、そのとおりにおぼえていた。

叔父の隣に立っている女性は、彼の妻だった。

ふたりに会ったのは、たぶん三度だった。ジラフの祖父の葬式の際にも、会っているらしいが、ジラフは生まれて間もなくのことで、おぼえていない。

ジラフが小学校への入学が決まったとき、彼ら夫婦が自宅に来てくれたのが、ふたりをおぼえている最初だった。

叔父夫婦は、最初に会ったときも、自信なさげな態度で、人のよさそうな笑みを浮かべていた。ジラフは、最新式の筆箱など、文房具を幾つかプレゼントされた。

しかし、その文房具は、祖母が理由も言わずに捨てて

しまった。ジラフは泣き、母も抗議した。

祖母は彼らを嫌っているのだと、ジラフは母から聞かされた。彼ら自身というより、叔父の母親、つまり自分の実の妹を、祖母は嫌っているという。

詳しくは教えてもらえなかったが、叔父は、父親が誰かわからないという話だった。

ジラフの祖父は養子に入ったため、祖母の家の、『有沢』という名字を継いだが、叔父も、彼の母親が未婚のため、『有沢』という姓だった。

ジラフは、文房具の一件で祖母と母が言い合うのを、そばにいて耳にとめた。叔父のことも話に出た。どういうことかわからなかったが、祖父と、祖母の妹とのあいだに、何かの関係があったらしいことが、聞き取れた。

潔癖症なところのある祖母が、叔父のことを、「ふしだらな女の子ども」と呼んでいたのを、ジラフはおぼえている。

父と母が離婚したのは、その言い合いから約二カ月後のことだった。

次に、叔父夫婦に会ったのは、四年前、祖母が脳梗塞で入院したときだった。

彼らは、祖母の入院生活の助けとなるものを買いそろえ、短い期間だったが、祖母の身の回りの世話もした。ジラフにも優しくしてくれ、確かレストランに連れていってくれた。結局は、父親がそんな叔父夫婦をけむたがり、喧嘩をふっかけるようにして追い返した。

最後に会ったのは、二年前、祖母の葬式のときだった。気を落として何もできない父親に代わり、葬式全般を叔父夫婦が取り仕切った。決して前に出ようとはせず、陰で誠実に働いている様子がうかがえた。ジラフにも、心配しないようにと何度も声をかけてくれた。

叔父が地元の役所で清掃職員として働いていること、彼の母親はすでに亡くなっていること、また彼らには子どもがいないということも、そのおり何かの話のついでに知った。

「元気そうだね」

叔父が言った。ジラフを迎えるように、歩み寄ってきて、

「梁平君が入院してることを、きみのお父さん、なかなか教えてくれなかったから……」

叔父は、ジラフの肩に手を置き、ジラフの頭からつま先まで確かめるように見た。深くうなずき、ジラフをテーブルのほうに誘いながら、

「ずいぶんと大きくなったね。背はそれほどじゃないけど、がっちりしてきた。立派なもんだ」

ジラフは仕方なく、彼と並んで歩いた。

叔母が、笑顔でジラフを迎え、

「見違えるくらい、たくましくなったのねえ」

感心したように言って、ジラフのために椅子を引いた。

叔父夫婦の正面に、ジラフは腰を下ろした。

「梁平君のことはね、うちではいつも話に出てるんだ。いま頃どうしてるかなぁ、学校はうまくいってるかなあって……。でも、この一年、何度かお宅にうかがったけど、いつも留守だったしね。おかしいと思ってたところに、お父さんから、ようやく事情を聞いたんだ……。じゃあ、お見舞いに行こうってことで、押しかけてきたわけさ」

叔父が説明するように言った。

ジラフは困惑していた。彼らの本当の目的がわからない。目的もないのに、誰かが自分に会いにくるなど、信じられなかった。

「ここでの生活は、どうかな」

「友だちは、できたの」

叔父夫婦が遠慮がちに質問してきた。

ジラフは答えなかった。

ふたりは、沈黙を嫌うように、次から次に言葉を継いだ。話は、どれも単純で、病院周辺の自然を讃《たた》えたり、自分の町の出来事を伝える程度のことだった。

三十分ほどして、叔父夫婦は、

「とにかく元気そうで、よかったよ」

「本当に。安心したわ」

終始変わらない笑顔で言って、椅子から立った。

叔父が、おみやげだと、紙袋をテーブルの上に置いた。

「何が好きか、わからなかったから、クッキーにしたんだよ。別に欲しいものがあれば、言ってみてくれないか。今度来るときに、持ってくるから。お菓子じゃなくてもいいんだよ」

叔母が、彼の隣でうなずき、

「病院での生活だと、いろいろ不便なこともあるでしょう？　必要なものがあれば、すぐに送ってあげるから。何でも言ってみてちょうだい」

ジラフは、首を横に振り、何も要らないと伝えようとした。

だが、穴の開いている靴下から飛び出した親指が、スリッパのなかで、急にむずがゆくなった。思わず、

「着替え……」とつぶやいた。

　叔父夫婦が、目をしばたたき、あらためてジラフの恰好を見直すような視線を向けてきた。

　Tシャツにもジーンズにも、しみやほつれが目立っている。

　ジラフは、恥ずかしさをおぼえて、

「どうでもいいけど……」

　彼らの前を離れ、食堂を出た。

「すぐに送るから。待っててちょうだい」

　叔母の声が、後ろで聞こえた。

　ジラフが病室に戻ると、

「誰だったの」

　モウルが訊ねてきた。

　ジラフは、答えず、ベッドに仰向けに寝転んだ。


　日が暮れて、外泊していた子どもたちが帰ってきた。だが夕食の時間を過ぎても、優希は戻ってこなかった。

　ジラフとモウルは、食堂に残ってテレビを見るふりをしながら、彼女の帰りを待った。

　八時を回ったところで、

「勝田君、電話よ」

　モウルが看護婦に呼ばれた。

　モウルは、驚いたが、母親のまり子かもしれないと思い直した。

　彼が入院したのは、昨年の五月だった。

　その数年前から、小学校などで問題行動を起こし、周囲の大人たちを困らせていた。

　学校のウサギ小屋や小鳥の小屋に、猫や犬を放り込むというようなことは、日常的におこなっていた。

　下級生をだまして、物置部屋や体育倉庫に押し込み、閉じ込めることも、何度も繰り返した。ある下級生の場合は、ひと晩閉じ込めたまま放っておいたため、誘拐騒ぎにまでなった。

　そうした行為がつづいたことで、昨年二月、担任教師が、罰のつもりか、

「人の痛みがわからないような奴は、くずだ」

と、モウルを物置部屋に閉じ込めた。

　モウルは、過呼吸症状を起こし、我を失い、便をして、自分のからだになすりつける行動をとった。意識障害を起こしたモウルは病院に運ばれた。

　モウルは、退院したのち、罰を加えた教師の自宅に放火した。幸い、ぼや騒ぎですんだが、モウルは児童相談

所に送られた。

児童相談所の職員の質問に、モウルは殊勝な受け答えをした。反省の姿勢も見せた。職員たちの受けはよく、すぐに帰れる予定だった。

だが、児童相談所内の一時保護所で、同室となった中学生の少年が、生意気だと、モウルを殴った。モウルは、少年が眠ったあとに、保護所の玄関先に飾ってあったサボテンの鉢を運び、少年に声をかけ、相手が目を開いたところで、サボテンを顔に叩きつけた。

専門的な病院で診てもらうべきだと、児童相談所から勧められた。

母親のまり子は、最初のうち反対した。だが、児童相談所側から、法的な処置についてもほのめかされたため、まり子と同棲していた男のほうが、厄介ごとを嫌って、入院の手続きを進めた。結局は、まり子もこれに従った。

入院以降、まり子が面会に訪れたのは、昨年の八月と十月、今年の正月と三月の四度だけだった。

夏は、からだの線がはっきり出る、ノースリーブの真っ赤なワンピースを着て、

「お母ちゃん、籍を入れたよ」

と言い、モウルの姓も、長瀬から勝田に変わったことが知らされた。

十月には、ハワイに新婚旅行に行ってきたと上機嫌で現れた。モウルに、おみやげだと、アロハシャツも置いていった。モウルはあとで破り捨てた。

正月は、派手な和服姿で現れ、これから客と初詣《はつもうで》だと言った。

三月は、小さな店のママになったと嬉しそうに報告に来て、モウルにも一万円を渡していった。看護婦たちにも、菓子折りを差し出し、看護士らには、サービスしますと店の名刺を渡していた。

その際、まり子とモウルは、一緒に診察室に呼ばれた。自宅外泊が一度もおこなわれていないため、病院側も不満を抱いていたらしく、

「うちは治療の場であって、収容施設ではないんですよ」

担当医だった土橋が告げた。

だが、まり子は、外泊については、

「夫が嫌うんですよ。なにしろ、自分の子じゃないでしょ。もう少し慣れてからでないと、結局この子の状態も、もっと悪くしてしまうように思うんです」

甘えた口調で、言い訳をした。

治療の方針については、おまかせしますの一点張りだった。モウルの症状について、思いあたる原因がないかと問われて、

「この子が不安定なのは……わたしたちを捨てていった男のせいですよ。闘争とか革命とか、頭のいいようなことを言っても、結局は、家族さえ幸せにできなかったんですからね」

と答えた。やがて愚痴もまじえて、

「あの男も実は、厳しかった親に謝ってほしかっただけなんですよ。幼い頃から抑え込まれて、大人になったら、今度は社会が同じことをしてくるものだから、親にぶつかる代わりに、突っかかっていっただけです。自分が親になったら、周りは何も変わってないのに、すっとさめて……あの頃は時代がなんて、つぶやいてたんですから。自分の親に正面からぶつかって、謝ってもらうとか、理解し合えてたら……わたしまで妙な巻き込まれ方をせずにすんだのに」

と、涙まで浮かべて、自分のことばかりを語った。

土橋も、なかば呆れながら、

「とにかく、お子さんがよくなるには、親御さんの協力が絶対に必要なんですから」

と、繰り返し説明したが、まり子は、聞く耳を持っておらず、

「入院費も稼がないといけないし、いまの夫が、またどうしようもない穀潰《ごくつぶ》しで。先生……わたし、男運がないんですよ」

最後は、土橋の膝にすがりつかんばかりになって、訴えた。

病棟内では、ジラフの父親の次に、面会に来ないことで知られているまり子だったが、それでも気が向くと、ひと月に一度くらいは、電話を掛けてくることもある。たいていは酔っていて、寂しいあまりに子どもの声を聞こうとする、自分勝手な電話だった。

モウルは、食堂を出て、ナース・ステーションの向かいに設置された公衆電話の前に立った、電話台の横に置かれた、受話器を取り上げ、

「もしもし」

呼びかけると、

「やあ、元気なのか」

男の声が聞こえた。

モウルは息をつめた。

父親のことは、何ひとつおぼえていない。

幼い頃から、何人もの男が、自分の前に立った。ときに菓子を買い与えられ、ときに頭を撫でられ、ときには小汚いガキだとののしられ、平手打ちを食ったこともある。その誰もが、本当の父親ではなかった。

難しい字が並ぶ、十数冊の本だけが、父親の痕跡だった。

母が男のもとへ泊まりつづけて、帰ってこないときなど、押入れから本を出し、辞書を引きながら、よくわからないのに読んでみた。

内容よりも、実の父が自分で選んで買ったものに、直接ふれるということに意味があった。

母が愚痴るような、責任感のない、幼稚な男ではない。いまも、ひそかに社会の改革をめざして働く、英雄としての父親像を、しばしば思い描いた。

母をもてあそぶ卑しい男たちではなく、その英雄の血こそが、自分のなかに流れていると思うことで、飢えた日々もしのげた。

その父が、いま自分に、電話を掛けて寄越したのだろうか。どうして、いま頃……もしかして、自分を迎える日が来たというのだろうか。

自分を、彼の右腕にし、革命グループのリーダーとして育ててゆくための準備が、ついに整ったのだろうか。

「元気だよ」

モウルは、喉からしぼり出すようにして、受話器の向こうに答えた。

「話すの、初めてだな」

思っていたより若い声だった。ただ、舌がうまく回っていない気がする。酔っているのかもしれない。

「きみのお母ちゃんが残した手帳に、病院の、この番号が書いてあったからな」

「会ったの……お母ちゃんに」

モウルは驚いた。

苦笑気味の声が返ってきて、

「会うも何も、夫婦だからな。ずっと一緒に暮らしてるよ。きみとは少し問題もあるから、いままで会わずに来たけどな」

モウルは自分の愚かさに気づいた。

父親などではない、英雄などではない。勝田という、名字でしか知らない男だ。

「ところで、お母ちゃん、電話口に出してくれるかな。少し用があるんだ、頼むよ」

「……いないよ」

モウルは答えた。

いったい何を期待していたのかと、唇を嚙む。

「嘘をつくのはよくないな。いるのはわかってる、そっちに会いにいってるだろ?」

「来ない」

「どうして。ほかに行くところもないだろ。それとも、どこか知ってるのか」

「出ていったの？　何をしたの、暴力でもふるったの」

「うるさいぞ……」

男の声が陰にこもる。

モウルは、受話器を握りしめ、

「殴ったから、出ていかれたの。暴力ふるって、出ていかれて、お金に困ったの？　でないと、わざわざこんなところにまで、電話してきたりしないよね」

「いい加減なことばっかりぬかしてると、ぶっ叩くぞ」

男の口調が荒くなった。やはり舌が回っておらず、

「義理だって何だって、父親には変わりないんだ。一緒に暮らしてたら、腐った性根を叩き直してやる。死ぬほど叩きゃ、病気なんぞ、すぐに治るさ。つまらないことに金を使わせやがって、こっちが遊ぶ金も切りつめてるんだ。おい、早く代われ。あとでひどいぞ」

モウルは、目を閉じて、深く息を吸い、

「あんたのは、小さいんだって?」

冷ややかに聞こえるだろう声で言った。くすくすと笑う声を相手に聞かせ、

「いままでの男で、最小記録だって、こぼしてたよ。それに、すごく早いらしいね。犬でも、もう少しもつよって笑ってた」

モウルは、言いながら、涙がこぼれそうになった。なぜだか自分でもわからないが、喉がつまりそうになる。

懸命にこらえ、

「あんたはさ、もう捨てられたんだよ。新しい男が、できたに決まってるだろ。ばかだね。せめてちゃんと働いて、優しい言葉もかけてあげてたら、小さくて早いくらい、我慢してもらえたのに……かわいそうな男だよね」

モウルは、ついにこらえきれなくなり、相手が何やら怒鳴り返してきたが、電話を切った。

看護婦の視線を背中に感じ、顔を上げずに、トイレに向かった。

「電話、お父さんだって？　よかったわね」

看護婦が言った。

トイレに駆け込み、溢れてくるものを腕でぬぐった。

トイレの個室のドアを蹴り飛ばした。個室のドアは、いつも子どもたちの誰かが何かの理由で蹴るために、いたるところがへこんでいる。

母が男のもとを出たとしても、ここに来ることはない。男が嗅ぎつけそうなところに、すぐに顔を出すような、愚かな真似はしない。

昔、アパートの部屋で、モウルがひとりで留守番をしているときにも、三度か四度、それぞれ別の男がまり子を捜しにきた。部屋は土足で汚され、押入れも荒らされて、一度は母親の行方を言えと、数回殴られもした。とばっちりを食うのは、いつも彼だった。

母が、部屋に戻ってくるのは、ほとぼりがさめた頃、深夜こっそりという形が多かった。

もう男はこりごりだよ、お母ちゃん、これからは、おまえとふたりだけで暮らすことにするよ……。

母は、モウルに背中を撫でさせ、酒くさい息を吐きつつ、何度言ったことだろう。

モウルは、もう一度トイレのドアを蹴ってから、食堂に戻った。

ジラフの視線を感じた。

モウルは、無言で、首を横に振った。

テレビ鑑賞の許された時間が過ぎ、子どもたちが病室に引き上げる時間になっても、優希は戻ってこなかった。

優希は、これまでの外泊時は、必ず両親に送られて、七時までには戻っていた。

自宅外泊をした子が、日曜までに戻らないことは、別に稀《まれ》ではない。病気や怪我で、遅れる場合もある。病院をいやがって、そのまま退院してしまうこともあった。

ジラフとモウルは最後まで食堂に残った。

看護婦ふたりが、窓にカーテンを引き、電気を消してゆく。

「戻ってきてない子たちから、何か連絡はあったの？」

ジラフは訊いた。あえて名前は挙げなかった。

「風邪や怪我で、帰りが月曜になるって、電話があったんじゃない？」

モウルがつづけて訊いた。

看護婦たちは、取り合おうとせず、

「早く病室に戻りなさい。罰点がつくわよ」

厳しい口調で言った。

食堂の明かりが、すべて消された。

ジラフとモウルは、仕方なく二階に引き上げた。

男子棟も女子棟も、それぞれの病室内は、どこも平日とは様子が違っていた。

月曜から木曜は、幾つかの事件や騒ぎがあったとしても、比較的落ち着いている。

比べて、金曜日の夜は、ひとつの大きなイベントを迎えるようなものだった。

外泊を控えた子どもたちの何人かが、興奮して高い声を上げたり、ベッドの上で跳ねたり、廊下を走り回ったりする。看護士がそれを叱りつける。外泊できない者や、家を嫌っている者も、興奮した連中を怒鳴りつけ、ものを投げるなどして、ひどい騒ぎになることがたびたびあった。

土曜日になると、これが一変する。外泊から取り残された者たちだけの、一週間のうちで、最も静かな夜になる。

ときおり、夜驚の悲鳴や、〈想像上の家族〉との会話が、静けさを破ることもあるが、潮騒の音がはっきりと聞こえてくるのは、この夜だけだった。

そして、日曜日の夜は、金曜とはまた別の喧騒《けんそう》に包まれる。

外泊した者たちが、あんな遊びをした、こんなところに行ったと、なかには嘘も混じっているのだろうが、自慢話を声高に語る。

これを妬《ねた》む者たちが、嘘つきと相手をなじり、

「おまえを捨てちゃう前の、最後の旅行だったんだよ」

などと、相手が泣くまで言葉でいたぶる。手が出ることもある。

男子の場合は、外泊者が、ヌード雑誌などを持ち帰ってくることも多い。そうした雑誌は、ぼろぼろになるまで、子どもたちのあいだを回される。

ジラフとモウルが病室に戻ったときも、向かって右奥のベッドのカーテンが閉められ、くすくすと笑い合う声がなかから聞こえた。

同室のふたりは、ともに中学一年生で、向かって左奥のベッドを使っているのが、ラクーン。アライグマの英語名で、何度も手を洗わずにはいられない症状を抱えている。彼はいまベッドにはいない。

カーテンの閉め切られた、向かって右奥のベッドを使っているのが、オスト。ダチョウの英語名、オストリッチを縮めたものだった。勉強も作業療法も、少しつらくなると放り出し、漫画や雑誌に逃げてしまう。単純な意見を求められても、すぐしり込みをして、机の下に頭を

隠すなどする。そのため、英語で現実逃避の俗語となっているダチョウが、あだ名にされたらしい。

ほどなく九時になり、消灯を知らせる音楽が、天井のスピーカーから流れてきた。

各病室から、ばたばたと就寝の準備をする気配が伝わり、廊下を走り回る音も聞こえた。

音楽が終わる頃には、とりあえず病棟内は静まった。看護士詰所にあるスイッチによって、各病室の電気が一斉に消された。廊下の明かりだけが、室内をわずかに照らす。各病室内での、ひそめた笑い声や、ささやき声は、なおつづいていた。

ジラフとモウルは、それぞれ自分のベッドに横になり、カーテンを閉め切らずに、階下の様子に耳をすました。

奥のベッドでくすくす笑う声がうるさいため、

「見るなら、黙って見ろよ」

ジラフが注意した。

笑い声はすぐにやんだ。

相手は年上だが、以前ジラフとモウルが組んで、ふたりとも締め上げている。

奥のカーテンが開く音がした。ラクーンがわき目もふらず病室を出てゆく姿が、カーテンの隙間から見えた。手を洗いたくなったのだろう。

「皮がむけないよう、気をつけなよ」

モウルは一応声をかけた。

十時になると、さすがにどの病室も静かになった。

ラクーンも自分のベッドに戻り、オストのベッドからは寝息が聞こえてきた。

ジラフとモウルは、カーテンの隙間に耳を向け、階下の動きをうかがいつづけた。

消灯以降、誰かが病院に戻ってきた様子はない。病棟の玄関は、夜の七時に鍵がかけられる。外からは、ナース・ステーションにつながるインターホンを鳴らさなければならない。そのおりのチャイムの音や、玄関先で挨拶する声などは、耳をすませていれば、聞き取れるはずだった。

病室の壁に掛けられた時計の針が、十一時に近づいた。

ジラフとモウルは、どちらともなく、ため息をついた。

そのとき、チャイムの音が、かすかに聞き取れた。

ふたりは身を起こした。ベッドから降り、首を廊下に突き出して、階下に耳を傾ける。

階下のナース・ステーションから、二階に向かって、看護士を呼ぶ声がする。

「いま手が離せないんです。玄関、お願いしまーす」

階段脇の詰所から、夜勤の看護士が出て、階段を降りていった。

ジラフとモウルは、足音を忍ばせ、廊下を進んだ。詰所では、もうひとりの看護士が、机に向かって、何やら熱心に書いているところだった。

詰所の前を横切って、階段の踊り場まで降りた。

玄関を開ける音につづき、

「こんな時間になって、申し訳ないです」

男の声が聞こえた。

病棟内が静まっているため、ふたりのところにも声がよく届く。

「この子の弟が、高い熱を出しまして……家を出るのが、遅れたものですから」

「大丈夫ですよ。久坂優希さん、ですね？」

看護士の確認する声が聞こえた。

「はい。で、ですね、わたくし、いまからまたすぐに車を走らせないと、家に帰れないもので……十一時四十五分の、最終のフェリーに乗りたいんです。勝手なことばかり申し上げるようですが」

「わかりました、あとはおまかせください。自宅外泊中に、何か変わったことはございませんでしたか」

「大丈夫です。ただ」

「はい？」

「左腕に、少し怪我をしまして……。古傷のところなんですが、ちょっとまた切ってしまって……」

「深いんですか」

「いや、それほどでも。しかし、こちらに戻ってくる途中のことだったものですから、ハンカチで応急処置をするくらいしかできなくて……あ、優希っ」

廊下を走ってくる足音が聞こえた。

ふたりは身を乗り出した。

優希の姿が見えた。ふたりの前を通り過ぎ、彼女の病室のほうへ駆けてゆく。

一瞬だったが、顔に仮面をつけているのかと思った。色が青白く、頬から顎のあたりが突っ張っている。泣いてでもいたのか、まぶたが少し腫れぼったいようなのに、大きく目を見開き、そのくせ瞳は虚ろな感じだった。

怪我をしたという左腕には、手首からやや肘寄りのあたりに、白い布が巻かれていた。

「車のドアで、はさんでしまったんですよ。大したことはないと思いますが」

彼女の父親だろう、とりつくろった印象の、明るい声が聞こえてきた。

「これが、着替えが入っているバッグです」

「お預かりします」

看護士が答えた。

「じゃあ、よろしくお願いします」

ジラフとモウルは、身をかがめて、一階に降りた。

玄関から出てゆく優希の父親の背中と、見送る看護士の後ろ姿が見えた。

ナース・ステーション内に誰もいないのを確かめてから、ふたりは優希の病室のほうへ踏み出した。病棟がくの字の形になっているため、奥へ進めば、玄関先からは見通せないはずだった。

階段脇のトイレのなかから、出てきなさいという看護婦の声と、ドアを苛立たしげにノックする音が聞こえてきた。その向かいの病室からは、誰もわたしを好きじゃないのと泣く少女の声と、それを慰める看護婦の声が聞こえてきた。

ジラフとモウルは、優希の病室の前に立った。周りを確かめ、そっと病室内をのぞいた。

四台のベッドは、それぞれカーテンによって隠され、内側の様子はまったくうかがえなかった。ただし、優希のベッドを囲むカーテンだけは、いま閉められたばかりだからか、まだ少し揺れていた。

カーテンの内側から、妙な音が聞こえてきた。

食いしばった歯のあいだから洩れてくる、苦しげな息づかいのようだった。ベッドのシーツをかきむしってでもいるのか、布のこすれる音も聞こえる。

カーテンにさえぎられているにもかかわらず、傷ついたいきものが、必死に痛みに耐えている姿が、ジラフとモウルには見える気がした。

苦痛を自分の内側に抑え込もうと努めている、彼女の想いが、カーテンの揺れと重なって、波のように、ふたりの心に寄せてくる。

玄関に出ていた看護士が、こちらに近づいてきながら、看護婦の名前を呼ぶ声が聞こえた。

「久坂優希さんが、帰ってこられたんだけど、腕を怪我してるらしいんですよ。看てあげてくれますか。なんなら、ぼくが看ますけど」

ジラフとモウルは、ほとんど発作的に、看護士の声がしたほうに向かって走りだした。

看護士は、階段前のあたりで、トイレから顔を出した

看護婦と話していた。ジラフとモウルは、トイレの前を駆け抜け、看護士にぶつかっていった。できるだけ優希の病室から遠ざけるため、ナース・ステーションのほうへ押した。

「なんだ。よさないか、やめなさい」

看護士は、突然のことに驚いてか、ほとんど抵抗しなかった。ふたりは、彼をナース・ステーションのカウンターに押しつけた。

看護婦が、トイレから出てきて、

「どうしたの、あなたたち」

悲鳴に近い声で叫んだ。

ジラフとモウルは、看護士から離れ、カウンターの上の、書類や卓上カレンダーを払い落とした。優希にできるだけ時間を与えたかった。

女子棟の子どもたちの何人かが、騒ぎを聞きつけ、廊下に出てきた。

ふたりは、止めようとする看護士たちの手をすり抜け、玄関に走った。ドアに取りつき、鍵を開けて、外に飛び出す。

スリッパを脱ぎ捨て、裸足で敷地内を駆け抜ける。サービス棟と洗濯棟のあいだを通って、外来棟の正面玄関に出た。駐車場から正門のほうに視線を走らせ、優希の父親の車を探した。動いている車は一台もなかった。門の外に目をやった。町までつづく直線の道の遥か遠くに、赤いランプがまたたくのが見えた。

優希の父親が何をしたかは知らない。

ただ、カーテンのなかから溢れてきた感情が、いまは、彼らふたりのものとなっていた。自分たちの苦痛と憎しみのぶつけどころが、彼方に去ってゆく車のなかにあると、直観的に感じていた。

ふたりは、とっさに玄関脇の植え込みに転がっていた石を拾い、彼方のランプめがけて投げた。石はふたつとも門の外へも届かず、赤いランプも視界から消えた。

ふたりは急に力が抜けた。膝から落ちるように、その場に座り込んだ。植え込みに、ケイトウの花が咲いていた。毒々しいほどの赤い色が、いまは憎らしい。だが、手折る気にもなれなかった。

真夜中なのに、病院の明かりで昼間と勘違いしたらしく、山側のところどころで蟬が鳴いていた。

蟬の鳴く声の合間には、波の音が聞こえる。

ふたりは腕をつかまれた。

看護士と守衛だった。腕をねじられ、痛みに思わず前

のめりになった。歯を食いしばって、悲鳴はこらえた。許しも乞わず、看護士に何を言われても黙っていた。

看護士と夜勤の医師が話し合い、ふたりは保護室入りを命じられた。よほどのことがないかぎり、保護室が使われることはない。ジラフとモウルが入るのも、それぞれ入院当初に暴れたおり、入れられたのにつづいて、これで二度目だった。

保護室は、第八病棟の二階、北側の端に、二部屋ある。壁全体に、怪我をしないよう水色のラバーが張りめぐらしてあり、ベッドと、隅にトイレが備えられていた。ドアには外から鍵がかかった。

ふたりはひどく疲れていた。文句を言う気力もなく、ベッドに横になると、すぐに寝入った。

翌朝、ふたりは土橋に起こされた。幾つか質問されたが、暴れた理由など、ほとんど何も答えなかった。

「規則に従えないのなら、ここで生活してゆくことを、考え直してもらわなきゃいけないよ」

最後にそう注意されたときだけ、ともに神妙にうなずいた。

保護室を出ることを許され、それぞれ顔を洗ってから、食堂に入った。

優希はいつものテーブルに座っていた。

食事の盆を前にしていたが、表情に生気はなく、目は充血していた。綿のパンツと半袖のポロシャツを着ていた。左腕には、新しい包帯が巻かれていた。

優希は、機械的にパンや牛乳を口に運び、食事が終わると、静かに病室に戻っていった。やがて、教科書を持ち、ジラフとモウルの前を通り過ぎて、分教室へ向かった。

授業中も、昼食のために病棟に戻って再登校するまでのあいだも、彼女はひと言も発言しなかった。ジラフとモウルのことも見ようとしなかった。まるで操り人形のように、ただスケジュールどおりに身を移してゆくだけの彼女を、ジラフとモウルは怪しんだ。

午後の授業が終わり、ジラフとモウルは彼女に話しかけようとした。だが、ふたりの呼びかけにも、優希は振り返らず、いち早く教室を出ていった。

ジラフは、彼女の姿を見送って、

「何があったんだよ」とつぶやいた。

「入院した頃に、戻ったみたいだよね」

モウルは首を傾げた。

ふたりは、病棟に戻って、病室に教科書を置き、グル

ープ・ミーティングをおこなう大会議室に入った。先に帰ったはずの優希の姿はなかった。

ミーティングがはじまる五分前になっても、優希は現れなかった。

ふたりは、トイレに行くふりをして、一階に降りた。ナース・ステーション内で立ち働く看護婦の目を盗み、優希の病室をのぞいた。誰も残っていなかった。

ふたりは、こっそり玄関に進み、優希の靴箱をのぞいた。

スリッパが残されていた。

ふたりは、音をたてないよう気をつけて、それぞれの靴を手に持ち、外へ出た。

外来棟の待合ロビーや売店にも、正面玄関の外にも、彼女の姿はなかった。受付カウンターには職員がおり、駐車場の脇には、守衛もいる。彼女が外へ出れば、すぐに見つかるはずだった。

ふたりは、引き返して、分教室のなかや周囲を確かめた。ふたたび第八病棟の玄関先まで戻って、裏手へ回ってみた。

病棟の建物と、病院敷地を囲む塀のあいだには、五メートルほどのスペースがとられ、一定の間隔でサルスベリの木が植えられている。

サルスベリは、つるつるとした幹から、葉の茂った枝が伸び、三、四センチ程度の濃い桃色の花が咲きはじめていた。

ふたりは、サルスベリの花の下を通り、小走りに奥へ進んだ。猫の鳴く声が聞こえた。足を速めた。浄水タンクの前に出た。

付近にも、優希の姿はなかった。

猫の声が、今度はすぐそばで聞こえた。ふたりはあたりを見回した。

二基ある浄水タンクは、高さ、幅、奥行きとも三メートル前後の、ほぼ正方形をしていた。土台はコンクリートで固められ、周囲は金網のフェンスで囲まれている。そのフェンスの内側に、よく見かける野良猫がいた。

いつもは寝転がってばかりいる野良猫が、珍しく起きて、不思議そうにタンクを見上げていた。

ジラフとモウルも、つられてタンクを見上げた。

ビルの二階の高さと変わらない浄水タンクの上に、優希が立っていた。

彼女は、以前、退院して山に登ると言ったときに見やった、南東の方角に顔を向けていた。

表情にはやはり生気がなかったが、焦点がどこにも合っていない目を、大きく見開いている。危険な予感がして、

「何やってんだよ」

ジラフは優希に叫んだ。

「降りてきなよ」

モウルは手を振った。

タンクにのぼり、彼女を降ろしたほうがいいか迷い、互いの顔を見合わせた。

「行くか」

ジラフが言い、

「行こうよ」

モウルが答えた。

ふたりはフェンスに手をかけた。

そのとき、タンクの上部で、どんと金属の板を踏みつけるような音がした。

猫が鳴いた。

ふたりは顔を上げた。

タンクの上に、優希の姿はなかった。

第九章　一九九七年　晩夏

1

夜明け前の、冴えた空気のなかに、木の焼け焦げたような臭いを感じ取る。

濃い藍色の空を背景にして、家々の屋根の向こう側に、白い煙が立ちのぼっていた。

煙はぐにゃりとねじれ、屋根は上下に伸縮する。道路はうねって、波のように沈んでは盛り上がる。

優希の目に、世界は微妙にゆがんで見えていた。

ひと足踏み出すごとに、世界が、あるいは自分が揺れている気がする。胸がむかつき、鈍い吐き気がつづいていた。

背後から足音が聞こえた。数人の人影が彼女を追い越し、住宅街のあいだの狭い道に入ってゆく。

道の先からは、喧騒の雰囲気が伝わってくる。

同じ道から、逆に何人もの人間が出てきた。あたりはまだ暗く、はっきりとは表情もうかがえないが、興奮している声で、

「消防が来る前から見てたからさ、火柱も高く上がって、けっこうすごかったぜ」

別の声は、つまらなそうな口調で、

「わざわざ起きてきたのに、ロープが張られて、近づけないんだものな」

彼らのほとんどが、パジャマやトレーニング・ウェアなど、寝巻のまま外に出てきたような恰好だった。

夜も明けきらないのに人の出入りが激しい道に、優希も角を曲がって入っていった。

五十人近い人間が、二十メートルほど先に集まっていた。全員こちらに背中を向け、その多くが背伸びをして、

「どうなってんだ」

「もう消えたのか」

などと、苛立たしげな声を上げている。

道がやや下り勾配になっているため、人々の頭の上から、かろうじて前方がのぞけた。

道を五、六十メートル進んで、右に曲がれば、優希の自宅に通じる私道となるはずだった。いま、その私道への進入をふさぐ形で、消防車が二台、手前に救急車が一台、さらに手前と奥にパトカーが一台ずつ停まっている。

人々の前にはロープが張られ、制服警官たちが、入らないようにと、かれた声で注意していた。ロープの内側に建つ家々の窓からは、住人たちが顔を出し、前方の成り行きを見守っている。

だが、優希のいるところからは、燃えている家はもちろん、炎の一端も見えない。

人々が、何も起きそうにないのにじれてか、少しずつこちらに戻ってくる。逆に、優希は前に進んだ。

人々は、優希を見て、なぜか驚いたように道をあけた。

優希は、さほど人とぶつからずに、人々の先頭に出た。

ロープをくぐろうとして、

「入らないでください」

制服警官に注意された。

優希が答えようとする前に、

「あれ、看護婦さん?」

優希は、相手の戸惑った様子に、みずからをかえりみた。

白衣を着て、スニーカーをはいている。老年科病棟では患者を抱えることが多いため、ナース・シューズでなく、スニーカーを選んでいた。頭にもふれ、ナース・キャップをかぶったままなのがわかった。

優希は、うまく言葉が出ず、

「なかに」とだけ言った。

警官は、何をどう勘違いしてか、素直にロープを上げてくれた。

優希は、おぼつかない足取りで、自分の家に向かって進んだ。

手前のパトカーの周囲で、記者だろうか、腕章を巻いた人間が五、六人、警官から何やら説明を受けていた。声は聞こえない。上空で、ヘリコプターの音が響いていた。

優希は、怪しまれることもなく、パトカーの前を通り過ぎた。隣に停まっていた救急車の、後部のドアが開き、救急隊員が、ひと組の中年男女の顔や手に、手当てをほどこしていた。救急車内からの明かりで、付近は比較的明るかった。

額に絆創膏《ばんそうこう》を貼られていた女性と、優希は目が合った。

「あら、優希ちゃん」

隣の岡部家の主婦だった。

彼女は、パジャマ姿で、優希のもとに駆け寄ってきて、

「優希ちゃん、あなた、大変よ」

裏返った声で言う。彼女は、優希の前に立って、目を

しばたたき、

「あなた、病院からそのまま来たの？　いつ知った？」

優希は、返す言葉も思い浮かばず、ただぼんやりと、少しいやな臭いがすると思った。目の前の主婦の髪が、少し焼け焦げていた。

岡部家の主人の案内で、中年の制服警官が優希のほうへ近づいてきた。

「久坂さん、ですか」

警官が、いぶかしげに優希を見て、声をかけてきた。

「そうなの、久坂さんちの娘さん。川崎の多摩桜病院に勤めてるの」

優希でなく、岡部家の主婦が答えた。つづけて彼女は、優希に向き直り、

「あなた、聡志ちゃんのこと、聞いた？　どこにいるか、知ってる？　あの子、恐ろしいことを……」

すかさず彼女の夫が、

「おまえはでしゃばるんじゃないよ」とたしなめた。

「何を言ってるの、うちだって、もう少しで家がなくなるところだったのよ。わたしが起きなかったら、一緒に死んでたかもしれないんだからね」

彼女が興奮した面持ちで言うのを、夫は腕を引いて遠ざけた。

彼女はなおしゃべっていたが、優希の耳には届かなかった。耳の底で、ヘリコプターの音とはまた別の、低い地鳴りのような音がつづいている。

「こちらに、いらしてください」

警官に、肘のあたりをふれられた。優希は、前に踏み出し、彼女の家のほうへ歩いてゆく警官の後ろに、ついて歩いた。

消防車に近づくと、水の匂いを感じた。雨が降ったときのそれではなく、手に受けた水道の水に、顔を近づけたときの匂い。シャワーを浴びた瞬間、足もとからのぼってくる匂い。車の周囲は、実際ひどく濡れていた。

消火服を着た消防隊員が、優希の家のほうへ駆けてゆき、また戻ってくる。声も慌てた様子もなく、動きに緊張感が欠けているようにも感じられた。

自宅に通じる私道に入った。消防車の屋根に備えられたライトが、前方を煌々《こうこう》と照らし出している。

幅が三メートルほどの私道に沿って、左右五軒ずつ家が並び、突き当たりに、優希の自宅があるはずだった。

だが、家が建っていた場所には、黒く焼け焦げた、家の骨組みが残されているだけだった。

縦に立つ柱と、横に渡された梁《はり》、屋根の小屋組の形がむき出しになり、いたるところから、水滴がしたたっている。ぶすぶすという音がかすかに聞こえ、そこここで白い煙が立ちのぼっている。

木の焼け焦げた臭いのほか、ビニールや革など、様々なものが燃えた際の臭いが混じり合って、あたりに満ちている。空気も熱っぽく、吸い込むたび、喉がいがらっぽく刺激された。自宅までの道は、豪雨のあとのように濡れ、あちこちに水溜まりもできている。

「火はほとんど消えたようです」

優希を振り返って、警官が言った。立ち止まった彼女を気づかうような柔らかい口調だった。

自宅前には、消火ホースを抱えた消防隊員が待機していたが、もう放水はされていなかった。防火服を着た隊員の多くは、焼け落ちた家のなかや、隣の家との境を、丹念に点検している様子だった。

「ご近所の方々の被害は……」

優希はかろうじて訊ねた。

「ええ。不幸中の幸いと言えばいいのか、類焼は免れ、軽い火傷をされた方が数人いる程度です」

警官が答えた。

優希の目にも、自宅は全焼の状態だったが、両隣の家をはじめ、近所の家々には被害はないように見えた。自宅の裏は、塀をはさんで、更地の駐車場となっているため、そちらも被害は少なかったのではないか……。せめてもの救いだった。

うながされて前に進み、自宅まで四、五メートルというところで、

「ここでお待ちください」

警官の指示を受けた。

焼け残ったコンクリートの門前に、ヘルメットをかぶった救急隊員がふたり、無人の担架を脇に抱えて立っている。

骨組みだけの家のなかで、ときおり光がひらめく。写真を撮っているらしい。影になっているところも、フラッシュによって照らし出される。白く浮かび上がる家の端々を見つめるうち、ふと、かつての自分たちの姿が見える気がした。

十七年前に越してきて以来、家族三人で、なんとか暮らしてきた家だった。燃えてみて初めて気づくが、驚くほど敷地は狭く、家全体の骨格も頼りなかった。

この小さな入れもののなかで、表面上おだやかにとり

つくろいながら、深いところでぶつけ合った愛情や憎しみ、隠しつづけられた秘密、守ろうとした絆のことを思う。失われたものは、家一軒など及びもつかないほど、大きいものだった。

「お宅には、誰がいらっしゃいました」

さっきまでとは違う声を聞いた。

目を戻す。すぐそばに、先の制服警官と並んで、消防署の制服を着た、年配の男が立っていた。制帽の脇からのぞく鬢《びん》は白く、皺の深い顔や、姿勢よく立つ全体のたたずまいにも厳しいものが感じられた。現場の責任者のように思われた。

「この家の、娘さんだそうですね？」

あらためて年配の男が訊いた。

優希は小さくうなずいた。

相手は、頭を下げ、

「お気の毒です。懸命に消火に努めましたが、類焼を防ぐのが精一杯でした」

「ご苦労様でした」

優希は深く礼をした。相手の目は見られなかった。

「おつらいことと思います。ご家族は、お母様と弟さんの、三人だと、ご近所の方に聞きましたが」

はい、と優希は答えた。確かな声にはならなかった。

「どなたが、お宅にいらっしゃいましたか？」

「たぶん、母が……」

「お母さんだけ？　弟さんは？」

優希は、一瞬ためらったのち、首を横に振り、

「……わかりません」

「お宅にいたかどうか、わからないということですか。それとも、いまどこにいるかわからないと……？」

相手の強い視線を感じる。優希は答えられなかった。

男は、優希の動揺を察してか、言葉をひとつひとつ正確に伝えようとするような、丁寧な口調で、

「聞かれた、とは思いますが、ひとまず火は消えました。ですが、火というのは、悪賢いところがあります。消えたふりをして、壁の裏や、焦げ跡の底などに隠れ、機会をうかがっていたりします。油断をすると、ふたたび燃えだす危険がある……。で、いま詳しく調べているところです。明るくなれば、火元の調べも進むでしょう。ただ、今回の火事については、目撃者がいます。放火の疑いがあります。そのことは、また警察から話があるでしょう。ともかく、誠に申し上げにくいことですが……焼け跡の、居間と思われる場所で、おひとり、亡くなられ

ている方がいらっしゃいました」

相手は、優希の返事なり、表情なりを待つ間を置いた。優希はどんな反応も返せなかった。何かを考えるということができない。水の匂いや木の焦げくささも、一切感じなくなった。

男は、軽く咳払いをして、

「亡くなられた方のことですが、状態が、あまりよろしくないものですから、あなたに確認していただくことになろうかと思います。その際どうか落ち着かれますように。そのあと解剖にも回されますので、よろしくご理解ください」

優希は違和感をおぼえた。目の前の男に視線を戻し、

「解剖……?」

「ええ。やはり、変死にあたりますから。看護婦をなさっているそうですね。お姿からも、そのようにお見受けしますが……ですので、解剖については、ご納得いただけますでしょう。ところで、直接お勤め先から来られたんですか。どちらから、連絡があったのですか」

「だめです……」

優希は首を横に振った。焼けた家に視線をやり、

「もういいじゃないですか……これ以上、もういいじゃないですか……」

解剖のことを考えていた。解剖というものが、死者の尊厳を傷つけるものではないことは、頭では理解している。それでも、つい喉がつまり、声がかすれる。相手がいぶかしんでいるのはわかった。だが、訴えずにいられない。

「もう充分です……」

もう何も知りたくない。知られたくない。真実が、つねに人を救うわけではない……。

焼けた家のなかから、人を呼ぶ声が聞こえた。優希に話しかけていた男が、振り返って返事をした。優希に待つように言い置いて、警官とともに、駆け寄ってゆく。

優希の家の、居間があったあたりに、人が集まり、何やら話し合われる様子だった。消防隊員のひとりが、屋根の骨組みや梁を指差し、首を横に振った。危険だと伝えているように見えた。

門前に待機していた救急隊員が、家のなかに呼ばれた。優希はしぜんと前に足を進めた。

写真が何枚もつづけて撮られる。

「よし、もういいだろう。崩れてきたら、元も子もないからな」

先の、責任者らしき男が言った。

救急隊員の用意した担架が、床に置かれた。周囲にいた男たちが身をかがめた。手袋をした数人の手によって、慎重に、等身大の黒い物体が持ち上げられ、担架の上に移されてゆく。

優希はすぐそばまで歩み寄った。

写真のフラッシュがたかれた。

担架の上の、人の姿が浮かび上がった。

優希は確かにその人を見た。視界がぼやけ、闇に閉ざされた。


蛍光灯のまぶしさに、目をしばたたいた。

周囲がすべて白いことに戸惑った。

いったん目を閉じ、意識して深呼吸を繰り返す。

手や足、背中などの感触で、自分が寝ていることを理解した。マットレスの柔らかさ、シーツの冷たさをおぼえ、ベッドの上にいるのだろうと察した。

目を開き、首を起こした。左腕に針が刺さっている。ベッド脇の、支柱に下げられた点滴の袋とつながっている。嗅ぎなれた消毒薬の臭い、横に並んだ無人のベッド……ひとつひとつ確認して、病院の処置室だろうと判断した。

優希は、上下二部式の、清潔な入院着を着ていた。その下を確かめると、自分の下着を身につけている。

たぶん自宅前で気を失ったのに違いない。近くの病院に運ばれ、入院着を着せられ、簡単な検査なり、処置なりを受けたのだろう。

窓を見た。薄明るくなっている。

ドアのない出入口の上部に、時計が掛かっている。六時十分前だった。

「あら、気がついた」

背の低い、丸々とした印象の看護婦が入ってきた。年は四十歳前後だろうか、人のよさそうな笑みを浮かべ、

「大丈夫？　どこか痛むところはない？」

優希はうなずいた。

頭は、霧がかかったように、ぼうっとしている。思考が深いところへいたらず、目の前で展開する事態に、単純に反応することしかできそうになかった。

「なんだか、お世話をかけたみたいで……」

ようやくそれだけ言う。

相手は、手を大げさに振って、

「何もしてないのよ。白衣が汚れていたくらいで、これ

といった傷はなかったもの。簡単な検査だけど、問題もなかったみたい。気分は悪くない？」

「ええ……」

優希はほほえもうと努めた。うまく笑えた自信はない。

「ここは、なんて病院ですか」と訊ねた。

看護婦が答えた名前は、自宅から車で十分ほどの、武蔵小杉の駅前にある総合病院だった。

「よくは聞かなかったけど、お宅が火事だったんですって？　大変ねえ」

優希は黙っていた。相手の言葉を正確に受け止め、噛み合った答えを返すということができそうにない。言葉の意味するところを考え、想像しようとすると、動悸が激しくなり、息をするのもつらくなる。

看護婦は、点滴が終わっていることを確認して、優希から針を抜く作業にかかった。

「多摩桜病院に勤めてるのね？」

いきなり訊かれて、戸惑った。相手も察してか、

「白衣に名前が」と言った。

多摩桜病院の白衣には、胸のところに薄く、名前がローマ字でプリントされている。

「あの病院には、看護学校時代の同期が、何人か勤めてたの。あなた、何科？」

「老年科です」

相手は、驚いた顔で、

「老年科には知り合いがいないけど、絶対に必要な科だって、ずっと羨ましく思ってたの。実際、扱っている病院が少ないでしょう。うちもだめなのよ」

彼女は、点滴の始末を終えて、部屋の外をうかがった。問題なかったのか、優希の隣に椅子を持ってきて腰を下ろし、

「わたしも、老年科に入れるなら、多摩桜に移りたいって思ってるくらい。向こうが断るかもしれないけど」

「いえ」

優希は薄く笑みを返した。

「入院が長いと、病院の収入が減るから、結局はお年寄りを追い出すこと、しがちじゃない。リハビリ次第で機能が回復する患者さんも、少なくないはずなのに」

「ええ……」

優希は、話に集中することで、内側の苦痛を忘れようとした。

看護婦は、鬱憤がたまっているのか、前かがみになって、

「でも長い目で見れば、高齢者の病気をしっかり診たり、機能を回復させたりする施設が充実しているほうが、実質の経済効果は上がるんじゃないの。人は、生まれて、成長して、老いて死ぬまでがひとつのサイクルでしょ。これまで大事にされてきたのは、人生の一部分だけだと思わない。仕事で社会に貢献できる人間を、どう育て、どう活かすかってことが、一番の目標のように言われてきたんじゃないかしら。病気や障害を抱えた人への社会の視線も、似た感じがあるでしょ。けど、人間って、何々しなければ認められないって、そんな軽い存在？　病院にいると、わかるけど、ただ生きていてくれるだけでも、救われる患者さんの家族って、すごくたくさんいるんだから……」

優希はうなずいた。

重病者の看護、痴呆症状を起こした人の介護は、つらく、大変で、恨み言がつい洩れることもある。だが、生きて、そこに存在していてくれるだけで、家族だけでなく、他人にとっても、救いとなることはとても多い。

「でも、頭ではわかってても、ついばかなこと言っちゃうのよ。うちの子、いま小学校六年と、中学二年。勉強できなくたって、思いやりのある優しい子になってほしいって、いつも思ってるの。でも、口から出ちゃってるのね。もっとしっかりしないと、年とってから苦労するのよ、社会で生き残っていけないよ、なんて……」

彼女は苦笑を浮かべた。小さく吐息をつき、

「子どもに、将来の不安をかきたてるようなことしか、言えてないの。自分で自分がいやになっちゃう」

「……わかります」

優希は答えた。

看護婦は、照れたように笑い、

「こういう話、病院の人とはしないというか、できないから、恥ずかしいけど」

「いいえ」

「でも、安心させるようなこと、もっともっと子どもに言ってあげたいのは、本当よ」

いい加減でなくうなずこうとしたとたん、志穂から言われた言葉が、子どもの頃から、つい最近のことまで、順序もばらばらによみがえってきた。

抑えていた感情が、ふるえはじめる。慌てて口もとに手をやった。

そのとき、部屋の外で、声が聞こえた。看護婦が立っていった。優希はとっさにシーツで顔を押さえた。わざ

と咳をして、こみ上げてきた嗚咽を払った。

看護婦は、しばらくして優希のもとに戻ってきて、

「何か必要なもの、ある」

優希は、半身を起こして、自分の姿を見直し、

「白衣はどうしたんでしょうか」と訊ねた。

「かなり汚れてたから、うちのリネンに回したの。仕上がるのは、夕方になると思うけど」

「ありがとうございます。あの……ポケットのなかのものは」

「あ、そこに。誰も手をふれてないから」

看護婦はベッド脇の籠を指差した。

優希は籠のなかを見た。筆記具、簡単な医療器具、封筒……。

目をそらして、点滴されたあたりに手を置き、

「しばらく入院するようなことになるんでしょうか」

看護婦はほほえんだ。

「とんでもない。気分が悪くないのなら、すぐにも退院できるわよ。ただし、あなたを運んできた救急隊員の方の伝言で、警察の人が事情を聞きにくるらしいから、それまでは残っていてほしいって」

「……そうですか」

「でも、そのあと退院といっても、白衣でってわけにもねぇ……。トレーニング・ウェアみたいなものでよければ、貸しましょうか」

「よろしいんですか」

「リハビリの介助用に支給されたものが、使わないままロッカーに置いてあるの。太ってるけど、これでもサイズはMだから、合うでしょ。夏だし、トレーニング・ウェアで歩いている人もけっこういるから、おかしくないとは思うわよ」

「あと、ここのお金のことですけど……」

「事情が事情だし、同じ病院関係者だもの、あとでも平気じゃないかしら。ほかに何かない？」

「……電話を、掛けたいんですけど」

二十分後、優希は、紺色のトレーニング・ウェアを着て、同様に貸してもらった白い上履きをはき、待合ロビーの公衆電話の前に立った。

プレゼントすると言われた、この病院の設立記念のテレホンカードを入れ、おぼえている番号を押す。

六時半を少し過ぎたところだった。起きていないだろうが、ほかに仕方なく、呼び出しのコールを聞きつづけた。十回以上待って、

「もしもし」

笙一郎の声が聞こえた。

張りつめていた神経がゆるみかけ、すぐには声が出なかった。

「もしもし……もしもし……」

彼が繰り返すのに、ようやく、

「久坂です」と告げた。

「あ……どうしたの」

声は驚いていたが、寝ていた感じはなかった。

優希は、何をどう話すか、考えがまとまらない。ただ弟のことが心配で、

「聡志が……」と言った。

「聡志？　聡志がどうかしたの」

「……家が、燃えて」

「え」

「聡志を、お願い。あの子、死んでしまうかもしれない」

「……何を言ってる。何があった」

優希は、胸の奥から太い息を吐き、

「ひどいこと。とてもひどいこと……」

「ちゃんと話せよ」

「死なせてしまった……わたしが、殺してしまったの」

「……誰をだ」

「家が……焼け落ちて……」

悲鳴を上げそうになり、口を手で押さえた。

「聡志が家のなかにいたのか」

笙一郎の質問に、手のひらの隙間から、

「母が……」

ようやく答える。

「お母さん？　お母さんが、火事に……」

「聡志だけは、守って」

「どういうことか、わからないよ。聡志は、いまどこにいる」

「わからない」

「じゃあ、きみは」

「わたしは、いいの」

「どこにいるんだ、そこはどこだ」

「聡志を、助けてやってほしいの。あの子は悪くない。あの子、かわいそう……とってもかわいそうなのよ……」

優希はそれだけ言うのが精一杯だった。

あとは声にならず、笙一郎がなお話していたが、受話

器を下ろした。

2

笙一郎はあきらめて携帯電話を切った。背後を振り返った。

子安にある救急指定病院の、玄関ロビーのソファに、奈緒子が腰を下ろしていた。

彼女の体調が少しよくなり、家へ送ってゆこうとしたところだった。

「何かご用なら、わたしは平気ですから」

奈緒子が気づかうように言う。

無理に開けてもらった院内の売店で、笙一郎が買ったパジャマとサンダルを身につけ、笙一郎の背広をはおっている。汚れた和服は、同じく買ったふろしきで包み、彼女が膝の上に抱えていた。

顔色はよくなっていた。医者の許可も出ている。だが、ひとりで車に乗せるわけにもいかない。

「送ります」

笙一郎は、彼女の腕を支え、病院前に呼んだタクシーのほうへ進んだ。

夜は明けていたが、雲が厚く、むしろ夕暮れのように感じられた。

タクシー内で、笙一郎は、優希の言葉の意味を考え、奈緒子に話しかける余裕がなかった。奈緒子も、からだがつらいのか、目を閉じてじっとしていた。

奈緒子の自宅前に車をつけた。笙一郎は、運転手に待ってもらい、奈緒子が家に入るまで付き添った。

笙一郎は鞄を店に置いたままだった。奈緒子が、取ってきてくれ、玄関先まで出てくると、

「ありがとうございました」

彼に深く頭を下げた。

「本当は、もう少しそばにいたほうがいいのかもしれませんが……」

「いえ。もう大丈夫ですから」

奈緒子は薄くほほえんだ。

笙一郎も、いまは余裕がなく、

「じゃあ、お大事に……また来ます」

行きかけたところに、彼女が、あっと声を発し、

「お借りしたお金……」

笙一郎は苦笑した。

「今度来たとき、ごちそうしてください」

「あの……」

彼女はまだ話したそうだった。

「何か?」

「ひとつだけ、教えていただけますか」

彼女は目を伏せた。恥ずかしさに懸命に耐えている様子で、

「ユウキさんって方……名字はなんとおっしゃるんですか」

笙一郎は迷った。ごまかしたり、答えないことは、奈緒子をさらに傷つけるか、気持ちを追い込むだけのように思えた。なにげない口調を心がけ、

「久坂と言います。久しい坂に、優しい希望……」

「どこかに、お勤めなんですか」

「多摩桜病院というところで、看護婦をしてます」

「看護婦さん、ですか……」

「ぼくの母も、彼女のところに入院してるんです。だから、よくわかりますが、患者のために自分を犠牲にして、人の何倍も働いているような女性です。たとえば、プライベートで誰かとゆっくり会うということも、していないし、できない人ですよ」

奈緒子は、笙一郎の言葉の意図をくんだのか、かすかにうなずいた。

「とにかく、いまは何も考えずに休んでください」

励ますように言って、笙一郎はタクシーに戻った。

車が走りだすと、もう奈緒子のことは忘れた。

車のなかから、事務所に二回、聡志の携帯電話には三回、電話を掛けた。誰も出なかった。

優希の自宅付近は、交通規制が敷かれていた。途中でタクシーを降り、あと二百メートルほどのところからは、歩いた。

住宅街に変わったところはなかった。どこからも煙はのぼっておらず、消火活動をしているような慌ただしさも感じられない。

優希の家へ通じる私道の前までは、進むことができた。消防車も救急車も見当たらない。だが、神奈川県警のパトカー二台と、鑑識車両二台、ナンバーから公用車とわかる覆面車も二台、私道の入口近くに駐車していた。少し離れた位置には、テレビ局のバンも停まっていた。

私道を入ってすぐのところに、立入禁止を示すロープが張られ、内側に若い制服警官が立っていた。

ロープの前には、数人の野次馬もいたが、出社途中ら

しい服装で、ちらりとのぞいては、落胆した表情で立ち去る者が多い。

笙一郎もロープの前に進んだ。優希の家は、何度もこっそりと訪れ、よく見知っている。

だが、家があったところには、黒く焼け焦げた家の骨組みが残されているばかりだった。かなり前に鎮火したらしく、消火活動はおこなわれていなかった。

立入禁止区域の内側の一角に、マスコミ用の待機線が設けられていたが、カメラを回すテレビ局のスタッフたちにも、活気はなかった。延焼の様子もなく、いわゆる〈絵〉の力はなさそうだった。

優希の家の門前には、また別の黄色いテープが張られ、現場保存の措置がとられていた。

現場検証がおこなわれているらしい。焼け落ちた材木や、倒れた家具などに注意しながら、ヘルメットをかぶった人々が、何人も作業にあたっている。鑑識課の作業服を着た人々のあいだに、背広姿の人間も何人か混じっていた。鑑識課員でも消防署員でもなさそうだった。

笙一郎は、民事事件を扱うことが多いこともあって、もともと警察関係者に顔見知りは少ない。ロープの内側に立っている若い制服警官に、

「火災にあった家の、隣の岡部家の知り合いです。すぐに来てくれと言われたんですが……大丈夫でしょうか」

不安げな表情で話しかけた。隣家の名字は、以前におぼえていた。

顔ににきびが目立つ制服警官は、まだ眠そうな顔で、うなずいた。

「隣には燃え移っていません」

笙一郎は、切迫した口調で、

「家の者に、怪我は」と訊ねた。

「さあ……自分にはよく……」

「じゃあ、誰も怪我はしてないんですか」

笙一郎の真剣な表情に、彼も、何か答えねばと思ったのか、

「亡くなられたのは、火事にあった家の人、ひとりだけのようですが……」

「誰です」

「いや、詳しくは……」

相手が本当に知らない様子なので、

「いいですか、呼ばれたものですから」

笙一郎は当然の権利のように言った。

相手もしぜんとロープを上げた。

笙一郎は堂々とした態度で先を急いだ。

道路に水がたまっていて、踏み込むたびに水が跳ねた。木材だけでなく、様々なものが焼け焦げたらしい臭いを、空気のなかに感じる。

久坂家の隣の岡部家に、当然のように入ってゆく。久坂家の焼け残った門前に立っている制服警官が、笙一郎のほうを見ていた。

笙一郎は、インターホンを押さず、玄関ドアをノックした。警官のほうへも聞こえるように、

「大丈夫ですかぁ」

身内のような声をかけ、二度三度ノックをする。ほどなく返事があって、ドアが開いた。

「やあ、どうも」

笙一郎はなかにすべり込んだ。

玄関の内側には、六十前後の女性が戸惑い顔で立っていた。奥の居間からは、同年代の男性が何事かと顔をのぞかせている。

ふたりとも軽い火傷を負っているらしく、女性は、額と右手の甲に絆創膏を貼っていた。男性も、手や耳に手当てを受けた痕がある。

「警察の方？」

女性が訊ねる。

笙一郎は、職業柄身につけた、相手の警戒感をやわらげる笑みを浮かべ、

「弁護士です」と告げた。

一般の人々には、警察だと名乗ったのと似た効果があることを、経験的に知っている。名刺を差し出し、

「お隣の、久坂聡志君が勤めている法律事務所の者です。今回は大変でした。できるだけお力になります」

同情の想いを込めてうなずいた。相手方がやや眉を開くのを待って、

「で、今回の火災について、何か御存じですか」

笙一郎は、優希の家から車で十分ほどのところにある、総合病院に駆け込んだ。

岡部家の夫婦は、優希が救急車に運ばれるまで付き添っていたらしく、救急隊員から病院名を聞いていた。

朝の九時を回って、外来の診察もはじまったのだろう、待合ロビーには、すでに多くの人が集まっていた。

慌ただしそうな受付に進み、名刺を出して、優希のことを訊ねた。

受付の若い女性職員が、忙しいこともあってか、いぶ

かしむような表情を浮かべたのに、

「夜明け近くに、火事の現場から運び込まれてきた患者がいますでしょ。白衣姿の女性です」

職業的な声で説明を加えた。

受付の女性は、困ったように首を傾げ、

「もういらっしゃいません」と答えた。

「いないというと、退院を?」

「というのか……」

彼女は受付内を見回した。少々お待ちくださいと笙一郎に断り、部署の責任者らしい年配のやせた女性に声をかけた。ふたりは短く話し合ったのち、年配の女性のほうが、笙一郎の名刺を手に、彼の前に歩いてきた。

「失礼ですが、弁護士さんということは、久坂優希という女性の弁護というか、代理人をなさっているということですか」

年配の女性は固い表情で言った。

笙一郎は、うなずき、

「もちろん何かあれば代理人として立つこともありますが、いまは友人として、彼女のことが心配で駆けつけてきたんです。倒れて、ここに運び込まれたと聞いたものですから」

年配の女性は、表情をやわらげながらも、

「もうここにはいらっしゃらないんですよ」と言う。

「ええ、いまもそううかがいましたが……どういうことでしょう」

彼女は、多少のためらいを見せたのち、

「こういう話は心苦しいんですが、弁護士さんでしたら、彼女の医療費のことも、相談に乗っていただけますか」

「もちろんです」

笙一郎は答えた。

相手の女性の顔がやや明るくなっていた。

「では、こちらへ」

笙一郎は、受付とつながっている事務室の奥で、話を聞いた。

優希は退院したのではなく、勝手にいなくなってしまったと、年配の女性は語った。夜勤の看護婦が貸したトレーニング・ウェアを着て、公衆電話を掛けていたと思ったら、不意に姿が見えなくなったらしい。

夜勤の看護婦も自分の仕事があり、結局優希が病院からいなくなったのに気づいたのは、七時半頃だった。処置室の、優希が寝ていたベッドの上には、病院の受付に置いてあったメモ用紙が残され、『服とお金は必ずお返

しします』と書かれていたという。

「そのメモは、どこに？」

笙一郎は訊ねた。

「警察の人が持ってゆかれました」

相手の女性が答えた。

笙一郎は優希の健康状態についても訊ねた。またトレーニング・ウェアの色や特徴、所持金の有無なども確かめてから、医療費をひとまず全額負担の形で払った。


優希が病院を出たのは、笙一郎に電話を寄越してすぐに違いない。警察も丹念に捜査したというから、近くにはいないだろう。だが、トレーニング・ウェア姿で、金も持たずに、遠くへ行けるはずもない。

笙一郎は病院の周囲を捜した。流しているパトカーを何台か見かけ、あきらめた。タクシーに乗り、

「品川駅」と告げた。

中原街道を五反田方面にのぼりはじめる。

空はなお曇っていたが、蒸し暑くなってきた。いやな感じの汗が、背中を濡らす。眠気はないが、胸のあたりがむかついていた。

笙一郎は、事務所のそばでタクシーを停め、短い距離をわざとゆっくり歩いた。

事務所のビルの周囲にも、事務所の前にも、人の姿はなかった。

まだ捜査会議のようなものが、開かれている最中かもしれない。だとしても、昼までには捜査員がやってくるだろう。状況から考え、火災現場にいた背広姿の連中は、捜査第一課の火災犯捜査の人間に思われた。

事務所の鍵を開けようとした。かかっていなかった。

聡志かと思い、勢い込んでドアを開いた。

振り向いたのは、真木広美だった。

黄色いヒマワリ模様のミニワンピースが、いかにも夏らしさを感じさせる。彼女は、デスクの上の花瓶に、白いユリを飾っているところだった。

「おはようございます」

広美が明るい笑みを返してくる。

「ああ……おはよう」

笙一郎は口ごもった。部屋のなかを見回し、

「きみだけかい」

「ええ。論文試験を受けた人たちは、まだ落ち込みから立ち直ってないし、もう来年に向けて夏合宿に出た人たちもいるから、たぶん今日はわたしだけです」

広美が答えた。伊島という刑事たちが事務所に来たお

り、聡志のことで気まずいやりとりがあったが、彼女は何も問題のなかった顔で通ってきている。

「いっそドアに鍵をかけちゃいます？」

広美がおどけた表情で言う。

笙一郎は、彼女の目がまぶしく、顔をそらして、

「聡志……久坂君を、知らないか」

広美は、肩をすくめ、

「いいえ。どうやら昨夜は、事務所に泊まらなかったみたいですけど……どうなさったんですか」

「どうって……」

笙一郎は訊き返した。

「いえ、なんだかひどくお疲れみたいだから。服もそうだし、髭や髪も……イメージ・チェンジのつもりなら、似合ってないですよ」

笙一郎は、ドアの脇に置いた姿見に、視線を向けた。スーツは皺だらけで、ネクタイも髪も乱れ、不精髭が伸び、顔色も悪かった。

頬のあたりを強めにこすって、

「徹夜で準備書面を書いててね。いつものことだが、今朝はぼんやりしてこのまま来てしまった」

言い訳気味に答え、自分の仕事部屋に通じるドアを開けた。

部屋には煙草の臭いがしみついている。ブラインドの隙間から、鈍い光が差し込み、淡い光の縞を作っていた。

「どこにもさわってないよね？」

広美に訊く。

「そう言われてますから」

広美の声が返ってきた。

ドアを閉め、ブラインドを開けてから、部屋のなかを見回した。聡志が何か残していないか、痕跡を求めた。奥に進み、物置代わりの小部屋ものぞいた。伝言となるようなものは、どこにも残っていなかった。

力が抜け、デスクの前の椅子に腰を落とした。

ノックがあり、返事をすると、広美が入ってきた。

「留守番電話のメモです」

彼女が差し出すレポート用紙を、かすかな期待を持って、受け取った。すべて仕事関係のことだった。

まだデスクの前に立っている広美に、

「久坂君から、何もない？」と訊いた。

「ありませんけど……」

「警察のほうからも連絡というか、何か言ってきてないかい」

広美は、不審そうに、

「……わたしが来てからは、まだどこからも電話はありません」

「そう……」

ため息が洩れた。

広美の視線を感じる。

甘酸っぱい香りが、彼女のところから流れてくる。本来は優しい刺激となるものだろうが、むしろ神経を逆撫《さかな》でされるように感じて、

「熱いコーヒーでもいれましょうか?」

彼女の思いやりにも、

「いや。外してもらえるかな」

邪険な答え方しかできなかった。

彼女がさがったあと、煙草をくわえた。ライターの赤い炎に目を止めた。

岡部家の主婦は、優希の家が燃える前に、叫び声を聞いていた。はっきりとはしないが、男の声で、

「なんでだよぉ」

と聞こえたという。

聡志の声だと思うと、岡部家の主婦は言った。

志穂と聡志は、以前に進路のことで揉めたことがあり、似たような口喧嘩だと思ったらしい。

「嘘だ」

という、やや悲痛な感じの声も聞いたと、彼女は語った。ただし、夫のほうは何も聞いていなかった。

その後、浅い眠りに落ちていた岡部家の主婦が、妙な音に気づいて目を開けると、カーテンがほの明るく染まっていたという。

久坂家が炎上していた。

すぐに夫を起こし、彼が電話を掛けているあいだに、彼女は家の外に飛び出した。そのとき彼女は、久坂家の前に人影があるのを見た。

久坂家の門前に立ち、燃えてゆく家をぼうっと見ていたのは、

「聡志ちゃんでした」

岡部家の主婦は言った。

「間違いないですか」

笙一郎は繰り返し訊ねたが、間違いないと、彼女は答えた。

聡志は、家が燃えるのを、笑って見ていたようでもあり、泣いていたようでもあると、彼女は言い添えた。

彼女の背後から出てきた夫が、

「火事だーっ」

と叫んだ声に、聡志も我に返った様子で、慌てて走り去ったとのことだった。

笙一郎は、首を横に振り、煙草を消した。

ほかに聡志の行くあてても思いつかないため、自分のマンションに電話した。鍵など渡しておらず、入れるはずもない。わかっているのに、留守番電話につながると、機械の音声が応答している途中から、

「聡志、長瀬だ。いたら出ろ。大丈夫だから、なんとかするから……聡志、おれを信用して、すべてまかせろ。おまえは大丈夫だから……」

呼びかけつづけた。

録音時間が終わり、電話が切れてからも、しばらく受話器を握りしめていた。

3

生あくびが絶えない。

目も乾いて、まばたきを繰り返す。後頭部のあたりには、鈍い痛みがつづいていた。

草のなかから、顔を上げると、

「昨夜、本部を抜け出して、いいところにでも遊びに行ったのか」

通りかかった幸署の警部補から、冷ややかな調子で、言われた。

梁平は返事をしなかった。表情も消していた。注意していないと、怒りや苛立ちが表にあらわれそうになる。

「見落としのないように頼むぜ。草っ原に顔を突っ込んでるのも、いい加減いやになった」

警部補は蚊に食われた首筋のあたりをかきながらぼやいた。

いくら虫除《むしよ》けスプレーを使っても、一日緑地にいれば、きっと何カ所かは食われてしまう。

梁平は草のなかに顔を戻した。

昨夜、奈緒子の店を訪ねたのち、やりきれない想いで歩き回り、朝の会議に間に合うよう幸署に戻るまで、彼は一睡もしていなかった。

会議では、現場付近の捜索を、あと数日つづけるよう指示が出されていた。拾い集めた品々の鑑定も進められてはいるが、具体的に何を見つければよいのか指示がないだけに、捜査員たちのあいだには不満がつのっている。

三十人ほどの人間によって集められてゆくのは、このⅠ日も、ごみ同然のものばかりで、意気も揚がらぬまま交代の昼休みに入った。

先に休みに入った幸署の捜査員たちが、戻ってきて、

「多摩桜病院が、なんだか騒がしいよ」

同僚たちに告げた。

近くに適当な食堂がないため、現場捜索班の何人かは、病院の食堂を利用している。彼らは、病院の駐車場にパトカーと覆面車が停まっているのを見て、この事件の捜査かと思い、パトカーに残っていた制服警官に訊ねてみたという。

「うちとは関係のない事件《やま》で、火災犯捜査の人たちが動いてるみたいだな」

幸署の捜査員たちが語った。

梁平は、代わって昼休みに入り、何人かと一緒に緑地から上がった。

ポケットから携帯電話を出した。昨夜から、留守番録音に切り換えたままでいる。歩きながら録音を聞いた。

今朝から何度も、笙一郎のメッセージが入っていた。詳しい用件は言わず、

「すぐに連絡をくれ」と繰り返している。

奈緒子のことだろうと思い、あえて連絡しなかった。

梁平は、優希と会うことに気後れを感じ、これまで昼食は病院以外でとっていた。だが、病院に火災犯捜査の人間が来ていると聞いて気になり、病院前まで進んで、門の外からなかをのぞいた。

駐車場には、確かにナンバーから覆面車だとわかる車が、一台停まっていた。病院への出入りを確認しやすい位置だった。張り込んでいる気配が伝わる。

「有沢」

不意に呼ばれた。

病院の玄関前から、伊島が歩み寄ってくる。

伊島は、食堂に向かう捜索班の人間の挨拶を受け流し、梁平だけを険しい目で睨んでいた。

伊島と組んでいる幸署の巡査部長の姿は、近くには見えない。梁平が待っていると、

「電話しようと思っていたところだ」

伊島が言った。彼は、門の内側で立ち止まり、

「知ってたのか」と訊く。

意味がよくつかめず、

「昼めしに来ただけですよ。知ってたとは？」

梁平は訊き返した。

「久坂優希から、連絡はなかったか」

「いえ。なぜです」

「じゃあ、弁護士先生は？　長瀬笙一郎と言ったな」

　梁平は、答えに迷ったが、

「いいえ」

　首を横に振った。

　伊島は、険しい表情を変えず、

「おれが、今回の事件《やま》で、誰をひそかにあたってたか、知ってるよな」と言った。

　たんに伊島の勘だった。会議でも報告されていない。

　彼は、しきりにうなずきながら、

「幸署の若い奴を引き回してたから、おれも中隊長にだけは話しておいた。久坂聡志を洗ってみたいってな。そうしたら、どうだ。さっき、中隊長から連絡があった。火災犯捜査の連中が、あの家に出動したとな」

「なんの話ですか」

　伊島は、短い間を置いてから、

「久坂聡志の、家が燃えたぞ」

　梁平は声が出なかった。ただ伊島の口の動きを見つめた。

「今朝の二時頃のことだ。久坂聡志が、炎上する自分の家を見ていたところが、目撃されている。家のなかに灯油をまいて、火をつけた形跡があるそうだ。火が消えたあとには、被害者がひとり……女性だ」

　梁平は口を開けた。やはり声は出ない。

　伊島は、小さく首を横に振り、

「姉じゃない。久坂優希は、消火が終わったあとに、白衣姿で現れたらしい。消防と中原署の人間が、事情を訊いているうちに、気を失った。自宅近くの病院に運んだが、その病院からは姿を消した」

「消したって……どういうことです」

　梁平はようやく声を出せた。

　伊島は、不機嫌そうに、

「知るか。警察が事情を訊きにゆくまで、残っているようにと伝えてあったのに、勝手にいなくなったそうだ。弟と一緒にいる可能性も考えなきゃならん」

「一緒に？　どうしてです」

「ここに来たからさ。久坂聡志は」

　梁平は、驚き、

「……いつです」

「今朝の午前三時前後だ」

「調べたんですか」

「中隊長からの連絡のあと、自宅を見て、こっちに来た。火災犯捜査の連中とぶつかった。主任の沖津《おきつ》は同期だから、幾つか情報をもらえた。聡志は、時間的に見て、家の前から逃げて、そのままこの病院に来たようだ。老年科のナース・ステーションに、ぼうっとした顔で現れたのを、久坂優希と一緒に夜勤についていた、若い看護婦が見ている。身なりは、普通の夏用のスーツだったが、ずいぶん乱れて、全身から灯油くささを感じたと証言している。奴は姉に向かって、『おふくろを燃やした』とつぶやいたそうだ」

「まさか……」

「確かに聞いたと言ってる。久坂優希は、弟とエレベーターで降りてゆき、それきり戻ってこなかった」

梁平は喉の渇きをおぼえた。

「聡志は……ほかには、何か言わなかったんですか」

伊島は、首を横に振り、

「看護婦は、それしか聞いていない」

「聡志は、いまどこにいるか……」

「わからん。勤め先の事務所には、火災犯捜査の連中が連絡したそうだ。いないということだったが、ここと同じに張り込むことになるだろう」

「何のために」

「寝ぼけてんのか。死人が出てんだぞ。まず奴の母親に間違いない。確認はできていないが、奴自身が母親を燃やしたとしゃべっている」

「しかし……」

「いいか、あの母親だぞ。子どもが帰ってきたか心配して、ドアを開けたときの、彼女の姿を思い出してみろ」

梁平は目を伏せた。

「あの母親を燃やしたんだ。人間のやることか」

「ですが……まだ何もはっきりとは」

梁平の声には力が入らない。

伊島は、憎々しげに、

「確かにまだはっきりとは言えんさ。殺してから、燃やしたか、生きたまま燃やしたかな……。どちらにしろ吐き気がする。おれは言ったな、有沢」

「何をですか」

「久坂聡志は、親とのあいだに、何か病的な確執を抱えているんじゃないかと……。見ろ。この結果を見てみろ」

梁平は答えられなかった。

「伊島警部補」

背後から声がした。

幸署の巡査部長が、病院の玄関口から、こちらに駆け寄ってくる。梁平にも気づいたようだが、目礼だけで何も言わず、伊島に向かい、

「ほかに久坂聡志の目撃者はいないようです。すべて火災犯捜査の人たちが調べたあとでした」

伊島は深く息をついた。

「今後こっちと重なって、厄介なことになるぞ」

梁平の携帯電話が鳴った。

梁平は、ふたりから離れ、電話に出た。

すぐには応答がなかった。

一瞬、優希かと思い、動悸がした。すると、

「本人なのか、留守番電話じゃないんだな？」

確かめるような低い声が聞こえた。

4

川の流れを飽きずに見ていた。

人の気配を感じると、逃げるように立って、歩きだす。

やがて疲れて、また川沿いの、ほどよい場所に座り込む。

ジョギングでもしていると思われたのか、多くの人とすれ違いながらも、トレーニング・ウェア姿を怪しまれた様子はなかった。

気がつくと、日が落ちたのか、川の流れを肉眼ではとらえられなくなっていた。

土手を上がったところの街灯や、川向こうの街灯、あるいは大きな橋の明かり、橋を渡る電車や車のライトなどが、流れる水に反射し、淡い光が揺れたり消えたりすることで、川の存在を感じた。

自分がいまどのあたりにいるのか、優希はまったくわからなかった。病院を抜け出し、あてもなく歩くうち、川にぶつかり、そのまま川沿いに進んできた。運動場やゴルフの練習場などに行く手をさえぎられている場合は、土手の上や、サイクリング・コースに上がり、川からあまり離れない形で歩いた。

何度か公園の公衆トイレを利用したが、日が暮れる頃からは、行く必要も感じなくなった。食欲はずっとなかった。

聡志を捜そうと思ったこともあったが、あてがなかったのはもちろん、聡志と向き合って話すことが恐ろしく、気持ちは萎《な》えた。

もう何もできない、あの子に何もしてやれない……。

優希は、何度も両手に顔をうずめ、

「聡志……」と呼びかけた。

いつか歩く力もなくし、川のせせらぎを間近に聞きながら、草むらに身を横たえた。

頭の上には、藍色の空が広がり、暗幕に開いた小さな穴のように、光の粒が幾つもまたたいていた。

ひとつの光は、驚くほど輝きが強かった。

その輝きに見とれているうち、優希は、あの天幕を取り払って見れば……と想像した。彼方には、双海病院の裏手に広がっていた海と、正面にそびえていた緑豊かな明神山とが、隠されている気がする。

あの年の初秋、嵐に見舞われたなかで過ごした、明神の森での出来事。

クスの大木に三人で抱きつき、結ばれた絆によって、どうにか生きてゆけるように感じられた日……。

あのときに戻りたい。

だが、頭上の輝きは、あまりに遠く、手が届きそうにもなかった。

風が出てきた。次第に強まり、頭の上を黒い雲が走ってゆく。またたいていた光も消える。

不意に、大きな雲から、端のひとかたまりがちぎれ、下方に降りてきた。

ひとかたまりの雲は、馬に変わった。

黒い馬は、優希をめがけ、宙を駆けてくる。

馬は、充血した目を見開き、汚れた歯をむき出しにして、口の端からは黄色い涎《よだれ》を垂らしていた。こめかみのあたりに血管を浮かせ、四本の太い脚を振り上げ、優希に迫ってくる。

横たわった優希の目からは、馬の後ろ脚のあいだに、瘤《こぶ》のようにふくれ上がった黒い肉のかたまりが見えた。

優希は悲鳴を発した。声にはならない。

恐怖のあまり、自分の左の乳房をつかみ、心臓ごと、からだから引きちぎって、これで許してと差し出した。

馬の背に、人が現れ、鋼にも似た硬いたてがみを引いた。

踏みつぶされる寸前、馬が方向を変えた。

馬の背に乗った人は、手を伸ばし、優希が差し出したものを、すくい取るようにさらった。

馬は、流れる雲を追うようにして、ふたたび天へ駆けのぼってゆく。

優希が差し出した心臓は、小さな赤ん坊に変わってい

た。顔が優希とそっくりだった。

馬に乗った者が、長い髪をなびかせて、振り返った。若い頃の志穂だった。

お母さん……。叫ぼうとした。息がつまった。

息苦しさに、優希は身を起こした。

周囲が明るくなっており、目の前には川の流れがあった。川は、日の光を受け、こまかな波光を照り返している。空には、馬どころか雲ひとつなく、澄んだ青に晴れ上がっていた。

むろん、彼女の胸もちぎれてはいない。なのに、かけがえのない大切なものを失い、二度とそれは戻らないという、空虚で、恐ろしい感覚は、昨日よりも深いところで感じられた。

犬が吠《ほ》えるのを、間近に聞いた。慌てて立ち上がり、小走りに逃げた。しばらく進むと、野球場が見えた。笑い声が響いている。自分が笑われていると感じる。

緑地からサイクリング・コースにのぼった。背後でベルを鳴らされた。よけた拍子に、転げそうになった。自転車が脇を走り抜けてゆく。

優希は泣きたくなった。迷子のように、どこへ、どう行けばいいのかわからない。待っている人はどこか、守ってくれる人はどう見つけるのか……そんな人がいるのかどうかも、わからない。

ツツジの植え込みの陰に身をひそめ、守ってくれそうなものを求めて、トレーニング・ウェアのポケットに手を入れた。

カードにふれた。テレホンカードだった。絵柄は、病院らしい建物を背景にして、医師と看護婦が写っている写真だった。瞬間的に、双海小児総合病院のことを思い出した。

「戻らないと、罰点がつく……」

周囲を見回し、足を動かした。

サイクリング・コースを進んでゆくと、車道への出口付近に、公衆電話ボックスを見つけた。カードを使えるということに、疑いは抱かなかった。

双海病院の電話番号など思い浮かばないのに、受話器を取ると、しぜんと指が動いた。

「はい、老年科」

病棟に直通の番号を押したのか。しかし、科の名前が違う気がする。

「もしもし、どちら様」

聞きおぼえのある声だった。

婦長の面影が浮かんでくる。第八病棟の婦長の名前は……内田だったかしら。

「もしもし……」

ようやく声を返すことができた。

「久坂さんなの」

相手は驚いた声を上げた。

「はい」と答えた。

「あんた、いまどこにいるの。無事でいるの」

「……すみません」

「どうして、病院を抜け出したりしたの。早く帰ってきなさい。みんな心配して、捜してるんだよ。ショックだったのはわかるけど、お母さんのこと、ちゃんとしてあげないと、かわいそうだよ。あんたのこと、お母さん、待ってるよ」

「お母さんが、わたしを……どこで？」

「どこでって……。あんた、本当にいま、どこにいるの」

優希は、周囲を見回し、

「わかりません」

「はっきり言えないの？　言えないようなことになっているわけ？」

優希は意味がつかめなかった。

「何か都合の悪いことでもあるの？」

「わからないんです。どうしたらいいのか」

優希は病院への帰り方のつもりで訴えた。相手は、何をどう思ったのか、

「アルツハイマー病の、長瀬まり子さんの息子さん、お友だちよね。昨日、病院に来られて、あんたから連絡があったら、自分にも連絡するよう言ってくれって。あの人、弁護士でしょ。相談したらどうなの？」

「長瀬……」

「笙一郎さんって言ったっけ。弟さんが勤めてる事務所の方なんでしょ？」

ああ……ショウイチロウがいた。長瀬などと呼ばれて、よくわからなかった。彼の名字は、確か勝田のはずだった。

「もしもし、久坂さん。久坂主任補」

相手がなお話していたが、優希は、フックに指をかけ、電話を切った。

戻ってきたテレホンカードを入れ直す。ショウイチロウが、電話など持っていただろうか……疑問に感じながら、指は勝手にボタンを押していた。呼び出しのコール

を待つうち、しぜんと目を閉じた。

「もしもし」

おぼえのある声が聞こえた。

「もしもし、もしもし……どちら様？」

優希が答えずにいると、相手も黙った。短い間があって、

「優希？」と聞こえた。

まぶたで閉ざした闇のなかに、小さな裂け目ができ、光が洩れてくる。

「優希なんだな」

光が溢れて、闇が払われ、海が広がる。

潮の香りがし、明神山のほうから吹き下ろしてくる風に、背中の汗が引いてゆく。

「モウル？」

と問いかけた。

ひと呼吸置いて、

「ああ……モウルだ」

答えが返ってきた。

「モウル……あなた、いま、どこなの？」

海辺には誰の姿もなかった。延々と広がる砂浜に、おだやかな波が寄せては引いてゆく。後ろを振り向く。山がすぐそばに迫っている。人の気配はなく、木々の濃い葉叢が、風に揺れている。

「事務所にいる。きみこそ、どこにいる。そこは、どこだ」

「病院の近くだと思うんだけど、よくわからない」

「どこの病院だ」

「双海病院だよ。何を言ってるの」

相手の答えが返ってこない。不安で、

「モウル？」

「ああ……いるよ」

「ジラフは？」

「奴は、いまここにはいないけど……きみを待ってる、捜してるよ」

「見えないよ。モウルもジラフも、どこにも見えない……」

海と山を、交互に振り返る。人の姿はなく、日が翳ったのか、海は輝きを失い、木々も暗い色に沈んでゆく。

「モウル……怖いよ……」

心細くて訴えた。

「わかった。大丈夫だ。きっと助けにゆくから。わかってるだろ、ぼくたちは、きっときみを助けにゆく」

力強い声が返ってきた。励まされた想いがして、

「……わかってる。きっとふたりは来てくれるよね」

「そこがどこか、もう一度正確に教えてくれ」

「だから、双海病院の近くだと思うけど、はっきりとはわからないの」

「いいか、大きく息をしろ。もし目を閉じてるなら、開いて、自分の前にあるものを、しっかり見つめてごらん」

優希は、少し怖かったが、言われたとおりにしてみた。深呼吸し、目を開く。

「何が見えた？」

電話機が自分の前にあった。正直に、

「電話」と告げた。

「何色だ」

「緑」

「ゆっくり顔を上げてみろ。住所と電話番号が書いてあるはずだ。それを読んで」

優希は言われたことに従った。漢字で住所が書かれていた。大丈夫だ、いま通っている学校で習った漢字だった。だが読み方がわからない。

「宇宙の宇、奈良の奈、根っこの根」

「番地は」

「ない、交差点って書いてあるけど」

「宇奈根交差点だな。電話番号は」

優希は読み上げた。

「わかった。すぐに行く。その場にじっとしてるんだ」

「ジラフも来る？」

「いや……先に、ぼくだけが行く」

「ジラフは怒ってるの？」

「いや、怒ってない。きみを心配してる。じっとしてるんだ。途中でときどき電話するから、鳴ったら、受話器を取るんだ。いいね」

わかったと答えかけた。ドアを叩かれた。驚いて、振り返る。

眼鏡をかけた女性が、険しい表情で、電話ボックスのドアをノックしていた。

優希は、思わず左腕を上げ、肘と手首のあいだあたりを噛んだ。受話器を放り出すようにしてフックに戻し、ドアを押して、外に出た。

「ちょっと、カードが戻ってきてるわよ」

後ろからの声にも振り向かず、川に向かって駆けた。左腕を噛んだ状態で、サイクリング・コースを横切り、

草が深く茂っているところまで走って、ようやく顎から力を抜いた。ウェアの生地がしっかりしていたためか、血は出ていない。膝を抱えて、草のなかに座り込んだ。

目の前に、淡い桃色をした花があった。ナデシコだろう。一面緑のなかで、ほんの小さな桃色が、可憐で、心を惹かれた。横たわり、花に顔を近づけ、目を閉じた。

花と同じ淡い桃色の空が、まぶたの彼方に広がった。明神の森から見上げた空だ。

森には、疑う言葉も、責める言葉もなかった。ねぎらいと、いたわりの言葉……そして、他人の経験を共有しようとする、寛容な感情が満ちていた。

「モウル……ジラフ……」

そっと呼びかけてみた。

「大丈夫か」

静かに声が返ってきた。

「疲れちゃったよ……」

優希は訴えた。

「ああ、わかるよ。つらかっただろ」

想いのこもった声を聞き、優希は涙が溢れそうになった。

「もう、いやだよ。もう、生きてくの、いやだ……いいことなんて、何も、なかった気がするもの」

甘えたい衝動がこみ上げる。

「うん。そうだろうね」

声は、否定も励ましもしない。柔らかく彼女を受け入れ、包み込む。

「でも、よく頑張ってきたよ。大変だったろう。偉かったよ……本当に偉かったよ」

そう言われたあと、優希はからだがふうっと宙に浮くのを感じた。

「モウル？　ジラフ？」

「モウルだ」

耳のそばで聞こえた。

軽く揺られる感覚に、

「眠ってもいいかなあ？」

「ああ」

明神の森を出て、海へと入ってゆくように感じる。

「……モウル」

「なんだ」

「好きだよ」

「……嘘つけ」

優希は笑った。

潮騒の音が耳に聞こえた。

5

久坂家が焼失し、優希が病院から消えた日の深夜、幸署での捜査会議が終わったあと、梁平は久坂家を見にいった。

中原署の制服警官がひとり、聡志が戻ってくる可能性も考えてか、私道の入口に立っていた。梁平は、警察手帳を見せ、奥に進んだ。

久坂家があった場所には、夜の空を背景に、黒々とした家の骨組みが浮かび上がっていた。生活の跡は、夜のこともあって、何も感じられず、優希が、聡志と志穂の三人で暮らしていたということが、信じられないほど、狭く小さな家の残骸《ざんがい》だった。

翌日も、捜査方針どおり、多摩川緑地の現場捜索に赴いた。優希を捜す願いは、組織の一員としてかなえられそうにない。また捜すあてもない。多摩桜病院の前では、ひきつづき張り込みがおこなわれているのを、昼食時に確認した。

その夜、捜査会議の前に、梁平は伊島から耳打ちをされた。

この日の会議も、各班から苦渋の報告がされたのち、幹部からの叱責を受けるという、ここしばらくと変わらない形で終わった。

梁平は、署の裏に出て、第二京浜道路と市電通りの交差点にある、ガソリン・スタンドの前に立った。

近くに卸売市場があり、製造業の工場も点在しているため、深夜でも道路は混んでいた。気温もあまり下がらず、空気が澱《よど》んでいる。

十五分ほど待つうち、梁平の前に黒い車が停まった。ナンバーを見た。私用車だった。

後部席側のドアが開く。シートの奥に、係長の久保木が腰を下ろしていた。彼の目にうながされ、隣に乗り込んだ。伊島が運転していた。どこへ行くのか、ふたりは黙っていた。梁平も強いて訊ねなかった。

車は、第二京浜道路をしばらく北上したあと、府中街道へ入った。まっすぐ進めば、武蔵小杉に着く。

梁平はふたりの横顔をうかがった。

久保木が、シートからずり落ちそうな、だらしのない座り方をして、

「みんな汗くさいな」

独り言のように言った。ため息をつき、

「伊島は、何日シャツを替えてない？　有沢は、草の汁がシャツについてるしよ、色男も台無しだな」

梁平は自分の恰好を確かめた。言われたとおり、シャツのところどころに緑色のしみがついている。

「有沢よ。伊島が久坂聡志を追っているのは、知ってるよな」

久保木の言葉に、梁平は顔を上げた。

「ええ」

口のなかで答えた。

久保木は、前を向いたまま、

「火災犯捜査の連中も、久坂聡志を追ってる。伊島と先々でぶつかって、どういうことだと、苦情が来てる」

梁平は伊島を見た。

伊島は黙々と運転をつづけている。

「解剖結果は聞いたか」

久保木が言った。

「いいえ」

梁平は彼に顔を戻した。

「久坂家にあった死体《ほとけ》は、燃える前に死んでたそうだ。死因は、窒息だ。気道圧迫。誰によって、何によって、またどういう形でそうなったかは、状態が悪くて、わからんらしい」

梁平は、声をしぼり出すようにして、

「……身元は？」

久保木は、同じ姿勢で、梁平を見ず、

「火災犯捜査の連中が、近所の歯医者をつぶして回った。一致するレントゲン写真が見つかった。名前は……久坂志穂」

梁平は目を閉じた。

まぶたの裏に、双海病院に来ていた頃の、志穂の姿が浮かんだ。

栗色がかった髪に白髪は一本もなく、皺も目立たなかった。眉をひそめて、いつも憂いを抱いているような表情だったが、黒目がちの瞳で見つめられると、妙に落ち着かなくなったことをおぼえている。

「会ったこと、あるんだよな」

久保木が言った。声に、とげを感じた。

梁平は、目を開き、

「ええ、主任と会いました」

「小学生の頃も、会ったことがあるんだろ？」

梁平は、首を横に振って、
「いえ、娘のほうと、一時期クラスが一緒だっただけで
……母親と会ったのは、このあいだが初めてです」
ごくしぜんに言葉が出た。最近会った志穂は、かつて
の彼女とは別人だった。
「久坂聡志とは、昔どうだったんだ」
「弟がいるのは知っていましたが、実際に会ったのは、
例の七夕の夜、多摩桜病院の前が初めてでした。といっ
ても、結局彼とは話もしませんでしたが……」
「おまえは、伊島の意見に反対だって？」
久保木が言う。つぶやくような調子は変わらず、
「おれたちの事件《やま》に、久坂聡志が関わっているんじゃな
いかってことさ」
「証拠が何もありませんから」
運転する伊島の横顔を、梁平は斜め後ろから見た。変
化はなかった。
「伊島の意見には無理があると、おれも思っていた。い
くら子どもを虐待する母親が許せないからといって、実
際の利害関係もないのに、殺人の動機としては弱過ぎる。
だが伊島は、親との病的な葛藤《かっとう》が、久坂聡志を精神的に
追いつめていたかもしれないと言いだした。久坂聡志が
病んでる可能性もあると言う。なんだっけ？」
「人格障害」
伊島が振り返らずに答えた。
とっさに梁平は、
「人格障害なんて、医者でも診断が難しいと聞いてます。
無茶ですよ」
「親をひどく言うときの表情や口ぶりで、おれにはわか
った」
伊島が言い、梁平は言い返そうとした。
久保木が、手でさえぎり、
「この六月、多摩川で上がっただろ、絞殺された中年女
性が……。川崎署が、本部を縮小して、いまも追ってる。
伊島は、あれも、久坂聡志が怪しいと言いだした。実際、
当日の彼のアリバイもないようだ」
「主任は、答えを出してから、逆算してるだけでしょ。
何の根拠があるんです」
梁平が反論すると、
「勘だよ」
伊島は答えた。いまいましそうに舌打ちをして、
「そして勘があたった、いやな形でな。久坂聡志は母親
を殺したが、迅速に手を打ってれば、もしかしたら防げ

たかもしれない犯行だ。これで歯止めがきかなくなって、犯行がエスカレートする可能性だってある」

「全部、勝手な推論じゃないですか。邪推といってもいい」

梁平は身を乗り出した。

伊島が急ブレーキをかけた。梁平はシートに戻る恰好になった。

車の前を、赤信号を無視して、ふたり乗りのスクーターが横切ってゆく。乗っているのは、ヘルメットをかぶっていない少年たちだった。後ろに乗っていた金髪の少年が、梁平たちの車に向け中指を立てた。

この車に、無線は搭載されていない。伊島も追おうとはせず、車内には沈黙が戻った。

「事故ってから、泣くんだよな」

久保木がつぶやいた。彼は、シートに深く身を預けたまま、首だけ梁平のほうに傾け、

「火災犯捜査の連中は、久坂聡志が母親を殺して、家に火をつけたと見ている。伊島とは、当然今後もぶつかる。で、中原署で話し合いだ。内々のことだから、他言は無用だ。課長の耳に入れるつもりもない。紳士協定ってことで、向こうも賛成してくれた。わかったな」

梁平はうなずいた。伊島は黙っている。

「ふたりとも、指示なくしゃべるな。こっちが求めないかぎり、口を閉じてろ。いまからだ」

三十分ほどで、中原警察署に到着した。

三人は、署内に入り、受付の制服警官と短く話して、階段を地下へ降りた。先頭の久保木が、『免許証更新手続き・講習室』という紙が貼られたドアをノックし、返事を受けてから開けた。

小さな教室風の部屋には、梁平も県警本部で何度も顔を合わせたことのある、火災犯捜査の本多《ほんだ》係長と、主任の沖津警部補が待っていた。ふたりとも、ネクタイを外し、ワイシャツの袖もまくって、椅子に深く腰掛けていた。

「この部屋しか、いま空いてないってんだ」

百キロを超すだろう、巨漢の本多が言った。短く刈った髪のあいだにも、びっしょりと汗をかき、

「窓もクーラーもない。ネクタイを外すなり、適当にやってくれ。話も早めに終わらせよう」

「そうしよう」

久保木が答えた。テーブルをはさんで彼らの向かい側に、パイプ椅子を引き、三人が腰を下ろした。

まず、本多が伊島の行動の説明を求めた。

伊島に代わり、久保木が話した。

本多たちは、多摩川緑地での事件における久坂聡志の犯行の可能性に、興味を示した。一方で、何か証拠らしきものでもあるのかと、しつこく訊ねてきた。

一刑事の勘、とは久保木も言えなかった。あいまいに匂わす程度に終始し、聡志の身柄を押さえる権利が、どちらにより強くあるかは、話すほどに明らかになった。

「しかし、自分も引くわけにはいきません」

伊島が、一度、勝手に発言した。

それに対し、本多が、含み笑いをして、

「伊島君の意見で、逮捕状が下りんの?」

久保木のほうに訊いた。

久保木は、答えず、伊島を睨みつけた。

話し合いは、一時間に及んだ。暗黙の協定として、久坂聡志を追いかける一番の権利は、本多中隊にあると決められた。伊島たちは、本多中隊をサポートする形においてのみ、聡志への捜査をつづける。その際、伊島がつかんだ情報は、本多中隊に渡し、伊島側で聡志を逮捕できる状況にあった場合も、すみやかに本多中隊に連絡し、逮捕を譲ることとされた。代わりに本多中隊は、伊島たちの欲する情報は、できるかぎり提供し、もし本多中隊が聡志を逮捕した場合、伊島たちにも、聡志への尋問の機会が与えられることとなった。

最後に久保木から、伊島のパートナーは、今後は梁平に代わることが、本多たちにも紹介される形で、言い渡された。

「幸署の若い子には、負担が大き過ぎるんでね」

久保木は本多に言った。

本多たちは、どうでもよさそうな顔で、うなずいた。

幸署に戻る車中は、行きよりも、いっそう暗い雰囲気に沈んだ。

ほとんど相手に譲る形となったため、伊島の顔色はどす黒く変色したように見えた。運転もしぜんと荒いものになり、梁平が代わろうと言っても、答えなかった。

「有沢よ」

幸署の管内に入った頃、久保木が切り出した。

「おまえ、人を裏切ったことがあるか」

梁平は久保木を見た。

彼は、窓のほうに顔をそらしており、

「伊島の勘があたってるかどうかは、わからん。だが、久坂聡志が母親との確執を抱えていたという考えは、少

なくとも火災の件で実証されたと言えなくもない。といって、課長たちに伊島の話を上げても、やはり本多たちを優先させろと言うだろう。おこぼれで捜査しなきゃならんかと思うと、腹立たしい。いっそ久坂聡志からは手を引きたい。だが、もしも本当に久坂聡志がうちの事件《やま》にからんでた場合、へたすりゃ本多たちに、うちの事件《やま》まで解決されちまう。そうなりゃ、班はもちろん、捜査本部全員が笑われる。わかるな」

「はい」

梁平はうなずいた。

「おまえは、久坂聡志が勤めている法律事務所のオーナー弁護士とも、また奴の姉とも、古いつきあいがあるそうだな？」

「ええ、まあ……」

そのことを本多たちにも明かされるかと思っていたが、久保木は言わなかった。

「本多たちを出し抜ける手があるとすりゃ、そのふたりからの連絡くらいだ」

「連絡なんて、あるかどうか……」

「だったら、おまえから連絡をとっていけばどうだ」

梁平は、困惑して、

「しかし、姉のほうは、行方もわからないわけですから」

久保木が黙った。代わって、

「あるさ、連絡はきっとある」

伊島が言った。彼は、バックミラー越しに、梁平を見据えてきて、

「最近のおまえは、おかしかった。今度こそ名誉挽回のチャンスだ」

梁平は答えられなかった。

隣の久保木が、梁平の肩に手を置き、

「裏切りなんて、重い言葉を使ったが……久坂聡志についての情報が入れば、情報《ねた》もとがどこだろうと、警察官としての職務をまっとうしてほしいだけだ。伊島と協力して、久坂聡志が、うちの事件《やま》に関わっているかどうか、確認してくれ。うちと関係ないとわかれば、本多中隊に連絡する。簡単だろ」

「こいつも刑事です。犯罪は憎んでいるはずですよ」

伊島が強く言い切った。

梁平は窓の外に目をそらした。

梁平は、よく眠れぬまま、朝を迎えた。

幸署の道場内には、捜査員たちのいびきが、明るくなってもなお響いていた。

梁平は、洗面所で顔を洗い、タオルでからだをぬぐった。しみのついたワイシャツも、新しいものに着替えた。すえた臭いが満ちた道場に戻って、いびきを聞くのもためらわれ、会議がはじまる時間まで、署の裏手の遊歩道でも歩いてくることにした。

人けのない遊歩道の、両側の植え込みには、細い葉の茂った低い木が並んでいた。

淡い紅色の花が咲いている。キョウチクトウだろう。ほのかに甘酸っぱい香りがする。サルスベリに比べると、地味な印象を抱いた。柔らかそうな花びらや、淡い色が、控えめに見えるからだろうか。

ふと、奈緒子のことを想った。

つらい仕打ちをした。奈緒子は、自分のことなど、早く忘れるほうがいい。身勝手だとはわかっているが、ほかにどうしようもない。

彼がハムスターを放り捨てた夜、あのあと彼女の身に何があったのか……。それについては、笙一郎は何も語らなかった。

久坂家が焼失した日の午後、多摩桜病院の前で、笙一郎からの電話を受けた。笙一郎は、火事のことと、優希がいなくなったことを語った。どちらもすでに梁平は知っていた。だが、同じ日の早朝、優希が笙一郎に電話していた事実は、初めて聞いた。心が乱れた。優希が笙一郎のほうを選んだように思えた。

笙一郎は、またそれとは別に、奈緒子に至急連絡するようにと言った。言外のニュアンスで、大変なことがあったらしいことは察せられた。彼は詳しいことは語らなかった。奈緒子から直接聞けという。だが、梁平はまだ彼女には連絡できずにいる。

腕時計を見た。七時半だった。会議は八時にはじまる。あっという間に時間が過ぎていることに驚く。慌てて戻りかけたとき、ズボンのポケットに入れてある携帯電話が鳴った。

「いま、いいか」

笙一郎だった。

「どうした、こんな早く」

梁平は問い返した。

「ああ、これでも朝まで待ったんだ。静かに休ませてやりたかったから。いや、おまえのことじゃなく……」

笙一郎の声は歯切れが悪かった。言葉を探しているよ

うな間があって、

「いま、うちのマンションの部屋にいるよ」と言った。

梁平は、わからず、

「誰が」

「……優希さ」

梁平はすぐには言葉を返せなかった。どうしてと訊く前に、

「電話があったんだ」

笙一郎が言った。

優希から、笙一郎に……。火事のことを知らせてきたのにつづき、また笙一郎のほうへ連絡があった。

梁平は、その事実を、心のなかで繰り返す。

笙一郎の声は、つづいて、

「優希は、電話での話し方が少しおかしかった。子どもの頃に退行したような感じだった。たぶんショックのせいだろう……。どうにか、電話を掛けてきた公衆電話の場所だけは聞き出して、駆けつけた。事務所には張り込みがついていたが、おれ自身にはどうだったのか。電話を受けたのが、地裁のロビーだった。霞が関は入り組んでるから、尾行がいても、わからなかったのかもしれない。こっちも、裏から抜け出したしな。高津区と多摩区のあいだの、宇奈根の交差点にある電話ボックスにいるはずだったが、彼女はいなかった。近くを、かなり捜したよ。多摩川緑地の、草むらのなかに、からだを丸めて横たわっていた。病院を抜け出したあと、多摩川沿いに北にのぼっていたんだろう。外傷はなかったから、うちのマンションに連れ帰って、ベッドに寝かせた。マンションは張り込まれていない様子だったし、ひと晩ゆっくり休ませてやりたかった。もちろん、おれは事務所のほうに泊まったから……」

彼が言い訳気味に言い添えるのに、梁平はかえって苛立ちをおぼえた。口にはせず、

「聡志はどこにいるか、わかったのか？」と訊ねた。

「聡志？　いや、彼のことは知らない」

「優希は話してなかったのか」

「そんな余裕はなかったさ。おれのことを、モウルと呼んでたんだぞ。おまえの名前も呼んでた、ジラフって。ジラフは怒ってるだろうかって、気にしてた。おまえに早く知らせるべきだと思ったが、彼女の状態を考えて、ひと晩待つことにした。悪かったな」

「いや……」

返す言葉が、口のなかでこもる。軽く咳払いして、

「彼女は、いまはどうしてるんだ」

「まだ寝てるだろう。いまからマンションのほうに行こうと思ってる。その前に、連絡することにした。仕事の都合がつけば、おまえもどうかと考えて」

「……そうか」

「住所はわかるよな。以前渡した名刺の裏に、書いておいたはずだ」

「ああ、わかるよ」

「午前中に来られないか。一応、病院に連れてゆこうかと考えてるんだが」

「……なんとか都合をつける」

笙一郎は、間を置いて、

「それから……奈緒子さんに連絡したか」

梁平は、叫びたいのをこらえ、

「いや。だが、もう放っておいてくれ」

努めて冷静な口調で言った。

笙一郎は、また短い間を置き、

「子どものことは、知ってるのか」

「子ども……?」

「おとといの電話で、もっと、はっきり伝えるべきだったのかもしれないが……。彼女、おまえが出ていったあと、急に腹のあたりを押さえて倒れた。救急車に来てもらったんだ」

梁平は無意識にキョウチクトウの花に目をやった。

「彼女は、無事だったから、それはよかったんだが……子どもは、流れたよ」

柔らかそうな紅色の花が、わずかな風に揺れた。はずみで、一輪の花が枝から離れ、花びらが一枚ずつこぼれるように、地面に落ちてゆく。

「確かに、おまえと奈緒子さんとの問題だから、こっちが言うべきことじゃないが……きちんと話し合うべきだぞ。彼女も、ひどく傷ついてる」

梁平は、胸苦しさをおぼえて、息を吸い、

「なんでも知ってるんだな」

息を吐き出すと同時に、言った。

「どういう意味だ」

笙一郎が訊き返す。無垢《むく》な、人のよさそうなものを感じ、それにも苛立って、

「なんでも、おまえのほうがよく知ってるってわけだ。誰もが、おまえを頼るってわけだ」

「おい……」

自分が子どもっぽいことを言っているのを感じ、いっ

そうやりきれなくなる。一方的に電話を切った。

幸署に走って戻った。会議室のある三階に上がってゆく。廊下で伊島とぶつかり、

「何をしてる、会議がはじまるぞ」

険しい表情で言う彼を、人けのない非常階段のほうへ誘った。

「優希が見つかりました」

感情を殺した声で告げた。

伊島の表情が強張る。

「どこからの情報だ」

「弁護士です」

「久坂聡志のほうは」

「それはまだ」

「本多中隊は知らないんだな」

「自分にだけ知らせてきたようでしたから」

伊島が、あらためて梁平の顔を見つめて、

「いいんだな」と訊く。

「何がですか」

梁平は表情なく言った。

「よし。待ってろ」

伊島は会議室に入っていった。係長に話してきたのだろう、ほどなく戻ってきて、梁平にうなずいた。梁平は、ためらうことなく、外に出て、タクシーを拾った。梁平は、笙一郎のマンションの住所を運転手に告げた。

6

目覚めたとき、優希はベッドのなかにいた。

病院に戻ったのかと思った。周囲の様子は違っていた。八畳ほどの洋間で、青い絨毯が敷かれ、見慣れない洋服だんすがあり、石材を用いたテーブルがある。窓には、水色のブラインドが閉まっていた。

ベッドにも、青いシーツが敷かれ、彼女には青い毛布が掛けられている。優希自身は、トレーニング・ウェアではなく、見たことのない男物の青いパジャマを着ていた。下着には、ふれられた様子はない。

ベッドを出て、窓際に歩み寄り、ブラインドを上げた。外は明るかった。光線の具合で、朝の気配を感じた。

窓を開く。住宅地らしく、マンションらしいビルや民家が並んでいた。

優希には、病院を出てから、川にぶつかるまでの記憶しかない。あとは何をしていたのか……ただ夢ばかり見ていた気がする。

「誰かいますか」

声をかけつつ、部屋を出た。

廊下をはさんで、向かい側にトイレ、その隣に洗面所と浴室があった。廊下を左に進むと玄関があり、右に進むと、台所とダイニング・ルームに通じる。ダイニング・ルームの向かいに、六畳ほどの洋間があった。勉強机と椅子、革張りのチェア一脚しか置かれていない。台所には、冷蔵庫と簡単な食器棚。ほかには、テレビもオーディオも、飾り棚もなく、絵や観葉植物など、飾りとなるものも見当たらなかった。

わざと生活くささを排しているような印象に、逆に誰の部屋か見当がつく気がした。書斎用の部屋には、煙草の臭いがしみついている。台所の、ガスコンロの周囲が黒く焦げているのは、彼の母親がやかんを空焚きし、ぼやを起こしたという跡だろうか。

トイレに入ったとき、棚に介護用の紙おむつが残されているのを見て、確信した。

だが、どうして自分が彼の部屋にいるのか、理解できない。

ふと、着ていたトレーニング・ウェアのことを思い出した。先の寝室に戻った。ベッド脇に大きなビニール袋が置かれていた。なかを見る。病院で借りたトレーニング・ウェアが入っていた。汚れたままだった。ウェアを出し、ポケットを探った。なかのものは、手つかずの状態だった。

ダイニング・ルームに置かれていた電話が鳴った。部屋の主に迷惑をかけはしないか、迷って、そのままにしておいた。

これから何をすればいいのか。思いを巡らせるうち、母と聡志のことが思い出された。立っていられず、廊下に腰を落とした。胸が苦しく、息さえつけない。なんとか感情のスイッチを切っておこうとした。

救いのように、ダイニング・ルームに備えられたインターホンが鳴った。

誰が来たのか考える余裕もなく、すがるように受話器を取った。

「お早う、起きたかい」

笙一郎の声だった。

息がつけた。

「お早う……」と答える。

「どうした、苦しそうだけど……」

優希は、なんとか気持ちを落ち着け、

「ううん、なんでもない。大丈夫」

「入ってもいいかな。着替えを持ってきたんだけど」

「ああ……ちょっと待って」

「鍵は持ってるんだ。着替えだけなかに置いて、すぐに出るよ。事務所の女の子に、だいたいのサイズを言って、買ってきてもらったやつだから、ぴったりってわけにはいかないだろうけど。ひとまず間に合うかと思って」

「ありがとう」

優希は、受話器を戻すと、自分の恰好とベッドを直した。ドアの開く音がして、

「からだは大丈夫なの」

笙一郎の声が近くに聞こえた。

「ええ」

答えながら、玄関に出ていった。彼の顔を見ることで、安心感を得たかった。

笙一郎は、上がり框のところに、紙袋を置いているところだった。仕立てのよい、淡いブルーのサマースーツを着ている。優希の気配に気づいてか、彼が顔を上げた。

優希は、見慣れた顔に安堵をおぼえ、

「助けてもらったんだね」

小さく息をついた。

笙一郎は、照れくさそうに、

「そういうんじゃないよ。きみから電話があったから、迎えにいっただけだ」

「わたしが電話を？」

「詳しい話はまたあとでするよ。とにかくもう平気そうだな」

笙一郎はほっとしたようにほほえんだ。

優希は、自分のパジャマの袖口をつまみ、

「これ、あなたが？」

笙一郎は耳のあたりまで赤くした。少し言葉につかえながら、

「トレーニング・ウェアは、泥で汚れていたし、少し濡れてもいたからね……。そういうパジャマしかなくて、悪かったけど、ただ新品だし……あと、なるべく、見ないようにしてたから」

「いいのよ。別に、こんなもの」

優希は軽い調子で言い放った。自分のからだを見下ろす。こんなもの、こんなもの、と繰り返す。

「そんな言い方はよせ」

真摯な想いのこもった声が聞こえた。

顔を上げた。笙一郎の目とぶつかる。彼のほうがつらそうに見えた。

彼は、すぐに顔を伏せて、

「トレーニング・ウェアは、勝手に洗濯していいかわからなかったから、そのままだったけど」

「いいの、ありがとう」

「シャワーもまだ浴びてないんだろ。タオルは洗面所の棚に置いてあるから。シャワーを浴びて、着替えろよ。しばらくして戻ってくる」

「ありがとう」

優希は、重ねて礼を言い、紙袋を受け取った。それを胸に抱え、

「でも、部屋にいてくれない」

笙一郎が、不審そうに、

「どうして」

「ひとりだと、いろいろ考えて、つらくなるから……」

「もし、そのほうがいいなら」

「お願い」

優希は、笙一郎のほうを向いたまま、廊下を奥に下がった。浴室に通じている洗面所のドアを開け、笙一郎が上がってくる音を聞いてから、なかに入り、ドアを閉めた。

籐《とう》製の棚の上に、湯上がり用のタオルと小さなタオルが二枚、用意されていた。こまかな心づかいを感じる。プラスチック製の脱衣籠を見つけ、紙袋のなかのものを移した。

ロングスカートと、半袖のブラウス、ストッキング。下着は、別に小さな袋にわけてあった。

優希はスカートを広げた。軽い素材で、地の色は藍色だが、赤や黄の蘭《らん》の花がプリントされている。ブラウスは、発色の鮮やかなオレンジ色で、襟もとが広くとられていた。

「事務所の子って、幾つくらい？」

ドア越しに、笙一郎へ声をかけた。

「二十二だったかな」

声が返ってくる。ダイニング・ルームのほうにいるらしい。

「可愛い人なんでしょうね」

「派手な感じのものを着ることが多い子だから、できるだけ地味にって頼んだんだけど……どうかな？」

「そうね……」

答える声が、しぜんと消え入る。

優希はスカートをからだにあててみた。

もう十数年、白衣以外では、スカートをはいていない。

中学校は、制服でスカートが義務づけられていた。優希は、入学して一週間、担任に注意されても、ジーンズか綿のパンツで通学した。周囲から浮くことなど気にしなかった。ついに別室に呼ばれて、教務主任と教頭から注意を受けた。

病院などの一種隔離された世界でならともなく、学校の制服は、街を歩き、満員電車に乗ることもある。女だからという理由だけで、女であるがゆえに危険な目にあう可能性のあるスカートが、どうして義務とされるのか……。理解できず、逆に教頭たちに訊ねた。

校則で決まっているからと言われた。人々が幸せに暮らすために作られる規則に、どうして人が、自分を犠牲にし、身を危険にさらしてまで、合わせなければいけないのか、本末転倒じゃないかと訴えた。

教務主任は四十代の女性だったが、優希の訴えには答えず、普通の女の子はスカートが好きよ、見られるのも好きよとほほえんだ。

屈辱を感じた。泣きそうになるのをこらえて、多数の者にしか目がゆかず、被害を受けるかもしれない者、あるいは、被害を受けることを恐れている者のことを想像できない相手に、抗議した。

私服を許可しなくとも、制服にパンツスーツも取り入れればすむことだと提案した。金がかかるよと笑われた。

金が、人の尊厳や安全よりも優先される……優希は、なかば茫然として、教頭たちの笑う顔を見ていた。だったら私立に行けばと勧められたが、母子家庭では、公立しか望めなかった。

結局、中学時代、優希はスカートをはいた。学校側が、志穂まで呼び出そうとしたためだった。志穂のつらそうな表情を見るのがいやで、優希は自分を殺した。スカートの丈は長くし、下にはつねにショートパンツをはいて過ごした。高校は、私服通学を許可している公立校を選び、三年間ジーンズや綿パンツで通った。

私服としてのスカートなど、小学校以来だと思う。入るのかしらと、つい苦笑が浮かんだ。

下着の袋も開けた。

知らない女性に、下着を買われるなど、いい気持ちではない。買った下着は一回洗ってから身につけるが、ど

ちらも、いまは仕方がないとあきらめた。

平凡な白のショーツで、ほっとした。ブラジャーは、サイズのことを気づかってくれたのか、エクササイズなどで用いる、伸縮性のある白いタンクトップ風のものだった。丁寧に、パッドも入っている。

パジャマを脱ぎ、下着をとった。笙一郎がいることで、多少緊張した。が、怖くはなかった。

タオルを持って浴室に入り、シャワーを浴びた。肌を洗い、男物のシャンプーで髪を洗った。女性が、この部屋を訪れることはないのだろうか……。しぜんと目に入る入浴用品は、すべて男物で、ひとり分しか備えられていなかった。

濡れた髪を、タオルでまとめ、全身に熱い湯を受けた。湯に溶けるように、疲れがからだから落ちてゆく。母のことも聡志のことも、いまは考えることは避け、心地よさ、のみ浸っていようとする。なのに、つい涙が溢れてくる。

部屋に笙一郎がいるんだと言い聞かせ、涙をこらえた。

裸の胸を洗っていて、しぜんと気恥ずかしさをおぼえた。自分の裸を見下ろす。手で胸にふれる。膝から太股にかけて指を置く。恐れに近い感情が湧く。自分の醜さを思いはじめる。

早く自分を隠してしまいたくなった。無造作にからだを拭き、周囲を流してから、脱衣所に出た。

出入口のところに、ドアを開けて、笙一郎が立っていた。

優希は息をつめた。自分を隠すことも忘れ、彼を見た。

笙一郎も真剣な目で彼女を見ていた。

優希は、恐怖も罪の意識も忘れて、ただ待った。〈認めてほしい〉という気持ちだけが、切ないほどつのっていた。

だが、どういう形が、自分のことを〈認めている〉という表現になるのか、わからなかった。

笙一郎の瞳は揺れていた。彼のほうにも混乱がうかがえる。ついに、彼は目を落とした。

「ごめん……」

うめくようにつぶやき、ドアを閉めた。

待って。

優希の叫びは、声にならなかった。

廊下を、奥に歩いてゆく足音が聞こえた。

優希は、力が抜け、うずくまった。

しばらく、からだを折り曲げたままでいた。

妙な音だけがつづいていた。濡れたからだから、したたる水滴の音だった。

脚のあいだに小さな水溜まりができている。のろのろと湯上がり用のタオルに手を伸ばした。

インターホンの鳴る音がした。タオルをからだに巻いた。もう一度鳴り、笙一郎が応答する声が聞こえた。

ともかく下着をはいた。からだを拭き、タンクトップ風のブラジャーをつける。

「梁平だよ」

ドアの外から、笙一郎が言った。平静さをとりつくろった声音に聞こえた。

「どうして、有沢君が……」

優希は口のなかでつぶやいた。その思いを察したように、

「連絡したんだ。あいつも、きみのことを心配していたから。外で待たせようか」

優希は迷った。何を、なぜ迷っているのか、自分でも理解できない。

すると、笙一郎のほうから、

「いま入れたら、妙に思われちまうかな。けど、待たせても、誤解するか……」

独り言のように言う声が聞こえた。

自分と笙一郎のことを、梁平に誤解されるかもしれないということ……それを自分も迷ったのかと思い、腹立ちをおぼえた。三人のあいだで、何を誤解するというのか。自分に腹が立ち、笙一郎にも腹が立つ。誤解されて、どうして困るのかと、悲しくもなる。

「やっぱり、あいつ、入れるよ。いい？」

笙一郎が想いを決めたように言う。

「ええ」

優希は答えた。

すぐにスカートをはき、ファスナーを上げた。ドアを開ける音が聞こえた。ブラウスの袖に手を通し、ウエストが少し苦しいのを感じながら、ボタンをとめてゆく。

「どういうことだ……」

笙一郎の険しい声が聞こえた。

人の声がする。梁平の声だけではない気がした。

ストッキングをはき、鏡の前に立って、身だしなみを整えようとした。

髪にタオルを巻いているのに気づいた。慌てて、髪を拭いた。短いため、少し強く拭けば、乾かずとも、水が垂れるということはなくなる。

玄関先では、言い争う気配がつづいていた。ドアを開けて、廊下に出た。

「なんのつもりなんだ、おまえ」

笙一郎の声は怒っていた。

優希は玄関に進んだ。

笙一郎は、たたきに降り、こちらに背中を向けていた。外には、梁平と、確か伊島という名前だった刑事が、ドアを手で押さえて立っていた。

優希は梁平と目が合った。彼の目のなかに、かすかな驚きの色がうかがえた。

「やあ、どうも」

伊島が言った。作り笑いを浮かべ、

「お元気そうですね」

笙一郎が、優希を振り返り、伊島のことは知らなかったというように、首を横に振った。

「お騒がせしました」

優希は伊島に頭を下げた。

伊島の存在に、むしろ安堵をおぼえた。

他人が自分たちのなかに入ってくることで、自分を無理なく隠すことができる。梁平と笙一郎との三人だけなら、きっと真実にふれずにはおられない。

自分を透明な固い殻でおおい、

「多くの方に、迷惑をおかけしたことと思います。申し訳ありません」

梁平のほうにも、頭を下げた。

男たちは、毒気を抜かれたような表情で、優希を見ていた。

優希は、笙一郎の部屋のダイニング・ルームで、伊島たちの質問を受けることになった。

優希は警察署へ出向いても構わないと考えていた。笙一郎が、優希の代理人として、現時点での任意同行を拒み、ひとまずこの部屋で話すことを求めた。伊島も、令状などは持っていないらしく、しぶしぶそれを認めた。

優希は、テーブルをはさんで、伊島と梁平の向かい側の椅子に腰を下ろし、笙一郎は彼女の後方の椅子に控えた。

「聡志がどこにいるのかは、本当に知らないんです」

優希は伊島の問いに答えた。

聡志が、多摩桜病院を訪れ、自宅が燃えていると優希に告げたことは、そのとおりだった。

だが、火事のことを告げたあと、聡志は消えてしまっ

た。聡志が、その後どこに行ったのか、彼女も知りたいことだった。

「弟さんが、あなたに伝えたのは、家が焼けたということだけですか」

伊島が訊いた。

「そうです」

優希はうなずいた。

「弟さんは、お母さんを燃やしたと、そう言いましたよね」

「いえ……おぼえていません」

「一緒に夜勤をされていた同僚の方が、聞いているんですがね」

優希は、首を横に振り、

「動転していて、弟が何を話したのか、詳しくはおぼえていないんです。申し訳ないですけど」

「その同僚の方の証言ですと、弟さんが病棟に来られたとき、あなたに、何かお金のようなものを渡したと、おっしゃってるんですが」

「お金……?」

「ええ、紙幣か封筒のようなものを。よくは見えなかったそうですが」

「知りません」

優希は強く言った。

「本当に?」

「何も渡されていません」

「嘘をつかないでくださいね」

「ついていません、何も受け取ってなどいません」

「そうですか。では、もう一度確認させていただきたいんですが……弟さんが、家に火をつけ、お母さんも一緒に燃やされた……このことは、間違いありませんね」

「待ってください」

笙一郎がさえぎった。伊島に向かってとがめるように、

「そういう質問の仕方は、遺族に対して、あまりに配慮を欠いていませんか。だいたいあなたは、久坂家が焼失した事件の担当なんですか」

優希は、笙一郎を振り返り、

「何を訊いてもらっても構わないの。勝手に病院を出たりして、迷惑をおかけしたんだから」

彼女は伊島のほうに目を戻した。平静な口調を心がけて、

「家に火をつけたのが、弟かどうか、わたしにはわかりません。母のことについては、まだ確認もしておりませ

んし……。本当に何もわからないんです」

　伊島は、不満そうに額に皺を寄せ、

「弟さんは、お母さんのことをどう思われていましたかね。親子でも、ときには腹も立つし、親子だからこそ憎しみを抱く場合もあるでしょう。いや、はっきりした感情でなくてもいいんです。コンプレックスのような葛藤を、抱いていたと思われませんか」

「そんなことはありません」

　優希は即座に答えた。相手の疑いを断ち切る口調で、

「弟は、心から母を愛してました。妙な葛藤など抱いてはいません。あの子は純真な子でした。心根の優しい子なんです。優し過ぎたのかもしれませんけど」

「過ぎたとは、どういう意味です」

「別に意味はありません。いい子だってことです。わたしなんかに比べて、遥かにいい子でした」

　優希はしぜんと目を伏せた。

　伊島の探るような視線を感じる。

「病院を抜け出した理由を、お聞かせ願えますか」

　優希は答えに困った。混乱していた、としか言えなかった。

「弟さんと、待ち合わせていたのでは？」

「とんでもない。弟がどこにいるのか、わたしのほうこそ知りたいんです」

「あなたがここにいるのは、いつからですか」

「それは……」

　優希には記憶のないことだった。

　笙一郎が代わって答えた。

　優希から電話があり、ショック状態にあったためか多少言葉は怪しかったが、電話ボックスの住所をどうにか聞き出せたことで、迎えにゆけたということ……優希自身はまったくおぼえのない話だった。

　笙一郎は、それを伊島にではなく、梁平に向かって話している様子だった。

　だが梁平のほうは、目をそらして、笙一郎のことも、優希のことも、訪問以来ずっと見ようとはしなかった。

　伊島は、思うような証言を得られなかったためか、表情が固かったが、

「とにかく、お母さんのご遺体を確認なさったほうがいいですね」

　話の最後に言った。

　優希は、母の遺体という言葉にも、動揺しないよう注意しながら、

「そうします」

神妙に答えた。

笙一郎が女性用のサンダルも用意してくれていた。それをはいて、部屋を出た。玄関先に立った伊島が、

「しかし、白衣のお姿しか見たことがなかったから、驚きました。見違えますな」

優希の恰好を確かめるように見て、言った。

優希は、伊島より、梁平と笙一郎の反応のほうが気になった。

ふたりは、優希を中央にして左右にわかれる形で立っており、互いに険しい目で睨み合っていた。彼らのそんな顔を見るのはつらい。

「法律事務所の女性が選んでくださったそうです。わたしみたいなオバサンには、とても似合わなくて」

わざと明るい声で答えた。

四人は、一台のタクシーに乗った。

梁平が助手席に座り、ほかの三人が後部席に回った。

警察へ向かうのだとばかり思っていたが、伊島は、新丸子にある医科大学に向かうよう、運転手に告げた。

監察医制度があり、変死者は必ず検死しているが、東京のような設備の整った監察医務院がないため、医大の付属病院や法医学教室で、指定医が検死や解剖をおこなっていると、伊島が説明した。

四十分ほどかかって、医科大学の正門前に着いた。笙一郎が、伊島を押しとどめて、料金を払った。

タクシーを降りた四人の前に、いつのまに現れたのか、ふたりの男が立った。

ワイシャツにネクタイ姿、髪を短く刈り込み、がっしりとした体格をしている。鋭い眼差《まなざ》しや、やや暴力的な匂いのするたたずまいが、伊島と似ていた。伊島が、笙一郎のマンションを出る際、携帯電話で連絡していた相手かもしれない。

「お宅が焼失したことについて、調べている者たちです」

伊島が紹介するように言った。

笙一郎が、優希の前に立って、ふたりに名刺を差し出し、

「彼女の代理人です。警察手帳を拝見できますか」

職業的な口調で言った。

男たちは、伊島のほうに視線を走らせたあと、警察手帳を提示した。

「じゃあ、ご確認願いましょう」

男のうちのひとりが言った。

優希は笙一郎と歩きだした。

伊島と梁平は、彼らに優希を引き渡す恰好で、あとに残った。

優希は梁平を振り返った。

梁平は、唇を固く結んだまま、最後まで何も言わなかった。

きれいに芝が育った中庭を抜け、校舎のなかに進んだ。夏休みに入っているせいか、学生の姿はほとんど見かけなかった。

優希は、いまから見るのは本当の志穂ではないと、自分に言い聞かせた。

だが、実際に遺体を見せられたとき、優希は激しく動揺した。

志穂だと思ったからではない。死体の状態が、医療に携わっている彼女にとっても、あまりに無残なものだったからだ。外見だけでは、志穂とはわからないのはもちろん、女性かどうかもはっきりしない。

「どうですか」

捜査員に訊ねられ、優希は正直にわからないと答えた。

優希による確認は、儀式のようなものだったらしい。

捜査員によって、志穂の歯形と一致していることが告げられた。

優希は、そのあと中原署において、事情聴取を受けた。

笙一郎は同席を許されなかった。彼は法律をたてに抵抗しようとしたが、優希のほうで、ひとりでも構わないと答えた。結局は、伊島に質問されたときと同じ答えを、繰り返すだけのことだった。

優希はその日のうちに解放された。

彼女の身元は、笙一郎が保証した。その際、住むところに困ったが、しばらく笙一郎のマンションで過ごすことを、彼のほうから勧めてくれた。

通夜も葬儀も、おこなわないことにした。志穂は、十七年前の出来事以来、どんな宗教も信じていなかった。

茶毘《だび》にふすだけにして、手続きはすべて、笙一郎が進めてくれた。親族への連絡も、笙一郎がおこなってくれた。といっても、志穂の実家の両親も兄も、すでに亡くなり、志穂の義姉はからだをこわして入院していた。焼失した家を紹介してくれた、志穂の実姉夫婦も、亡くなっている。ほかに親族といっても、ほとんど会ったこともない従兄弟たちだけだった。

いずれ優希自身が謝りに出向かねばならない近所へも、

笙一郎が、先に人をやって謝り、見舞金の名目で、幾らかの金額を渡したらしい。消防署などへの支払いも、すべて彼がすませてくれたようだった。

翌々日、優希は、笙一郎の都合してくれた洋装の喪服を着て、彼とともに葬祭場に向かった。

葬祭場に来た親族はいなかった。志穂の死に、聡志がからんでいる可能性のあることを、報道か警察関係者の聞き込みなどで知ったのかもしれない。

職場からは、病棟婦長の内田が、連絡もしなかったのに来てくれていた。病院に聞き込みにきた警察官から、聞いたらしい。彼女の判断で、優希は休職扱いになっているとのことだった。

「本当に大変だったね」

彼女に肩を抱かれたとき、優希は声を上げて泣きそうになった。懸命にこらえ、深く頭を下げた。

志穂の遺体が横たえられた棺桶《かんおけ》は、小さな礼拝堂のような空間に運ばれた。奥の壁に、鉄製の扉が降りている火葬炉が、五つ並んでいた。なかのひとつの扉が開かれ、棺桶が納められた。

最後のお別れをと、葬祭場の係員に言われて、優希は手を合わせた。だが、いまお骨となるのが、自分の母親だという感覚はなかった。遺体確認の前からずっと、意識して、そう努めてきた。

優希たちは休憩室で待つことにした。だが内田は、病院から急の呼び出しで、「申し訳ないけれど」と帰っていった。笙一郎も、仕事の打合せのため、たびたび席を外した。

優希は、ひとりでソファに腰掛け、休憩室の窓の外を、ぼんやりと眺めた。

窓からは、手入れの行き届いた中庭が見えた。人の背ほどの高さで、白や青紫の、ほんわりとした花が咲いている。ムクゲらしい。その根もとに、オグルマだろう、小菊に似た黄色い花が幾つも咲いている。

奥のほうには、サルスベリの木が植えられていた。濃い桃色の花が、日の光に映えている。

しかし、樹木の下や芝の上には、私服の警察官らしき人の姿も、見え隠れしていた。聡志が駆けつける可能性を考えてのことだろうか、七、八人が葬祭場の周囲を見張っている。そのなかには、梁平と伊島の姿もあった。

二時間後、係員によって、収骨室という小さな白い部屋に案内された。

遺骨は、灰色がかった白い色をしていた。焦げた跡な

ど、少しも見られなかった。

ふと、雄作のときはどうだったろうと思った。あのときは、志穂や聡志はもちろん、親族たちも大勢参加してくれたはずだ。なのに、まったく記憶がなかった。優希には、雄作の遺骨を見たおぼえがない。

収骨室に入ったのは、優希と笙一郎だけだった。

「おふたりだけですか」

係員が表情なく訊ねた。

優希はうなずいた。

だが、係員が骨壺への収め方を説明しはじめたとき、

「ちょっと待ってください」

優希は、係員に断り、いったんその場を離れた。

優希は中庭に出た。周囲を捜し、サルスベリの木の下に立っていた梁平のもとに駆け寄った。

梁平は、上着こそ着ていなかったが、黒いネクタイを締めていた。

優希は、梁平の隣に立つ伊島に、

「彼、いいでしょうか」と訊いた。

伊島は、いぶかしげに、

「いい、とは?」

「お骨を、彼にもお願いしたいんです」

優希は、梁平のほうに向き直り、

「来てくれない？　ふたりだと、あまりに寂し過ぎるから……お願い」

梁平は伊島のほうに視線をやった。

伊島がうなずいた。

優希は、梁平をともなう形で、遺骨の前に戻った。

遺骨をはさんで、笙一郎と梁平が睨み合う形になった。

「よく来られたもんだ」

笙一郎が言った。

「言われる筋合いはない」

梁平がひそめた声で言い返した。

優希は、悲しくなり、

「よして」

ふたりを止めた。乱れかけた息を整え、

「こんなところで……喧嘩なんてしないで」

係員の指示に従い、三人で、遺骨を骨壺に収めてゆく。

陶器の壺に、骨があたって、からんと軽い音が響く。

その音に、優希は心が揺さぶられた。ほんの少し、自分をおおっていた殻が破け、

「ごめんね……」

声が洩れた。まだ人の形をわずかにとどめている遺骨

を見つめる。

「どこで、間違ったんだろう……」

箸で拾い上げた遺骨の一片が、台の上に落ちた。

先を急がせようとする係員に、

「少し、外してもらえませんか」

笙一郎が頼む声が聞こえた。

優希は、なんとか殻をつくろい、自分をおおい直そうと思った。

だが、指がふるえて、箸までが手から落ちた。

とっさに、両手で顔を押さえた。

「何か話して……」

ふたりに頼んだ。

「なんでもいい、関係ないこと……笑えるようなことでもいいから……」

自分から、彼らも知らない秘密を、話してしまいそうだった。話して、秘密を共有することで、楽になれればと願う心があった。

「いいお母さんだった」

梁平の声が聞こえた。

彼は、淡々とした口調で、

「いつだって、おれたちによくしてくれた。訪ねてゆくと、にこにこ笑って、よく来てくれたねって、おいしそうなケーキと、香りのいい紅茶を出してくれた」

優希は少しだけ顔を上げた。

志穂が、梁平たちに、そんなことをしたことはない。あり得ないことだった。

「テストの点を訊かれて、十点って答えたら、大丈夫と言ってくれた。世の中には、いろんな生き方があっていいんだから、順番や点数にとらわれちゃだめだと、笑ってくれた。いい人だった……そうだろ?」

梁平の言葉を受けて、

「ああ、いいお母さんだった」

笙一郎が答えた。彼もまた、静かな口調で、

「紅茶を絨毯にこぼしたとき、平気よって笑ってくれた。高価なカップまで割ったのに、この程度のことを悪いなんて思わないの、失敗は罪じゃないって、励ましてくれた。ミスから学ぶことが大事なんだからって、言ってもらえた……」

優希にも、彼らが何をしているのか、理解できた。皮肉を言っているのではなく、からかっているのでもない。

かつての第八病棟のやり方だった。

彼らが知っている現実の志穂は、双海病院を訪れたと

きの彼女だけだった。その志穂のことを話せば、つらい過去へとつながってしまう。

　だから、彼らなりの方法で、〈想像上の家族〉を語り、現実の悲劇から一時的に避難するよう、導いてくれている。

　優希も、いまは、志穂の死に関するすべては受け止められない。聡志のことをふくめて、現実をすべて認めてゆくには、あまりにつらい。

　だから、いまだけは、彼らの語るような志穂を想った。素晴らしい母親だったところだけを思い出すように努め、優希がそうあってほしかった志穂の姿も想像して、涙を流した。

第十章　一九七九年　初秋

1

夏祭りの花火を、優希は外科病棟のベッドから見た。

病院内の運動場にやぐらを組み、地域住民も集まって盆踊りをする程度の祭りだから、花火といっても、さして派手なものではなかった。気の抜けた音で、ぽんぽんと、二十発ほどで、あっという間に終わった。

優希も、窓の外に上がったオレンジ色の火花を、ちらりと横目で見ただけのことだった。

それでも、外科病棟に入院している子どもたちは、手術直後で動けない者以外は、運動場に出て、祭りを楽しんだ様子だった。

優希は、手術後の状態からして、さして無理をせずとも、外へ出られたはずだが、いくら看護婦たちに勧められても病室を出なかった。

第八病棟裏手の、浄水タンクの上から飛んだとき、地面に落ちる直前、無意識に右手をついたらしい。衝撃で、右の鎖骨と、右小指の指骨《しこつ》を折り、右手首の靭帯《じんたい》を傷つけた。ほかに首も捻挫《ねんざ》し、額や肘をすりむき、肩や腰にも打撲を負った。だが、落ちた場所が、雑草の茂った地面だったためか、障害が残るような傷にはならなかった。

優希は、どうして怪我をしたのか、浄水タンクの近くで何をしていたのか、医者にも看護婦にも語らなかった。というより、語れなかった。自分のとった行動の記憶が失われている。

手術の翌日、気がつくと、雄作と志穂がベッド脇にいた。

志穂は、茫然とした表情で、黙って優希を見つめていた。

一方、雄作は、怒りをたたえたような険しい表情で、

「何があったんだ。誰かに何かされたのか、何か言われたのか。お父さんに、話してみなさい」

饒舌《じょうぜつ》に語りかけてきた。ときに厳しい口調で、ときに泣きだしそうに声をふるわせ、

「まさか死のうとしたんじゃないだろうな。そんな悪いことをしたんじゃないだろう、優希……。しっかりしないか。頼むから、優希、心をしっかり持ってくれ……」

むしろ優希からの答えを恐れるように、繰り返し訴え

かけてきた。

優希には、彼らの言葉や表情が、確かな形では内に響いてこなかった。頭のなかに白い霧がかかったような状態で、どんな音も景色も、入るそばから霧の底へ沈んでゆく感覚だった。

優希が外科病棟に移ってしばらくしてから、ジラフとモウルが病室を訪ねてきた。最初は、ふたりの名前も思い出せなかった。

自分が浄水タンクの上から飛んだというのは、ふたりから聞いて、ようやく知った。倒れているのを、病院側に連絡したのも彼らだった。彼らは、優希がタンクから飛んだことは、誰にもしゃべっていないと、誇らしく語った。

優希にはどうでもよかった。だから、人を呼んでくれたことの礼も言わなかった。

骨折の状態がよくなった頃、精神科の部長である水尾の診察を受け、

「自殺を考えてたのかな?」と問われた。

優希はぼんやりと彼を見返した。

あのときの彼女に、はっきりした意図などなかった。

ただ、これ以上、自分のからだを自分のものとして扱えない状態で暮らしてゆくことに、耐えられないと思っていた。

タンクの上から飛んだと、ジラフとモウルから聞かされて、もしかしたら、空へ解き放たれたいという想いがあったのかもしれないとは思った。できれば、そのまま神の山まで飛んでゆければと、願ったのかもしれない。

水尾の診察は、優希が何も語らなかったためか、短い時間で終わった。

外科病棟内には、陰湿ないじめは存在しなかった。ほとんどの子どもたちが、確実に退院できることがわかっているからだろう。どんな言葉も反応も返さない優希は、外科病棟内では、浮いた存在であり、〈動物園〉にいた変わり者として、誰もが構わずにいてくれた。

雄作と志穂は、毎週、見舞いに訪れた。

志穂は、ため息をつくばかりで何も話さず、じっと涙を浮かべて腰掛けていることが多かった。そんな彼女が、優希にはうっとうしいだけだった。

雄作は、来るたびに、ぬいぐるみや人形、愛らしい動物をとらえた写真集などを持ってきて、

「お父さんたちは、おまえのことを心から愛してる。おまえが、なにより大切なんだ。このことを忘れないで、

自分を大事にしなさい」

　何度も愛という言葉をおりまぜて、話しかけてきた。

優希には、相変わらず意味が伝わってこなかった。

　夏祭りが終わると、いったん蟬の声が激しさを増し、その後どんどん小さく、弱くなっていった。

　逆に、コオロギか鈴虫らしい虫の声が、昼間でも病室内に届くようになった。海にクラゲが出たと、看護婦が話しているのも聞いた。

　養護学校分教室の新学期が始まる前日、優希に外科病棟から出る許可が出た。

　ギプスが取れ、右腕も首も問題なく動かせる。ほかの打撲箇所も、痣が残るだけに回復していた。

　だが、彼女の内側の霧ははれず、その日の水尾の問診にも、まともな反応を返せなかった。

　両親と病院側が話し合ったらしく、優希は第八病棟へ戻された。移動の際、雄作が持ってきた人形や写真集などはすべて捨てた。

　病室は以前と同じだった。イフェメラもアダもいた。

　イフェメラはやはり『遺書』を書いていた。優希を見ると、挨拶らしいものもなく、

「ときどきこの世界って、親が大人とはかぎらないってことを、忘れるみたいね。子どものままでも、親になれるんだから。親ってだけで、子どものすべてをまかせるのは、子どもに子どもを押しつけてる場合もあるのよ。子育ては競争じゃないって伝えるところが、どうしてないの。支える道も作らずに、未熟な親を責めるのは、間接的に子どもを叩いてるのと同じかもしれないのに」

　彼女は、呪文《じゅもん》でもつぶやくように、ぶつぶつと言った。

　アダは、ちらりと優希を見ただけで、無言で腹筋運動をつづけた。

　テイパーは、退院したのか、ベッドが空いていた。ぬいぐるみも、ひとつ残らずなくなっていた。

　病棟では、テイパーのほかにも、何人かが退院し、代わりに何人かの新しい入院患児がいた。

　医師も替わっていた。土橋がいなくなっていた。

　新しい担当医は、まだ二十代のようだった。小柄なのに、腹が出ており、繊細さに欠ける間延びした顔をしていた。まだ病棟内の雰囲気をつかんでいないのか、あるいは熱意をもてあましているのか、優希と初めて顔を合わせたときには、

「しっかり治そう。気持ちを強く持って、心の弱さに負けないようにしよう」

自分の拳を何度も握ってみせた。

第八病棟の看護スタッフや子どもたちのあいだでは、優希に対し、あらためて互いの紹介のようなものはおこなわれなかった。優希もずっと第八病棟で生活していた気がした。

外科病棟の生活は、静かで、安定感があった。けれど病棟全体に漂う、ある種の健全さに、居心地の悪さも感じていた。外科病棟の看護婦たちの、

「早くよくなろう、早くおうちに帰ろう」

という積極的な呼びかけが、ときに息苦しくもあった。

第八病棟の暮らしは、断続的な悲鳴や意味不明の叫び声が上がり、いきなり走りだす者がいるかと思えば、トイレに閉じこもる者もいる。突発的な暴力もある。とても静かとは言えず、安定もしていない。

だが、慣れてくれば、子どもたちが、悲鳴や叫び声を上げるのも、暴れだすのも、きっとそれなりに理由があることだとわかってくる。

たとえば、自分の場所と決めていたところに、別の人間が座ったり、自分の言動が無視されたときなど、子どもたち自身の存在が、なんらかの形で脅かされたときが、それだった。

また、暴力といっても、自分から壁にぶつかったり、スプーンで腕を刺そうとするなど、自分を傷つける行為が大半で、外へ向けての暴力行為は稀だった。優希には、以前通っていた一般の学校のほうが、よほど日常的に他者への攻撃がおこなわれていたように思える。

確かに、多くの者が、過剰に自己中心的であったり、自己愛的であったりする。だが、自己の存在を認めてくれるのなら、相手のことも認め、相手が何をしても構わないという寛容さもあった。

病棟の看護スタッフも、新しい担当医とは違って、そのことを心得ており、へたに頑張ろう、よくなろうなどといった励まし方はしない。

第八病棟のほうが、優希にはまだしも居心地がよかった。

優希は、病棟に戻った翌日から、また養護学校分教室に通った。

ジラフとモウルが、学校の行き帰りや休み時間に、

「大丈夫？　どこか痛むのか」

などと、不安そうな表情で話しかけてきた。

優希はうなずくことさえしなかった。

自分のなかの霧に、言葉や情景が入ってきては呑み込まれてゆくのを、ぼんやり外から眺めている感覚は変わらなかった。それが不快でもなかった。意思など持たずに、看護スタッフたちの指示どおり、食事をし、入浴し、ベッドに入った。

食堂内の黒板には、毎朝、大きく日付が書かれることになっている。九月一日が、ふと気づくと、四日になっており、翌日のつもりで見ると、七日になっていたりした。

八日の土曜日、子どもたちの多くが自宅に戻ったが、優希にはまだ外泊許可は出なかった。彼女は、することもなく、ベッドに横たわっていた。昼過ぎに、

「面会よ」

看護婦が呼びにきた。

優希は同じ姿勢のままでいた。

「聞こえなかった？　面会よ。来なさい」

看護婦にせかされて、ようやく食堂に進んだ。

食堂内には、二組の家族と患児がいた。

自分の面会者など見当たらなかった。一番奥の、窓側のテーブルのところで、人が立ち上がった。

志穂だった。雄作の姿はない。彼女ひとりだった。いつもの洒落《しゃれ》たスーツではなく、白のブラウスと、キャメル色のゆったりしたスカートをはき、靴も安っぽく、近所に買い物に行く途中、ふらりと立ち寄ったような恰好だった。

化粧もほとんどしておらず、本当に志穂かどうか、しばらく疑ったほどだ。

優希は彼女の前に立った。

志穂は、薄くほほえみ、

「怪我はどうなの、もう痛まない？　顔色はいいみたいだけど」

優希は答えなかった。

「とにかく立っていないで、座りなさい」

志穂が隣の椅子を引いた。

優希は、単純に指示に従う形で、腰を下ろした。

志穂は、自分も腰を下ろしてから、窓の外に目をやり、

「お天気、なんだか怪しい感じよ。雨はまだだけど、風がかなり出てきてるし……。フェリーもかなり揺れたの。台風が近づいてるって言ってたけど、本当みたいね」

気まずさをとりつくろうような、軽い口調で言った。

確かに、昼過ぎだというのに、外はもう薄暗かった。

食堂はクーラーが効いているため、窓を閉めているが、

中庭の木々が揺れる音が、窓越しにも聞こえてくる。

「今日は、ひとりで来たの」

志穂が顔を戻して言った。

香水ではない、志穂自身の香りをかすかに感じた。

「お父さん、大阪に出張なのよ。だから、わたしも、今日は来られないはずだったけど、どうしても優希と話がしたくなって……聡志を預けて、来てみたの。慌てて出てきたから、こんな恰好だけど……」

志穂は、ブラウスの襟もとに、指先でふれた。その手を所在なげに下ろし、膝の上の地味なハンドバッグを撫で、

「港からここまでは、タクシー。けっこうかかっちゃった。このお天気だと、遅くなるとフェリーが出ないかもしれないから、またすぐに帰らなきゃいけないし……」

彼女は、優希の目を見ずに、苦笑を浮かべた。

優希は、どうして母がひとりで来たのかを、ぼんやり考えていた。人目を気にするうえ、倹約家でもある母が、自分をつくろうことも忘れ、出費も構わず、何のために優希に会いにきたのだろう。

志穂が急に表情を引き締めた。口が乾くのか、唇を湿らすようなしぐさをして、

「今日はね、心を決めて来たのよ。このままだと、何もかもだめになる気がしたの。だから……はっきりさせようと思ったのよ」

彼女は、目を上げて、優希を見つめた。

優希は志穂を見つめ返した。

「お母さんね、優希に、本当のことを話してもらおうって……そう、思ったの。ちゃんと、全部、聞きにきたのよ。何があったか、全部、話してくれる？　本当のことを、ちゃんと話してくれる？　お母さん、全部聞くから……」

優希のなかで、内側の霧が崩れて、はれてゆくような感覚があった。それが恐ろしく、志穂から顔をそむけた。

「こっちを見なさい。ちゃんと、お母さんを見て」

志穂が優希の手を取った。優希は仕方なく顔を戻した。

志穂は、食堂内にいるほかの人々に聞かれるのを恐れるように、顔を寄せてきて、

「お母さんにだけは、正直に答えて。あなた、本当は自殺しようとしたの？」

優希は息をつめた。

志穂は、さらに優希の目をのぞき込むほどに近づき、

「どうして、自殺しようとなんてしたの？」

優希は口を開いた。言葉が出ない。

志穂の瞳もふるえていた。彼女は、つづけて、

「怪我をした日の、前の日の日曜日、自宅外泊のあと、優希は、お父さんとふたりで、病院に戻ったよね。聡志が熱を出したから、お母さん、一緒に病院までついてきてあげられなかった。あの日……何かあったの？」

志穂の息が、かすかに乱れている気がした。彼女の息が、優希の頬にもふれる。

「あの日……お父さんが帰ってきたのは、午前三時過ぎだった。ぎりぎりで十一時四十五分の最終便に乗ったって言ってたけど、どうしてそんなに遅くなったのか……。だって、あなたを送っていった時間から逆算したら、十時のフェリーには、悠々乗れたはずだもの。お母さん、そのときは、まだ聡志の風邪が心配で、深く気にもとめなかった。でも、あなたが、急に怪我をしたって聞いて……それも、浄水タンクの上から飛び下りたらしい、へたをすれば死んでいた可能性もあったと聞いて……。急にこのことが、思い出されてきたの」

志穂の目が、いつのまにか潤んでいた。優希の手を握った彼女の手も、小さくふるえている。

「話して。正直に、話してちょうだい。お願い」

優希は全身が熱くなるのを感じた。大声で叫びだしたかった。志穂から顔をそむけ、喉の奥からしぼり出すようにして、

「……話したじゃない」

声が細くかすれ、外の風の音に消されそうになる。

「なんですって」

志穂が訊き返した。

優希は、胸の内側を焼く炎を、必死に吐き出す想いで、

「前に、話したじゃない。前に、もう話したよ」

声が思っていた以上に高く響き、食堂内のほかの家族たちが振り返る気配があった。

「声が大きい」

志穂がたしなめた。彼女は、周囲をさっと見回し、

「病棟の外で話したいって、看護婦さんに頼んだんだけど、規則だからって許してくれなかったのよ」

優希は母のおびえたような瞳を見つめた。

そうなの？　やっぱり人に聞かれたら、いけないことなの？　そんな悪いことを、わたしはしたんだ……。

「優希、だから、前のときは前のときで……ここでずっと治療も受けてきたんでしょう。今度こそ、落ち着いて、本当のことを聞きたいの。そのために、こうして無理し

て来たのよ」

志穂が、優希から微妙に目をそらして、じれたように言った。

優希は瞬間に感じ取った。

母の、定まらない視線、乱れた息、ふるえている手の感触、そのすべてが、彼女の真意が言葉とは逆だということを告げている。

お母さん……あなたは、わたしが、本当のことを話すなんて、実は全然望んじゃいないんでしょう。いてもたってもいられず、駆けつけてきたのは、わたしのことを考えてじゃない。お母さんが、不安でたまらないから、自分がつらくて仕方なかったからでしょ。

お母さんが望んでいるのは、お母さん自身を、安心させてほしいということよ。聞きたいのは、お母さんが動転してしまう、本当のことなんかじゃない。家族がばらばらになってしまうかもしれない、真実なんかじゃない。わたしひとりが我慢していれば、みんなが幸せでいられる、嘘で固めた言葉を聞かせてほしいと、そう願ってるんでしょ……。

「優希、もしも前のとおりだって言うんなら、もう一度、はっきりと……」

志穂がおどおどした口調で言う。

優希は椅子から立った。志穂を残し、出口に歩いた。

「優希、待ちなさい。まだ何も……」

志穂の声に構わず、優希は食堂を出た。廊下で、看護婦とぶつかった。看護婦は、驚いた顔で優希を見て、なぜかほほえんだ。その笑顔が、優希の心を見透かしているように見え、つらくなって、病棟の玄関に走った。

「優希」

母の声が追ってくる。

スリッパのまま、玄関の外へ出た。看護婦の声もした。外来管理棟につながる渡り廊下から外れて、病棟の裏手に回った。病棟と塀とのあいだに植えられたサルスベリが、強風に揺れ、濃い桃色の花も吹き散らされている。

浄水タンクの前に出た。三メートルほどの高さのタンクの上に、ふたつの人影があった。

ジラフとモウルだった。

ふたりは、タンクの上に立ち上がり、両手を広げて、海からの風を、からだに直接受けていた。彼らの着ているシャツやズボンがばたばたと音をたてて、風下に向かってなびいている。

「飛ばされそうだぜっ」

ジラフが嬉々《きき》として叫び、

「ジャンプしたら、本当に飛べるかもっ」

モウルが少し背伸びをした。

優希は、彼らと一緒に、タンクの上に立ちたかった。

彼らが言うように、軽くジャンプするだけで、凧《たこ》のように宙へ舞い上がってゆけそうに見える。

「やあ」

ジラフとモウルが、彼女を見つけて、手を振った。

ふたりは、風のために二、三歩後退して、危うくタンクから転げ落ちそうになった。が、すぐにもとの位置に戻って、優希のほうへ、

「すげえ風だぜ」

ジラフが目を丸くして言い、

「どんな感じか、のぼってみたんだ」

モウルがほほえんだ。

「のぼっていい？」

優希は訊いた。

ふたりは、互いの顔を見合わせ、

「また、怪我しちゃうとさぁ……」

ジラフが頭をかいた。

「危ないんだよ、本当に」

モウルがタンクの上にしゃがんだ。

優希は、構わず、タンクを囲む金網のフェンスに手をかけた。

「何やってんの、優希っ」

「あなたたち、降りなさい」

背後から声が聞こえた。

優希は、フェンスを越える前に、志穂に後ろから引き戻された。

「どういうつもりなの」

志穂は荒い息づかいで言った。

看護婦は、ジラフとモウルに向かって、タンクから降りるように命じた。

志穂は、下からふたりの少年を睨み、

「あなたたちが、優希をそそのかしたの。このあいだも、あなたたちなのっ」

ヒステリックに叫んだ。

優希が望みどおりの答えを返さなかったため、怒りや苛立ちを、すべてふたりにぶつけるかのようだった。

志穂は、フェリーの時間もあり、優希のことを気にしながらも、一時間後には帰っていった。

ジラフとモウルは、罰点は免れたが、医師や看護婦ら

の厳しい注意を受けていた。

その夜、優希は眠れなかった。

風はどんどん強まり、病室の窓越しに、木々が大きく揺さぶられている音が聞こえた。窓もがたがたとふるえた。病室では、アダが自宅に帰っていたが、隣のイフェメラは残っていた。

「病棟ごと飛ばされて、誰も知らない無人島にでも落ちればいいのに」

イフェメラがささやいた。

遠く、地鳴りのような音が響いているのは、海が荒れているのか、それとも正面の山が地すべりを起こしたのか……。どちらにしても、優希に恐れる気持ちはなかった。

ほかの病室では、悲鳴や叫び声が上がりつづけ、対応する看護スタッフたちの、なだめる声やスリッパの音が、夜明けまで絶えなかった。

2

優希の姿が病棟から消えていた。

ジラフとモウルのほうが、看護スタッフより先に気づいた。

朝食の席にはいた。あまり食べていない様子だったが、テーブルには着いていた。だが、昼食には姿を現さなかった。

イフェメラに、優希のことを訊ねた。

優希自身は受け入れていないが、子どもたちのあいだでは、イルカの英語名、ドルフィンから一字を取った、「ルフィン」という名前が、優希のこととして通っている。

「ルフィン？　病室にはいないよ」

イフェメラは首を横に振った。

雨も風も、確実に昨日より強くなっている。

台風が四国を通過するのは、今日の夕方から夜にかけてだと、今朝、看護スタッフから話があった。充分気をつけ、病棟の外には出ないようにと、注意も受けていた。

この日、看護スタッフは三人しかおらず、全員疲れた顔をしていた。台風の影響で、ひとりが出勤できなくなったらしい。それでなくとも人数が少ない休日態勢のため、子どもたちひとりひとりに目が行き届いていない状態だった。

ジラフとモウルは、診察室をのぞき、イフェメラに頼んで、女子トイレも見てもらった。

どう捜しても、病棟内には姿がなかった。ふたりは、こっそりと第八病棟を抜け出し、外来管理棟に進んだ。

売店は、台風で外に出られないためか、様々な病棟の子どもたちで混雑していた。漫画や絵本を置いてあるコーナーは人気が高く、取り合いになって、叫び声も飛び交っている。

待合ロビーも、入院患児たちの遊び場所と変わっていた。台風の影響で、外来の患児がほとんどいないためだろう。慢性病の子どもたちまでが、台風に興奮しているらしく、風雨の音に合わせて、大声で叫びながら、鬼ごっこなどをしている。

だが、優希の姿はなかった。その頃になって、ようやく優希の不在が、病棟内でも問題となったのか、

「第八病棟のみなさん。第八病棟に入院しているみなさん、すぐに病棟のほうに戻ってください」

と、館内放送が流れた。

「もしかして、タンクの上じゃないかな」

モウルが思いついた。

「行ってみようぜ」

ジラフが先に足を踏み出した。

ふたりは、外来用の玄関に向かい、傘立てに並んでいる傘を勝手に取って、ふたたび内側から第八病棟へ引き返した。

渡り廊下の途中から、傘をさして、外に出た。思っていたより、雨足は強かった。傘が飛ばされそうになるのをこらえて、浄水タンクの前に走った。

タンクを囲む金網フェンスの上には、昨日のうちに、病院職員の手によって、有刺鉄線が巻きつけられていた。タンクの上にも、周囲にも、優希の姿はなかった。

養護学校分教室の前にも行ってみた。学校の玄関には、鍵がかかっていた。

ふたりは第八病棟に戻った。

玄関を入ると、診察室の前に集まっていた大人たちが、一斉に振り返った。

病棟の看護スタッフや、私服姿の病棟婦長、見たことのある病院職員もいた。みな、一様に険しい表情をしており、

「どこに行ってたんだっ」

看護士のひとりが厳しい声を発した。

ふたりは、たたきに傘を置き、黙って靴をスリッパに

はき替えた。

「病棟の外に出ちゃいけないと、言われていただろ。まったくきみたちは、いつもいつも問題を起こして」

看護士がさらに声を高くした。

婦長が、まあまあととりなし、ジラフとモウルを見て、「どこかで、久坂優希さんを見なかった」と訊いた。

ふたりは首を横に振った。

「そう……じゃあ、あなたたちは病室にいなさい。風邪をひかないよう、あったかくしてなさいね」

ふたりは、病室に戻るふりをして、階段の踊り場で、大人たちの話し合いを聞いていた。

「各病棟に協力してもらって、もう一度院内をしっかり捜しましょう。それでだめなら……」

という、婦長の声が聞こえた。

見つからなかった場合、捜索のための人間が出されるらしい。以前、彼女が明神山でいなくなったときと同様、駅や、松山へ通じる国道、あるいは最寄りの町の商店などへ……。海岸を捜してみようという話も出ていた。

ジラフとモウルは顔を見合わせた。

「森……」

ジラフがつぶやく。

「クス……」

モウルがうなずいた。

ふたりは病室まで上がった。同室のふたりは、まだ自宅外泊から戻っていない。きっと多くの子どもたちが、台風の影響で、今日中には病院に帰ってこられないだろう。

ジラフとモウルは、それぞれ自分のベッドの周囲にカーテンを引き、枕の上に布団を掛けて、人が寝ているように偽装した。

「あの子、森で何してるんだ」

ジラフが訊いた。

モウルが答えた。

「わからない。傘もたぶん持ってないよね」

「じゃあ、寒くて、死んじゃうかもしれないぜ」

「もしかして、死のうとしてるのかな」

「よせよ、イフェメラとは違うはずだったろ」

「でも、森のなかに埋もれる気持ちはあるかもしれないよ、死ぬ気はなくても……」

ふたりは、それぞれベッドの下から、似たような運動靴を出した。ふだんはいているものより、足首が守られている。山登り療法用に病院から勧められ、ふたりとも

入院時に、スリッパなどとともに買い与えられていた。いまではもうかなり傷んでいる。

　靴を胸に抱え、病室を出て、廊下を奥まで進んだ。ふだん二階につめているはずの看護士は、下の話し合いに加わっている。

　非常口の鍵を開け、外へ出た。横殴りの雨が、ふたりを打った。非常階段の踊り場で、靴をはいた。階段を駆け降り、運動場のほうに走った。

　運動場は一面、プールのように水がたまっていた。裏手に回り、体育用具をしまってある倉庫の前に来た。倉庫の鍵は、ナンバー式だった。番号はおぼえている。

　鍵を開け、なかに入った。バレーのネットや各種のボール、運動会に使う用具などが、乱雑に置かれている。網玉入れ用の籠などをかきわけ、隅の棚の前に立った。網やバトンを収めた棚を、モウルが支え、身軽なジラフがのぼった。屋根裏から、ジラフが黒いごみ袋をふたつ取り、モウルに手渡した。

　ふたりは、袋のなかから、赤と青それぞれのリュックサックを出した。赤がジラフ、青がモウル。病院の備品から盗んだものだった。なかにつめてある非常食や、災害時の緊急用品も、すべて病院の備品だった。病院を脱走して、本当の自由と安心を得て暮らしてゆける場所を求め、旅をするための準備だった。

　ふたりは、リュックのなかから、ビニール製の合羽を出した。服の上に、先にリュックを背負う。ふたりがいま身につけているジーンズとTシャツ、下着と靴下は、ジラフの叔父夫婦が送ってくれたものだった。面会のときの約束を、彼らは守ってくれ、ジラフがモウルにもわけていた。

　リュックを背負った上から、合羽を着て、ふたりは倉庫を出た。鍵をかけ、金網のフェンスに顔を寄せる。

「彼女に初めて会ったときも、ここを越えたんだよな」

　ジラフは、フェンスに手をかけ、のぼりはじめた。

「海に向かって歩いてて、人魚かと思ったよ」

　モウルがつづいた。

　いつもはおだやかな海が、黒々とした色に変わっていた。波が砂浜を削るように打ち寄せる。

　高い波のすぐ上を、雲がすごい速さで流れてゆく。風に乗って、波しぶきが飛んでくる。

　ふたりの目に、雨だけでなく、海水がしみた。手がすべりそうで、目もとをぬぐうのも怖かった。さかんにまばたきをしながら、フェンスをよじのぼる。

ふたりして高い位置までのぼったとき、一段と強い風が吹きつけ、フェンスが揺れた。

ちょうど一番上をまたいだばかりのジラフが、向こう側に転げ落ちそうになった。モウルが、手を伸ばし、ジラフを支えた。

ジラフが先に動くことにし、モウルは待った。ジラフは、慎重にフェンスを越え、素早く降りはじめた。向かい合ったとき、どちらからともなく、励ます想いで、金網をはさんだ互いの指にふれた。

ジラフが地面に降りた。モウルが、つづいて動き、フェンスを越えた。揺れないように、ジラフが金網にしがみついて、体重をかけた。モウルも地面に降り立った。

ふたりは、短くほほえみ合い、荒れる海に背を向け、山へと走った。


登山道は、ほとんど川と化していた。

土砂を削った茶色の濁流が、坂を流れ落ちてくる。登ってゆくと、ふたりの足首まで完全につかった。曲がり角のところでは、急に流れが深くなり、膝のあたりまでつかることがあった。

ジラフとモウルは、なるべく山肌からからだを離さないようにして、頂上をめざした。

登山道を下ってくる流れには、大小の石が混じっていて、足首や脛に何度もぶつかった。ときに踏み外して、流れのなかに手をついた。折れた木の枝が流れてきて、かわしたつもりでも、枝の先が頬を打つこともあった。

合羽はもう役に立っていなかった。下から跳ね上がってくる水で、ジラフもモウルも下着まで濡れている。だが、寒さは感じなかった。気温が高いうえ、ふたりとも気持ちが高ぶっていた。

山に入ってから、人の気配はまったく感じなかった。それでも優希が森にいることは、信じて疑わなかった。山登り療法の際に、休憩をとっている場所まで来た。道から少し奥まっているため、雨水の流れからは外れていた。ふたりは、流れから抜けて、草の上に身を投げ出した。

ひと息ついたのち、モウルがジラフに背中を向けた。ジラフは、モウルの合羽の裾をめくり、リュックから缶ジュースを取り出した。

ジラフは、先にひと口飲んで、

「登山道はもう危ないぜ」

モウルに渡した。

モウルも、ひと口飲んでから、

「林のなかに入ろうか」

と提案した。

ふたりは、ジュースを飲み干したあと、缶は捨てずにリュックにしまい、林のなかを進んだ。

林のなかは、風雨で折れた枝が、何度も行く手を阻み、濡れた草で、足がすべりやすくなっていた。優希と食べたキイチゴは、もう実が落ちていた。

彼方で雷が鳴っている。いつ自分たちのところに落ちてくるか、気が気ではなかった。

一方で、茂った木々の葉が傘になり、雨はあまり落ちてこなくなった。風も、林に守られる形で、直接からだにあたることがなくなった。地面を流れてゆく雨水も、草のあいだに分散されて、登山道を進むことに比べれば、遥かに楽だった。

やがて、強風に揺れる樫の木々越しに、頂上の景色が見えてきた。

彼女がいるのは、森だと思っていた。だが確認のため、ふたりは林から出て、頂上の中央付近へと進んだ。

頂上は、展望をよくするためだろう、木々がすべて伐《き》られ、丈の短い草ばかりが一面に広がっている。ふたりを嵐から守ってくれるものは、何もなかった。正面から激しい風雨が打ちつけてくる。目を開けているのも容易ではない。

立っていることもできなくなった。ふたりは、倒れ込むようにしてからだを伏せ、四つん這いの恰好で、前に進んだ。膝も手首も泥だらけになった。

ときおり顔を起こして、優希の姿を捜した。声など出せず、薄目を開けて見回すのが精一杯だった。

頭のすぐ上を、雲が流れてゆく。呑み込まれる気がして、首をすくめる。重心を低く保っていても、油断をすると、からだを持っていかれそうになる。

地面に跳ねる雨に顔を濡らしながら、どうにか頂上全体を見渡せるだろう、ベンチのところまで進んだ。杉の幹で作られたベンチは、土台をコンクリートと金具でしっかり固めてあった。

ふたりは、ベンチに背中を預け、ようやくひと心地ついた。風雨の幕を透かして、周囲を見回した。一部に茂った丈の長い草も、すべて林側へなぎ倒されていた。そのため隈なく見渡せた頂上に、人の姿はなかった。

「やっぱり、いないなーっ」

ジラフは風の音に消されないよう叫んだ。

「森へ行こうーっ」

モウルも腹の底から声を出した。

そのとき、ふたりの背後で光がひらめいた。

ふたりは背後の海を振り返った。

ごろごろと雷鳴がとどろく。同時に、異様なものが、視界に飛び込んできた。

巨大な灰色のいきものが、細長い身をうねらせて、海の上を渡ってゆく。

病院の建物すべてを丸呑みできそうなそれは、雲のかたまりか、霧なのか……。錯覚かもしれないが、波打つような動き方が、いきもののようにしか見えず、

「なんだよ、あれ」

ジラフが指差し、

「竜……?」

モウルは目をしばたたいた。

いきなり、彼方の空で稲妻が走り、ふたたび雷鳴がとどろいた。海を渡っていたいきものが、首をもたげて振り向いた。山の頂上にいるふたりを、じろりと睨み上げたように見えた。

ふたりは、声にならない悲鳴を発して、駆けだした。

足がからまり、風に背中を押されて、草のなかに顔から転んだ。

泥を飲みつつ、林のなかに飛び込んだ。足を止めずに、優希が以前いた森へ、一目散に駆け降りてゆく。

濡れた地面に足をとられ、前を走っていたジラフがしりもちをついた。後ろのモウルが、彼につまずいた。

ふたりは、抱き合うようにして、斜面を転がり落ちていった。

3

森のなかは、風が様々なところから吹き込み、反響するのか、太い笛が吹かれているような、ぼお、ぼおという音がこだましていた。

ただし、密生した木々で守られているため、森の中心では、風雨を直接受けることもなく、音の凄まじさほどには、危険を感じなかった。

優希は、恐怖より、寒さが耐えがたかった。蔓や木の根に囲まれた穴のなかで、いったんは森に埋もれることを望んで、横たわった。だが、あまりの寒さに、じっとしていられなくなり、膝を抱えて座り直した。

目の前のクスの大木に守られ、雨も風も吹き込んではこない。斜面を流れてくる雨水も、からみ合った蔓や草、根などにさえぎられて、穴のなかは、ほとんど濡れていなかった。だが、寒さだけはどうしようもなく、あわせて空腹も感じはじめていた。

せめて朝食をしっかり食べておけばよかったと、いまさらながら悔やんだ。

少ししか口にしなかった朝食後、何の準備もせず、思いつくまま病棟を出た。

自分でも、ごくしぜんな行動だったため、周囲も不審に思わなかったのか。病院も正門から出たが、誰からも見とがめられなかった。玄関脇の傘を勝手に取り、さしていたので、顔が見えなかったこともあるのかもしれない。

登山道に入るまでは、雨はまだ傘でしのげたが、山を登りはじめてから、次第に傘も役に立たなくなった。頂上に着いたときには、本格的な嵐になり、ついには傘も飛ばされた。着ていたポロシャツや綿パンツはもちろん、下着までびっしょり濡れた。それでも、動いている最中は、からだが温まっていた。森に包まれて眠るという想像に、我を忘れてもいた。

しかし、実際に森に入り、穴のなかに落ち着いてからは、どんどんからだが冷えて、いまはもうこらえようとしても、手足がふるえ、歯もかちかちと鳴る。

死ぬことは少しも恐れていないのに、寒さや空腹に対する自分の反応が、肉体の裏切りのように思えた。あらためて、自分のからだが呪わしい。

暗くなる前に山を下りるか、穴のなかでふるえつづけるか、次の行動に迷った。いまさら下山する気にはなれない。といって、森に包まれて眠るという夢は、現実にかなえられそうになかった。優希は、情けなくなり、膝のあいだに顔を埋めた。

不意に、枝が折れる音が聞こえた。

優希は身を強張らせた。耳をすます。

水の跳ねる音がし、草を踏む音がする。何か大型の獣が近づいてくる気配を感じた。できるだけ穴の奥に下がった。武器となるようなものは、何も持っていない。膝を胸に引き寄せた。

穴の出入口からクスまでは、ほぼ二メートルの距離がある。そのクスの、太い幹の両側から、黒い顔がひとつずつ現れた。穴をのぞき見て、

「あ、いた」

「やあ」

ふたつの黒い顔は、幹を回って、クスの前に出てきた。全身も黒く、いたるところに落ち葉や草、泥がついていた。

クスの太い根は、穴に向かって左右に伸び、ちょうど穴に入るための左右の敷居のようになっている。ふたつの黒い影は、それぞれにわかれ、クスの根の上に腰を落とした。

「ここは、雨も落ちてこないし、あんまり風も吹いてこないな」

「山で、一番安全なところかもしれないね」

影たちは、優希になれなれしく話しかけてきた。

優希は、気味悪く、さらに奥の壁にからだを寄せた。

影たちは戸惑った様子を見せた。穴をのぞいて、次に互いの顔を見合った。同時に笑いだし、

「ひでえな。窪地の泥に、顔から突っ込んだからだぜ」

「あれで助かったんだよ。底にたまった泥や葉が、クッションになったんだ」

ふたりは、自分たちの顔を、手のひらでぬぐった。ジラフとモウルの顔が現れた。

「どうして……」

優希は力が抜けた。

ふたりは、優希にほほえみかけてきて、

「お食事を、お持ちしました」

ジラフが気取った口調で言い、

「音楽も、ご用意いたしております」

モウルも同じ口調で言った。

ふたりは、合羽を脱いで、背中のリュックサックを穴の前に下ろした。

ジラフは、缶ジュースと乾パンを出し、優希の前に差し出した。モウルは、小さな携帯ラジオを出し、スイッチを入れた。

ラジオからは、雑音ののち、明るい調子の民謡が流れてきた。


クスの木の輪郭が、闇に溶けてあいまいになる。

嵐は一段と勢力を増しているらしく、木々が根こそぎ倒れそうな勢いで揺れている。ぼお、ぼおという、森全体が鳴っているような音も、さらに太く、恐ろしげに聞こえた。

穴のなかは、二畳くらいの広さと奥行き、高さも一メートル近くあった。子ども三人が座るには充分で、まだ

少し余裕があるくらいだった。

かなり昔に掘られたものらしいが、内側の土がしっかり固められているうえ、木の根がからまり合って、土が崩れるのを守っている。

優希は、ふたりから借りた寝袋に肩まで入り、横壁にもたれて座っていた。

ジラフとモウルは、反対側の横壁に並んで背中を預け、互いの肩の上に寝袋を掛けていた。寝袋だけでなく、三人の体温により、穴のなかが暖かく感じられた。

優希は、ふたつしかない寝袋のひとつを自分が使うことを、いったんは断った。だが、ふたりからどうしてもと勧められ、好意に甘えることにした。缶ジュースも飲み、彼らと一緒に乾パンも食べた。

ラジオは、穴の出入口近くに置いて、ずっとつけていた。民謡や流行歌、あるいはクラシック、その合間には、つまらないＤＪの話や、台風情報などが流れた。ジラフとモウルは、穴のなかに落ち着いてからは、ほとんど話しかけてこなかったし、優希からも話すことがなく、少なくともラジオのおかげで、沈黙にも困らずにすんだ。

穴の外の、わずかに木々越しにうかがえていた空も、完全に明るさを失ってきた。穴のなかにも闇が忍び寄り、互いの顔すら見えなくなる。

しばらくして、優希の耳に、異様な息づかいが聞こえてきた。

病棟内や養護学校分教室のクラスで、前ぶれもなく呼吸困難に陥る子どもが、ときおりいるが、それと似たピッチの速い息づかいだった。

「怖いのか、モウル？」

ジラフの声がした。

妙な息づかいがやんだ。代わって、きしきしと、小石をこすり合わせるような音が聞こえてきた。

「待ってろ」

ジラフの声ののち、優希の向かいで、リュックサックをまさぐる音がした。

突然、火が灯された。小さなオレンジ色の炎によって、穴のなかが明るくなり、優希は目をしばたたいた。

ジラフが、穴の奥で、ライターを手にしていた。

モウルは、出入口側で、目を見開き、歯を食いしばっていた。噛み合わせた歯が、きしきしと鳴っている。

「大丈夫だ、安心しろ。顎の力を抜け」

ジラフが、もう一方の手で、モウルの首筋を揉むようにした。

モウルの目がジラフに向けられた。視線が優希に移ってくる。ひきつっていた表情がゆるみ、顎の力が抜けてゆくのが、優希にもわかった。

「これ、持ってて」

ジラフが優希にライターを差し出した。

優希は、寝袋から手を出し、ライターを持った。

ジラフは、穴の奥に置いたリュックのなかに手を入れ、何やら探しはじめた。

急に穴のなかに風が吹き込んできた。ライターの火が消えた。瞬間的に、悲鳴が上がった。

「火をつけて、早く」

ジラフの叫ぶ声がした。

優希はとっさにライターの石をすった。

穴のなかが、明るくなる。

モウルが、目を見開き、おびえた表情を浮かべていた。

優希にまで、彼の恐怖が伝わってくる気がした。

「火を消さないようにしてくれ」

ジラフに言われた。

優希は、もう一方の手のひらで、ライターの火を守った。

ジラフが、リュックのなかから、ろうそくの箱を取り出し、

「どこに、立てようか」

迷った様子で周りを見た。

「空き缶……缶をつぶして」

モウルが、食いしばった歯のあいだから、病人のような声で言った。

ジラフが、リュックから、ジュースの空き缶を出した。足でつぶし、胴のところを平らにした。

優希は、寝袋から上半身を出し、ろうそくの箱から一本抜いて、火をつけた。

空き缶を利用したろうそく立てに、ジラフがろうそくを立てた。風の届かない一番奥に、慎重に置いた。

炎の揺れがおさまると、穴のなかが暖かな雰囲気に落ち着いた。外がひどく荒れているだけに、いっそう安全な空間として感じられる。

「大丈夫?」

優希はモウルを見た。彼がうなずいたのに、ほっとして、

「ごめんね、さっき。火を消しちゃって」

「いいんだ……」

モウルは力なくほほえんだ。彼は、恥ずかしそうに目

を伏せて、

「謝ることなんてないよ。暗くて狭い場所が苦手なのは、ぼくのせいだから……。ぼくが、悪いんだからさ」

「よせよ」

ジラフがさえぎった。寝袋の半分を、モウルの肩に掛け直してやりながら、

「自分を悪く言うな。暗いところがだめなのは、おまえのせいなんかじゃないだろ」

モウルは顔を伏せた。ジラフの思いやりに感謝しているのだろうと、優希は思った。だが、

「……何も知らないくせに」

モウルが吐き捨てるように言った。掛けられたばかりの寝袋も払い落とす。

ジラフが、驚いた表情で、

「知らねえけど……おまえが、赤ん坊のときから、そうだったわけがねえだろ。おまえは、暗いところに押し込められると、おかしくなるように、育てられたんだよ」

「違う」

モウルが言い返した。

ジラフは、かっとした様子で、唇をとがらせ、

「おまえだって、よく話してたじゃねえか。どんな奴だって、あんなふうに、こんなふうに、育てられるんだって。誰かは、金持ちにへいこら頭を下げる野郎になる。誰かは、成績上げるためには、他人を蹴落としても平気になる。そして誰かは、他人を平気で殴れるし、殺せるようにもなる……みんな、そういうふうに育てられてゆくんだって。なかには、いい感じの大人になった奴もいるだろうけど、そういう人間は、幸運なんだ。たぶん自分じゃわかってねえだろうけど、すっげえ幸運なんだ、恵まれてんだ」

「ぼくは、別に不運じゃない。ぼくは充分恵まれてた」

「そうかよ、だったら火を消してやろうか」

ジラフは、穴の奥に首を伸ばし、ろうそくの火に息を吹きかけようとした。

「やめて」

モウルより先に、優希が止めた。

ジラフには最初から消す気がなかったのか、炎はかすかに揺れただけだった。

「こんなところで、喧嘩しないで」

優希はふたりに言った。

ふたりはもとの場所に座り直した。

ラジオからは、大気の乱れなのか、雑音ばかりが流れ

てくる。ジラフがラジオを穴の奥に移した。かすかにクラシック音楽が聞こえてきた。

「煙草、いいかな」

しばらくして、モウルが言った。

優希は、うなずき、手にあったライターを差し出した。

「煙は外へ出せよ」

ジラフが言って、青いリュックサックをモウルの前に置いた。

モウルは、リュックから煙草の箱を出し、一本くわえて、ライターで火をつけた。小学生のくせに、妙に慣れたしぐさに見えた。

モウルは、リュックとライターをジラフのほうへ戻し、出入口寄りの横壁にもたれた。煙を吸っては、せわしなく外に向かって吐く。なかなか落ち着かない様子だった。彼は、斜向かいにいる優希をちらりと見て、

「吸ったこと、あるの?」と訊ねてきた。

優希は、寝袋の前をかき合わせて、首を横に振った。

モウルは、唇の端をゆがめ、いやな感じの笑みを浮かべた。

「よかった。ジラフはね、女の人が煙草を吸うと、おかしくなっちゃうんだ」

「うるせえぞ」

ジラフが低く言い返した。

モウルは、優希のほうへ笑みを浮かべたままで、

「ジラフが、なぜジラフ……つまりキリンって呼ばれるか、教えようか」

「いい加減にしとけよ」

ジラフが怒った声で言う。

モウルは、やめずに、

「ねえ、ジラフ、家族で誰が煙草を吸ってたの?」

「ふざけやがって」

ジラフが、ラジオをつかんで、モウルの顔のほうへ投げた。

ラジオは、モウルの顔の横をそれ、穴から飛び出し、クスの根にぶつかった。音声が途切れた。

「やめてったら」

優希は声を高くした。

ジラフは、荒い息を吐いて、奥の横壁に背中を戻した。

「モウルも戻って。寒いでしょ」

モウルは穴から半分からだが出かかっていた。彼は戻らず、逆に外に出て、クスの根の上にこちら向きに腰を下ろした。

「いいかよ、ジラフ。ほかの人間は、どうか知らないけど……ぼくは不運でも、不幸でもないんだ」

モウルの声は微妙にかすれていた。

彼は、煙草を足もとの地面で消し、吸殻をジーンズのポケットに入れた。

「ぼくの父親はね、革命の闘士なんだよ」

モウルが優希にほほえみかけてきた。口調も自慢げなものに変わって、

「社会をよくするために、戦いつづけてる。でも、絶対に人を傷つけない。テロなんて、一番に嫌ってる。お父ちゃんは、みんなが病人だと思ってる。世の中のみんなは、本当に、一生懸命生きてるし、誠実に生きようとしてる。けど、少し熱の高い病気にかかってるから、一生懸命の方向が間違ってる。お金や肩書を欲しがり、そのために人を陥れたり、だましたり、ときには殺したりもする。お父ちゃんに訊かれたことがある……病気の人を傷つけたり、殺したりするお医者さんがいるかなあって。病気の人は、根気よく治さなきゃいけない。そのためには、熱がある、疲労がたまってるってことを、まず自覚してもらわなきゃいけないんだって……。お父ちゃんの仕事は、多くの人に、熱がありますよ、こんな生き方をしてると倒れちゃいますよって、言って回る仕事なんだ。それは、大変な仕事だろ？　だから家にいないんだ。家族にばかり、かまっていられなくて、帰ってこられないんだ」

「……よせよ」

ジラフが小さな声で言った。

彼は、肩に掛けた寝袋を、からだに巻き直し、

「そこは、風があたるだろ。風邪ひいちまうぞ。話をやめて、こっちに来いよ」

モウルは動かなかった。クスを背にして、優希のほうに嬉々とした表情で、

「お母ちゃんもね、お父ちゃんの意見に賛同して、支えてるんだ。運動の資金がいるからね、工場で朝から晩まで働いて、休みの日も建築現場で働いてる。だから、ぼくが幼い頃から家にひとりで残るのは、当然のことだった。つらくなんてなかったよ。それにお母ちゃんは、帰ってくると、きっとぼくを抱きしめてくれた。香水なんてつけてなくても、とってもいい匂いがしたよ。汗の匂いもするけどね、額に汗して働いたあとの、汗なんだ。ぼくらは一緒に銭湯に行った。幼い頃は、女風呂に一緒に入って、からだを洗ってくれた。おなかに抱きかかえ

て、髪の毛も洗ってくれた。汗の匂いがしてたお母ちゃんから、石鹸の匂いがしはじめるんだ……」

「もうよせよっ」

ジラフが苛立たしげに言った。

「ジラフの両親も、素敵だよね」

モウルがすかさず言う。

優希は、彼の目が何かに取りつかれたような、異様な輝きを帯びているのに気づいた。

「ジラフのお父さんは、県庁に勤めててさ、将来は知事候補なんだ。ジラフに面会に来たとき、文房具をいっぱい買ってきて、病院中の子どもにプレゼントしたことがある。ジラフのお母さんは、元ミス香川なんだ。でも少しもそれを鼻にかけていない。病院の運動会のときは、進んで世話係になって、転んだ子を、泥だらけになるのも構わず抱き上げてた」

「ばか野郎っ」

ジラフが、ついに我慢ならなくなった様子で、寝袋をモウルに投げつけた。すぐに自分から穴を出て、モウルに飛びかかり、クスの根と穴とのあいだの地面に組み伏せた。

「おれの親父が、何か持ってきたか。母親が、一度だって面会に来たかよ。何が、泥だらけになるのも構わずだっ。スカートにしがみついただけで、ひっぱたいた親だよっ」

「やめて」

優希は止めた。

聞こえないのか、ジラフは、モウルの喉を押さえつけ、

「おまえだって、親父と一度も会ったことがないって言ってたろ。何が革命だ。あのお母ちゃんが、建築現場なんて、ふざけんな。ミニスカートはいて、真っ赤な口紅つけて、医者まで店に誘ってんだろ。石鹸の匂いどころか、香水ぷんぷんさせて、通ったあとは、こっちの頭が痛くなるんだよ」

「……違う」

モウルが苦しげに言い返した。

ジラフは、怒った表情のまま、ハハと言葉にして笑い、

「おまえにも、おれにも、そんな親はいないよ。どんな親もいないんだ。ひどい真似をする親だっていない。何もない、消えたんだ。おれたちは、おれたちだけなんだ……」

「もうよして。死んじゃうよ」

優希も、穴から出て、ジラフの肩に手をかけた。彼の

目が潤んでいるのに気づいた。

「おれたちは、別の世界ではじめるんだ。この世界の人間は誰もいない、新しい世界で、どんな痕も残ってない、きれいなからだで、初めから生き直してゆくんだ……」

ジラフのからだから力が抜け、しりもちをつくような恰好で、モウルの上から降りた。彼は、穴の脇の山肌に、ぐったりともたれかかった。

優希はどうしてよいかわからなかった。穴の前は、クスなどの木々に守られて、雨は直接落ちてはこない。しかし、様々な方向から吹き込んでくる風によって、しぶきがさかんに降りかかってくる。

モウルは、クスと穴とのあいだの地面に横たわったまま、からだを起こさず、

「むだだよ」

とつぶやいた。いまにも泣きだしそうな声で、

「どこにも、行けやしないよ。たとえ行けたって、何も変わりはしないんだ……」

ジラフは、首だけ起こし、

「行くって言っただろ。準備してただろっ」

強く言い返した。

モウルは土の上で首を横に振った。しぶきが、彼の頬を濡らしている。

「ジラフだって、本当は信じてなかっただろ。そのからだが、どうやってきれいになるんだよ。ぼくも、一生暗いところを怖がるのさ。どこに行ったたって、つきまとうんだ」

「やめろ」

「恐ろしいんだ。どこに行っても、何も変わらないのを見るのが、恐ろしいから……ぼくたちは、行こう行こうって言うだけで、どこへも行けなかった。彼女を、一緒に連れてゆこうって決めたのは、彼女がいれば、救ってもらえると思っただけじゃない……。心の底では、きっと別のことも思っていたんだ。彼女を説得するには時間がかかるから、出発が延ばせる……もしかしたら、出発できないことの言い訳になるかもしれない……そう思いもしたに違いないんだ。無理なんだ。新しく生き直すことなんて、できやしないんだ」

「うるさい、うるさいっ」

ジラフが耳をふさいだ。彼は、優希の脇を抜けて穴のなかに顔を入れ、いきなりろうそくを吹き消した。

周囲が、一瞬に暗闇に落ちた。

モウルが悲鳴を発した。

「何してんの、早く火をつけて」

優希はジラフに言った。

モウルのいたところから、速いピッチの息づかいが聞こえる。息づかいのあいだに、

「いやだよ……出してよぉ……」

おびえた声が聞こえる。

「火をつけて。ひどいことしないでっ」

優希は穴のほうへ叫んだ。

だが、ジラフからは、どんな声も返ってこない。

優希はモウルのいたあたりに手を伸ばした。

「大丈夫よ、わたしたち、ここにいるから」

クスの根に手があたる。息づかいと、むれたような体臭によって見当をつけ、ようやく彼のからだにふれた。

寝袋を抱えて、ふるえていた。

「ほら、わたし、ここにいるでしょ。わかる？　ここにいるから、大丈夫だよ」

優希は、手でからだの輪郭をとらえてゆき、彼の首の下に手を差し入れた。無抵抗の彼を、穴のほうに引き寄せるようにして、抱き起こす。彼を抱えたまま、後方に下がってゆく。しぶきがかからなくなり、空気の流れや地面の感触で、穴のなかに戻ったのがわかった。

胸に、彼の頭を抱き、

「モウル、わかるでしょ。ひとりじゃないよ、わたしがいるの。だから、怖くないでしょ」

呼びかけながら、彼の背中を撫でた。

「ねえ、ジラフ、火をつけてあげて。お願い」

すぐそばにいるはずの、ジラフに頼んだ。火はつかなかった。代わりに、

「からだ中に、火傷の痕があるんだ」

ジラフの声が返ってきた。

聞き取るのが精一杯の、低く抑えられた声が、優希の正面から聞こえてくる。

「服で隠してるけど、裸になったら、わかる。からだ中に、丸くて小さい痕がある。ジラフって呼ばれるんだ。だから、ジラフって呼ばれるんだ。お……」

話しかけたジラフの声が、いったんつまった。息がふるえている。

「お母さんが、吸ってた、煙草の……」

ジラフはまた黙った。懸命に泣くのをこらえている気配が伝わってくる。

「いつ頃からか、わかんない。三歳くらいの頃、気がついたらもう、いろんな場所に痕があったんだから。火傷

のないところと比べると、赤黒くて、古いところはへっこんで、新しいところは盛り上がってた。おかしな感じだから、よく手でさわった。そのたび、手を叩かれた。ふだんは吸ってないんだ、お母さん……。お父さんが、いやがってたから。お祖母ちゃんから料理がまずいって言われたり、お父さんが、お祖母ちゃんの味方をしたり、夜に帰ってこなかったりしたときなんか……ふたりのいないところで、吸うんだ。四歳とか五歳の頃が一番多かった気がする。その前の記憶があんまりないからかもしれないけど……。ふだんは、おれが失敗しても叱らない。このときのために、ためておくんだ。そして、この前かたづけができなかった分、皿を割った分、玉ねぎを食べ残した分って、煙草でひとつひとつおしおきされる。火傷は、さわると、皮が破けて、じくじくして、いやな汁が出てくる。消毒のためだって、上から焼かれたこともあった。大人になるまでには、痕は消えるから、心配するなって言われた。いい大人になれば、しぜんと消えるんだって……」

「誰も、知らなかったの」

優希は恐る恐る訊ねてみた。

「誰もって？」

ジラフの声が返ってくる。

「お父さんとか……」

「お父さんは、知ってたよ」

ジラフは当然のように答えた。かすかに笑う声が混じり、

「だって、三歳頃のおれが気づいたときには、もういっぱい痕があったんだから。お父さんは、その前から知ってたはずだよ」

だったらどうして止めてくれなかったのか……訊こうとする優希の喉がつまった。同じ経験が、彼女にもある。ジラフの泣き笑いのような息づかいが、穴のなかに響いた。

「それに、お母さんのほうが、お父さんを止めてたくらいだからね……。仕事から不機嫌そうに帰ってくると、よく叩かれたよ。おもちゃをかたづけろって叱るんだ。だから、かたづける。すると、かたづけ方が悪いって、手が飛んでくる。かたづけてるよっと言ったら、口答えするなって、今度は蹴られる……。お母さんが止めると、おまえの育て方が悪いって、お母さんも叩く。おれが泣いて謝ると、うるさいって頬をぐいぐい拳で押される……それで歯が抜けたこともあった。でも、機嫌がいい

と、遊園地に連れていってくれたし、野球にも連れていってくれた。人の前では、たいてい笑って、可愛がってくれた。そんな時間がずっとつづいてくれることを、何度も祈った。けど、絶対つづかない。たとえば、動物園に行くだろ？　最初のうちは、楽しいんだ。なのに、お母さんがトイレから戻るのが遅いってだけで、お父さんは、いらいらしはじめる。遅いじゃないかって叱る。お母さんは、混んでたって言い返す。お父さんは、女のくせに口答えするなって怒鳴って、暗い一日に変わるんだ。おれのやること全部が気に入らなくなって、帰ってから、行儀が悪かった、車のなかでじっとしてなかったって、おしおきさ」

　優希は、つらい気持ちになるのに、聞かずにはおれず、

「でも、お祖母さんも一緒に暮らしていたんでしょ」

「隣の家に住んでたよ。おれたちの家は、お祖母ちゃんの家の隣に、建て増ししたんだ。家のなかから、行き来もできてた」

「だったら、何か言ってくれなかったの？」

「何かって」

「たとえば、お父さんが叩くこととか」

　ジラフが笑った。だが声は、泣き叫んでいるように聞こえ、

「おれが、お父さんに叩かれだすと、お祖母ちゃんは、料理を作りはじめたり、自分の部屋のほうへ引っ込んだりするんだ。叩かれるおれは、お祖母ちゃんには見えないんだ。可愛がられてるおれは、見える。でも、叱られてるときのおれは、見えない。おれの傷も見えない。見ないんだ」

　優希は目の裏のあたりが熱くなった。声が洩れそうになる。

　ジラフの言葉がつづいた。

「小学校に上がる前、頭に大怪我して、頭がじんじんしてるとき、耳もとにずっと、おまえは階段から落ちたんだ、階段から落ちたんだからって、聞こえてた。お父さんが言ってると思った。お父さんとプロレスしてて、足を蹴ったら、お父さん、かっとして、足をつかんで振り回した。お父さん、すぐむきになるから。ぐるぐる回されて、足が急に離された。頭ががんって何かにぶつかって……気がついたら、病院に運ばれてた。そして、声を聞いたんだ。けど、お父さんじゃなかった。目を開いたら、お祖母ちゃんがいた。お祖母ちゃんが、ぼくの耳もとにささやいていた。階段だって、階段から落ちたんだ

よって……」

　やめて。優希は叫ぼうとした。声が出なかった。

「みんな知ってたよ。みんな知ってたさ。医者だって、頭の怪我だけじゃない、火傷の痕も見たはずなんだ。でも何も変わらなかった。おれが、アレルギーを持ってるから、お灸《きゅう》で治療してるんだって、お母さんが看護婦に話してるのを聞いた。でも、ちゃんと見れば、お灸かどうかわかるはずだろ？　みんな、見えないんだ。おれの傷が見えない。おれが見えない……。だから、この火傷痕は、大したことない、意味のないものだって思ってた。子どもなら、誰にでもあるような痕かと思ってた。けど、学校で、おれは笑い物になった。見せ物だった。先生も知った。なのに、先生も何もしてくれなかった。子どもには、見える。けど、大人には見えなかったんだ……。見えるか、おまえには、見えるかよ」

　ライターの石がすられる音がした。

　穴のなかが明るくなる。優希の向かい側に、ジラフがいた。手にライターを持っていた。彼は、穴の奥に手を伸ばし、ろうそくに火を灯した。

「ほら、火がついたよ」

　優希はモウルに告げた。

　彼は、優希の膝に頭をのせ、身を丸めてふるえていた。うっすらと目を開き、周囲を確かめる。表情から緊張がとけてゆく。

　ジラフは、優希たちの前を通って、穴の外に出た。

　彼は、嵐にもほとんど揺れていないクスの前に立ち、優希たちに背中を向けて、長袖のTシャツを脱ぎはじめた。まだ濡れているため、脱ぎにくそうで、クスに手を預けて、シャツを脱ぎ、つづいてジーンズも脱いだ。雨のしぶきが、彼の肌を濡らしてゆく。

　優希の膝から、モウルが身を起こした。

「やめなよ、ジラフ」

　悲しげな声で言った。

　ジラフは、聞こえないのか、ためらいもせず、下着まで取った。

「モウル、火を近づけろよ」

「ジラフ」

「いいから、頼むよ……」

　ジラフの声はふるえていた。

　モウルは、まだ少し迷っていたが、穴の奥に這い進み、空き缶に立てたろうそくをつかんで、穴の出入口付近まで運んだ。

ジラフは両手をからだの横に挙げた。

優希は見た。

小柄なジラフの、背中から腰、尻、太股にかけてのあちこちに、小さくて丸い火傷の痕が、五十か六十、刻印のように浮かび上がっている。

背中の火傷痕は、たとえば灸の治療をしていたと言えば、知らない者は、だませるのかもしれない。

だが、よく見れば、尻の火傷痕は、左右それぞれに円を描く形で残っていた。幼い子どもの尻に、煙草を押しつけ、円を描いていた人がいたということ……なのに、誰も見なかった？

「後ろだけじゃない」

ジラフは言った。

彼は、優希たちのほうに振り向きかけ、途中で止まった。ためらっているようだった。

風が吹き込んできたのか、ろうそくの炎が揺れた。クスの幹に映ったジラフの影も揺れた。彼は静かにこちらを向いた。

優希は顔を伏せたかった。だが、伏せてはいけない、見なくちゃいけないと自分に言い聞かせた。

ジラフの胸から腹部にかけて、やはり火傷の痕があった。黒ずんでいるもの、赤くただれ、皮膚がひきつれているもの……。キリンの模様と呼ぶには、あまりに無残なものだった。

そして、彼の小さな性器の周囲にも、性器を円で囲む形で、火傷が残っていた。儀式か何かのようにも見える。

「ここは、悪いところだからって言われた。ひどいことをする場所だからって……」

ジラフは性器を指で支えた。火傷痕があった。

「いいよ、ジラフ。見えたさ、ちゃんと見えたさ」

モウルが苦しそうな声で言った。

ジラフは、目を上げて、優希を見た。

優希は、彼から目をそらさず、

「見たよ」

深くうなずいた。

ジラフは大きく息を吐き出した。急に恥ずかしくなったらしく、顔を伏せ、慌てて下着をはき、シャツを着た。

「けどさ、ジラフは使えるだろ」

モウルが言った。彼は、寝袋を胸に抱えて、

「ジラフのおちんちんは、使えるだろ」

「なんだって？」

ジラフが、ジーパンに足を通しながら、訊き返した。

　モウルは、ろうそく立てを持って、奥に戻した。そのまま優希やジラフに背中を向け、

「立つって言うじゃないか。看護婦の更衣室をのぞいたときとか、エロ本を見たときも……立ったって言うじゃないか。ズボン越しに、固くなったものを見せるだろ」

「よせよ、ばか」

　ジラフはさえぎった。優希のほうを気にする様子で、

「冗談だよ、ああいうのは」

「冗談だって、なんだって、使えるってことだろ」

　モウルが声をふるわせる。背中をいっそう丸めて、

「ぼくは……使えないんだ」

　ジラフが穴のなかに戻ってきた。

「使えないって？」

「だから……ジラフみたいになったことはない。看護婦のおっぱいが見えたって、エロ本見せられたって……あは、ならない」

「けど、おれたちは、まだガキだしさ」

「ガキだって立つよ。固くなる。そう言って、みんな騒いでるじゃないか。四年生の奴でも立ってるよ」

　ジラフは、困った表情で、下に落ちていた寝袋を拾った。後ろから、モウルの肩に掛けてやり、

「いまに、固くなるよ」

　モウルは首を横に振った。寝袋を払い落として、

「ずっと握ってたからなんだ。押入れにいたとき、ぎゅって、ちぎれるくらい握りつづけていたんだ」

「昔のことだろ。時間が経てば、平気になるって」

「ジラフは知らないんだ。ぼくがどのくらいずっと、押入れのなかにいたか」

「だって、叱られたときだろ、入れられたのは？」

　モウルは、首を横に振り、

「夜中に、お母ちゃんが知らない男と帰ってくるんだ。三つか四つの頃だよ。二つの頃もあったのかもしれない。五歳のときもそうしたことがある。動かずに、黙っているように言われる。朝までトイレにも行けないんだ。ひどい声が聞こえてくる。その声にも耐えなきゃいけない。仕方なく、朝までぎゅうって握ってるんだ。叱られて入れられるのは、いいんだ。外に、お母ちゃんがいるのがわかってるからね。でも、ぼくが少し大きくなったら、男を連れてこずに、お母ちゃんのほうが相手のところへ行くようになった。パンをね、山のように買ってきて、お母ちゃんは用があるから、これを食べて待ってなって言うん

だ。外に出るな、ほかの大人に見つかったら、ひどい目にあう、お母ちゃんも牢屋に入れられる、だから、じっとしてろ、隠れてろって……。パンを食べながら、お母ちゃんを待つ。いつまで経っても、お母ちゃんは帰ってこないから、パンもなくなる。なくなってからの時間が、とても長いんだ。だんだん、わけがわからなくなる。ぼくが、どこにいて、何をしてて、どういうものなのか、何もわからなくなるんだよ……」

モウルは急に右手で地面を掘り返した。土をひと握りつかみ、顔の前まで運んで、臭いを嗅ぐふりをした。

「臭いだけなんだ、ぼくが、ぼくを感じるのは。だから、本当はもういやなのに、押入れに入るんだ。うんちもおしっこも、なかで何度もしたから、自分の臭いがこもってる。でも、すぐに臭いにも慣れてしまって、また自分がわからなくなる。だから、一番痛いところを握るんだ。自分を感じるために、ちぎれるくらい握ってたんだ……」

彼は土のかたまりを握った。

モウルの指のあいだから、土が溢れ、地面にこぼれ落ちてゆく。優希はそれを、痛々しく見ながら、黙って聞いていることしかできなかった。

「気がつくと、いつのまにか、お母ちゃんが帰ってきてる。怒鳴り声で、目が覚めるんだ。押入れが、ひどく汚れてるからね。パンと牛乳を買ってもらったあと、押入れを自分で掃除する。自分で自分がいやになる。押入れが嫌いになる……でも、お母ちゃんがいるから、すごく嬉しくもあるんだ。機嫌のいいとき、お母ちゃんは、とっても優しいしね。でも、しばらくすると、またいなくなって、パンやお金だけが残される……。本当に押入れがいやになって、入れなくなってからもね、夜になると、怖くなって……痛みで自分を感じるために、よく握ってた」

彼は右手を開いた。

棒状に固まっていた土のかたまりが、地面に落ちて、崩れた。

「ぼくのは、固くなんてならない。みんなが騒ぐみたいに、女の人を喜ばせたりできない。無理なんだ」

「よせよ。みんな、漫画とかを見て、知りもしないのに、騒いでるだけさ。わかってるだろ」

「でも、気持ちはよくなるんだろう。ジラフも、ズボンの上からこすって、そう言ってたじゃないか」

「ばか、何言ってんだよ」

ジラフは、優希から顔をそむけて、穴の外のほうに向いた。

モウルは、右手で地面をひっかきながら、急に笑いはじめた。

「ぼくのは、時間が経っても、どんな世界へ行っても、強くも、気持ちよくもならない。普通じゃないんだ、使えないんだ。笑っちゃうだろ？」

モウルの笑いは、すすり泣きのような息づかいに変わった。一方で、指で地面をひっかくスピードが、どんどん速くなる。爪がはがれそうに見えた。優希は、彼の手首をつかんで、止めた。

「使えなくたっていい」

強く言った。モウルの手を、両手で包むように握り、

「そんなの……使えなくたっていい。使えないほうがいいんだよ」

モウルが優希のほうを振り向いた。

ジラフの視線も感じた。

優希は、いたたまれず、モウルから手を離し、寝袋を置いて、穴の外に出た。

クスの根につまずき、壁のような幹にぶつかった。足もとから力が抜ける気がして、クスにからだを預けた。幹に両手を回す。とても回しきれない。幹の三分の一にも届かない。

地球の中心とつながっているような、この生命感溢れる存在に、逆に抱いてもらう姿勢で、額も預けた。

「あんなもの……使えなければいいのに」

幹は全体が湿り、ちょうど額をつけた箇所に、上から水が流れてきた。

上部の葉叢にたまった雨水が、枝から幹を伝って、根のほうへ流れてゆくのだろう。木の香りのほか、雨や土、苔などの匂いも感じた。

「聞いてくれる？」

クスの木に向かって言った。

返事はなかった。おかげで、つづけられそうに思う。

ジラフとモウルの告白を聞いて、自分のなかにたまっていたものが、喉もとまでこみ上げてきている。吐き出してしまえば、少しは楽になれそうに思う。

いましかない、いましかもう、外にあらわせそうなときはない……そんな気がする。だけど、

「嘘って言わないで。何も言わないで、聞いて……」

懇願する想いで言った。だって、

「お母さんは、嘘だって、言ったんだから……大嘘つき

だって……」

口にしたとたん、長いあいだ感情を抑えつづけていたふたが外れ、大声を上げそうになった。唇を、クスの幹に押しつけた。

上から伝ってくる雨水と、目から溢れる熱いものとがひとつになって、口のなかに流れてくる。少しだけ、唇を幹から離し、

「嘘なんか、つかないよ……そんな嘘、つくわけないじゃない。つきたいわけ、ないでしょ？　お父さんだよ、お父さんのことじゃないか。ひどくなんて、言いたいわけない。わたしは、訊いただけよ。あんなことしていいのって？　怖かったから、あのままつづけて、平気なの、大丈夫なのって……。自分がとってもみじめだった。汚れてる気がした。罪を犯してる、お母さんにも悪いことしてる……そう思った。だから、お父さんを止めてほしかったから、話しただけじゃない。頭がおかしいなんて、よく言う。そんな嘘ついて、恥ずかしくないのなんて……」

胸がかっと熱くなる。手で、クスの幹を打った。

「だったら、誰に話せるの？　誰に話せばいい？　お母さんにだって、怖かったんだよ。きっと嫌われる、責められると思ったもの。ばかな子って、なじられるかもしれない。永遠に、わたしのことを、お母さんの子どもだって、認めてもらえなくなるんじゃないかって……本当に怖かった。でも、助けてほしかったの。守ってほしかった。だって、お父さんにされるのも、怖かったから。もう、あんなこと、してほしくなかった。死ぬ気で、打ち明けたんだよ。ううん、本当に死のうとした……学校の屋上から、飛び下りようとしたんだよ。でも、できなくて、そのあと、お母さんに、打ち明けたんじゃないか」

優希は、ごつごつした木の肌に、爪を立てた。そして、あのとき志穂に語ったことを、ふたたび語り直した。

あのときには、志穂の厳しい表情や、もうやめてと耳をふさいだ恰好、どうしてそんな嘘を言うのと非難した言葉などで、途中でやめるしかなかった。

話しきれなかったことは、彼女の胸のなかにたまって、腐り、いやな臭いを発しつづけている。そのすべてを、からだを預けているクスに吐き出すように、語りはじめた。

はじまりは、小学校四年生の三学期だった。

それまでも雄作は、優希を可愛がってくれていた。ず

っと一緒に入浴もしていた。それをおかしいとも感じず、優希は、父が自分に関心を持ち、つねに笑顔を向けてくれることが、嬉しかった。

志穂も愛してくれていたとは思うが、彼女からは、しつけや行儀に関する注意を、より多く受けていた。お父さんがわたしを好きだから、お母さんはやきもちを焼いている……。そう思ったことはあったし、実際に口にしたこともあった。

また志穂は、聡志が生まれてからは、自分より聡志を可愛がる気がした。聡志が未熟児として生まれ、様々な世話が必要だったため、なおさらそう感じたのかもしれない。だから、雄作の愛が自分に向いているのを感じると、跳ね回りたくなるほど喜んだ。自分と雄作が強く結びついていることが、誇らしくもあった。

「お父さんのお嫁さんになる」

幼稚園の頃から、いつも言っていた。小学校四年の、あのときまで、その想いはつづいていた。

なぜ雄作があんなことをするようになったのか……。

優希にも本当のところはわからない。

ただ、優希が小学校三年の頃から、雄作の営業所は、業績が落ちはじめたらしい。雄作が、険しい表情で帰ってきては、家のなかで愚痴を洩らすことが増えた。だが志穂は、家庭内に仕事が持ち込まれることも、愚痴を聞くのも嫌った。ときには、「男らしくない」と、雄作に冷たく言い返すこともあった。

雄作の愚痴の聞き手は、次第に優希だけになった。優希は、父の愚痴を聞くことが、少しもいやではなかった。むしろ、母ではなく自分が選ばれたことを、喜びに感じていた。母を出し抜いた気持ちになれたし、自分のほうが愛されているという想いが、快感でもあった。

志穂は、もともと胃腸が弱かったが、聡志を出産後、さらに体調を悪くした。優希が幼稚園、のちに学校から帰ってくると、横になっていることが何度もあった。優希が、代わって掃除をしたり、買い物に行ったり、料理を手伝うことも少なくなかった。優希の作った料理を、きっと雄作は、

「お母さんより、おいしいぞ」と言ってくれた。

雄作の仕事がうまくゆかなくなったのと同じ頃から、両親の喧嘩が激しくなった。

夫婦喧嘩は、優希が幼い頃からときおり目にし、その原因として、よく志穂の実家のことが問題になっていた。

志穂は、両親だけでなく、兄や姉からも可愛がられて

育った末っ子で、大人になってからも、変わらない扱いを受けていた。よく実家から電話があり、届け物もあり、いきなり祖母や伯父が訪ねてくることもあった。家の購入資金をはじめ、様々なものが彼女の実家から贈られていた。雄作が、それを仕方ないと思いながらも、嫌っているのは、優希にも伝わっていた。志穂のほうは、実家に甘えられる立場を、単純に好んでいる様子だった。

　喧嘩が激しくなりはじめて、志穂は、からだの調子のこともあってか、ひんぱんに実家に帰るようになった。聡志が泣くため、彼も一緒に連れていった。家事は、残った優希がおこなった。優希は、主婦の仕事をひとりでこなすことが大変な一方、自慢でもあった。

「お母さんなんていなくても、平気だよね」

　優希のほうから、雄作に言ったこともある。雄作は、笑って、頭を撫でてくれた。

　優希が小学校四年生の二月、志穂は、扁桃腺《へんとうせん》が膿んだらしく、手術のため一週間ほど入院した。退院後は、まだよく食事ができないからと、実家に帰った。もちろん聡志も一緒だった。

　雄作は、期待していた商品の売上げが伸びず、全体の落ち込みも激しいらしく、本社で上司に責められたのか、あるいは営業先でいやなことでもあったのか、

「ぶっ殺してやりたい」

と、優希の前で何度もつぶやいた。

　優希は、ふだんの雄作が優しいだけに、彼の険悪な表情を見ると、不安でたまらなかった。からだもしぜんと強張った。

　雪の日だった。雄作には酒が入っていたように思う。一緒に風呂に入ろうと言われた。いつものことだったが、なぜか、そのときは断った。無意識に、いやな予感がしたのかもしれない。

　すると突然、雄作が怒った。

「なんだ、お父さんが嫌いなのか」

　怒鳴るように言われて、優希は足がふるえた。一緒に入ることを承知すると、雄作はまた優しくなった。

　雄作は、浴槽で、志穂と志穂の実家の悪口を並べはじめた。上司か、営業先の相手らしい人物への怒りも混じり、どんどん愚痴を吐き捨ててゆくうち、彼は泣きはじめた。

「おれはだめな奴だな、優希……おれって、本当に、だめな人間だ……」

　優希は動揺した。なんとかして雄作を慰めたくなり、

自分が彼にされたことを真似て、彼の髪を撫でた。

雄作は、子どもが甘えるのと同じ恰好で、優希の胸に顔をうずめてきた。

雄作の唇が胸にふれるのを感じた。くすぐったさをおぼえると同時に、怖くなった。

いいの？　そんなことしていいの？

訊こうとしても、言葉が出ない。逆に、

「あたたかいな……あたたかいよ……」

安心したような声で言われた。声に涙が混じっていた。怖かったが、突き放すことも、疑問を口にすることもできなくなった。

「おれは、だめな人間だ。誰も認めちゃくれない。受け入れてくれない。あの女も全然だめだ、子どもだからな。おまえだけだ……おれには、優希だけだよ……」

優希は、風呂場から抱き上げられ、寝室に運ばれた。

「いいのか……いいのか、優希……」

何度か訊かれた。

しかし、何のことかわからないため、答えようがなかった。

「いいよな……愛してるんだもの、いいよな……」

何のことかわからない、わからないよ。


痛みと恐怖に、優希は左腕を嚙んだ。

終わったあと、

「絶対に、誰にも言っちゃいけない。お母さんには、とくに言ったらだめだ。お父さん、死ぬしかなくなる。お母さんも、きっと自殺する。ふたりだけの秘密だ。ふたりだけの、とっておきの秘密だよ」

雄作がささやくように言った。

それから、志穂たちがいないときには、たびたび繰り返されるようになった。しばらくして、こんなことをしていいのと、疑問を口にした優希に対して、

「おまえは拒まなかっただろ」

雄作は言った。

優希はびっくりした。雄作は、彼女の目をじっとのぞき込んできて、

「おまえに、いいかと訊ねたら、おまえはいいとうなずいたよ。だから、お父さんは踏み越えたんだ。おまえが許してくれたんだ。それに、いまさらもう引き返せないんだよ」

彼は、ほかにもいろいろな言葉で、優希にすべての罪があるように言った。拒否することも、許そうとしなかった。

五年生の二学期、保健体育の授業で、性教育を受けた。雄作がまたしようとした際、子どもがしてはいけないことでしょと言った。赤ちゃんが生まれるんでしょと注意した。大丈夫だと、雄作は言った。おまえはもう子どもじゃないし、赤ちゃんのことはちゃんと気をつけてると言った。

「それに、お父さん、もうおまえなしじゃ生きていけない。優希は、お父さんが死んでもいいのか。優希まで、おれを捨てるって言うのか」

彼は、泣きそうな顔で訴え、ついには本当に泣いて、こんな家、燃やしてやると言った。裸のまま寝室を出て、ライターで新聞紙に火をつけ、実際に家を燃やす真似までした。

それでも優希が、どうしてもいやだと、拒否したことがあった。

雄作は、翌日、実家から戻ってきた志穂や聡志に、つらくあたった。優希の目の前で、聡志をひどく叱り、大した理由もないのに志穂の頬を叩いた。のちに、優希とふたりきりになったとき、

「お父さん、おまえにまで愛されないと思うと、狂いそうになる。この先、一生、誰にも受け入れてもらえないと思うと、本当にお母さんや聡志まで殺してしまいたくなるほど、怒りがこみ上げてくるんだ。だから頼むよ、優希」

雄作は、優希の前にひざまずき、懇願するように言った。

あるときは、優希にしたあとに、

「ひどいお父さんだね、ひどいよね。でも、こんなおれを救えるのは、おまえだけなんだよ。ありがとう、優希。救ってくれて、ありがとうね……」

自分の膝を抱いて、泣きもするのだった。

じゃあ、わたしは、誰が？

優希は、左腕を嚙みながら、想いつづけてきた。

誰が、わたしを、救ってくれるの？

こんな汚れたわたしを、醜いわたしを、何もできない、無力なわたしを……？

志穂に救ってもらおうとした。

だが、彼女は優希を非難した。嘘つきだ、ひどいことを言うと、耳をふさいで、遠ざけた。

誰にも、救ってもらえない。

優希はクスに訴えかけた。

わたしは、誰からも、救ってもらえない。

救ってくれる人は、どこにもいない……。

「いるよ」

そっと背後から聞こえた。

弱々しい、涙まじりの、いまにも消え入りそうな声だった。

「ここに、いるよ」

もうひとりの声もした。

肩にぬくもりを感じた。

耳もとに、泣いている息づかいがあった。

両側から肩を抱かれ、クスの幹に置いた手の上に、それぞれ手のひらが重ねられた。

優希の喉から叫び声が洩れた。どうしようもなかった。大きく声が溢れ、叫ぶようにして泣いた。


三人は、穴のなかで、寝袋を並べて横になり、互いに言葉をかけ合った。その言葉に甘え、言葉に酔って、仔犬のように身を寄せ合って、眠った。

互いの体温に包まれ、嵐の夜なのに、これほど安らかに過ごせた夜はなかったと、優希は感じた。たとえ土砂が崩れて、このまま森のなかに埋もれたとしても、少しも怖くはなかった。


三人は、ほとんど同時に、鳥のさえずりによって目を覚ました。

夜のあいだ、何度か替えたろうそくは、すでに消えていた。だが、穴のなかはもう暗くはなく、互いの顔も見てとれる。外はさらに明るい様子だった。

風が森を揺さぶる音も、雨が森を打つ音も消えている。代わって、鳥のさえずりや、はばたき、かさこそと小さないきものが動いているらしい音が聞こえてきた。

優希を先頭にして、ジラフ、モウルとつづいて穴から出た。クスの根をまたぎ越して、穴の外に立つ。

森の情景が、はっきり見てとれた。

太陽はのぼったばかりなのか、上から差してくる光は感じられない。なのに、まるで森自体が、内側から柔らかな光を放っているかのように、すみずみまで輝いて見える。

優希は、クスの幹にもたれかかって、森を見回した。

木々も草花も、新たに生まれ変わったように、鮮やかな、つやのある深い色で息づいている。

森の呼吸であるかのように、樹木のあいだの地面から、草や蔓などの茂みのあいだから、また赤や黄や白などの色をつけた花々のあいだからも、水蒸気らしい、もやが

立ちのぼっていた。

三人は深く息を吸った。

甘い花の香り、酸っぱい実の香り、苔やシダ類の湿った香り、深みのある濡れた草や茂みの香り、樹木が内側から放つ香り……混沌《こんとん》としていながらも、あくまで清らかな匂いに感じられた。

鳥のさえずりが、さらに大きく、様々な方角から聞こえてきた。三人は顔を上げた。

木々のあいだから、わずかにのぞけた空が、淡い桃色に染まっていた。

第十一章　一九九七年　仲秋

1

長くつづいた雨が上がり、久しぶりに晴れた空は高く、淡い水色に澄んでいた。

優希は、午前六時半にマンションの部屋を出て、バス通りを、自由が丘駅に向かって歩いた。

自分でも緊張しているのがわかる。グレーのパンツスーツも、黒のパンプスも、また白衣などを入れたバッグもおろしたてであり、なんとなく違和感があった。

九月に入って、朝夕は多少涼しくなったが、日中は、雨が降っていても、三十度を超す日がつづいていた。

商店街の街灯には、モミジの造花というのか、造葉というのか、ビニール製の紅葉の飾りものが下げられ、秋のバーゲンをうたっていた。

朝の申し送りの前に、病院内の様子を把握したくて、早めに出たが、東横線のホームには、すでに多くの人が並んでいた。一カ月あまり休んでいたため、ラッシュの人ごみが、少し恐ろしく感じられる。

横浜方面に向かう、比較的空いている電車に乗った。見られている気配を感じたが、あえて確かめることはしなかった。

警察からは、ほぼ毎日のように、聡志からの連絡はないかと訊かれていた。

優希は、志穂を荼毘にふして以来、彼女の遺骨とともに、いまも笙一郎のマンションに仮住まいさせてもらっている。

病院を休んでいるあいだ、焼失した自宅の近所に詫びて回り、志穂と自分、それぞれが運び込まれた病院へも、礼や詫びに出向いた。消防と警察の事情聴取も、何度か受けた。

食事はろくに喉を通らず、眠りも浅く、肉体的にも疲れた日々で、病院に迷惑をかけているのはわかっていたが、なかなか働きに出る気持ちにはなれなかった。聡志が疑われているなかで、病院関係者と顔を合わせることに、気まずさも感じていた。

それでも今日、病院に出る気持ちになれたのは、ひとつには、病棟婦長の内田の励ましがあったからだ。入院患者たちが優希を待っていると聞かされ、心が動いた。

内田は、患者の名前も挙げて、

「みんな、あんたを恋しがってるの。あんたを母親のように思って、いつお母さんは帰ってくるのなんて、泣いてる患者さんもいるんだから」

同じ話は、笙一郎からも聞かされた。母親のまり子を見舞った彼は、

「おふくろは、きみがいないんで、食事もなかなかとらないそうだ。暴れだすこともあるらしい」と言った。

働いているほうが、かえって気持ちが楽になるかもしれないよと、笙一郎は勧めてくれた。

彼のマンションにも、いつまでもいるわけにはいかない。彼は、いくらいても構わないと言ってくれているが、やはり心苦しい。病院の寮に空き部屋はあっても、病院にもう迷惑はかけられない。通帳類は家と一緒に焼けたが、幸いカードは手もとにあった。衣類などを買いそろえたうえで、なお安いアパートの敷金程度なら払える余裕はある。

焼失した家の跡に、ふたたび家を建てる気はなかった。安くてよいから、土地ごと処分できればと思っている。保険については、笙一郎が調べてくれたところでは、火災保険は切れ、志穂は生命保険には入っていなかった。


優希は、武蔵小杉で南武線に乗り換え、鹿島田駅で降りた。バス停のそばにある不動産屋の前で、足を止めた。貼り出してあるアパートの間取りや家賃を確かめる。ガラス戸に、優希のほうを見ている見知らぬ男の姿が映った。

多摩桜病院の門に近づいたあたりで、後方から見られている気配が消えた。代わって、前方からの視線を感じた。門の脇に、背広姿の男が立っていた。優希は、門の内側に入るとき、男に軽く会釈をした。相手は視線を合わせようともしなかった。

更衣室で白衣に着替え、八階にのぼった。患者たちの朝食が終わる頃のはずだった。エレベーターから降りると、ロビーの椅子に、見かけない男女が腰掛けていた。

ふたりとも、六十代の半ばだろうか。男性のほうは、工場で働くようなつなぎの作業服を着ており、院内に出入りしている業者かと思った。女性のほうは、入院着を着ていた。優希がいないあいだに入院した患者らしい。

ふたりは、向かい合って何やら談笑していたが、男性のほうが、優希に気づいて、立ち上がった。

「おはようございます」

彼は、人のよさそうな笑顔を浮かべ、ひょいと頭を下

げた。

　優希も、会釈を返し、

「おはようございます」

　ふたりに近づいた。

　女性は、病気を抱えているためか、立ち上がらなかったが、おだやかな笑顔を優希に振り向け、

「おはようございました」

　おっとりとした口調で言った。

「初めて、お会いしますよね」

　女性のほうが言う。

　優希は、ふたりの前に立ち、

「はい。少々休んでいたものですから」

「三日前に入院させていただきました。岸川《きしかわ》と申します。よろしくお願いいたします」

　女性が言い、あわせて男性も頭を下げた。

「いろいろ迷惑かけるとは思いますが、ま、どうかひとつよろしく。しかし、べっぴんの看護婦さんだね」

　彼が感心したように首を振った。

　業者の人かと思っていただけに、優希は戸惑った。察したように、

「ああ、夫です」

　女性が、紹介して、

「ほら、こんな恰好で来るから」

　男性に、笑顔で注意した。

「いや、どうも。仕事に出る途中に、ちょいと寄ったもんですからね、へへ」

　男性が照れたように頭をかいた。

　女性は、品のよい博多人形のような顔だちで、物腰も柔らかい。男性は、獅子《しし》舞《まい》の面にも似た顔だちで、腰は低いが、所作や言葉づかいにあまり品がなかった。夫婦として、やや釣り合っていないように感じられた。

「ご面会ですか」

　優希は訊ねた。

　男性は、立ったままで、

「いや、時間外なのはわかってたんですけどね、悪い夢でも見てやしねえかと思って、つい気になって……すみません」

「ほら、仕事に遅れますよ」

　妻だという女性の注意に、彼は、安物の腕時計を確かめ、

「じゃあ、また昼休みに来るよ」

「無理しないの。仕事場から三十分はかかるでしょ。来

て、帰るだけで、休みが終わるわよ」

「行き帰りのあいだにも、めしは食えるしな……じゃあ、気ぃつけてな」

「病院にいるのよ」

「そりゃ、そうだ。あ、看護婦さん、これでみなさんに饅頭《まんじゅう》でも……」

男性が作業着のポケットから財布を出す。

優希が断ろうとする前に、妻のほうが、

「およしなさい。婦長さんからも叱られたでしょう。もう、早く行ってらっしゃい」

「ごめんなさいよ、育ちが悪いもんで。ともかく、よろしく頼んます」

男性は、優希に言って、妻のほうに手を振りながら、エレベーターに乗った。

「気を悪くなさらないでね」

女性は、見送ってから、優希に言った。

「いいえ、いいご主人ですよ」

優希は答えた。

女性は首を横に振った。

「主人じゃないの」

「え……でも」

女性は、ほほえみ、

「ええ、結婚はしてるの。ただ、主人とは呼ばないの。最初から、あの人が、それはよそうって。おれは、おまえの主人なんかじゃない、おまえの主人は、おまえだからって」

「……そうですか」

「手を貸してくださる」

優希は、彼女のかたわらに杖が置かれているのに気づき、彼女が立つのを手伝った。

優希はあらためて自己紹介した。

女性は、驚いた表情で、

「あなたが主任補さん？　よかった。わたし、運が悪いんじゃないかと、ずっと思ってたの」

優希は意味がわからなかった。問うように、彼女を見る。

女性は、おだやかに笑い、

「あなたがいれば、ここの生活は、もっと快適なんだって、たった三日で、何十回と、患者さんたちから聞かされたの。わたしが入院したときにかぎって、その方がいないなんて、なんて運が悪いんだろうって、ため息ついてたところ。本当によかったわ」

「とんでもないです」

優希は、彼女に付き添い、病室に進んだ。

朝食の介助を終えた、夜勤看護婦たちと顔を合わせ、挨拶を交わすうちに、看護助手たちも顔を見せた。声を聞きつけたのか、歩くことのできる患者たちも病室から出てきて、ちょっとした騒ぎになり、

「みなさん、ご迷惑をおかけしました」

優希は頭を下げた。だがそれも、笑い声などにかき消され、恐れていた敷居の高さを感じることなく、しぜんと病棟に戻ることができた。

ただし、すべてがもとどおりというわけにもいかなかった。

警察の事情聴取は、多くの人に、様々な形でおこなわれたのだろうし、実際いまも病院への張り込みがつづけられている。医師や作業療法士、事務局の職員、ほかの病棟のスタッフなど、個々の差はあるにせよ、優希への接し方がよそよそしかったり、好奇な視線を感じたりした。

老年科のスタッフは、内田から言われていたのかもしれないが、以前と変わりない接し方を心がけている様子だった。ありがたかったが、心がけるというあり方自体の固さはうかがえた。

聡志が病院を訪ねてきた夜、優希とともに夜勤についていた看護婦とは、この日の夕方、顔を合わせた。準夜勤だった彼女は、

「申し訳ありませんでした」

泣きそうな顔で、優希に謝った。

警察から何度も事情聴取を受けたほか、病院側からも事情を聞かれ、さらには「ちくった」といった言い方で、責める同僚もいたらしい。

優希は、かえって彼女に迷惑をかけたことを詫び、辞職すら考えていた彼女を慰めた。

患者たちの多くは、無関心を装っていたが、患者同士、優希を見ながら、ひそひそと話し合う人もいた。

こうした状態については、

「おいおい慣れるから」

内田が笑顔で励ましてくれた。

むろん、以前と同じ態度で、優希を慕い、頼ってくれる患者も少なくなかった。新しく入院した岸川という婦人も、噂は耳にしたようだが、優希を頼りとしてくれた。

アルツハイマー病の患者や、脳血管性痴呆の症状を起こしていた患者たちのなかには、優希との再会で、泣き

だし、不在をなじって、強く甘えてくる者もあった。

笙一郎の母、まり子は、悲鳴にも似た声を発して優希に抱きつき、優希の白衣をつかんで、しばらくは離さなかった。

翌日、笙一郎が、母親だけでなく、優希の様子も確かめるためだろう、病院を訪ねてきた。

彼は、まり子の落ち着いた顔を見て、

「よかったよ。あのまま、暴れたり、食事をとらなかったりしたら、退院の話も出てただろう」

ほっとした様子で言った。

「そんなことないわよ」

優希は笑って答えた。

だが、アルツハイマー病の患者たちに対する、新しい薬やビタミン剤の効果が、期待したほど出ていないのは、事実だった。いまのままでは、いたずらに入院期間が延びるばかりで、社会復帰をめざす高齢者への医療機関という、この病棟のあり方からは、外れてしまう。医局も、経営効率を求める事務局の言い分に、折れつつある。まだ高齢者とは言えない長瀬まり子などは、一番に、精神科、あるいは神経内科のある病院へ、転院することを勧められる可能性があった。優希の働きかけもあって、入院のかなった患者だけに、優希の現在の立場は、まり子の立場も悪くしかねない。

「大丈夫、お母さんは、わたしがしっかり看るから。絶対よくなるように努める」

優希は笙一郎に言った。

彼は、薄くほほえみ、

「ありがとう」

眠っているまり子に、目を落とした。

「長瀬君には、このところずっと迷惑をかけどおしだし、少しは恩返ししなきゃ」

「恩なんか、ありゃしないよ」

「早く引っ越し先も見つけないとね」

「もっと落ち着いてからでいいさ。もともと事務所に泊まってばかりで、ひと月に五日も帰らない部屋だったんだ」

優希は、笙一郎の目の下に隈が浮かんでいるのを確かめ、

「仕事、大変なんでしょ」と訊ねた。

「順調だよ」

笙一郎はさらりと答えた。

聡志のことでは、様々な形で迷惑をかけているはずだ

った。仕事にも支障をきたし、重い負担をかけているように思う。

「無理しないでね」

そう言うのが精一杯だった。すぐに、

「きみこそ」

いたわりの言葉が戻ってきた。


一週間はあっという間に過ぎた。

休んでいたあいだの仕事も取り返そうと、ローテーションの隙間を埋めるように、働きつづけた。二日夜勤がつづいたため、朝の申し送りのあと、明日の朝までゆっくり休むよう、内田から言われた。まだ眠くなく、いい機会と思い、不動産屋を回ってみることにした。

通勤も考え、都内の蒲田《かまた》方面をあたった。決定ではないが、適当なアパートを見つけることができた。

夕方、自由が丘のマンションに戻ると、ひと息つけたこともあり、眠気をおぼえた。久しぶりに寝つきもよさそうに思えた。

「おれは、おふくろを燃やした」

聡志の声が、耳の内側で響いた。

病院の、暗いエレベーター・ホールに、聡志が立っていた。

夢だと、自分に言い聞かせた。

だが聡志は、つづけて、

「おれは、生きていてもいいのかな」

泣きそうな顔でつぶやく。

「何を言ってるの」

優希は思わずたしなめた。

聡志は、手に持った紙を優希に差し出し、

「おふくろ……燃えてるよ。おれが燃やした……」

聡志のからだから、灯油の臭いが漂ってくる。夢なのにと、頭の隅で思う。

優希は背後に視線を感じた。夜勤のパートナーの姿は、闇に沈んでいて見えない。

とにかく、茫然と立ちつくしている聡志の手を取り、エレベーターに乗り込んだ。

一気に下降した。墜落感に、夢のなかでもめまいをおぼえる。

「あの家で、親父が姉貴に何をしてたのか……おれは、何も知らずに、暮らしてた」

聡志がつぶやくように言う。エレベーターの壁にもたれ、顔をゆがめて、

「だから、燃やしてしまいたかった。昔の家も、いまの家も、関係なかった。おれたちの家を燃やしたかったんだ。おれは、一緒に燃えてもいい気持ちでいた……なのに、火の勢いに押されて、気がつくと、玄関から転がり出ていた。情けないよ。自分のしでかしたことの責任もとれず、泡を食って、逃げ出したんだ。火が燃え移って、ほかにも誰か死ねば……。最低の人間だ。でも、仕方ないのかもな。おれのなかには、そういう血が流れてんだ」

「違う、違うよ」

優希は叫んだ。エレベーターが止まった。扉が開いて、聡志が先に出てゆく。聡志は、闇のまんなかで振り返り、

「お姉ちゃん」

昔の呼び方で、優希に呼びかけた。目を潤ませ、

「お母さんのこと……ごめん……どうしようもなかったんだ」

そう言うと、彼は闇の彼方へ走りだした。

優希は、すぐに追いかけようとした。だが、目の前でエレベーターの扉が閉まった。慌ててボタンを押そうとした。ボタンはなかった。エレベーターは上昇をはじめた。スピードがどんどん上がり、先とは逆の感覚に、吐き気をおぼえた。エレベーターが、なおのぼってゆくのに、悲鳴を発し……優希は目を覚ました。

笙一郎のマンションの寝室だった。

カーテンを閉ざした窓は暗かったが、まだ七時を過ぎたばかりだった。二時間も眠ってないのに、もう眠れそうになく、ベッドから降り、シャワーを浴びた。空腹感もなく、簡単なレトルト食品ですませることにした。用意をしていたとき、インターホンが鳴った。

笙一郎だろうと思い、受話器を取った。

「真木と申します。長瀬先生の事務所で、働かせていただいている者です」

若い女性の声だった。ややとがった印象に聞こえた。

ドアを開けた。黒い袖なしのミニワンピースに、赤いエナメルのベルトを腰に巻いた、愛らしい顔だちの女性が立っていた。眉をきれいに整え、モデル風のスマートな顔を演出している。

「久坂優希さん、ですよね」

「ええ」

「少しお話があるんですけど、いいですか」

声は険しかったが、甘やかされて育ったような隙が、表情やたたずまいの端々にうかがえる。

「あなたが、以前、服を買ってくださったのね。どうも、ありがとう」

真木広美の名前は、笙一郎から聞いていた。彼女自身の服装でも察しがついた。

「上がって……と言っても、本当はわたしの部屋じゃないから、おかしいいんだけど」

「玄関先でけっこうです」

広美は断った。小鼻をふくらませて、

「でも、ここだと筒抜けかもしれないので、なかには入れていただきます」

「筒抜け？」

優希は問い返した。

広美は、廊下のほうに顔を向け、

「弟さんのことじゃありませんから」

張り込みの警官を意識してのことなのか、少し声を高くして言って、なかに入ってきた。

広美は、ドアを閉め、

「でも、本当は弟さんのこともあります」

優希のほうを振り返った。彼女は、たたきに立ったたまで、

「最初に断っておきますけど、わたしは勝手に来ました。長瀬先生は知りません。この問題については、一切口をはさまないように言われています……でもそんな状態じゃないんです」

「本当にここでいいの？　上で、椅子に掛けて話せば……」

優希は勧めた。広美の勢いに気圧され、少しはぐらかしたくもあった。

広美は、たまっていた憤懣《ふんまん》をぶつけてくるような目で、優希を睨み、

「あなたの責任とは言えないでしょうけど、でも、とても迷惑を受けてるんです」

優希は、わからず、

「何のことかしら」と訊ねた。

「弟さんのことで、警察は事務所の取引相手にも聞き込みに回りました。当然、弟さんの噂は広まって、顧問契約が取り消されたり、問い合わせが相次いでいます。弁護士の仕事は、信用が第一ですけど、企業法務の仕事は、とくにそうです。企業間相互の紹介が多いので、広そうに思えて、狭い世界です。事務所同士の競争も激しくて、今度のことは、うちの信用を落とすチャンスと考えているところもあるはずです。長瀬先生の腕を買ってる方は

多いですけど、今後紹介による新規の相談は減るでしょうし、事務所の存続問題に関わってきてるんです」

優希は驚いた。そこまでとは思っていなかった。

「弟さん、どこにいらっしゃるか、本当に御存じないんですか。失礼かもしれませんけど、逃げてるってことは、容疑を認めてるのも同じになると思うんです」

優希は首を横に振った。

「どこにいるか、本当にわからないの」

「わたしの問題でもあるんです」

広美は言った。より確信的な口調で、

「わたし、司法試験に受かって、研修を終えたら、事務所に正式に勤めるつもりでいます。だから事務所が残っていないと、困るんです。それに、あなたにも警察が張り込んでいますよね。長瀬先生の自宅に、警察が張り込んでいるって噂が流れれば、きっとまた取引先とのあいだに支障が出ます。どうして、いつまでも、ここに暮らしていらっしゃるんですか」

彼女の高ぶった口ぶりに、優希も真意を悟った。

「彼を、好きなのね」

広美は、虚をつかれた顔で、優希を見返した。すぐに胸をそらして、

「好きです。あなたは、どうなんですか」

優希は、それには答えず、

「迷惑をかけてるとは思っていたけれど、それほどとは知らなかった……教えてくれて、ありがとう。ともかく、このマンションは、早々に越すつもりでいますから。もう、アパートも見つけているし」

「本当ですか」

広美の表情がゆるんだ。

「コーヒーでも?」

優希は勧めた。断ってくれるのを期待した。

広美も、言いたいことを言い、望んでいた答えを得て、満足したのか、

「けっこうです。外の人に、勘繰られるのもいやだから、これで失礼します」

ドアを開け、軽く会釈をして、出ていった。

優希はドアに鍵をかけた。奥に戻って、ダイニング・テーブルの椅子に腰を落とした。吐息をつき、両手に顔を埋める。

妙な疲れを感じていた。これという事柄のためでなく、幾つもの積み重ねからくる、漠然とした、しかし重い疲れだった。

「本当に、生きてていいの……」

つい、想いが言葉になって洩れた。

長いあいだ、同じ姿勢のままでいた。

電話の音に気づき、顔を上げた。何度も鳴っていたようにも思う。時計を見た。いつのまにか十時を過ぎていた。二時間近くも、座っていたらしい。

首を横に振り、受話器を取った。

「もしもし……もしもし……」

返事がなかった。いたずらかと思って切ろうとすると、

「姉貴かよ」

苦笑する声が聞こえた。

「聡志……」

「誰かと思ったよ。どうしてそこにいるんだ。長瀬さん、そばにいるの？」

優希は、あえぐ息を整えて、

「いいえ。彼は事務所に寝泊まりしてる。わたしはここを貸してもらってるの」

「そうか、よかったよ。姉貴のことも訊きたかったんだ。携帯に掛けようかと思ったけど、まずい場所にいてもなんだしね。事務所はともかく、長瀬さんの自宅まで盗聴ってことはないだろうと思って」

「いま、どこにいるの。どう暮らしてるの。元気でいるの。お金はどうしてる。これからどうするつもり？」

「待てよ。そう一度に言われたって」

聡志がまた苦笑を返してくる。

優希は、かっとし、

「どれだけ心配したと思ってるの。家も、お母さんも、どうなったか知ってるの。お母さんの遺骨、いまそばにあるんだよ」

涙が出そうになる。こらえて、

「多くの方に迷惑かけたのよ。でも、みなさん、温かく助けてくださったの。わかってる？」

聡志の声は返ってこない。

「聡志」と呼びかける。

「姉貴は……強いな」

聡志が言った。からかっている調子はなかった。

「強くなんて……あるもんですか」

返す声は、しぜんと沈んだ。

「金は、カードで下ろしたりしたからね。まだ余裕もある」

聡志が淡々と言う。小さく吐息をつくのが聞こえ、

「最初の何日かは、どこをどう歩いていたのかも、わか

らなかった。とにかく人目が怖かった。安ホテルの部屋から、一歩も外に出なかったこともあった。これ以上生きてたって、罪を重ねるだけだと思って……いっそすべてを終わらせることばかり、考えてた」

「何をばかなこと……」

「墓参りしたよ。親父の墓。納骨したとき、見たはずなのに、全然忘れてた。人間同様、小さい、つまらない墓だった」

「そんなふうに言わないの」

「じゃあ、どう言う。どう言えばいいんだっ」

聡志の声が荒くなった。しばらく黙っていたのち、

「姉貴は、もう許してるのか。許せているのか」

ささやくような声で訊く。

優希は、それには答えられず、

「帰ってきて。お母さんに手を合わせて。そして、警察の人にも全部話して」

聡志は、笑っているのか、泣いているのか、すすり上げるような息づかいが聞こえ、

「話せるわけがない。話したくもない。誰にも、絶対に知られたくない。おれは、全部、持ってゆく。どういう形になるにしろ、終わりだ。何もかも、おれで終わらせる。だから、姉貴は、新しくはじめろ。長瀬さんにも言いたかったんだよ……姉貴のこと、よろしくってさ」

「聡志、話したほうがいい。つらくても、きっとそのほうが」

「だめだ。いいか、絶対に誰にも話したりすんなよ。全部おれの罪なんだから。姉貴やおれのためだけじゃない。家族のためだよ……。じゃあ、元気で」

「聡志、お願いだから、帰ってきて」

優希は懸命に呼びかけたが、電話は切れた。そっと受話器を置くような切れ方だった。

2

梁平と伊島は、ここ数日、笙一郎のマンションを、火災犯捜査の捜査員とは別の場所で、張り込んでいた。

聡志の行方がつかめないことに、伊島がじれて、張り込みの指示を出し、梁平は黙って従った。

昨夜は、笙一郎の事務所で働いている真木という娘が入ったほかは、人の出入りもなかった。梁平は、聡志を待つ以上に、笙一郎が訪れることを恐れ、またつらい気

持ちで期待していた。笙一郎が優希の部屋を訪れるところを見れば、彼女をあきらめられるかもしれない。自分が笙一郎に殴りかかるかもしれない。どちらにしろ、三人の関係はこれまでと同じではなくなる。いっそはっきり壊れることを願っていた。優希をあいだにして、三人があいまいな関係にあることに、いい加減耐えがたい想いを抱いていた。

手がかりを得られないまま、朝、優希が出勤するのを見送った。表面上、彼女に変わったところは見られなかった。報告と着替えのため、幸署の捜査本部に戻ったところで、久保木に呼ばれた。

久坂聡志が父親の墓所に現れたという。

聡志の両親の実家をあたっていた、火災犯捜査の捜査員の、聞き込みの成果だった。

伊島はすぐに出張を願い出て、許された。

梁平は、優希を見張らずにすむことに、内心ほっとした。あいまいなままであっても、優希と完全に決別するよりはましだと思う心が、一方にある。

ふたりは、午前中に、新幹線で山口に向かった。

久坂聡志の父親、雄作の墓は、山口県小郡《おごおり》で電車を乗り換え、中国山地を越えて島根県に入り、日本海側に出る手前の、日原《にちはら》という場所にあった。山のなかに入った小さな寺の、目立たない墓地だった。

墓地の周囲の山々は、ところどころ赤や黄色に色づきはじめていた。

久坂家の墓は、探すのに苦労した。ほんの小さな墓石が、雑草とススキのあいだに埋もれるようにして、建っているだけだった。

その墓石も、火災犯捜査の捜査員たちが見つけたときには、横に倒れていたらしい。倒れたのは、つい最近のようで、誰かが蹴り倒したと思える靴跡が残っていたという。

寺の近所で、聡志に似た青年の姿が、何人かに目撃されていた。日原に近い、益田《ますだ》のビジネスホテルに、聡志が数日間宿泊していたこともわかっている。

伊島は、寺の住職に、久坂家の歴史のようなものが聞けないか、訊ねた。先代が亡くなり、まだ二十六歳だという住職は、古いことは何も知らなかった。

寺の記録によると、墓に入っているのは、十七年前に亡くなった久坂雄作。さかのぼって雄作の母親。あと、男女がひとりずつ入っているが、年齢的に、雄作の祖父母にあたる人物のようだった。雄作の父親らしい人物の

名前は残っていなかった。

伊島は、近所への聞き込みをして、久坂雄作の過去を調べようとした。何の意味があるのか、梁平が反対しても、

「聡志の、親への葛藤の原因が、何かしら見つかるかもしれん」と譲らなかった。

久坂家のことを、うろおぼえに記憶している年寄りが見つかりはした。

だが、わかったことは、雄作の実父は、雄作が乳飲み子のときに、若い女を作って出てゆき、雄作の母親は、そののち別の男を家に入れたが、これも数年のちに出ていった、ということくらいだった。

雄作の、小中学校時代の同級生からも、話を聞けた。雄作は、勉強のよくできる優等生だったが、線の細い、頼りないところもあったという。高校は益田市内に下宿して通い、卒業後は大阪に本社のある食品メーカーに就職した。

そのあとの彼は、母親の葬儀のとき以外、一度もこの土地に戻ってこなかったらしく、伊島が期待しているようなことは何も聞けなかった。

伊島は、県警の久保木に電話し、光市の久坂志穂の実家にも回る許可を得た。

志穂の実家は、以前は大きな家具屋だったらしいが、いまはもうたたんでいた。志穂の母親も、兄も亡くなっており、義理の姉は、病床に臥していた。状態はよくなく、あえて志穂の死も知らせていないとのことだった。

聡志の七歳年上の従兄が、家督を継ぎ、いまは地元で会社勤めをしていた。志穂のことで聡志が疑われていることは、すでに聞き込みを受けて、察している様子だった。

「ぼくは何も知りませんよ」

関わりを恐れるように、彼は言った。

彼には、久坂雄作は頭のよい優しい叔父であり、志穂はきれいで少し病弱な叔母という印象しか残っていなかった。優希のことでは、喘息で療養していたということのみ、おぼえていた。聡志については、いつも鼻水を垂らしていた、甘えっ子としかおぼえておらず、

「両親とのあいだに、何か問題を抱えていませんでしたか」

という伊島の質問には、首を傾げるだけだった。

光市に一泊したあと、優希たちの家があった徳山にも回った。彼女たちが暮らしていた家は、両隣の家ともど

もマンションに変わっていた。近所に、かつての優希たちのことを知る人はわずかしかおらず、仲のよい普通の家族だったということ以外は聞かれなかった。さらに捜査をつづけたが、実家や徳山周辺では、聡志は目撃されていなかった。

梁平と伊島は、日が完全に落ちるまで聞き込みに回ったのち、売れ残りの駅弁を買って新横浜へ帰る新幹線に乗った。

伊島は、聡志のことで思っていた答えが得られなかったためか、弁当にも少ししか手をつけなかった。

梁平は、聡志のことより、雄作と優希の故郷を見ても、なぜ雄作があんな真似をしたのかわからないことにこそ、やりきれなさをおぼえていた。

どこにでもありそうな場所であり、大差のない生活環境だった。多少の違いはあっても、悲劇を生む決定的な要素など見いだせなかった。なのに、

「どうして、あんな……」

思わず口をついて出た。

「どうした」

窓側の席にいる伊島の視線を感じた。

「いえ、ちょっと考えごとを」

梁平は、彼自身も食べ残した弁当をしまって、座席の下に置いた。

伊島も、弁当を始末して、腕時計を確かめ、

「本部に戻るのは、十一時を回ってだな。会議も終わってるだろう。中隊長には報告しておく、新横浜で解散しよう」

幸署の捜査本部は、初動捜査の期間を過ぎ、機動捜査隊も引き上げていた。署の道場に泊まり込む捜査員は、ほとんどいなくなっている。例外のひとりが、梁平だった。

「おまえも、今日は帰れ」

伊島が言った。意図がありそうな口調に聞こえた。

「いえ、自分が報告書を出しておきますよ。主任こそ帰ってください」

さりげなくかわすつもりで言った。

伊島は、しばらく黙っていたが、

「『なを』に行けよ。全然、顔を出してないだろ」

不機嫌そうに言った。

「……仕事でしたから」

梁平は、通り過ぎてゆく車内販売のカートのほうに、目をそらした。

「四日前、会議が早めに終わって、おれが誘っても、断ったじゃないか」

「飲む気になれなかったんです」

「飲めやしないよ」

「え……」

「店は閉まってる」

梁平は顔を戻した。

伊島のほうが、窓のほうに目をそらし、

「このまま閉めるつもりらしい」

「どうして」

「自分で訊け」

伊島が突き放すように言う。

黙っていられず、

「からだの調子でも悪いんですか……」

「さあな。顔色はよくなかったが、自分では、少し疲れてる程度で、別に悪いところはないと言ってた」

「会ったんですね。いつ」

「だから、おまえを誘った日さ。代わりに同期の奴を誘ったら、『なを』はここ最近閉まっていると言われた。『なを』に電話をしたが、出なかった。心配になって、行ってみたんだ。確かに灯が消えて、木戸のところに、当分休業すると貼り紙が出ていた。二階に明かりが見えたから、声をかけた。奈緒ちゃんが出てきた。上げてもらい、事情を聞いた」

伊島はいったん口を閉ざした。

梁平は待った。窓の外を街の灯が流れてゆく。

伊島は、深く息をつき、

「久坂聡志の家が焼けた日の、翌日だったか……そのあたりから、からだがだるいとかで、店を開けたり、閉めたりしてたらしい。結局この十日ほどは、つづけて休んでいると言ってた。病気なら、病院で診てもらわなきゃいかん。だが、からだは問題ないと言う。疲れてるだけだと言う。いっそ家ごと売って、兄貴のいる北海道に引っ込もうかなんて、冗談ぽく笑いもした。目は少しも笑っちゃいなかった。有沢が原因かと突っ込むと、絶対に違うと否定した。うなずいてるようなもんだった。おまえのことではないと繰り返し、最後に、自分が許せないんだとつぶやいた」

「どういう意味ですか」

「こっちが訊きたいよ」

伊島が振り向いた。険しい表情で梁平を見据え、

「男と女のことだ、外野が口出しすることじゃない。だ

が、あの子の父親には恩がある。彼が亡くなってからは、父親代わりの気持ちもあった。おまえを、あの店に連れていった責任も感じてる。黙って見過ごせることでもないんだ」

梁平は目を伏せるのが精一杯だった。

伊島は、怒りを無理に抑え込んだような口調で、

「行って、話してこい。せめて、そのくらいしろ。おれが、あの子の父親なら、どういうことかと胸ぐらをつかんでる。懸命に生きてきた子だ。おまえのわがままで、傷つけたり、悲しませたりして、それで放り出したままですむのか」

梁平は、返す言葉もなく、ついに新横浜駅まで目を上げられなかった。


奈緒子の家の前に立った。

木戸には、伊島から聞いたとおりの貼り紙が出ていた。

木戸越しに庭を見る。雑草が伸び、花が枯れている。ずっと手入れされていないようだった。

二階の窓に明かりが見えた。

声を出すのがためらわれ、裏口に回った。裏口の合鍵は持っている。

裏口に積まれていたビールのケースが、なくなっていた。裏口のドアを開け、なかに入って、鍵をかける。靴を脱ぎ、電灯を灯して、店に上がった。

部屋の隅に、座布団が積まれ、カウンターの端に、灰皿が重ねられている。流しに置かれた布巾は、すべて乾いていた。掃除はされているが、匂いが違った。酒や料理のものはもちろん、多くの客が残してゆく匂いが、ほとんど感じられない。

「梁ちゃん？」

階段のところから聞こえた。

「ああ」

とだけ答えた。

すぐには返事がなかった。

階段の途中に立ち止まった奈緒子の、肩を落とした姿が想像できた。どう声をかけるべきが、迷っていると、

「びっくりしたぁ」

奈緒子の明るい声がした。

彼女は、わざとらしく足音をたてて、

「泥棒かと思った。危うく大声を上げるところだったよ」

笑顔で、梁平の前に立った。

薄手の茶のセーターと藍色のスカートを着て、髪はまとめずに流し、化粧もほとんどしていなかった。もともと白い肌だが、いまはさらに青白く見え、肌にもつやがなかった。

「どうしたの、こんな時間。事件がかたづいたの？」

彼女が明るく言うのが、梁平はいっそう心苦しかった。

「からだ、大丈夫なのか」

「大丈夫よ、どうして」

奈緒子が不思議そうな顔で言う。梁平から距離を置くように、カウンターのほうへ進みながら、

「じっと立ってないで、お茶でも……ってことはないか。お酒？　ビールは冷蔵庫に三本くらい入ってるかな」

彼女は、カウンターのなかに立ち、食器棚からグラスを出した。梁平の前に置き、

「表の貼り紙を、見たの？　少し疲れてるだけで大したことないの。季節の変わり目だし。あと、やっぱり年だしね」

彼女は、梁平を見ずに、ハハと言葉にして笑った。

梁平は返す言葉が見つからなかった。

奈緒子は、冷蔵庫からビールを出し、梁平をちらりと見上げて、

「座って」

ビールの栓を開けた。いきなり泡が噴き出し、奈緒子の細い手首を濡らした。

彼女は、何かに耐えるように、少しのあいだ動かなかった。泡がおさまったところで、聞き取れないほどの、ふるえる吐息をついた。すぐに笑みを浮かべ、

「まるでシャンパン。お祝いだ」

カウンターの上にビール瓶を置き、布巾でセーターの袖口を拭いた。

「連絡しなくて、悪いとは思ってた」

梁平は切り出した。カウンターをはさんで、彼女の前に立ち、

「病院に運ばれたことは、笙一郎から聞いていたんだが」

奈緒子は、黙って、グラスにビールを注ぎはじめた。

「どういう顔をして、来ればいいのか、わからなかった。責任逃れの、卑怯《ひきょう》なやり方だとは思いながら……どうしても足を向けられなかった」

話すほどに卑劣さが増す気がして、梁平は口をつぐんだ。その隙をつくように、

「飲まない？」

奈緒子が言った。

彼女は、もうひとつグラスを出し、ビールを注いで、

「わたしも、いただいちゃおう」

ほとんど飲めないはずなのに、一気に半分ほどあけた。

梁平は、彼女のその姿をつらく見て、

「店をたたむかもしれないようなことを言っていたと、伊島さんから聞いた……本当なのか」

奈緒子は、少し間を置き、

「そういうことも、考えてるかな」

消え入りそうな声で言った。

「からだ、本当は悪いのか」

奈緒子は首を横に振った。

「じゃあ、なぜ」

「……お客さんに、笑顔を向ける自信がなくて。客商売だもの、だめでしょ？」

「なぜ、笑顔を向けられない」

奈緒子は答えなかった。

梁平は喉の渇きをおぼえた。ビールに手を伸ばすことは、彼女に近づくことだった。それがいまは、ためらわれ、

「おれの、せいなのか？」

「違うよ」

「いや、おれが……」

「やめてっ」

奈緒子が小さく叫んだ。グラスを叩きつけるように下に置き、

「梁ちゃんのせいなんかじゃない。わたしのせい、わたしの責任なの」

「おまえは悪くない」

奈緒子は耳を手で押さえた。

「わたしの罪なの。お願いだから、勝手に罪を取らないで……わたしの罪は、わたしが背負ってゆくしかないんだから」

彼女は、手をずらして、そのまま顔をおおった。

梁平は、戸惑い、

「罪って……おまえは、何も」

「子どもを死なせたの。命を奪ったの。わたしが、しっかりしてなかったから……」

「だから、それはおまえのせいじゃない」

梁平は、やりきれず、カウンターに近づき、グラスをつかんだ。ビールを一気に飲み干す。口もとを手の甲でぬぐい、

「おれは、人の親に、なれる気がしない。子どもを、ひどい目にあわせるんじゃないかと、怖いんだ……。自分の人生を、まだ本当に自分のものとして、生きていないからだろう。誰かの影響から離れて、生きているという、自信がない」

額に不快な汗を感じる。荒く手でぬぐった。言葉を探し、

「だけど……誰からの影響も逃れた、真の自立なんてものが、あるのかどうか。幼い頃に植えつけられたものから、完全に離れて生きるということが、本当に可能なのかどうか……おれにはわからない。そんなことを、本当にできている人間が、いるのかどうか……いるかもしれないが、少なくとも、おれは会ったことがない。だから、もしおれが、幼い頃からの影響を逃れて生きてゆくことが可能だとしても……そのために何が必要なのか、まだわかっていない……」

「あなたは、わかってるわよ」

奈緒子があっさりと言った。

梁平は彼女を見つめ返した。

「支えがいるのよ。あなたの、子どもの頃からこれまでのすべてを理解して、支えてくれる人が必要なの」

「そんな、単純なことじゃない」

梁平は吐き捨てた。

「単純なことなのよ」

奈緒子が言い返す。彼女の目は潤んでおり、

「もうひとつわかってることは、わたしは、その支えにはなれないってこと。支えとして、あなたが求めているのは、優希さんって人」

梁平は、違うと言おうとしながらも、声が出なかった。

奈緒子は、潤んだ目で、ほほえみ、

「わたしね、いままでの自分を、変えようって考えて、煙草をおぼえようかと思ってるの」

彼女は、カウンターの内側から、客用に買い置いている煙草を取った。

「ばかな真似はよせ」

梁平は止めた。

奈緒子は、聞かずに、一本出して、口にくわえた。店のマッチで火をつける。

梁平は顔を伏せた。

「嫌いなのを、知ってるはずだ」

「いままでの自分を変えるの。言いなりにはならないから」

奈緒子のところから煙が漂ってきた。

「つまらないことをするな」

拳の腹で、カウンターを叩いた。

「殴りたいのは、そこじゃないでしょ」

笑いをふくんだ挑発気味の声に、梁平は顔を上げた。

奈緒子は、目に涙を浮かべ、懸命に嘲笑の表情を作っていた。

殴られるのを、あるいは、それ以上のことを待っているように見えた。

梁平のなかにも、そうしたいと願っている自分がいる。拳を握りしめ、背中を向けた。裏口から、靴をつっかけ、外へ出た。

背後で、グラスの割れる音が響いた。

振り返らず、逃げるように、駆けだした。

3

笙一郎は、品川駅前のホテルのティー・ラウンジで、コーヒーを注文した。

約束した人間はまだ来ていない。待つあいだに、聡志をどう守ってゆくかを考えた。

三日前の深夜、優希から電話があり、聡志から連絡があったことを知らされた。聡志がどこにいるかは、わからないままだという。

笙一郎は、その際、今後のことを考え、聡志自身は家に火をつけたことを認めているのかどうか、あらためて優希に訊ねた。

優希は、短い間ののち、

「ええ」と答えた。

母親を殺したことについては、

「彼じゃない」

優希は答えた。だが、つづけて、

「そう信じて……」

あいまいな口調で言い添えた。

意味がつかめず、詳しい説明を求めたが、優希は答えようとしなかった。どういう対応も思いつかず、

「ともかく、警察には、電話のことはまだ黙っておいたほうがいい」

笙一郎は優希に言った。

彼の言う警察とは、梁平のことも意味していた。

以前、行方がわからなくなっていた優希が見つかった

とき、梁平に連絡した。三人で話し合うつもりだった。だが、梁平は伊島を連れてきた。あのおりのわだかまりが、笙一郎には残っている。

優希も、梁平の名は出さず、話さずにおくとだけ答えた。

その翌朝には、真木広美から、優希の部屋を訪ねたことを打ち明けられた。優希からは聞いていなかったので、驚いた。

「あの部屋を出てもらいたかったんです。事務所の信用のためには、そのほうがいいと思いましたから」

広美が言った。

笙一郎は、ついかっとし、でしゃばった真似はしないよう言い渡した。

広美は、こたえた様子もなく、

「でも、あの方自身、そのつもりだったようです。もうアパートを見つけたと、おっしゃってました」と言った。

優希のことだから、本当に引っ越すつもりだろう。勤めがあるから、さほど遠い場所へ行くはずもないのに、手の届かないところへ去ってしまう気がした。

彼女を求める想いをこらえきれずに、浴室の前に立ったことが、悔やまれた。優希が責めるようなことを言ったわけでもないのに、あのこともあって、出てゆくように思えてならなかった。

「やあ、どうも」

声をかけられ、顔を上げた。

ふたりの男が立っていた。

皺だらけの背広を着て、狡猾そうな笑みを浮かべた、平泉という男は、五歳年上だが、司法研修所の同期生だった。

インサイダー取引に関わり、笙一郎が彼から依頼され、公判を担当した。執行猶予がつき、夏前に外へ出たが、以来会っていなかった。

かつては企業の合併、買収の専門家と言われ、大手町や兜町《かぶとちょう》を胸を張って歩いていた男は、いまや弁護士資格も失い、猫背気味に背中を丸めている。今日は、彼からどうしてもと言われ、三十分だけ時間を作った。

もうひとりの男は、四十歳前後だろうか、仕立てのよいスーツ姿で、恰幅《かっぷく》もよく、態度に余裕があり、いかにもやり手のビジネスマンといった風采だった。ただし、周囲を見回す視線の動きが速く、隙がなかった。

「悪いね、お忙しい先生に、時間を作ってもらっちゃって」

平泉が、皮肉っぽく言いながら、笙一郎の前の椅子に腰を下ろした。

もうひとりの男は、

「よろしいですか」

笙一郎に断ってから、平泉の隣に腰掛けた。

笙一郎は、平泉たちにオーダーを勧め、自分も新たにコーヒーを頼んだ。平泉は、男のことを経営コンサルタントだと言い、名前だけを紹介した。

男は、名刺も出さず、

「よろしく」

と、顎を引いた。

平泉が、不意ににやりと笑い、

「小耳にはさんだぜ。おまえのところのイソ弁、やばいことをしでかして、逃げてるらしいな」

こんな男にも噂は届いているのかと驚きながら、顔には出さず、

「いい加減やめたらどうかな、そんな呼び方。若手は、事務所に居候してるから、イソ弁。給料払うのが、ボス弁。ワイドショーに出てりゃ、タレント弁護士でタレ弁……。とても平等を標榜《ひょうぼう》している人間たちとは思えない。あまりに幼い」

平泉は、せせら笑い、

「呼び方はどうでも、新人のおかげで、顧問契約を打ち切られたりしてるんだろ。困ってるんじゃないのか」

「いや、別に」

嘘ではなかった。契約の打ち切りについては、広美も心配していたが、致命的な損失とはなっていない。契約を切ってきたのは、もともと健全な経営をしていて、笙一郎を煩わせることの少ない会社だった。

違法すれすれのことをおこなっていたり、訴訟を抱えていたり、資金繰りや総会屋対策に苦慮していたりする会社は、笙一郎に、会社や経営者個々の弱みを、幾つも見せている。今回のことが笙一郎個人の問題でない以上、相手方から簡単に契約を切ってくることはなかった。

優良企業からの紹介による新規相談は、確かにしばらく減るかもしれないが、悪くなる一方の経済状況が、破産法にも強い笙一郎のような弁護士を、きっと必要とするはずだった。

平泉は、笙一郎の態度が癪にさわるのか、なお粘っこい口調で、

「ずっとひとりでやってきたおまえが、初めて若いのと組むと聞いたから、よほど切れる新人だろうと期待して

たんだがな。経営は見えても、人間は見えなかったか？　勢いのあるときこそ、足もとを見ないと、危ないな」

「経験者は語る、か」

笙一郎は切り返した。

平泉の顔が強張り、

「ばかにするな。負け犬を見るような目で、人のことを見下しやがって」

彼は肘掛けを手のひらで打った。

「おだやかに」

隣の男が注意した。ちょうどコーヒーが運ばれてきたところだった。

男は、コーヒーに砂糖を入れながら、

「長瀬先生は、平泉さんを助けてくれたお方でしょう。悪く言っちゃいけないな」

柔らかい口調で言う。

平泉は、自分を落ち着かせようとする様子で、何度もうなずいてから、笙一郎に、

「もう一度、助けてくれないか。頼む。小学生の娘がいるのは、知ってるだろ。この前のことで、離婚したが……この連中には、戸籍なんて関係ないんだ」

「平泉さん」

男が止めようとした。

平泉は、堰を切ったように早口になり、

「破産を申し立てたって、お構いなしさ。借りた金を返す方法は、別に金じゃなくたってあると言う。一生つきまとうって言う。可愛い娘もいるんだろうって、舌なめずりをする野郎もいる」

「平泉、よさねえかっ」

男が急に荒い言葉を吐いた。

平泉は、肩をふるわせ、目を伏せた。

彼は、ギャンブルの罠《わな》に落ち、その返済のために、インサイダー取引にも手を出した。相手が、よほど悪かったのだろうが、失うものの多い者が、最初から狙われたのかもしれない。

「もうお帰りなさい、平泉さん」

男はあらためて落ち着いた声で言った。野良犬でも追い払うように邪険に手を振り、

「ここまででけっこうだ。あとは、長瀬先生と、わたしとで話します。仕事が順調に運ぶようなら、紹介の礼は、約束どおりです」

平泉は椅子から立った。だが、不安なのか、笙一郎をすがるように見て、

「頼む。この男に、いいネタをやってくれ。不動産や持ち株の価値が下がって、含み損がふくらんでるところとか、見込みもないのに内定者を出してるところ。社が傾きかけても、経営者が、自分の資産だけは守ろうとしてるところとか、融通手形の話でもいい。わかるだろ？」

笙一郎は、思いあたり、

「整理屋か」

男を見た。

男は、否定もせず、何杯も砂糖を入れて甘そうなコーヒーを、音をたててすすった。

倒産寸前の企業に食らいつき、正当な金融機関や裁判所などが介入する前に、動産、不動産の資産を素早く処分し、利益を得る連中だった。

平泉の口ぶりからすると、企業をネタでゆすって、利益供与や融資話などを引き出す、総会屋まがいのこともするのかもしれない。

平泉は、笙一郎の返事が聞けないためか、なお立ち去りがたい様子で、

「情報だけでいいと、こいつらも言ってる。顧客を少し紹介するだけでいいんだ。別に、おまえが困るわけじゃないんだからさ……頼むよ」

「平泉さん」

男がうながすように言った。

平泉は肩を落として去った。彼の消えたロビーのあたりを、ぼんやり見ていると、

「どうしました？」

目の前の男が言った。

笙一郎は、男に目を戻し、

「何が」と訊き返した。

男は、うっすら笑みを浮かべ、

「少し笑っておられるようだから。笑うようなことでもないと思えたもので」

笙一郎は、男に断って、煙草をくわえた。確かに、笑ったのかもしれない。煙草に火をつけ、

「みんなが口に出すものだから、おかしくなったんですよ……。金の問題でゆきづまった人たちが、ついには法を破ったり、いわゆる道徳を踏みにじったりするときになって、最後によく言うんです」

「何て」

男が訊く。

笙一郎は、肩をすくめ、

「誰が困るわけでもないだろ。別におまえが困るわけで

もないだろ」

整理屋らしい男は、声をひそめて笑った。

「わたしどもも、よく聞きますよ。はた目にも誠実に生きてらっしゃったと思える方々が、追いつめられると、最後に言い訳気味におっしゃるんだな。誰が困るわけでもないいんだから、いいじゃないか……誰も本当には困りはしないんだから、頼むよ……。迷惑をかける相手の顔を知らないことで、ずいぶんとひどいことも、許されると思う方も多い」

笙一郎は鼻で笑った。

「あなたのほうで、同じ言葉を使って、相手をそそのかしてる場合もあるでしょう」

男は、余裕のある表情で、

「そう言ってさしあげると、ほっとされる方が、これまた多いんですよ。しかしまあ、そんな言い訳が、意外に、これまで社会を回してきたのかもしれません」

笙一郎は煙草を置いた。コーヒーを口にして、

「ちゃんと回ってますか」

あえて訊ねてみた。

「さあ、ちゃんとかどうかは、わからない」

男は首を傾げた。ややくつろいだ態度で、姿勢を崩し、

「ちゃんとという定義があいまいでしょ。第一、昔から、ちゃんとしてたことなんて、あったのか、どうか。もし、この無節操といわれる現代にかぎらず、古きよき時代といわれる頃においてもですよ、社会のみなさんが……これをやったら、どこかの誰かがきっと困る……こんなことをしたら、顔は知らないが、きっといつの日か、どこかの誰かに、大きな迷惑がかかる……だから、自分で、しっかり責任をとろう、返すものは返し、非は非として、自分たちで受け止めようと、そんな生き方をなさってい たら……。全員でなくてもいい。とくに社会の中心にいる人々が、そんな生き方を選んでらっしゃったら……わたしどもの仕事は、ありません。わたしたち自体が存在できなくなる。ですが、わたしどもと似たような仕事は、もうずっと昔からあるんです」

「それでも、社会は回ってきた、ということですか?」

「こんなふうにしか回ってこなかったと、言えるのかもしれませんがね……。ともかく、おかげで、わたしどもも食べてゆかれる。商法改正、暴対法と、いろいろ荒波はありましたがね。なに、人の心までは改正できない。仕事はできても、自分の尻も拭けない人ってのは、けっこういるんですよ。十億稼ぐより、自分の尻をしっかり

拭くほうが難しいのかもしれませんね。しかし現実には、十億稼ぐほうに価値が置かれている。しぜんと子どもにも、尻の拭き方より、稼ぎ方を叩き込むほうが先になる。拭き残しにたかるわたしどもには、ありがたいことです」

笙一郎は、相手をうかがうように見て、

「それだけ見えていたら、いやになりませんか。虚しさは感じない？」

「感じてどうなります。おまんま食えますか。いいこと教えてあげましょう、長瀬先生。人生に虚しくなりそうなときは、目一杯金を使って、とりあえず周りの連中に頭を下げさせるんですよ。頭を下げてくる奴がいるあいだは、自分も捨てたもんじゃないと思えるでしょう。役職があるなら、それを利用してもいい。実際多くの人が、この方法で悦に入ってますよ」

「金や肩書で人を従わせても、つまらんでしょう」

男は、苦笑を浮かべ、

「つまるも何も、それ以外で人を従わせられますか。従わせている側は、錯覚したがりますがね。自分の人間的魅力に、人がひれ伏してるって……。とんでもない。頭を下げてりゃ、金になる。逆に頭を下げなきゃ、同じ世界で生きちゃいけない。だから従うだけですよ。むろんときには、従う側まで錯覚する。位が上の者に認められると、自分の人間としての価値まで上がると、思い込む場合があるみたいですからね」

「そんな関係で人とつながっても、虚しさの解消にはなりそうもないな」

「どうしてです。金や地位で人とつながる。かえってはっきりしてて、安心できる関係でしょ。こっちに金や地位があるかぎり、人は頭を下げつづけるんです。自分への価値も、そいつで見いだせる」

「金や地位がなくなれば」

「きれいさっぱりあきらめるんです。明快でしょ？　あやふやな感情や、心なんてものでつながった関係こそ、いつ裏切られるか、恐ろしい。しこりも残れば、恨みつらみも生じる。自分自身も縛られて、逆に相手に従う場面も出てくる。小さい頃から、そんな関係に苦しんで、いっそ金の切れ目が縁の切れ目ってほうが、落ち着く人は、意外に少なくないんです。だからこそ、頑張って稼ぐんですよ。自分に人を引きつけておくために、稼ぎまくる。あげくに多少あくどいこともしてしまう……。長瀬先生の顧客のなかにも、似たような方、いらっしゃる

でしょ？　ご紹介願えませんか」

「さあ。わたしの顧客は、みなさん筋がいいというのか、成功なさった方ばかりだから」

「誤解なさらないでください、長瀬先生。わたしどもの顧客も、みなさん、成功者なんです。というより、成功を願って頑張り、踏ん張っている方たちというかな……。失敗しても、もう一度成功めざして頑張ろうとなさってる方々が、大切なお客様なわけです。人がみな、成功や有名というものの価値を疑いはじめたら、わたしの仕事がなくなってしまう。いや、世界中の多くの仕事もなくなるかもしれない」

「風景が違って見えるかもしれませんがね」

「無理ですね。人はね、長瀬先生、みんなちやほやされたいんですよ。おまえはすごい、おまえは素敵だ……じっとしてても言ってもらえるならいいが、成績を上げるか、金を払うか、それとも裸でも見せなきゃ、誰も言っちゃくれない」

笙一郎は、妙な疲れをおぼえて、目を伏せた。

男の、見透かすような視線を感じる。

「先生自身、なまなかのことでは変わりませんよ。きっともうしみついてますよ、この世界のあり方ってやつがね。企業法務のホープと呼ばれ、周囲から認められるところまで来たなんて、大したものじゃないですか。表層的な成功が虚しく、深い真理のようなものが別にあるというのも……耳ざわりはいいが、どこまで本当だか。現状で失敗したり、疲れた者たちの、適当な言い訳かもしれない。周りにならって、成功の甘き香りってのを、お楽しみなさい」

「煙草の香りすら、本当には楽しめていない男ですよ」

笙一郎は煙草を消した。煙草の箱とライターをポケットに戻し、

「ともかく、あなた方とのつきあいは、お断りします。これできれいに別れましょう。平泉さんには申し訳ないが、彼にひどい形にはしないでください。少なくとも、小学生の娘さんにまでというのは……こちらも、別の方法を考えなきゃならない」

男は、真面目な顔でうなずき、

「あれは、こちらも本意じゃありません。わたしのバックの下っぱが、つまらない脅しをかけたようです。この不景気で我々の仕事もぱっとしないものだから、みんな焦ってるんです」

「じゃあ、よろしく」

笙一郎は、目だけで会釈し、椅子から立った。すかさず、

「これをお持ちください」

男が名刺を差し出した。

偽名らしい名前と、電話番号しか書いていない。

「いまの経済状況じゃ、土地もビルも、よほど上物じゃないとさばきにくい。金融機関も多少の揺さぶりじゃ応えなくなった。こちらはどうにもやりづらい。しかし、だからこそ、うちみたいな零細も伸びるチャンスなんです。生きた情報があれば、きっと成果を上げられる。あなたを値踏みさせていただいた。ただの堅物ならどうしようもない。軽薄な人物なら信用できない。あなたになら、前金でもお払いしましょう。零細とはいえ、いいネタなら、一億、二億、すぐにもご用意できる体力はあります」

「必要ありませんよ」

「そうおっしゃらず。持っていていただくだけで、よろしいんです。どうぞ。平泉さんの命の保証書だと思って」

男は、名刺を差し出したまま、目に力を込め、うなずいた。

笙一郎は受け取った。素早く、ポケットに入れた。伝票も取ろうとしたが、男が先に取り上げた。

「ご安心ください。コーヒー代程度で、迷惑はかけません。相談料と取っていただいて。確か三十分、五千円でしょ？　四千円ほどは、まだわたしの借りです」

「……返さなくてけっこうですよ」

笙一郎は彼の前を離れた。

このあとは、事務所で仕事にかかる予定でいた。聡志の担当していた裁判の書類書きがたまっている。

だが、ひとりでデスクに向き合うことを思うと、息がつまりそうだった。ホテルを出たところでタクシーに乗り、多摩桜病院に向かった。

老年科の病棟にのぼり、エレベーターから降りる。

とたんに、ロビーのほうで、大きな笑い声が響いた。

獅子舞の面のような顔をした、作業着姿の男性が、椅子から身を乗り出し、膝を打って笑っていた。彼の向かいに座った、入院着姿の女性が、声が大きいとたしなめる。男性は、慌てて口を手でおおい、周囲に頭を下げた。

ロビーには、数人の高齢の患者がいた。雑誌を読んだり、窓の外を見たり、面会に来た家族と話している患者もいる。

作業着姿の男性は、自分のかたわらに置いてあった菓子の箱を取り、ロビーにいる人々に差し出した。饅頭らしく、

「いや、これがおいしいのよ」

人がよさそうに勧める。

笙一郎は、整理屋の男と生ぐさい話をしてきたあとだけに、その年配の男性の姿が、滑稽である一方、心が安まる気もした。

笙一郎が、つい足を止めて見ていたところ、相手も笙一郎に気づいた。いぶかしげに笙一郎を見て、逃げるまもなく、駆け寄ってきた。

「お兄ちゃん、もしかして面会なのかい?」

男性が訊く。

「ええ、まあ……」

笙一郎が答えると、

「偉いなぁ」

男性はいきなり表情を崩した。感心したように、しきりに首を振り、

「若い人が来てるの、ほとんど見ないんだよ。小ちゃいお孫さんが来ることはあるけど、いきのいい世代、来てくれないんだよね。これ、つまんで」

饅頭を差し出してくる。

笙一郎は遠慮しようとしたが、

「いや、いいご家族だわ」

彼は深くうなずいた。笙一郎に顔を近づけ、

「で、入院してるのは、お祖父《じい》ちゃん、お祖母ちゃん?」

「あ、母ですが」

「あら、ま。お兄ちゃんのお母さんなら、まだ若いだろうに……。そりゃ、ご苦労さんなことだ。ちょうどいいや、ちょっと来て」

笙一郎は肘を取られた。ロビーのほうへ引っ張ってゆかれ、

「このお兄ちゃん、お母さんのお見舞いなんだって」

男性が、さっきまで話していた品のよさそうな婦人に、紹介するように言った。

「これ、うちの奥さん。うちら、岸川っていうの。今後よろしくね。お兄ちゃん、お名前は?」

笙一郎は、相手の勢いに気圧されて、

「……長瀬ですが」と答えた。

岸川と名乗った男性は、妻だという婦人に、

「知ってるかい」

婦人は細い首を横に振った。

笙一郎は、ふたりの視線を受けて、黙っているのも気づまりになり、

「うちはアルツハイマー病の病室に、入院してますから」

言い訳気味に答えた。

婦人が、ああと手を打って、

「主任補さんと、よく歩いてらっしゃる……ほら、あの、若々しい印象の」

岸川という男性も、うなずき返して、

「きれいな感じのな。派手めの化粧でもしたら、きっと似合うよ。そういや、お兄ちゃんと似てるなあ」

「けど、大変なご病気ねぇ……」

婦人が心底同情したように言い、

「ああ、あれは本当に大変だ。本人も悲しいけど、子どもはことにつらいだろうね」

岸川は、涙もろい性格なのか、かすかに涙ぐみもした。

笙一郎は妙にその場を立ち去りがたくなった。

「いらっしゃい」

背後で聞こえた。

白衣姿の優希が立っていた。

「お母さん、いま寝ていらっしゃる」

彼女は笙一郎に告げた。そのあと、座っている婦人のほうに視線を移し、

「岸川さん、バイタルの検査です」

「あれぇ、このお兄ちゃん……あれあれぇ」

岸川が急に高い声を出した。笙一郎と優希を、交互に見て、

「主任補さんの、彼氏かい？」

「違いますよ」

優希が冷静に否定した。だが、

「いやいや、そうかい、彼氏かい」

岸川は勝手に決め込んだ。笙一郎の腕を肘でつつき、

「ふたりなら、お似合いだよ。うちなんて、美女と野狸なんて、よく言われたもの」

「違うとおっしゃってるじゃない」

婦人が、優希に脈を計られながら、注意した。

「照れてんだよ。主任補さんが、ひとりのはずがないと思ってたよ。いい男紹介しようと思っても、うちの製紙工場、みんな六十超した、再就職組ばかりだから。お兄ちゃん、大事にね」

岸川は、ひとり納得して、大きな声で笑った。

それをまた婦人に注意され、彼はふたたび饅頭を持っ

て、ロビーを回りはじめた。

笙一郎は、まり子のそばで、三十分ほど過ごした。

まり子は目を覚まさなかった。規則正しい寝息をたて、肉体面での健康は保たれている様子だった。

隣のベッドでは、革靴を枕代わりにして、老人が寝ていた。靴がないと安心できないのか、ときには他人の靴でも、どこからか持ってきて、頭の下に敷いて寝ている。

ほかのふたつのベッドは、空いていた。ひとりが亡くなり、ひとりが介護専用施設に移ったと聞いている。空いたままになっているのは、もうアルツハイマー病の患者は、受け入れないということだろうか。まり子も、以前の状態に戻ることは、不可能なのか。

せめて、笙一郎が子どもであり、彼女のほうこそ親だというくらいは、思い出してもらいたかった。

「だめなのか、お母ちゃん」

つい愚痴も洩れる。

「お父ちゃん」

まり子が答えた。

目は開けていない。寝言らしい。

こういう病気でも、寝言を言うのか。

「おれは、あんたの子どもだよ」

小さく言い返してみたが、

「お父ちゃん……」

まり子は繰り返した。

つらくなって、病室を出た。

勤務中の優希とは、話す時間もなさそうだった。

だが、エレベーター・ホールに立って、エレベーターを待っていたとき、

「待って」

優希が廊下から現れた。

笙一郎は、エレベーターの反対側の壁際に、彼女を迎える形で下がった。

「こんなところで、なんなんだけど、一週間後あたりに引っ越そうと思ってるの……いろいろありがとう」

優希は、勤務中のためか、早口で言って、頭を下げた。

笙一郎は、急のことにどう答えてよいかわからず、

「事務所の子が、つまらないことを言ったみたいだけど、気にしないでくれ。聡志のことも別に問題ない」

優希は首を横に振った。

「前から考えてたの。場所も見つけていたし」

「どこ」

「蒲田。古いアパートだけど。明日にでも手続きするつもり」

「そう……」

「もちろん、また連絡はするけど……。それとは別に、少しお願いしたいことがあるの。いつも頼ってばかりで、悪いんだけど」

笙一郎は、しぜんと期待し、

「構やしないさ。何でも言ってみてくれ」

「小児病棟を、のぞいてみてほしいの」

「小児病棟？」

「例の、火傷を負った子……。まだ入院しているの。精神状態が、母親が亡くなったことを知って、落ち着いていなくて。父親は、全然対処しきれていないらしいし……心配なのよ、今後のこと」

笙一郎は困惑した。

「けど、何をすればいい」

優希も、困った顔で、

「それが、わからないの。何が必要か、どうしてあげればいいのか。病院のケースワーカーも、手にあまるらしくて。あなたなら、いい考えがないかと思って……」

笙一郎は、あいまいにうなずき、

「考えなんてないけど、とりあえずのぞいてみるよ」

「ありがとう」

「でも、あの子にしてみれば大変なことだからね、大したことができるとは思えないよ」

「一緒に考えてくれる人がいるだけでも、気持ちが助かる」

優希が子どもの名前と病室を告げた。

エレベーターの扉が開き、人が降りてきた。看護婦たちに付き添われた患者ひとりひとりに、優希は声をかけた。付添いのない、杖をついた老人には、

「おかえりなさい、中庭のコスモス、いかがでした。ひとりで行きたいところへ行けるって、やっぱりいいでしょう」

と、ほほえみかけた。優希は、笙一郎に目だけでうなずき、その老人とともに病室のほうへ戻っていった。

笙一郎は、彼女の姿が見えなくなるまで見送り、次のエレベーターで小児病棟まで降りた。

教えられた病室をのぞいた。

火傷を負った少女は、すぐにわかった。病院に運び込まれたときの泣き顔は、強く記憶に残っている。

少女は、ベッドに、布団も掛けずに横たわり、力のな

い目を開いて天井を見上げていた。

　時間が経って、火傷もずいぶんよくなったのだろうか。パジャマから出ている手足に、包帯はなく、膏薬《こうやく》のような、白い布が貼られているだけだった。

　ほかの三人の患児は、ひとりは母親らしい女性と顔を寄せ合って勉強をし、ひとりはベッドの上でテレビゲームに興じ、ひとりは同年代の友だちと話をしている。

　少女だけは、まったく身じろぎもせず、じっとベッドに横たわっている。ときおりまばたきをすることで、生きているとわかる程度だった。

　笙一郎は病室内に進んだ。ほかの患児たちが、さっと彼を見た。少女には、まったく変化がうかがえない。

「座っていいかな」

　少女に話しかけた。

　笙一郎は、ベッド脇にあった丸椅子を引いて、腰を下ろした。無理には近づかず、

「何か、してほしいことはある？　こうしてほしい、ああしてみたいってこと……何だっていいよ」

　少女は笙一郎を見ようともしなかった。

　十分以上ベッドのそばにいたが、最後まで少女の声は聞けなかった。

　病室を出て、立ち去る前に、もう一度少女を見た。やはり同じ姿勢で、天井を見上げているだけだった。

　事務所の前までタクシーで帰ったが、無力感ばかりがつのり、一歩前に歩くのさえ、億劫に思われた。

　警察の覆面車は、事務所の入ったテナントビルから、二十メートルほど離れた路上に停まっていた。

　ビルに裏口はない。両側が、やはりテナントビルにはさまれ、背後には電算機会社の自社ビルが建っている。

　そのため、張り込みは一カ所のようだった。

　警察も、ほかに場所がないのと、笙一郎が弁護士のためだろうか、張り込みを知られているのを承知で、同じ場所に車を停めつづけている。

　笙一郎は、いつもは車に向かって、陽気に手を振ってみせていた。だが今日は、その元気もなく、顔をそむけて、ビルに入った。

　鍵を開け、事務所内に入る。日が暮れかけており、室内は暗かった。すぐに天井の蛍光灯をつけた。

　鍵をかけ、奥の部屋に進みかけたところで、人の気配を感じた。広美だろうか。

「真木君か……」

　奥の部屋につづくドアを開けた。

人の姿はなかった。蛍光灯のスイッチを入れようとしたとき、

「つけないでください」

声が聞こえた。

物置代わりの、奥の部屋のドアが軋った。

事務所からの明かりを受け、聡志の笑顔が現れた。

笙一郎はすぐには声が出なかった。

「真木広美とは、そういう仲なんですか」

聡志が言う。

「なんだって？」

ようやく訊き返した。

「こっそりと、部屋で待ち合わせたりするような」

笙一郎は、相手にせず、

「ずっと、どこにいた。いつ、ここへ、どうやって入った。警察が表で張り込んでるんだぞ」

聡志は右手を軽く挙げた。

缶ビールを持っており、

「冷蔵庫のもの、いただいてますよ。もう三本目ですけどね。鍵は？」

聡志は玄関のほうを見た。

笙一郎は、うなずき、

「閉めたよ」

聡志は、安心した顔で、来客用のソファに腰を落とした。

「裏に、電算機会社のビルがあるでしょ。一階のトイレの窓から、このビルとの境の、塀にのぼれるんです。塀からは、ここの二階の、廊下の窓に手が届く。事務所の鍵は持ってますしね。事務所で寝泊まりさせてもらってたとき、いろいろ発見したんですよ。ちなみに、奥の部屋の窓を開けると、隣のビルの窓の庇に足をかけて、簡単に下へ降りられます」

聡志が身につけている紺色のポロシャツとスラックスは、彼がここに寝泊まりしていた頃、よく着ていたものだった。クリーニングに出したあと、奥の部屋に置きっ放しになっていたはずだが、着替えたらしい。

笙一郎は、明かりのことを考え、ドアを大きく開けたまま自分のデスクの前に進んだ。デスクに直接腰掛けて、

「どこにいた」

「いろいろです。電話のこと、姉から聞きませんでしたか」

「少し聞いた。詳しくは知らない」

「詳しく話せることは、何もないんです。情けないけど、

ふらふらさまよってただけで……」

聡志は自嘲気味に言った。ビールをあおり、

「親父に、会ったことがありますか？」と訊く。

笙一郎は答えなかった。

「姉貴と同じ病院にいたんでしょ、双海病院。隠さないでください」

笙一郎は、ポケットから煙草を出すしぐさで、間を取り、

「もう二十年近くも前のことだ。ほとんど何もおぼえちゃいない」

「長瀬さんも、児童精神科だったんですか」

「……ああ」

「どうして入院していたんです。病院の話だと、軽い情緒障害の子を中心に、受け入れていたそうですけど」

「プライベートな問題に、答える必要はないだろ」

「姉にも、入院するだけの事情があったんです。その本当の理由を、あなたが知ってるのかどうか……聞きたかったんです」

聡志が真実をどこまで知っているのか、笙一郎は見当がつかず、

「言っている意味が、よくわからない」

目を落として、煙草に火をつけた。

聡志のため息が聞こえた。

踏み込んだほうがいいのだろうか。優希に対する父親の虐待の事実を告げ、自分たちが何をしたのか告白し、聡志はいったい何をしたのか、互いに真実を語り合ったほうがいいのか……。

だが、自分の罪を語るには、勇気が要った。一日、無力感に陥ることがつづいた。どうしても、気持ちが萎える。

「姉を、支えてほしいんです」

聡志が言った。低い抑揚のない声で、

「姉が、どうして、あれほど自分を犠牲にして、人につくそうとするのか……。自分が幸せになることを、わざと避けるようにして、人のことばかり考えて生き急いでいたことの理由が、ようやくわかってきたんです」

彼の悔恨のにじんだ話し方に、

「きみは、いったい何を知っているんだ」

笙一郎は訊ねた。

聡志がビールの缶を握りつぶした。自分の膝のあいだに、頭を垂れ、

「何も知らなかった。同じ家に暮らしていながら、ずっ

と知らずにいた……。ひどい話だ、ひどいですよ。そういう話が世の中にあることは、聞いたことはある。でも、自分の親が、それをするなんて、とても考えられなかった。あり得ないことでしょう？　あってはいけないことでしょう？　父親が娘にですよ……」

　笙一郎は胸をつかれた。

　聡志が顔を上げた。笙一郎を見て、目を見開き、

「知ってたんですか……」

「いや」

　笙一郎は否定しかけた。

「嘘をつかないでください」

　聡志が強い口調で言った。

　笙一郎は、短く迷ったのち、

「昔、聞いたことがある」

「……姉からですか」

「ああ。子どもの頃にね」

　聡志が、わずかに身を乗り出し、

「ほかには何を知ってますか」と訊く。

「ほかには……」

「親父がどうなったか、知ってますか」

　笙一郎はそっと生唾を飲んだ。話すべきだと思いながら、

「だから、山で事故にあわれたんだろ」と答えた。

　聡志がじっと見つめてくる。息苦しく、煙草を吸うことに逃げた。

「聞いて、どうしたんですか。誰かに話したんですか。医者とか看護婦とか」

　聡志が訊く。

　笙一郎は、煙を長く吐き出してから、

「彼女がしゃべったのは、特別な状況でだった。秘密にしておくことは、暗黙の約束だった。人に話して、彼女を裏切ることや、傷つけることを恐れてた。それに、あの頃の自分たちは、大人の誰にも信頼を置いちゃいなかった。本当に重要なことを、信頼して訴えてゆける場所はどこにもなかった」

「じゃあ、何もしなかったんですか」

　笙一郎は目を上げた。聡志を見つめ、

「何をすればよかったと思う」

　逆に訊ねた。答えを聞きたかった。

　聡志の瞳のなかで、様々な答えが交錯しているようだった。

「ぼくたちは子どもだった。十二歳だった。きみだった

ら、何をした?」

いじわるでなく、むしろ彼の答えにすがりたい想いさえあった。

しかし、聡志は顔を伏せた。

笙一郎は、つめていた息を吐き、

「きみは、誰から、彼女と父親のことを聞いたんだ」

「……母です」

「追及して訊き出したのか」

「こんなことになるなんて、思わなかった」

聡志は苦しげな声で言った。彼は、しきりに首を横に振り、

「許せない。父も母も、とても許せない。でも、自分が一番ひどいことをしたのかもしれない。知ろうとなんてしなきゃよかった……。長瀬さんも、そんなことを言ってましたよね。秘密のままにしとけって。本当でしたよ」

「どうして、家に火を」

「よくおぼえてないんです。ただ、ばかげて聞こえるかもしれないけど、燃やしてしまいたかったんですよ、自分たち家族の記憶を。家を、家族の器を、家族の罪を……。すべて燃やしたい、燃やさなきゃと思って、灯油を家のなかにまいて……母にも……おふくろの、からだの上にまで……」

彼の手から缶が離れた。缶は床を転がり、まだ残っていたビールが、流れ出した。

笙一郎も、煙草の火で指を焼いた。

「母は、どうなりました」

うつむいたまま、聡志が訊く。

笙一郎は、床に落とした煙草を靴で踏み、

「火葬にふして、いま遺骨は、うちのマンションに置いてある。きみの姉さんと一緒に、きみのことを待ってる」

「おれのせいで、焦げてたでしょうね」

「いや。きれいな、真っ白なお骨だったよ、本当だ。手を合わせにゆけよ。逃げて、どうなる。それとも、何か考えがあるのか」

「姉には、姉にだけは謝りたいと思ったんです。家に火をつけたあと、知らせなきゃと思ったんです。でも、ほかには、何も考えていなかった。いまも同じです。これから、どうすればいいのか……何をしたって意味があるように思えない。ただ、姉には……彼女には幸せになってもらいたい。姉は、ずっと苦しんできたに違いないん

だから。かわいそう過ぎる。けど、彼女が幸せになるには、きっと支えがいる。彼女の過去も、家族のことも何もかも、知っていて受け止めてあげられる相手が……だから、長瀬さんに、できれば話したいと思って、戻ってきたんですよ」

「おれには……資格がない」

「どうしてです」

「おれには支えられない」

笙一郎は、それを聞いて、胸が痛く、

「資格……？」

「おれじゃないんだ。彼女を、支える資格があるのは」

聡志は、苛立たしげに、

「だから、資格って、何ですか」

「おれは……おれたちは、やろうとした」

「何をですか」

「彼女を救うために……いや、自分たち自身を救うためにこそ、あれを、あれを……」

笙一郎はすべてを話そうと思った。

自分たちの罪を彼に話して、許しを乞い、自分に優希を支える資格のないことも語って、むしろ、いま生きる気力を失っている聡志のことこそ、助けてやれればと思った。

インターホンが鳴った。

ドアもしつこくノックされる。

仕方なく事務所のほうに移り、インターホンの受話器を取った。

「ああ、どうも、神奈川県警の者です」

明るい声が返ってくる。聞きおぼえがあった。火災犯捜査を担当している、四十過ぎの男だった。名前は確か、沖津と言った。

「わたしが少し外してたあいだに、長瀬先生が帰ってらしたと聞いて、ちょっとご挨拶をと思いまして」

「そりゃどうも。しかしいま着替え中なので、ここで失礼します」

「いや。実は、長瀬先生のお姿を見た、うちの若いのが、先生のご様子が、いつもと違ってたと言うんですよ。ふだん明るい先生が、今日は手も振らず、ひどく肩を落として歩いてたなんて言いましてね……大丈夫ですか」

笙一郎は、拳で額を強くこすり、

「全然問題ないですよ。気の重い法律相談があったものだから……なにしろ、いまのこの経済状態ですからね」

「そうですか。大変なお仕事ですからねえ。ちょっと、

よろしいですか」

「よろしい、とは？」

笙一郎は聡志のほうを見た。

聡志は、気配を察してか、奥の物置代わりの部屋に移った。

「少しだけお顔を拝見できますか。それでわたしも、安心して戻れますんで」

明るい声の底に、微妙な変化も追及せずにはおかないという、意地の悪さを感じる。

笙一郎は、聡志の姿が見えないのを確認して、奥の部屋に通じるドアも閉めた。わざと上着を脱いでから、玄関を開けた。

やはり沖津という男だった。秋冬用の背広が、胸板の厚さで、さらにふくらんで見える。

「なるほどお疲れのようだ。目の下の隈が、かなり濃いですよ。寝てらっしゃいますか。人間、隠しごとなどがあると、よく眠れませんからね。お気をつけください」

沖津は勝手に入ってきた。事務所のなかを見回し、奥の部屋につづくドアに歩み寄ろうとする。

笙一郎は、彼の前に立ち、

「顔は見せましたよ」

沖津は、引こうとせず、

「奥の部屋には、誰か」

「むろんひとりです。張り込んでいらっしゃるんだから、わかるでしょう」

「いえいえ、うちの若いのは、まだ修業中でしてね。奥、見せていただけますか」

「大切な裁判用の書類を広げてるので……」

言いかけたとき、奥で物音がした。

心のなかで舌打ちをした。

沖津はすでに動いていた。笙一郎の脇を抜け、奥につづくドアを開ける。

「誰もいませんよっ」

笙一郎の声は、さらに奥からの物音に消された。

沖津は、走って、一番奥の小部屋のドアを開けた。

笙一郎は追った。沖津が開いている窓に駆け寄る。彼は、窓から顔を出し、あっと声を発して、

「待て。待たんかっ」

叫んで、彼も窓枠に足をかけた。だが、途中であきらめ、

「ちくしょう」

すぐにこちらに戻ってきた。笙一郎の顔を睨み、何も

言わずに、外へ飛び出してゆく。

笙一郎は窓から顔を出した。

ビルとビルの狭い隙間に、紺色のポロシャツが揺れている。

「聡志っ」

呼びかけたが、紺色の影は返事もなく消えた。

4

聡志が、はなみずを垂らして、笑っている。

また夢だと、優希は気づいた。

眠りがつねに浅いため、夢を見ていることに気づいたおりは、覚めることより、逆にずっと夢の世界でたゆたうことを、救いのように望んでいた。

「ワンワンごっこしよう」

三歳か四歳頃の、聡志が言う。

当時よくおこなっていた遊びだった。

毛布の端を、たんすの中段の引出しにはさみ、テントのような空間を作る。なかに、聡志と自分が入り、テレビで見た仔犬のように、じゃれ合って遊ぶ。
七、八歳の自分と、幼い聡志。この頃、自分にはもう、外の世界にたくさんの友だちがいた。つねに自分にまとわりついてくる弟が、少しうっとうしくも思えていた。なのに、たとえば天気が悪い日などに、聡志に、「ワンワンごっこ」と誘われると、わくわくして、楽しんでいる自分がいた。
あなたは、もうお姉ちゃんでしょ。しっかりしなきゃ、だめでしょ。ことあるごとに、志穂から言われるようになっていた。

だが、毛布のテントのなかに入って、仔犬を演じているときは、自分が年上だということも、しっかりしなきゃいけないということも、すべて忘れていられた。聡志と、同じ仔犬になりきって、

「がう、がう」

と、聡志の耳を嚙んだり、聡志からも首筋のあたりを嚙まれたり、

「ぺろ、ぺろ」

と、互いの鼻をなめて、笑い合ったりする。

こっそり冷蔵庫から持ってきた、買い置きのアイスクリームや、棚にあったパンやスナックも、手を使わずに、ふたりで額をぶつけながら食べたりした。

親犬がいなくなってしまったことにして、

「くぅん、くぅん」

と、鼻を鳴らして、慰め合っている場面を夢に見た。

聡志が、握った拳で、優希の頭を撫でてくれる。

優希が撫で返してやると、はなみずをすすり上げ、本当に嬉しそうに笑う。

聡志、あの頃に戻りたいね。

夢に向かって語りかける。

聡志、あの頃から、やり直せないかな。もう一度、生き直すことはできないかな……。

夢のなかの聡志が、優希を見た。はなをすすり上げて、にっこり笑い、

「わん」

可愛らしい声で鳴いた。

電話の音に気づき、優希はベッドから身を起こした。

笙一郎のマンションの寝室だった。日勤を終えたあと、夜勤までのあいだに、仮眠をとっていた。時計を確かめると、午後八時を少し回ったところだった。眠りについて、どれほども経っていない。

ダイニング・キッチンに進み、受話器を取る。

「長瀬だけど」

笙一郎の声が返ってきた。

受話器の向こうに、緊迫した空気を感じた。笙一郎は、品川区にある病院の名前を告げ、

「知ってるか」と言う。

有名な病院であり、もちろん知っていた。

「すぐに来てくれ」

「なんなの……」

笙一郎は何も言わない。

「病院に、誰かいるの?」

言葉にしたとたん、不意に誰のことか察した。


優希が病院に駆けつけたとき、まだ手術は終わっていなかった。

待合ロビーには、笙一郎のほか、志穂の遺体を確認した際にそばにいた、私服の警察官もいた。

優希は、笙一郎によって、手術室の手前まで案内された。近くに置かれた長椅子に腰掛け、説明を受けた。

聡志は、笙一郎の事務所を出て、警察の追跡から逃れる途中、いきなり大通りに飛び出したらしい。通りかかった乗用車が、危ういところで急ブレーキをかけ、はねられはしなかったが、軽く接触して、転倒したのだとい

う。

　事故直後、聡志はすぐに起き上がり、乗用車の運転手にも、大丈夫と合図を送った。ガードレールを越え、しばらく走ってもいたのだが、不意に膝から崩れた。そのときはまだ、彼には意識があった。警察官たちにつづいて、笙一郎が駆けつけたとき、呼びかけると、目でうなずくような反応も見せた。乗用車にはまったく損傷がなかったため、聡志のダメージも少ないように思われていた。

　だが、病院に運ばれる途中で、彼は意識を失った。検査の結果、腸管が破裂していることがわかり、すぐさま手術となった。血液が多く必要だったため、血液型が同じ笙一郎は、輸血にも応じていた。連絡が遅れたのは、そのためだという。

「ともかく、あとは待つしかない」

　笙一郎の言葉に、優希はうなずいた。

　手術が終わったのは、深夜になってだった。開腹して、肝臓にも損傷があったことがわかり、難しい手術になったと、医師から聞かされた。

　ひとまず成功したが、予断は許さないという。また、脳に出血などはみられなかったが、今後腫れてくる可能性もあるので、注意が必要とのことだった。

　聡志は集中治療室に移された。移動中、麻酔の効いている聡志の横顔を、優希は一瞬だけ見た。蒼白《あおじろ》い顔色に、危うく叫びだしそうになった。

　面会はまだ許されなかった。自分は看護婦だからと粘っても、断られた。病院の待合ロビーで夜を明かした。

　笙一郎は、同じロビーの隅で、警察から何度も事情を聞かれている様子だった。

　窓の外が明るくなってきた頃、優希にだけ、ほんの短い時間、聡志と会うことが許された。

　優希は、集中治療室に入り、ベッドに横たわったままの聡志を見た。顔色は少しよくなっていたが、まだ人工呼吸器を外せず、意識も戻っていなかった。担当の看護婦によると、状態は落ち着いており、このまま脳のほうにも問題がなければ、一般病室に移れるだろうという。

「ですから、いったんご自宅に戻って、休まれてはいかがですか」

　面会は、優希がロビーで夜を明かしたことを知っての、病院側の配慮のようだった。

　優希は、礼を言って、集中治療室を出た。

　ロビーに戻ると、さっきからいた警察官のほか、梁平

と伊島の姿もあった。

優希は、待っていた笙一郎の前に進み、

「落ち着いてきたみたい」

と伝えた。彼女自身が、その言葉にほっとして、足もとから力が抜けた。笙一郎に支えられ、ロビーの長椅子に腰を下ろした。

「いったん帰って、休んできたら？」

笙一郎が言った。

優希は、薄くほほえみ、

「同じこと、看護婦さんに言われたの」

「少しでも休めば、からだが楽になるよ」

「楽になんて、なりたくない。あの子が、あんな目にあってるのに……」

「聡志は、そうは言ってなかったよ。きみに、犠牲的な形でなく、もっと自分のために生きてほしいと言ってた」

「……聡志が？」

「ああ。そういう趣旨の言葉をね」

「何を話したの、あの子と」

笙一郎は、うつむき、上着のポケットから煙草を取り出した。

「大事なことは、まだ何も……。きみには、幸せになってもらいたいってことを、彼が話してた途中だった。だから、きみがいま無理をして、からだをこわしたら、聡志はまた自分を責めるかもしれないよ。病院の勤めのほうは？」

「昨夜のうちに、電話して、夜勤は代わってもらったけど……。長瀬君も仕事があるでしょう。あなたこそ、休んだほうがいい」

笙一郎は、煙を、優希とは反対側に吐き、

「徹夜は慣れてるし、日曜で裁判も企業も休みだからね。暇をみて、事務所にも帰ってこられる距離だ。じゃあ、品川駅前のホテルで休めばどう？　何かあったら、すぐに連絡する。ここからは、タクシーで五分もかからない。いまから電話してみるよ」

笙一郎は、椅子から立って、公衆電話のほうへ進んだ。

優希は、彼の姿を目で追ううち、ロビーの隅に立っている梁平と目が合った。しばらく見つめ合ったが、梁平が先に目を伏せた。

ほどなく笙一郎が戻ってきた。彼は、ホテルの名前と電話番号を書いたメモを差し出しながら、

「部屋を用意しておくそうだ。昼まで寝て、食事もして

くるといい。ホテルは二泊頼んでるから、こっちに来るとき、料金は払わないで」

優希は、自分が帰らないと、笙一郎も一緒にいつづけるだろうと思い、ひとまず彼の言葉に従うことにした。

下着などの買い物をしてから、ホテルの部屋に入り、シャワーを浴びた。八時に多摩桜病院に連絡し、内田に事情を話した。内田は、事故の重なったことを慰めてくれ、勤務ローテーションについては、うまく対処するから心配しないようにと言ってくれた。

優希は、いつでも飛び出せるように、昨夜部屋を出たときと同じ、白のジーンズと濃紺のプルオーバーを着たまま、ベッドに横になった。多少からだは休めたが、眠りには落ちなかった。正午を回ると、もうじっとしていられなくなり、ホテルを出た。

笙一郎は、待合ロビーの椅子に、崩れた恰好で腰掛けていた。疲れた顔で、何かメモをしながら、煙草を吸っている。

ロビーには、日曜のため、面会らしい家族連れや、入院着姿で雑誌などを読んでいる人が、まばらにいる程度だった。

「意識が戻ったそうだ」

笙一郎が言った。

彼は、姿勢を正して、椅子に深く掛け直し、

「いまは、また眠ったらしいけどね。かなりいい方向に向かってるみたいだよ。もうしばらく様子を見て、CTで脳の状態を確認してから、問題がなければ、一般病室に移されるそうだ」

「面会はどうかしら」

「たぶん許されるだろう」

「ありがとう。じゃあ、ゆっくり休んで」

「まあ、ゆっくりってわけにもいかないけど」

笙一郎は煙草を消した。彼の前には、スタンド式の灰皿が、ふたつ置かれていた。どちらも、吸殻で溢れている。

「何か食べないと、毒よ」

優希が言うと、笙一郎が笑った。

「自分こそ食ったのか？」

優希が答えずにいると、

「ほら」

笙一郎は、自分の横に置いてあった小さな紙袋を、ひょいと持ち上げた。

「サンドイッチらしい。きみの分だ」

「わざわざ買ってくれたの？」

「あちらの、おまわりさんがね」

笙一郎が首を一方に傾けた。

その方向の椅子に、梁平が腰掛けていた。

梁平は視線を窓のほうにそらしている。

彼の隣に腰掛けている伊島は、仮眠をとっているのか、背もたれに首を預けて、目を閉じていた。

「あなたは、食べたの」

優希は笙一郎に聞いた。

彼は、立ち上がりながら、

「あいつのほどこしは受けないさ」

「まだ喧嘩してるの……」

「裏切ったのは、あいつのほうだ」

優希は、悲しくなり、

「ふたりのあいだで、やめて。わたしは、何も気にしてないから」

笙一郎は、肩をすくめ、

「事務所にいるよ。何かあったら、電話をくれるかな」

「ええ」

「きみは食べたほうがいいよ」

笙一郎は病院を出ていった。

優希は、梁平への礼はあとにして、先に集中治療室に向かった。

ちょうど室内から看護婦が出てきた。聡志への面会について訊ねた。

看護婦は、内線電話で医師に連絡をとってくれ、

「十分だけなら、とのことです」

優希は、透明なシートで仕切られた、ほかの患者たちのベッドの前を通って、聡志のベッドのそばに進んだ。

聡志は目を閉じていた。導尿カテーテルや幾つもの点滴ラインが入れられ、彼の生体情報を伝える機器類がベッドを囲んでいる。が、人工呼吸器は外されていた。

優希は、手の紙袋を床に置いて、彼の顔をのぞき込み、

「聡志」と呼びかけた。

彼のまぶたがふるえた。

もう一度呼びかける。

聡志が目を開いた。

目の焦点を合わせるのに、時間がかかるようだった。

優希と目が合い、また少し間があってから、唇の端に照れくさそうな笑みを浮かべた。

「よかった……」

優希は、ベッドの外に出ていた彼の右手に、軽くふれた。

聡志はゆっくりと口を開いた。なかなか声が出ない。

彼自身、声が出るかどうか、恐れているようだった。あ、と小さく声が出た。彼がほほえんだ。優希は励ましを込めてうなずいた。

「また……迷惑、かけちゃったよ……」

聡志がかすれた細い声で言った。

優希は、首を横に振り、

「痛いところ、つらいところはない？」

聡志は目を閉じた。

「死んでも、よかった……」

「よして」

優希はたしなめた。

彼の手を握った。聡志のほうからは、握り返してこなかった。まだ感覚が確かではないのかもしれない。だが、彼の体温は確かに伝わる。

聡志は、首を一度振って、目を開いた。

「……憎くて、火をつけたんじゃない」

「わかってる」

「おふくろも、苦しんでた……もう、終わりにしてやりたかった。これ以上、何やかや、追及されたり、詮索《せんさく》されるのは、あまりにかわいそうに思えた……」

聡志の目が潤んできた。

優希は彼の柔らかい髪にふれた。

「優しい子……」

聡志は、力なく笑い、

「よせよ」と言う。

「本当よ、あなたは本当に優しい子なの。どうしてだか、わかる？」

聡志がいぶかしげな表情を浮かべた。

「あなたが、お父さんと、お母さんに、心から愛されていたからよ」

聡志は不快そうに顔をそむけた。止めるつもりで、

「信じて」

強く言った。優希は、彼に顔を近づけ、

「本当よ。お父さんとお母さんが愛し合って、あなたが生まれたの。わたしは知ってるもの。あなたが生まれた頃のこと、よくおぼえてる。未熟児で生まれたあなたを、お父さんとお母さん、すごく心配して、ずっと病院に泊まり込んでた。ふたりで、あなたの健康のこと、将来のこと、夜遅くまで話し合ってたの、わたしも半分寝ぼけていたけど、おぼえてる……。聡志に、もし障害が残るようなら、お父さん、そのときは自分が聡志の手足になるって言ってた。お母さんは、日本中のお守りを、送っ

てもらったりしてた。わたしは、赤ん坊のあなたに、いつもやきもちを焼いてた。幸せな弟だなって、羨ましくて仕方なかったんだから」

「親父が、そんな子ども想いなら、どうして姉貴に……」

聡志が苦しげに言う。

優希は面を伏せた。

「わからない……わからないけど、あなただって、お父さんに可愛がられたことを、おぼえてるでしょう」

「忘れたよ。そんなことが、あったとしても……つまり、偽善だったんだ」

「違う。あなたを本当に可愛がってた」

「許さない。絶対に、あの男を許せない」

優希は、聡志の手に額をつけ、

「許せないのは、聡志が、お父さんを好きだったからでしょ。可愛がられていたことを、おぼえているからよ」

聡志からの返事はなかった。

顔を上げて、彼を見た。目尻がかすかに濡れている。

「どうして、父親なのに……」

聡志がうめくように言った。

優希は、聡志の手を、両手で包み込むようにして、

「つらいのも、悔しいのも、あなたが、愛情豊かに育てられたからだと思うよ。いろいろ言ったり、したりしても、あなたの心の底は、優しい思いやりで溢れてる」

「いいよ、もう……」

聡志は目を閉じた。

優希は、彼のふるえているまぶたを見つめ、

「みんなに、本当のことを話そう」

聡志は首を横に振った。

「どうして？　話したほうがいいと思う」

「だめだ。話しちゃ、いけない」

「話さないと、誰にもわかってもらえないよ」

「話したって、わかるもんか」

彼は目を開いた。からだを動かせないのがもどかしそうに、顔をしかめて、

「家の恥を、家族の罪を、さらすだけだ。テレビや、雑誌のネタにされて……なんて家族だと、非難されて終わりさ。誰にも話すな。知られたくない」

「本当のことを話さずに、互いに秘密を抱えたままでいたから……結局みんな、いままで、つらい想いをしたり、傷つけ合ったりしてきたんだと思う。聡志も、そんなことを言ってたでしょ」

「間違ってた。おふくろは、姉貴のこと、信じなかった

んだろ？　信じずに、姉貴を、追い込んだ……」

　優希は言葉がなかった。

　聡志は、疲れたのか、表情をゆるめ、

「おれだって、すぐには、信じられなかった。いろいろ、安心できるような、解釈をしようとした……他人は、もっと都合がいいように、面白がったり、話を大きくしたりするだろう。いい思い出だって、ないわけじゃないのに……すべてが汚される。罪を問われることのほうが、よほど楽だ」

「でもね、聡志」

　優希が説得しかけたところで、

「あの、そろそろ」

　背後から声が聞こえた。

　看護婦が立っていた。

「すみません、いますぐ」

　優希は頭を下げた。

　看護婦は隣のベッドに移っていった。

　聡志が、息をついて、

「頭が、まだぼうっとする。少し眠るよ」

「そうね。このことは、あなたがよくなってから、ゆっくり話そう」

「事故った相手の運転手に、悪いことしたな。大したことないと思ったんだけど……寝覚めもよくないだろう」

「謝っておく」

「長瀬さんに話したら、先に謝るなって言うよ。金が取れないぞって」

「いまは、そんなこと言わないと思う」

「ああ……あの人、変わった。なんだか、調子狂うよ。あんなんじゃ、企業法務はこなせない。姉貴のせいかもな……まだやってないんだろ？」

「なんのこと」

「男と女だ、決まってる」

　優希は彼の手をそっと叩いた。

「そんな口がきけるなら、大丈夫」

　聡志は、悲しげな笑みを浮かべ、

「忘れろよ。子どもの頃のことなんて、関係ないよ」

「聡志……」

「引きずってんだろ？　ずっと、スカートをはかないもんな。女らしさみたいなもの、避けてたろ。変わった女だと、思ってたけど……どういうことか、ようやく理解できた」

　聡志の声は微妙にかすれた。優希を見上げて、

「姉貴が怖がるのは、当然だよ……。でも、長瀬さんは、わかってくれると思う」

「もう、よしなさい。疲れるでしょ」

「あの人と、幸せになってくれよ。姉貴には、そうなる権利があるよ」

優希は、聡志を納得させるようにうなずき、

「ありがとう。でも、いまは、あなたのからだのことが先だから。眠りなさい」

聡志の髪を撫でた。鼻のあたりを見て、

「ほら、はなみず垂れてるよ。昔と全然変わらないね」

ポケットからハンカチを出し、彼の鼻を拭いてやった。

聡志は、困ったように笑い、

「おやすみ」

静かに目を閉じた。

「おやすみ」

優希は、短く聡志の顔を見つめてから、紙袋を持って、ベッドの前を離れた。

集中治療室を出ると、出入口のところには、背広姿の警察官が、ふたり立っていた。

ロビーに戻って、長椅子に腰を下ろした。

喉の渇きをおぼえ、ふたたび立って、自動販売機の前に進んだ。ポケットから財布を出したが、小銭がなく、離れかけたとき、

「何を飲む」

声がして、自動販売機にコインが入れられた。

梁平だった。

「どれでも押せよ」

ぶっきらぼうに言う。

優希は、コーヒーを、ブラックで選んだ。

湯気の立つ紙コップを手に取り、

「聡志……捕まえる気？」

力が入らず、つぶやく感じで訊いた。

梁平は、答えず、新たに自動販売機にコインを入れた。

優希は、近いところの長椅子に、腰を下ろした。手の紙袋を脇に置き、コーヒーに口をつける。立て替えてもらった金と、サンドイッチのことを思い出し、

「……ありがとう」

顔を上げた。

梁平も、湯気の立つ紙コップを手に、彼女の前の長椅子に、こちらに背中を向けて腰を下ろした。肩越しに、

「大丈夫なのか」と言う。

優希は、彼の後頭部をぼんやりと見て、

「少し話せたけど、また眠った」

「……きみのことさ」

　優希は、コーヒーに目を落とし、

「わたしなんて……。あの子と、代わってあげたい。あの子には、未来があるのに」

「きみにだって、あるだろ」

「あの子には、いきなりだったんだもの。いきなり、すべてを知らされたんだもの。耐えられるはずがない。何も知らない頃に戻りたいのは、あの子のほうよね」

　梁平がこちらを振り向いた。

「彼が、何を知ったって？」

　優希は答えなかった。

「彼は、本当は何をしたんだ」

「何もしてない」

　優希はさえぎった。気が高ぶるのを抑えきれず、

「わたしよ。全部わたしからはじまってるの。わたしを捕まえるべきなのよ……」

　優希の前に、梁平が回り込んできた。

「何してんだ、火傷するだろ」

　優希は手をつかまれた。

　彼女は、知らぬまに紙コップを握りつぶしており、コーヒーが指を濡らしていた。少しも熱さを感じずにいた。どうしてよいかもわからない。

　梁平が、優希の手から紙コップを取り、床に置いてくれた。上着のポケットからハンカチを出し、渡してくれる。

　優希は、白いハンカチが褐色に染まってゆくのを、ぼんやり見ながら、

「きれいなハンカチね……」

「いいから、早く拭けよ」

「ちゃんと、洗濯してくれる人がいるんだ」

「証拠品を包むのに都合がいいから、自分で気をつけてるだけだ」

「嘘つきね……」

　優希はつぶやいた。ハンカチに広がるしみが、いっそ血だったらと思いながら、

「わたしたち、みんな、嘘つき……。嘘や秘密で、結局、傷を大きくしてきた。なのに、相変わらず、嘘ばかり。あの一瞬だけだね、真実を話せたのは。明神の森で、嵐の夜に、語り合ったときだけ……」

　不意に眠気を感じた。

　聡志と話せたことと、快方に向かっている感触を得て、安堵したためかもしれない。

背もたれに、深くからだを預けた。しぜんとまぶたが落ちてくる。

病院のロビーの音が、耳にまだ聞こえていた。梁平が、紙コップをかたづけてくれるのも、気配で感じた。

だが、意識は次第に霧に包まれてゆく。

霧の向こうから、歓声が聞こえた。

土ぼこりが、ぱっと舞い上がったのを、意識の片隅に感じた。意識がそちらに流れてゆく。

走ってくる足。自分に、バトンが突き出される。優希は、受け取って、走りだす。

歓声がひときわ大きくなる。

ジラフとモウルの姿が、目の端をよぎった。手を振って、彼女に声援を送ってくる。

双海病院内の、運動場のようだった。

優希は、バトンを持って、アンカーに渡すために駆けてゆく。

アンカーの姿が見えた。先に待っているのは、聡志だった。七、八歳の、はなみずを垂らした聡志が、「ワンワンごっこ」のときのように、拳を作った手で、優希を手招いている。

双海病院の運動会に、聡志は来なかったはずだ。だから、これは夢だ。夢だと意識しながら、聡志にバトンを渡した。

聡志が走りはじめた。だが十メートルほど走ったところで、彼自身の足にからまり、転んでしまった。

バトンを投げ出し、地面に伏せ、聡志はなかなか起きようとしない。

優希は助けにゆこうとした。係員に止められた。係員は伊島だった。ジラフとモウルが飛び出そうとした。彼らも係員に止められた。背広姿の刑事たちだった。

聡志のそばの父兄席に、雄作と志穂がいた。ふたりは、何やら言い争っていて、聡志が転んだことにも気づいていない。

優希は、ふたりに向かって、助けてやってと叫んだ。歓声が、声をかき消す。

懸命に声をふりしぼり、聡志を助けてと繰り返した。お父さん、お母さん、お願いよ、聡志を助けてやって。わたしが、あとで、どんな罰でも受けるから……。

眠りから覚めると、優希は、看護婦から、聡志の容体が急変したことを聞かされた。脳が腫れてきたという。

翌日未明、医師が優希の前に立った。

第十二章　一九七九年　晩秋——一九八〇年　冬

1

まっすぐ前に、足もとから延びる白い線を追いかけるように、走ってゆく。

歓声が聞こえた。ジラフとモウルの声だった。もっと、もっと速くと聞こえる。

優希は、運動場を斜めに貫く直線のコースを走り、ジラフとモウルの待つゴールを駆け抜けた。

流しながら、天を仰ぐ。うろこ雲の浮かんだ空は、夏の頃より高く感じられた。

養護学校分教室の体育教師が、優希のタイムを告げる。ジラフとモウルだけでなく、子どもたちの何人かが、感嘆の声を上げた。

優希は、白いトレーニング・ウェアの袖で、額の汗をぬぐった。彼女のタイムは、アダと同じで、第八病棟の女子のあいだでは最も速かった。男子でも、彼女より速い者は、ふたりしかいない。ひとりは、ジラフだった。モウルのほうは、運動が苦手なのか、タイムはよくなかった。

十日後の、十月七日の日曜日、病院全体で運動会がおこなわれる。毎年恒例の会だと、初めて参加する子どもたちは、以前に説明を受けていた。

入院している子どもたちは、それぞれ病気や怪我、障害などを負って、激しい運動を禁じられている者も少なくないが、できるだけ全員が参加できるよう、工夫されているという。

まず、病棟に関係なく、学齢に達していない子どもと、中学三年生がひとつのグループを作り、小学校一年生と中学二年生がグループを作る。以下同様の形で、年長と年少の者が組み合って、五つのグループが作られ、グループ対抗で競技がおこなわれる。たとえば、玉入れ、綱引き、借り物競走など……。

そのほかに、病棟対抗の競技もある。四人ひと組での、二百メートル・リレーだった。

この日は、第八病棟内でリレーの出場者を選ぶために、五十メートル走のタイム測定がおこなわれていた。

優希は、ゴール付近の地面に座っているジラフとモウルのそばに戻り、ふたりのあいだに座って、

「でも、不公平だよね」

　病棟対抗のリレーの話を聞いて以来、思っていたことを話した。

「何がさ」

　ジラフが聞く。

　優希は、ほかの子どもたちが走ってくるのに目をやりながら、

「だって、心臓や腎臓が悪い子たちは、走れないでしょ。外科病棟の子たちは、骨折したり、ギプスしてる子がほとんどだし。車椅子で生活してる子たちは、どうするの。参加しないの」

　昨年すでに経験しているジラフとモウルは、短く顔を見合わせ、

「いや、参加するよ、全部の病棟」

　モウルが答えた。

　優希は、納得がいかず、

「だったら、うちの病棟が有利じゃない。肉体的には問題のない子が多いんだから」

　ジラフが、ほほえみ、

「そう甘くはないんだな」と答えた。

「どういうこと」

　優希が訊くと、

「本番になればわかるよ」

　モウルが意味ありげに言った。

　やがて、体育教師が集合の笛を吹いた。走ることを途中でやめたり、病棟に帰ってしまった数人の子どもたち以外の、全員のタイムが出たらしい。

「よし。じゃあ、運動会でリレーに参加したい者、手を挙げて」

　集まった子どもたちに、体育教師が言った。タイムの順番で選ばれると思っていたから、優希は意外に感じた。ほかにも、同様に感じた子どもたちがいる様子で、それを察したのか、

「病棟対抗のリレーは、幾つでもチームの参加が許されてるんだ。いろんな病棟の、大勢の子どもたちと、一緒に走り合うのが目的だからね」

　体育教師が説明した。だったら、どうしてわざわざタイムを計ったのか、子どもたちのひとりが質問した。

　体育教師は、ひとりひとりにほほえみかけ、

「みんなが、ちゃんと走れるという自信がつけばよかったんだ。実際、みんなよく走ったよ。さ、走ってみたい

人は？　制限はないぞ」

　優希は、戸惑いながらも、手を挙げた。

　ジラフも挙げた。モウルは、タイムが遅かったためか、遠慮していた。

「走れよ」

　ジラフがモウルの肘を突いた。

　モウルはなおためらっていた。気後れしているだけのように見えた。

　優希は、モウルの手を取り、一緒に挙げて、

「走ります」

　体育教師に言った。

　子どもたちの多くが、走ることを希望した。

　病室に戻ると、運動場に出ること自体を拒否していたイフェメラが、隣のベッドから、

「あなた、最近、様子が変わってきたよね」

　と声をかけてきた。

　彼女は、記憶をたどるように目を細めて、

「あの嵐の夜に、何があったの？　考えたら、あの頃からじゃない。変わってきたの」

　優希は、彼女を見たが、首を横に振るだけで、答えなかった。話したくないときの、共通の意思表示だった。

　優希は、医師との面接の際にも、最近明るくなり、ときおり笑うようになったことを指摘され、何があったのか訊かれた。

　ことに嵐の夜のことは、たびたび質問を受けてきた。だが、優希は詳しいことは何も答えなかった。

　嵐の夜を森で過ごした翌朝、優希たちは、自力で山を下りた。リュックサックやラジオ、非常食などは、今後のために、すべて森の穴の中に置いてきた。

　病院に着いたとき、正門前には、捜索に出ようとする大人たちが集まっていた。彼らは、安堵の声を上げたのち、すぐに優希たちを質問責めにした。事前に三人で話し合っていたとおり、優希は、

「ぼうっとして、気がつくと、山にいた……。どうしてか、自分でもわからない」

　わざと視線の焦点をずらして、答えた。

　ジラフとモウルは、

「彼女を捜したくて、つい山に入ったんだ。けど、迷っちゃって……ごめんなさい」

　殊勝に頭を下げるふりをした。

　三人が出会ったことについては、

「偶然」

と、それぞれが答えた。

どこで夜を過ごしたかは、明確にせず、クスのある森から遠く離れたあたりを、だいたいの場所として伝えた。三人が帰ってきたことで、病院側も安心したのか、からだの検査が優先され、どの場所で一晩過ごしたかについての追及は、おざなりなものになった。

ただし、下山した翌日から、三人は個々にカウンセリングを、一週間つづけて受けるように指示された。

病院から逃げたい欲求があるのか、病棟生活や学校生活に不満があるのか、山に登る前後には何を考えていたのかなど……当時の精神状態や、現在の心のありようについて、様々な質問を受けた。

病院側は、三人の保護者にも連絡し、話し合いを持った。雄作と志穂は、事件後最初の土曜日に、日曜日には、ジラフの叔父夫婦が訪ねてきた。モウルの母親は、日曜日に来ると約束しながら、すっぽかし、結局医師と電話で話しただけだった。

三人とも退院は免れた。ただし、優希は以前にも行方不明になったことがあり、ジラフとモウルも、たびたび問題を起こしている。ふたたび似た事態が生じた際は、退院が勧告されると、病院側から保護者へ、また直接三人へも言い渡された。

当分は、自宅外泊が許可されないほか、保護者の面会も控えるようにと言われた。雄作は反対したらしいが、この際しっかりと正しい生活習慣を身につけたほうがよいという、病院側の意見に押し切られたようだった。

嵐の夜を境に、以前とまったく違った感じで日々を送れていることに、一番驚いているのは、優希自身だった。

自分の秘密を、共感を抱いて、知ってくれている人間が、ふたりもいる……。

自分もまた、彼らのつらい過去、哀しい秘密を、共感を持って、共有している。

へたな慰めなど言わず、責めることもせず、憐れみの目で見たり、もちろん蔑《さげす》んだり、怖がったりもしない。信じられないなどと、わずかでも否定する言葉を口にしたり、否定的なしぐさをすることもない。

互いの経験を、まるで自分が経験したかのような感覚で、受け止めようと努めている。

相手が経験したことを、我が身が受けたらと想像し、自分の感情で、その経験を生きてみようと試みる。

とてもつらいことだった。悲しく、やりきれず、胸がつまった。実際にからだの痛みを感じることもあった。

だが、そのつらさ、苦しみ、痛みから顔を上げると、ほかのふたりの顔があった。

自分ひとりでは、周囲の人々とは違う、生きる価値のない人間のように思えてしまう。なぜ、自分だけがこんな目にあうのかと、自分と周囲を呪う気持ちばかりがつのってゆく。

だが、ひとりではない。生きる価値がないかもしれないと思った自分が、ほかにもふたりいる……。それは、大丈夫、生きてゆけるということだった。

話し合えるということであり、笑い合うことだって、できるかもしれないということだった。

ふたりだけだが、ふたりもいれば充分だった。

優希は、ふたりの存在を支えに、感情を少しずつ解放した。たとえば、病院内の、そこここに咲いている花を見る。以前は、何とも思わず、ただ見過ごしてきた。もし花に美しさを感じれば、反動で、

「それに比べて、自分はなんて汚い、醜い……」

と思いかねなかった。

しかし、幼い頃のように、素直に感じることを自分に許してみる。

すると、コンクリートの隙間でも生きる野の花の、けなげさと生命力とに、心が動く。たかだかアザミの、紅色をした花の一輪、ヨメナの小さく白い花々に、

「ちゃんと生きてるんだ……」

叫びだしたくなり、涙までこぼれそうになる。

病院の規則程度は、苦でもなく、窮屈に感じていたスケジュールに、余裕をおぼえはじめた。もっと何かをしたいと思い、病院が勧めていた陶器作りにも参加した。からだを動かしたくて、仕方がなかった。

運動会の前日、一周二百メートルのトラックを囲む形で、テントが張られた。

病院と養護学校の職員に、子どもたちも協力して、テント張りの次は、教室から椅子を運び出した。

ジラフとモウルもテント内に椅子を並べ、優希は、各病棟の名前を書いた紙を、テントに貼って回った。保護者席や本部席と書かれた紙も、指示されたテントに貼ってゆく。

各テントを結ぶ形で、万国旗を吊り渡す作業も、三人は手伝った。万国旗と思えたものは、各病棟の子どもたちが描いた絵だった。

海、山、花、蟬、蝶、優しげな医師、怖い医師、笑った看護婦、鬼の顔をした看護婦、子どもと遊ぶ看護士、

給食のおばさん、掃除のおじさん、父、母、両親と手をつないだ自分、あるいは車椅子を後ろに残し、自由な手足で、青い空へと駆け上がってゆく自分の姿……。

運動会は、朝の十時から、ゆっくりはじまることになっていた。病棟ごとに、朝の治療や検査があり、子どもたち全員が動きだすには、時間が要る。

運動ができなくても、外の空気を吸うことや、運動会の雰囲気を楽しむことが勧められ、移動ベッドを押してもらって、運動場まで出てくる子どもたちも少なくなかった。

十時といっても、五分、十分と時間は過ぎてゆく。

だが、誰も文句を言わない。雲ひとつなく晴れ上がったことを喜び、思い思いに座って、潮の香りを楽しんだり、山側の紅葉を眺めたりしている。

ほかの病棟の患児同士で話したり、看護婦とゲームをしたり、訪ねてきた家族に甘えたり、早くも重箱を開いて、家庭料理をつつき合う患児と家族もいた。みな、久しぶりの解放感からか、じっとしている者のほうが少なかった。

優希も、ジラフとモウルとともに、運動場の周囲を歩いた。優希は、白のトレーニング・ウェアを、ジラフは赤の、モウルは青のトレーニング・ウェアを着ていた。

三人は、体育倉庫の裏手に回った。ジラフとモウルが初めて優希を見たという海を、金網越しに、しばらく見つめた。

深い藍色をした波が、秋の日を受け、柔らかな光を照り返している。波立つことで生まれた泡が、浜に寄せては、引いてゆく。泡がゆっくりと消え、消えきる前に、また新たな泡が運ばれてくる。

優希は、自分がこの海に入ったことなど、遠い昔というより、そんな事実があったこと自体、いまはもう信じられなかった。

三人は、誰からともなく、金網の前を離れた。

保護者席の近くを歩いていたとき、

「優希」

と呼ばれた。

テントのそばに、よそ行きのスーツに身を包んだ、雄作と志穂が立っていた。

病院側から許可が出たらしい。ふたりに会うのは、一カ月半ぶりだった。

雄作は、優希のつま先から髪の先まで、何度も確かめるように見直して、

「元気だったのか。少し、やせたんじゃないのか」

優希の肩に手を置いて、軽く揺するようにした。

志穂のほうは、安堵した表情で、

「少し太ったかもしれないわね。顔色もいいし……」

彼女は、優希の頬に手を添えかけて、結局ふれないまま、手を引いた。

優希の表情が、意識しないうちに、強張ったのかもしれない。両親を前にすると、どうしても感情を切る癖がついている。

ただ、以前と違い、いまは背後にジラフとモウルがいる。秘密を共有し、同じ経験を生きた者として、そばについてくれている。闇雲《やみくも》に逃げなくても、踏みとどまれる力を与えてもらえる気がした。

「聡志は」

優希は訊ねた。

「いつもと同じさ。おばあちゃんのところに、預かってもらってる」

雄作が答えた。

「一緒に来ればよかったのに」

優希は挑発気味に言った。

雄作と志穂は戸惑った表情を浮かべた。

「運動会、見せてあげればよかった」

優希が重ねて言うと、さえぎるように、

「お友だち？」

志穂がジラフとモウルを見た。

優希は振り返った。ジラフとモウルは、唇を固く結んで、雄作と志穂を睨みつけていた。

ふたりの強い視線に、雄作と志穂は、気まずいものでも感じたのか、

「ともかく、先生たちに挨拶してくるよ」

雄作が言い、志穂も一緒に、医師たちのいるテントのほうに向かった。

三人は、そろって大きく息を吐き、肩を下げた。同じ緊張に、肩を張っていたようだ。

優希はふたりの顔を見た。彼らが弱々しいなりにほほえんでくれたことで、ほっとした。

第八病棟のテントに戻ろうとした。

途中で、モウルがあっと声を上げた。

優希は、立ち止まって、彼の視線の先を追った。

どぎついほどの赤い色が、優希の目を打った。服装も顔だちも派手な印象の女性が、腰を左右にくねらせるようにして、こちらに歩いてくる。

ベルベットだろうか、光沢のある赤いミニドレスを着て、高いヒールの靴をはいている。首にも赤のスカーフを巻き、腕に軽そうなジャケットを抱えている。耳にはイヤリング、首にはネックレス。伸ばした爪も、すべて赤く塗られていた。

　優希の隣で、ジラフが口の動きで、

〈ははおや〉

と教えてくれた。

　モウルの母親の名前は、まり子だと、以前モウルの口から聞いていた。化粧が濃かったが、化粧などしなくても、目鼻だちの整ったきれいな人だと、優希には見えた。

　まり子は、モウルのほうに近づいてきて、

「元気そうじゃないの」

　男っぽい口調で言った。

　モウルが、嬉しそうな顔で、

「来てくれたんだ」

　つぶやくように言う。

　彼女は、細くとがった顎を上げて、

「病院から、何度も呼び出しがあったんだよ。おまえが、この夏場に、騒ぎを起こしたろ。来い来いって、仕事中にまで電話が掛かってきて。育児施設と間違えていないかって言いやがる。何言ってんだ、こっちは、入院費をちゃんと入れてんだろって……ま、少しやり合いもしたけどさ、たまには挨拶もしとかなきゃね。わが子の雄姿ってやつも、拝ませてもらおうかと思って」

　彼女は、モウルの鼻をつまんで、軽くひねるようにした。

　モウルは、痛がらずに、ほほえんだ。ふだん大人びた感じのモウルの顔が、急に幼くなったように見えた。

　まり子は、真っ赤な唇を大きく開いて、あくびをし、

「三時まで店だったんだよ。八時には起きて、車飛ばして、まったくえらい苦労なんだから……先々、親孝行しなかったら、許さないよ。で、わたしの席は？」

「あそこ」

　モウルは保護者用のテントを指差した。

　まり子は、うかがうように見て、

「ばか、あんな固い椅子に座れると思うの。どっかから、ソファを借りておいで」

　モウルは、困った顔で、病院の建物を見回しはじめた。

「冗談だよ」

　まり子は鼻で笑った。ドレスの裾を直し、細く伸びた脚を自分で確かめるように見ながら、

「どう、いかしてる?」

「うん……」

モウルが照れくさそうにうなずいた。

まり子は、腰に手をあてて、彼を睨みつけ、

「うん、じゃないよ。もっとちゃんとほめな。頭がよくたって、暗いところは怖い、女も口説けないじゃ、男として先々悲しいことになるよ」

モウルがつらそうに顔を伏せた。

まり子は、彼のそんな表情には慣れているのか、気にもせず、

「お友だち?」

優希とジラフのほうに視線を移した。

彼女は、優希を値踏みするような目で見て、

「可愛いじゃない。きっと将来男を泣かせるよ。どう、もう少し大きくなったら、うちで働かない。なんだったら、うちから高校も行かせてあげる」

「よしてよ」

モウルが止めた。

まり子は、不審そうに、

「同じ病棟の子だろ?」

「そうだけど……」

まり子は、優希に顔を寄せ、

「足し算くらいはできる?」

「彼女は、違うったら」

モウルが苛立ったように足を踏み鳴らす。

「違やしないよ。どんな子も、自立して生きる道を見つけなきゃいけないの」

まり子は三人を順に見た。目を上げて、運動場に集まった子どもたちに視線をやる。ため息をつき、

「人間なんて結局はひとりきりなの。親は先に死ぬし、他人はすぐに裏切って離れてく。おまえの父親がいい見本だよ。わたしが、何もできずに家でめそめそしてたら、ここの入院費だって出ないんだよ」

するとモウルは、優希とジラフのことを確認するように見て、まり子のほうに顔を戻し、

「もしも、お母ちゃんがずっと家にいたら、きっとぼくは、入院なんてしてないよ」

意外にはっきりした口調で言った。

まり子が、眉をひそめて、モウルを睨み、

「人前では、お母さんだって、教えたろ」

モウルは、ひるまず、

「あの男と別れなよ」と言った。

まり子が、舌打ちして、顔をそむけ、

「何を急に言いだしてんの」

「もっとまともな男と一緒になったら、お母ちゃん、家にずっといられるよ。そしたら、ぼくだって……」

「お黙りっ」

まり子はモウルの頬を平手で打った。

モウルは少しも痛がらなかった。まり子は、唇の端をふるわせ、さらに打ちそうな気配を見せた。

優希は、ジラフとともに一歩前に踏み出し、モウルと並んだ。無言で、まり子を見つめる。

彼女は、さすがに気後れした様子で、

「別に、憎くて叩くわけじゃないよ」

優希たちから目をそらし、つぶやくように言った。

彼女は、肩から下げたバッグのなかから、財布を出した。一万円札を抜いて、

「友だちと、おいしいものでも食べな」

モウルのトレーニング・パンツのポケットに突っ込んだ。そのまま、彼の股間をまさぐるようにして、

「こら、少しは大きくなったの」

からかうように笑った。

モウルは身をよじって逃げた。だが彼女は、なかなか離さず、

「父親みたいに、女を泣かすんじゃないよ」

と言って、ようやく彼を解放した。

モウルの目が潤んでいた。悔しげに唇を嚙んでいる。

優希とジラフを見て、背中を向けた。

「駆けっこ、負けんなよ」

まり子は、モウルに言い残し、病院や養護学校の職員が集まっている本部席のほうへ歩いていった。彼女は、男たちに笑顔で話しかけ、名刺まで渡す様子だった。

モウルは、しばらく彼女を見送っていたが、顔をそむけて、自分たちのテントに向かって歩きはじめた。

優希は、何も言えず、ジラフとともに彼のそばに付き添った。

運動会が、午前十時四十分に、病院長の挨拶と、養護学校本校の校長による激励とではじまった。

子どもたちは、全員が運動場に出て、音楽に合わせて体操をした。

全身を動かせるのは、喘息体操を毎日励行している喘息病棟の患児や、第八病棟の患児くらいだった。

車椅子の上で上半身を動かす者、杖や看護スタッフに支えられて、左右どちらかの手や足を動かす者もいる。

移動ベッドの上で、首や、指先だけを動かす者もいた。病棟内のリハビリで、日々おこなっていることの成果を、子どもたちそれぞれが試し、家族や院内の友人に披露する形にもなっていた。

子どもたちは、つづいて組にわかれ、グループ対抗の玉入れをおこなった。

車椅子や杖の助けが必要な子どもたちが、低いところに置かれた籠に、玉を投げ入れる。地面の玉を拾って、渡すのが、全身を動かせる子どもたちの役割だった。

ベッドに寝ている子は、すぐ近くに寄って声をかけ、競技の終わったあとに、入った玉の数を計算した。

綱引きの際、車椅子に乗った子は、綱の前方に集まり、杖の助けが必要な子のそばには、職員や保護者が付き添った。ベッド生活を余儀なくされている子は、綱のそばでオーエスと声をかけ、全身を動かせる子は、後方で綱を引いた。

どうしても土ぼこりが上がるため、呼吸器を患っている子どもたちや、アレルギーでほこりを避けなければいけない子どもたちは、マスクを用いて参加した。

それでも危ういと医師から判断された者は、運動場から少し離れたところで、見守ることになった。ただし、短い時間でも参加したいと願った場合、許可が出れば、いつでも飛び入りで加わることができた。

医療スタッフは、つねに万一の場合を想定して、待機している。

十二時半を回ったところで、昼休みになった。

ふだんは、全員がそれぞれの病棟内で給食をとる規則だった。だが、この日は、青空の下で給食をとることが許された。

このことを可能にするためには、病院や学校の職員だけでは手が足りず、保護者はもちろん、近所の人々や、松山市内の大学生や専門学校生たちにも、配膳や、食事の介助を手伝ってもらっていた。

家族が作った料理も、病院から指定された栄養計算によって作られたものなら、食べることが許される。

優希は、ジラフとモウルと一緒に、給食の配膳車のほうへ向かおうとした。

雄作に呼び止められた。志穂が弁当を作ってきており、家族三人で食事しようという。

「ここは混んでるから、中庭のほうで、静かに三人で食べよう」

雄作が誘った。

優希はあたりを見回した。多くの患児とその家族が、運動場の周囲で弁当を広げている。にぎやかな笑い声が絶えない。

「あそこでいい」

優希は第八病棟のテントを指差した。

ジラフとモウルが、配膳車から給食の盆を持って、優希のほうを気にしながら、テントへ戻ってゆくところだった。

「あら、わたしにはないの」

優希たちの後ろから声がした。

まり子だった。

彼女は、優希たちの脇を通り抜け、テントの前で立ち止まったモウルに、歩み寄った。モウルの持った給食の盆のなかをのぞき、

「すごいごちそうじゃないの。昔はパンだけでも充分だったのに。いい暮らししてるじゃない」

まり子は、無邪気にさえ聞こえる、明るい口調で言った。モウルの顎を、拳でちょんと突き、

「いい、先生とも話したけど、これ以上問題を起こすんじゃないよ。ちゃんと治して、生活習慣っての身につけないと、本当に施設に入れちゃうからね」

モウルはうなずいた。

「返事は」

「……わかった」

まり子は、優しげにほほえんで、

「こんなごちそうは、わたしにはもったいないから、どこかで食べてくるよ。もしかしたら帰ってこないかもしれないけど、駆けっこ、頑張りな」

モウルの髪をくしゃくしゃと乱して、帰っていった。

モウルは片手で髪を押さえつけた。感情の乱れに耐えている様子だった。

第八病棟のテント内で食事しているのは、ほかに二家族で、椅子もあまっていた。

雄作と志穂は、テント内の椅子をテーブル代わりにして、重箱を広げた、それを囲む形で、優希は両親と椅子に腰掛けた。

ジラフとモウルは、すぐそばの土手に直接腰を下ろし、膝の上で給食を食べはじめた。

しばらくして、

「梁平君」

ジラフを呼ぶ声がした。

彼の前に、小柄な中年の男女が立った。

男性は地味な灰色の背広、女性は型の古い桃色のスーツを着ていた。優希は、ジラフが以前、着替えを送ってくれたと話していた、彼の叔父夫婦ではないかと思った。

彼らは、雄作や志穂のほうへ会釈をしたのち、ジラフに照れたような笑みを投げかけ、

「病院のほうから、運動会があるって、連絡いただいたものだから……。もしかしたら、きみは迷惑がるかなって考えたけど、どうしても応援したいって思ってね、ふたりで話し合って、来てみたんだよ」

男性が言った。

ジラフは答えなかった。

「お友だちかな」

男性は、隣のモウルと、向かいにいた優希のほうも見て、

「どうか、この子のこと、よろしくお願いします。末永く、仲良くしてやってください」

とっさに、叔母らしい女性が男性を肘で突いた。

男性は、あっと顔をしかめ、

「末永くなんて、病院なのに……どうも失礼しました」

雄作たちへ頭を下げた。

女性が、手に提げていたふろしき包みを、遠慮がちに、ジラフの前に差し出した。

「おばさん、お弁当、作ってみたの。おいしくないかもしれないけど……一生懸命作ったのよ、食べてみてくれない？」

「ここ、座っていいかな」

男性が言って、ふたりは地面に直接座ろうとした。

雄作が、見かねてか、

「椅子を使われたらいかがです」と勧めた。

ふたりは、顔を見合わせてから、

「では、テーブル代わりに、ひとつ、お借りしましょうか」

男性は、雄作や志穂にわざわざ断ってから、椅子を一脚運んだ。彼らは、椅子が傾かないよう、注意して置き、その上にふろしき包みを広げた。

重箱のなかは、太巻きのほか、卵焼き、ウインナー、コロッケなど、素朴だが、子どもが好むと言われているようなものばかりがそろえられていた。

「梁平ちゃんが、何が好きなのか、おばさん、全然知らないから、簡単なものばかりで……。笑わないでね。本当は、もっと得意な料理もあるのよ。好きなものを教えてくれたら、今度は、ちゃんと作ってくるから」

女性が、ジラフに食べるように勧めた。

彼女は、持ってきた紙の皿に、料理を取りわけ、

「そちらの坊ちゃんも、どうぞ」

モウルのほうに差し出した。

モウルは、手を出していいのかどうか、ジラフを気にして、迷っている様子だった。

男性のほうが、気をつかい、

「無理に勧めても、合う合わないもあるしね。置いておくから、よろしかったら」

椅子をもう一脚運んで、モウルの近くに据え、料理ののった皿を置いた。

モウルが、皿にのった卵焼きやウインナーに手を伸ばしかけ、不意にスプーンを落とした。彼は、すぐには拾おうとせず、のろのろとした動きで拾いかけ、そのまま硬直したように動かなくなった。声は出さず、伏せた目から涙をこぼした。

ジラフが、彼を肘でつつき、

「やめろよ」と言った。

だが、モウルの涙は止まらなかった。

ジラフの叔父夫婦らしい男女が、驚いて、

「どうしたんだろう。何かわたしたち、いけないこと言ったかな」

ジラフに訊ね、おろおろとモウルの顔をうかがい、優希たちを振り返った。

母親のことを思い出したのかもしれないと、優希は察した。

モウルは声を殺して泣きつづけた。

「泣くなって言ってんだろ」

ジラフが険しい声で止めた。

「泣くんじゃねえよ、ばか……ばか野郎」

ジラフの声がかすれた。

彼は、モウルの前に置かれた皿を勝手に取り、料理を自分の口のなかにかき込みはじめた。


午後は、検査などもあって、子どもたちはしばらく休み、代わりに病棟別の看護スタッフ対抗の、リレーと綱引きがおこなわれた。子どもたちは、それぞれ担当の看護婦や看護士らに、応援の声を送った。

ふたたび子どもたちが参加して、軽く体操をしたあと、借り物競走がおこなわれた。最後のプログラムは、病棟対抗のリレー競技だった。

外科病棟の子どもたちは、腕を吊っている子も、首に

ギプスをしている子も、杖の助けを借りている子も、進んで競技に参加した。両目に眼帯をしている子には、伴走を希望する子が付き添い、ともに走った。

慢性の心臓病、腎臓病、気管支を病んでいる子どもたちは、走れなくとも、五十メートルずつ歩く形で参加した。

車椅子の助けが必要な子は、車椅子のままの参加が認められていた。

すべての患児が、ハンデなどは与えられず、同じコースを走った。

着順はついた。だが、優希の目から見て、それ自体に意味があるようには思えなかった。互いに協力し合い、全力を出すための動機づけとして、着順があるに過ぎない印象だった。

競技がはじまるまで、喘息病棟のチームか第八病棟のチームのどちらかが、一着を独占するだろうと、優希は予想していた。ところが、前に五十メートル走のタイムを計ったときに、ジラフとモウルが意味ありげに語ったとおり、思うようには進まなかった。

たとえば、第八病棟A組の、第一走者だったジラフは足が速く、一位で次にバトンを渡した。だが、同じ組の三番目に走る予定だったトータスと呼ばれている少女は、緊張のためか、その場にしゃがみ込み、あだ名が意味している亀のように、手足を縮めて動かなくなった。ジラフたちや看護婦が励まし、どうにか足を動かしたが、何度もしゃがみ込んで動かなくなるため、最下位になった。

次の組では、オストと呼ばれている少年が、アンカーで走る予定だった。英語で現実逃避的な者のことを意味するダチョウが、彼のあだ名だったが、いざバトンを渡されると、彼は運動場の外へ逃げてしまった。看護婦が呼び戻してくるまで、次の組のスタートも待つことになった。

喘息病棟の子どもたちは、何人かが緊張のために発作を起こして、途中で走れなくなった。そうしたおりは、治療が優先される。だが、簡単に棄権扱いにはしないで、できるだけ患児が歩きだせるまで待ち、ときには別病棟の子どもたちから有志をつのって、走ってもらい、次の走者にバトンをつないだ。

慢性の心臓病や腎臓病の子どもたちは、辛抱強く歩いて、最終的には二着や三着、ときに一着という順位もあった。

車椅子で参加した子どもたちのなかには、上半身を鍛

えはじめている子もおり、スピードにのるとさすがに速く、最も一着の旗を持つことが多かった。

モウルは、第八病棟のD組でアンカーを走り、車椅子の中学生に抜かれて、二着になった。

優希は、第八病棟のE組で、やはりアンカーを走った。バトンを受け取ったとき、五チームが走っていて、五番目だった。五十メートルを全力で走った。ジラフとモウルが、コースの内側で手を振り、応援してくれているのがわかった。

声は聞こえなかった。

音がすべて消えていた。

競技を次々に経験してゆくなかで、全身を使って走れることを、幸運に感じていた。全力を出し切らないのは、ひどくいやらしいことに思えた。

胸を押さえて、静かに歩いている子を抜き、杖の助けを借りて、懸命に前へ進んでいる子を抜いた。咳き込みながらも、足を前に運んでいる少年も抜いた。車椅子に乗り、右手だけを使って、ゴールをめざしている少女に追いついた。

並んだとき、相手の横顔を見た。相手の少女も、優希を見返してきた。負けん気の強そうな顔で、左右の車輪を、バランスをとりつつ交互に回転させてゆく。

優希は、萎えそうだった力を振りしぼり、彼女を抜いた。ゴールしたあと、振り返った。少女が悔しそうに、肘掛けのところを、右手でとーんと叩いた。だがすぐに、息を大きく吐いて、すがすがしげに天を仰ぐ。

優希は、彼女のそばに、歩み寄った。

「今度は、車椅子同士で、走らない?」

少女が先に言った。

優希は、うなずき、

「乗り方、教えてくれる?」

「いいよ」

少女はほほえんだ。

どちらからともなく、手を差しのべて、握り合った。

優希と少女は、ゴール前に戻り、つづいてゴールしてくる子どもたちを、笑顔で迎えた。

2

十一月中旬、養護学校分教室内で、文化祭がおこなわれた。

院内では、運動よりも、文化的なもののほうが得意という者のほうが、やはり多い。展示室となった各教室は、子どもたちの創作した作品で溢れた。

展示作品は、絵が一番多く、教室内の壁を隙間なく埋めた。水彩画やクレヨン画のほか、長期入院をして慢性的な病と闘っている子どもたちの何人かは、本格的な油絵にも挑戦していた。

海や山の風景を撮った写真、病棟内の生活を写真でスケッチした作品を、展示した子どももいる。

裏手の浜に流れ着いた流木を使って、抽象的なオブジェを作った者もいた。

優希は、第八病棟内で作った陶製の皿を、大小二枚展示した。子どもたちの制作した陶器は、病院の近くに窯《かま》を持っている人が、協力して焼いてくれる。

優希は、小さな皿の表面にはキイチゴを描き、大きい皿にはクスの木を描いた。

ジラフは、芸術なんて偉そうで嫌いだと言い、初めは何も作ろうとしなかった。だが、優希とモウルが、

「何を作っても自由なのよ」

「自分が楽しきゃいいのさ」

などと、強く勧めたこともあって、粘土を適当にこねるようになった。だんだん形になるうち、興味も湧いてきたのか、やがて女性の顔の塑像を作り上げた。

顔の形は、必ずしも正確ではなかったが、表情に、何をしても許してくれるような温かみが感じられた。菩薩《ぼさつ》や、マリア様にも似た雰囲気があると、優希は思った。

ジラフは、何も語らなかったが、ずっと前に別れたという母親を慕ってのものか……もしくは、こうあってほしかった母親の姿を想像して、制作したのかもしれない。

モウルは絵を描いた。紙にではなかった。

彼は、文化祭の話が出たとき、病棟の壁に絵を描きたいと、養護学校の教師や、第八病棟の医師たちに申し出た。最初は許可されなかった。

食堂で開かれた子ども会で、気落ちしたモウルを見かねて、優希が発言した。

「病棟の壁に絵を描きたいと思っている人は、いませんか」

手を挙げた子どもは、モウルをのぞいて、六人いた。うち四人は、ふだんまったくしゃべらず、外向的な行動もとらない子どもたちだった。

このことが、部長の水尾や、婦長たちの心を動かしたらしい。第八病棟のスタッフと病院側とが話し合った結

果、病棟の北側の壁に、絵を描くことが許された。

　モウルが中心になって、テーマは、

『ここと違う、別の世界』

　と決まった。

　モウルは、脚立を病院から借り、雲の上に茂った大きな森を描いた。森の中央には、クスの大木が配置されている。木々は、葉の代わりに、海が茂っているかのように、青い水が円形に、幹や枝を包む形で描かれていた。そうした水のなかでは、様々な動物が泳いでいた。クスの幹を包んだ青い水のなかでは、キリンとモグラ、そしてイルカが一緒に泳いでいた。

　ほかの六人の子どもたちは、ある者は、怪獣に踏みつぶされる大都会の絵を描いた。

　ある者は、顔のない人々の背中に翼が生えて、黒煙に満ちた空を飛んでいる絵を描いた。

　また、ある者は、祖父母と両親、子どもふたりの六人家族が、小さな食卓を囲んで笑顔で食事をしている、ごく平凡な絵を描いた。

　残った壁の余白部分には、希望者たちが自由に絵を加えてよいことになった。優希とジラフも参加した。

　ジラフは、モウルのことを考えてか、ろうそくの火が赤々と燃えている絵を描いた。

　優希は、想いを形にすることができず、ただ真っ白の線を、壁の端から端へ、まっすぐ一本貫く形で引いた。

　文化祭の最後には、運動場で、小さなキャンプ・ファイアーが焚かれた。

　それぞれの病棟の子どもたちが集まり、夜空の下で、燃え上がる炎を囲んだ。

　夜気の肌寒さを考え、ほとんどの者が毛布に身を包んでいた。車椅子で出てきた者もいれば、移動ベッドで運んでもらった者もいる。初めのうちざわついていたが、中央の火だけを残して周囲が闇に沈んでゆくに従い、みな無口になった。

　海側からは、波の音と潮の香り、山側からは、虫の声と緑の匂いが流れてきた。炎の熱と、ぱちぱちと爆ぜる音、木の焼け焦げる匂いが、これに混じった。

　優希は、ジラフとモウルのあいだに立ち、おだやかな心で、オレンジから赤、また青や白へと、躍る色を見つめた。火の粉が高く吸い込まれてゆく。見送ると、彼方の澄んだまたたきと重なった。

　紅葉が終わり、病内の樹木の半分が、葉を落とした。

虫の声も絶え、小鳥の姿もあまり見られなくなった。

「そろそろ自宅外泊を再開してみようか」

優希が、担当医の小野に言われたのは、十二月に入ってすぐのことだった。

「調子がよくなったみたいだからね。生活態度もとてもいいと、看護スタッフから報告が来てる。夏に退院するはずだったのが、もう三カ月になるのかな。部長先生も、そろそろ退院に向けての準備に入ったらと、おっしゃってる。きみ自身はどう考えてる？」

優希は混乱した。

確かに、気持ちは少しずつ落ち着き、感情を完全に閉ざさずとも、暮らせるようになってきた。喜びや悲しみ、ときにはもっと複雑な感情さえ感じることを、自分自身、許せるようにもなってきた。

だが、自宅外泊がはじまれば、また感情を断ち切った、冷たく、空虚な日々に戻らねばならないだろう。

優希は、首を横に振り、

「自信がない」と答えた。

小野は、励ますように笑みを浮かべ、

「心配しなくても、きみならすぐにも退院できるよ。実際きみを見ていると、どうしてまだ入院しているのかわからなくなる。そのくらい、きみは元気だし、自分の気持ちを表に出せてる。あとは自信だよ」

彼は、拳を前に突き出し、頑張れというようにうなずいた。

優希は、浄水タンクの前で、ジラフとモウルに相談した。

ふたりは、驚き、困惑した表情を見せた。優希も同じだったが、いずれは自分たちが退院しなければいけないことを、忘れていた様子だった。

「外泊はだめだよ」

ジラフが先に言った。

彼は、モウルに、

「そうだろ？」

同意を求めた。

モウルは、一応うなずいたあと、慎重に間を置き、

「でも、ずっと帰らないことなんて……」

「できるさ」

すかさず、ジラフが答えた。

「どうやって」

モウルが訊く。

ジラフは口をつぐんだ。浄水タンクを囲んだ金網のフ

ェンスを蹴って、

「家に帰したほうがいいのかよ」

「そうじゃないけど……逃げるってわけにもいかないだろ」

「いや、逃げればいいんだ」

「どこへ」

「どこへでもさ。ちょうどいい機会だ」

「すぐに連れ戻される。ぼくたちは、もう目をつけられてるし……。寒くなってきてるから、野宿も無理だよ」

「彼女が危ないんだぞ」

「わかってるけど、もっと現実的に考えないと……」

「おれがちゃんと考えてないってのか」

ジラフがモウルの胸を押した。

モウルが押し返す。

「やめて」

優希は小さく叫んだ。

ふたりは動きを止めた。

優希は、やりきれなくなり、ふたりに背中を向けて、金網に頭を預けた。フェンスの内側では、雑草が枯れ、乾いた地面があらわれている。野良猫の姿も、最近は見ない。

ジラフが、ため息をつき、

「誰にも話せないしな……母親が信じなかったんだから……」

つぶやくように言った。

優希は金網をしぼるように握った。

海からの風が、優希の頬を打つ。

枯れた雑草が揺れる。どこか遠くで、猫の声が聞こえた。

「そうだ、帰れなくなればいいんだよ」

モウルが思いついたように言った。

「何を言ってんだ」

ジラフが訊く。

「だから、たとえばさ、迎えが来たときに何か事故があって、彼女が一緒に帰れなくなればいいんだ」

「そんなにうまいこと事故が起きるかよ」

「起こすのさ」

「あ……」

「大きな事故だと、問題になっちゃうからさ。彼女が一緒に帰るのは見合わせたほうがいいと思うような、簡単なことでいいと思うんだ。ちょっと不吉な感じがするようなさ」

「面白そうだな」

ふたりの声が明るくなってゆく。

優希は金網から顔を上げた。振り返ると、ふたりが白い歯を見せていた。

優希の自宅外泊は、十二月八日の土曜日と決まった。

当日、朝食の席で、ジラフとモウルは、優希に向かって、そっと親指を立ててみせた。

雄作と志穂は、昼食前の時間に、冬用のスーツ姿で現れた。

ふたりは、小野と話し合ったあと、食堂で待っていた優希の前に立ち、

「調子がいいそうじゃないか。入院してるほうがおかしいくらいだって、あの若い先生、おっしゃってたぞ」

雄作が笑顔で言った。

志穂も、心配そうにだが、ほほえんで、

「文化祭でも積極的だったし、笑顔も見せてるって。そうなの、笑ってるの？」

優希は答えなかった。

志穂は、優希の顔をのぞき込んできて、

「本当なら嬉しいんだけど。運動会のときも、笑ってたじゃない。お友だちと仲良くしてるのを見て、入院させて、初めてよかったって思ったのよ」

「いまは、そんな話はいいだろ。家に帰って、ゆっくりすればいいんだ」

雄作がじれたように言った。

優希は椅子から立った。

ジラフとモウルが何をするのか、優希は知らされていなかった。

彼らの姿はどこにもなかった。食堂にいなかったのはもちろん、病棟内の廊下にも、階段のあたりにも、見えなかった。病棟の玄関を出るとき、周りを見回したが、気配すら感じなかった。

「どうしたの、きょろきょろして」

志穂に注意された。

あきらめたのかもしれない。簡単に事故など起こせるはずもない。無理をして、彼らが危険な目にあえば、優希はかえって心苦しさや罪悪感をおぼえるだろう。

だが、彼らがあきらめたと思うと、しぜんと足が重くなった。何度も志穂たちにせかされて、優希は駐車場に向かった。

「ほら、ちゃんと歩きなさい」

志穂にまた注意されたときだった。

「ばか野郎、離せ、ちくしょう」

ジラフとモウルの声が聞こえた。

優希たちが進む方向だった。優希は、雄作と志穂を追い越し、声のするあたりに駆け寄った。

雄作の車のそばだった。

ジラフとモウルは、守衛ふたりに後ろから腕をつかまれ、地面に膝をついていた。

「離せよ、ちくしょう」

叫んで、暴れていた彼らは、優希と目が合ったとたん、あっと声を呑んで、おとなしくなった。

雄作も、すぐに駆け寄ってきて、

「どうしたんですか」

守衛たちを見た。

「あなたのお車ですか」

守衛のひとりが訊いた。

「ええ、そうですが」

「実は、この子たちが、車にいたずらしようとしていましてね。慌てて捕まえたという次第で……」

「いたずら?」

「タイヤに、穴を開けようとしてたんです」

リアタイヤの近くには、ドライバーと千枚通し、釘と金槌《かなづち》も落ちていた。それらの道具は、優希もおぼえがあった。文化祭の準備のとき、養護学校分教室の美術室で見かけたものだ。

「この子たち、どこかで会った気がするな」

雄作が言う。

追いついて、後ろに立った志穂が、

「運動会のとき、一緒に食事をした子たちじゃない?」

思い出した顔で言った。

「ああ、そうだ、間違いない」

雄作もうなずいた。

「御存じなんですか。どこの病棟の子か、わかりますかね」

守衛のひとりが訊ねた。

雄作は、少し言いにくそうに、

「第八病棟の子だと、思いますよ」

守衛ふたりは、ああと納得したように顔を見合わせ、苦笑を浮かべた。

意味ありげな彼らの笑みに、雄作は不快感をおぼえたらしく、険しい表情で、

「いったい、どういうつもりだ」

ジラフとモウルを睨みつけた。

ふたりは、口を閉ざしたまま、顔を伏せていた。

「パンク、してるんですか?」

志穂が訊いた。

守衛のひとりが、

「大丈夫でしょう、すぐに見つけましたから」

雄作は、それでもタイヤをひとつひとつ蹴って、確かめてゆき、

「大丈夫のようだ」と答えた。

「だったら、いいじゃない。行きましょう。フェリーの時間もあるし」

「この子たちを、どうする?」

「病院側に、おまかせするしかないでしょう。二度とこんなことをしないよう、よろしくお願いします」

守衛たちも、うなずいて、

「病棟のほうに言っておきます。けどまあ、何もなかったことだし、今回は許してやってください。こちらも気をつけますから」

雄作は、まだ何か言いたそうだったが、志穂の視線にうながされ、

「優希、早く乗りなさい」

運転席に乗り込んだ。

優希は、ジラフとモウルに視線を残したまま、後部席に乗り込んだ。

彼らが、そっと顔を上げ、申し訳なさそうな目で優希を見た。

優希は、大丈夫と答える代わりに、うなずいた。

失敗はしたが、彼らの言葉に嘘がなかったことを知っただけで、嬉しかった。自分のことを、心配し、なんとか支えようと努めてくれる人が、確かにいる……。あとは、自分の問題に思えた。

車はすぐに走りだした。

車内では雄作が、ジラフとモウルのことを、しつこく訊ねてきた。

「どういう連中だ。どんな症状だか、知ってるのか」

優希は一切答えなかった。

「ふたりの保護者も、おかしな感じだったしな」

雄作が言うのに、

「よそ様のことを……」

助手席の志穂がたしなめた。

フェリーで久しぶりに渡った海は、夏に見たときの輝きを失っていた。光をすべて内側に吸い取ったかのよう

な、暗い鉄色の波が、四国と本州のあいだを埋めている。

先に志穂の実家へ、聡志を迎えにいった。

聡志とは、夏、彼が熱を出して以来会っていなかった。

優希は、志穂につづいて車を降り、志穂の実家に入っていった。

祖母と伯母は、店のなかにいて、彼女を笑顔で迎えてくれた。挨拶をしているうち、声が届いたのか、裏の住まいから、聡志が出てきた。

彼は、表情が固く、人見知りをしたように、なかなか優希のほうへ近づいてこなかった。

優希は、彼の前にしゃがんで、

「わん」

犬の鳴き真似をしてみせた。

聡志は、はなみずをすすり上げ、

「わん、わん」

怒った顔で吠えた。

優希は、謝る表情で、

「くぅん」と鳴いた。

聡志は、じゃあ許してやろうというように、胸を張って、

「うー、わん」

ひと声大きく鳴いてから、優希のところへ駆けてきた。

聡志がからだを押しつけてきたため、優希のセーターが、彼のはなみずで汚れるのがわかった。

優希は、ポケットからハンカチを出し、聡志の鼻を拭いてやった。

徳山市内の自宅に戻って、家族そろって夕食をとったあと、優希は一緒に寝ようかと、聡志を誘った。聡志は、すました顔で、別にいいけどと答えた。

「疲れてるんじゃないのか」

雄作が注意するように言った。

優希は、聡志とボクシングの真似ごとをし合いながら、

「疲れてなんてない」と答えた。

「いいじゃないの、久しぶりなんだし」

志穂も言ってくれた。

優希は、聡志の部屋で、彼の背中を抱くような恰好で浅くだが眠った。

翌朝、起きてからフェリーに乗るまで、恐れていたことは何も起こらなかった。

雄作とふたりきりになる状況が、まったくなかった。

優希自身、気をつけていたが、それでも雄作とふたりだけになりそうだと、志穂が顔をのぞかせたり、声をかけてくるなどした。

日曜日の夕方、優希は病院に戻った。

雄作が、病棟の玄関先で看護スタッフに、車にいたずらされそうになったことを告げた。

看護士のひとりが、了解していた顔で、ふたりに注意し、二度としないと反省させたのでと、頭を下げた。

両親が帰ってから、優希は食堂をのぞいた。彼らの姿はなかった。

階段の前に進み、踊り場を見上げた。

ジラフとモウルが立っていた。

ふたりは、心配そうに、すまなそうに、優希を見つめていた。

優希はふたりにほほえみかけた。

彼らの表情はなお固かった。

優希は、思いついて、少し恥ずかしかったが親指を立ててみせた。

ふたりはようやく安堵の息をついた。よほど緊張していたのか、そろって壁にもたれ、崩れ落ちるようにして、床に座り込んだ。

3

だけど、いいのか。

このままで、いいのか。

ジラフとモウルは、同じことばかり考え、話し合った。

十二月十五日の土曜日も、優希は自宅に戻った。

ジラフとモウルは、朝から看護士に見張られて、身動きがとれなかった。

だが翌日、優希は変わらない表情で、病棟に帰ってきた。

彼女が無事だったことに、ふたりはほっとした。が、すぐにそれは不安に変わった。

「このままだと、彼女は退院してしまうよ」

ジラフの言葉は、ときにモウルの言葉となり、

「退院したあとも、無事かどうかわからないよ」

ふたりはともに悩んだ。

「どうしたらいい？」

一方が訊き、

「父親がいなかったら……」

一方が口ごもりながら答えることを、繰り返した。

「でも、自分たちだって、いつかは退院しなくちゃいけないんだ……三人がばらばらになっちゃうよ」

「あの森で、暮らせないかな？　穴に隠れて、ときどき町に食料や服を盗みに下りてゆけば……」

ふたりは、森での暮らしを想像しては、笑みを浮かべ、最後にはため息をついて、首を横に振った。

十二月二十一日の金曜日、養護学校分教室で終業式がおこなわれた。そのあと、三人は浄水タンクの前に集まった。

ジラフとモウルは、優希の話を聞いた。

明日、優希は自宅外泊の予定だが、そのまま自宅で正月を過ごしてよいと、担当医の小野に言われたという。戻ってくるのは、三が日の明けた一月四日、自宅で日記をつけ、四日に提出することが条件だった。

以後、退院に向けてのプログラムを消化し、問題がなければ、一月半ばには退院の予定らしい。

ジラフとモウルは、どう答えればよいか、わからなかった。優希も戸惑っている様子だった。三人は、三十分近く、言葉もなく立ちつくした。

翌日、優希は、迎えにきた両親とともに帰っていった。

ジラフとモウルは、階段の下に立って、彼女を見送った。

午後、ふたりはそれぞれ、小野のカウンセリングを受けた。のちに話し合ってみると、互いになされた質問は、ほぼ同じだった。

「きみは、クリスマスやお正月を、本当はどこで迎えたい？」

ここ最近のふたりは、優希と同様、精神状態が落ち着いていた。雄作の車のタイヤをパンクさせようとしたこと以外は、問題も起こさず、発作的な暴力衝動も出ていない。

だが、小野が信じているような、病院の治療の成果だとは、ふたりは思っていなかった。

嵐の夜、明神の森で真実を告白し合ったことで、長いあいだ表に出せず、からだのなかにたまっていた怒りや憎しみが、わずかながらでも清められた気がした。

同時に、嘘も構えもない裸の自分を、ほかのふたりに認めてもらえたことを感じた。どんな価値もないのかと疑っていた自分のことを、ふたりは受け入れてくれる。わかってほしくて暴れることも、わかってくれないのかと暴れることも、いまは必要なかった。

ただ、急に退院を勧められても、いまのふたりには帰ってゆく場所がない。

「家に戻って、やってゆける自信は、まだないかな？　そろそろ大丈夫だと思わないかい」

小野にいくら訊かれても、ふたりは答えられなかった。自宅外泊さえできていない状態だった。

「お父さんも、本当はきみと一緒に、新年を迎えたいんじゃないかな」

ジラフは言われた。

「お母さんも、心の底では、きみとお正月を過ごしたいと願ってると思うよ」

モウルは言われた。

さらに小野は、無頓着な表情で、

「きみは、もう充分に外で生活してゆけると、ぼくは診てるんだよ。ここは、ずっと暮らす場所じゃない。ここの生活に慣れちゃいけない。早く退院して、外の生活にこそ慣れなきゃいけないんだ。このことをおうちに連絡してみるけど、いいかな？」と言った。

第八病棟の退院は、三種類ある。症状がよくなって、自宅へ戻る退院と、もっと重度の病気や症状を診る病院や施設へ移る場合、そして、引き取る保護者がいないため、養護施設のような場所に移される場合……。

病室に戻ったあと、ふたりはそれぞれのベッドで、先の見えない居場所について考えた。

病院側が家に連絡をとっても、迎えがくるはずがない。結局は、明神の森で暮らすという、いつもの空想にふけって、時を過ごすだけだった。

クリスマス・イブの夜、第八病棟の食堂では、自宅に戻れなかった子どもたちを慰めるためだろう、看護スタッフによって、ささやかなパーティーが開かれた。

八人の患児と、四人の看護スタッフ、部長の水尾も参加した。用意された大型のケーキ二個は、水尾がポケット・マネーで買ったものだという。

看護スタッフが少額だが金を出し合ったらしく、子どもたちに、三百円程度のプレゼントも用意されていた。小さなぬいぐるみだったり、プラモデルや文房具だったり……。ジラフは戦車のプラモデルを、モウルはノートとボールペンのセットを受け取った。

パーティーで笑っているのは、主に大人たちだったが、子どもたちも気をつかって、笑顔を見せた。

第八病棟の患児の多くが、大人に嫌われることに敏感で、ことに無視されることをひどく恐れていた。恐れる

あまり、わざと暴力的になって、構ってもらおうとする者も出る。

ジラフとモウルも、やはり嫌われることや無視されることには、微妙な不安をおぼえる。笑いこそしなかったが、一緒に参加し、ケーキも食べた。おいしいかと訊かれて、うなずきもした。大人たちの勧める、しりとりなどのゲームにも、いやいやながら参加した。

だから、楽しそうだねと声をかけられると、かっとして、瞬間的に暴れだしたくなった。互いに肘をつつき合って、どうにか我慢した。

パーティーも九時前には終わり、全員が病室に戻った。

消灯時間を過ぎ、多少興奮気味だった子どもたちも、十二時前後には寝静まった。さらに二時間近く経った頃、病棟の玄関のあたりが騒がしくなった。

ジラフとモウルは、優希のことを考えて眠れずにいたため、すぐに気がついた。

「いいから、うちの子を出せばいいだろ」

モウルの母親の声だった。

モウルは、パジャマ姿で、一階に降りた。

玄関では、豹柄《ひょうがら》のミニドレスに毛皮のコートを着たまり子と、三人の看護スタッフが、入れろ入れないで押し合っていた。

まり子が、モウルに気づいて、

「おーい」

手を振った。遠くからでも、酔っているのがわかった。

モウルが歩み寄ってゆくと、

「せっかくのクリスマスだからさ、はるばる会いにきたんだよ。なのに、この連中ったら、規則、規則で、まったく野暮なんだから」

まり子は、看護スタッフを押し退けるようにして、

「ハッピー、クリスマース」

上がり框のところに立ったモウルに抱きつき、彼の頬にキスをした。息がずいぶん酒くさかった。

「お気持ちはわかりますけど、もう二時ですから……」

看護士のひとりが言う。

まり子は、彼を上目づかいに見て、

「だって、お店があるんだもの、しょうがないじゃない」

すねたように言った。と思うと、急に笑いだし、

「実はまだ終わってないの。これから三次会。ドライブしててね、冬の海で花火しようなんて、ばかが言いだしたのよ。だったらいい海を知ってるからって、こっちに来たの。来たら、やっぱり子どもに会いたいじゃない。

可愛いねぇ、なめちゃおう」

　まり子は、モウルの首を抱いて、舌でぺろりと彼の頬をなめた。

　モウルは、泣きたいような気持ちをこらえ、母の、酒くささと化粧くささ、そしてぬくもりを受け止めた。

「おやめください。お子さんは、あなたのペットじゃありませんよ」

　若い看護婦が、厳しく言って、まり子とモウルのあいだに入った。

　まり子は、目をつり上げ、

「いい加減なことを言うな。誰が、子どもをペットにしたっ」

　看護婦も、負けずに、

「だったら、お子さんの事情とか、お気持ちとかを、考えたらいかがですか。こういうことだから、お子さんの心だって……」

　言いかけたところに、まり子が手のハンドバッグをぶつけた。

「ばか野郎。なんだって、親のせいにしやがって。子どもが普通じゃないって言われた親の気持ちが、てめえにわかんのか」

　彼女は若い看護婦の肩を押した。ハイヒールのまま上がり框に踏み出し、

「可愛いから、病院に入れてんだろ。よくなってもらいたいと思ってるから、高い入院費も払ってんだ。ペットだったら、とっとと捨ててるよ。こうやって、首をつまんで、ポイだよ」

　まり子は、モウルの首を、指先でつまむように持った。モウルは、抵抗せず、母の顔を見上げた。

「おやめなさい」

　看護士が厳しく止めた。

　まり子は鼻で笑った。モウルの首を引き寄せ、彼の額に、自分の額をつけた。

「この子と生きてきたんだよ。捨てずにさ、一緒に生きてきたの。ちょっとのあいだ置いてきぼりにしたこともあったけど、仕方なかったんだよ。それに金かパンは置いていったろ。なぁ」

　モウルは母の目を見つめ返した。

「こっちだって生きてるんだよ。必死に生きてるなかで、子どもを産んだんだ……そうそう都合よくいかないことだってあるさ」

　まり子の目が不意に潤んだ。

彼女は、自分の額を、さらに強くモウルに押しつけてきて、

「よお、生一郎、ちゃんと生きるって字を使ってるか。お母ちゃんのいうこと、聞いてんのか。お母ちゃんのこと、本当はどう思ってんの？」

まり子の目から、滴がこぼれた。化粧が溶けて、滴が黒く染まる。

「よお、生一郎。お母ちゃん、これでも頑張ったほうなんだよ……恨んでないだろ、恨んでないよな？」

モウルは、黒い涙を流しているような母の顔を見つめて、うなずいた。

「本当に？」

まり子が訊く。

モウルはもう一度うなずいた。

まり子が、はなをすすり上げて、

「……この嘘つき小僧」

うっすら笑った。

モウルもそっと笑い返した。

いきなり、外から、

「ママぁ、ママさんよぉ、どこまで行ったのよぉ」

男の声が聞こえた。

まり子は、モウルから顔を離し、

「じゃあ、クリスマスを楽しみな。正月も、お母ちゃん、おまえを引き取れないけど。わかるだろ。ばかな男がいると苦労すんだよ。みんなに仲良くしてもらいな」

玄関から出てゆこうとした。

モウルは、廊下に落ちていたバッグを拾って、靴下のまま追った。玄関を出たところで、まり子の毛皮をつかみ、引き止める。

まり子は、振り返って、バッグに気づき、

「ああ、そうだ、クリスマス・プレゼントをあげなきゃね」

バッグのなかから財布を出し、一万円札を抜いた。

「要らない」

モウルはさえぎった。首を横に振り、

「お金は……要らないよ……」

まり子が、一瞬、悲しげな顔を見せた。

が、すぐに笑って、

「金がなきゃ、幸せになれないよ。ここにだって、いられないんだから。大きくなったら、うんと稼いで、お母ちゃんに楽をさせてよ。医者とか弁護士にでもなってさ……。ハハ、わたしの子じゃ、無理か。とにかくいまは、

銭があっての世の中でっせ」

おかしな関西弁のようなものを使い、モウルのパジャマのズボンのなかに手を入れ、一万円札を彼の下着にはさんだ。その手で、モウルの股間にふれ、

「もう大人と同じになるのかい？」

モウルは、もがいて、まり子の手から逃れた。

まり子は、ハハと高く笑って、軽く手を挙げ、男たちの声が聞こえるほうに、ふらつきながら歩いていった。

モウルは、看護士によって引き戻されそうになったが、途中で振り切り、まり子を追った。

外来棟の脇を抜け、病院の正門を見通せる場所に出たところで、まり子の後ろ姿を認めた。

彼女は、見知らぬ男と並んで、正門前に停まったスポーツカーのほうへ歩いてゆく。

まり子は、隣の男にもたれかかり、

「何言ってんの、親戚の子よぉ」

笑って、男の背中を打った。

停車しているスポーツカーには、何人かの人間が乗っており、早くしろと声を上げている。車に乗る直前、まり子は、男に抱き寄せられ、キスをされた。まり子は、あらがわず、自分のほうから腕を回した。車に乗ってい

る連中が、はやし立てた。

まり子は、車に乗り込み、あっという間に走り去った。

モウルは、看護士に肩を叩かれ、戻ろうと言われた。素直に従った。

病棟に入ると、靴下を脱ぐよう、看護士に言われた。裸足で、廊下を歩いてゆく。

階段の下に、ジラフが座っていた。

モウルは、無言で、ジラフの脇を通り抜け、病室のベッドに飛び込んだ。


三十日の午後、ジラフは、看護士に呼ばれて、診察室に入った。

小野の向かい側の椅子に、叔父夫婦が腰掛けていた。

ジラフは、勧められて、叔父夫婦の隣の椅子に腰を下ろした。

叔父が、ジラフに向かって、やや固い笑みを浮かべ、

「お正月を、わたしたちの家で過ごす気はないかな」と言った。

小野や水尾の許可は出ているという。

「我が家だと思って、くつろげばいいよ」

叔父が言い、

「本当に、遠慮は要らないのよ」

叔母が言い添えた。

ジラフは、突然の話に戸惑い、返事ができなかった。

小野が、とりなすつもりか、

「連絡とってみて、よかったよ。こたつで、お雑煮を食べながら、のんびりと正月を過ごせるなんて、幸せだろ。この先の退院へも、つながることだよ」

と言って、ほほえんだ。

ジラフはなお黙っていた。

小野がいぶかしむような表情を浮かべた。遠慮しているとでも勘違いしたのか、

「きみは本当によくなってる。あとは家に引き取って、見守ってくれる人が必要なだけさ。幸い、こんな優しい叔父さんたちがいるじゃないか。お正月に、ぞんぶんに甘えてくるといい。叔父さんの家に退院することを目標に、今後は頑張ろうよ。遠慮は要らないって、言ってくださってるんだし。なんだったら、叔父さんの家の子どもになると思えばいいじゃないか」

ジラフは顔を上げた。

叔父夫婦が、慌てた表情で、小野に向かって首を横に振った。

小野は、気まずそうに咳払いをして、

「いや、まあ、そういう気持ちで、のんびりしてくればってことだけどね」

と、ジラフの目を見ずに言った。

自分のことで勝手に何か進められている気がして、ジラフは交互に彼らを見た。

叔父たちは、迷っていたようだが、

「急に妙なことを言われても、困るよねぇ……」

叔父が笑いながら言った。

ジラフは彼の目をのぞき込んだ。

叔父は、微妙に目をそらし、

「せっかくのお正月だから、許可も出てることだし、うちでゆっくり過ごしてもらえたらと思っただけだよ。うちの手料理なんて大してうまかないけど、いろいろ好きなものを食べてもらってね……あとのことなんて、何も考えてないんだよ」

「そうなの。うちは子どもがいないから、一緒にお正月を過ごせたら、にぎやかで楽しいだろうなって思っただけ」

叔母もとりつくろうように笑った。だが、黙っていられなくなったように、すぐまた口を開き、

「もちろん、外泊にしても退院にしても、うちは大歓迎だから。梁平ちゃんも、あと四カ月で中学生だし、高校にも行かなきゃいけないでしょ。その先だってあるし……きっと、素敵な将来が待ってるはずだもの。おばさんたちにも、少しお手伝いをさせてもらえたらって、思ってるくらいのことなの」

「そうそう、その程度」

叔父が何度もうなずいた。

ジラフは、彼らの言葉が意味するところをぼんやりと察し、

「あいつは……」と訊いた。

「あいつ？」

叔父が訊き返した。

「あいつは……どう考えてんの」

「お父さんの、こと？」

叔母がうかがうようにジラフを見た。

ジラフは、ふたりから目をそらし、

「あいつにも、このこと、話したんでしょ。正月のことだけじゃなくて……先のことも、話したんでしょ。あいつ、どう言ったの」

叔父夫婦は、うむとうなるような声を発しただけで、答えようとはしなかった。

小野が、助け船のつもりなのか、

「だめだよ、あいつなんて言っちゃ。お父さんって、ちゃんと呼びなさい」

梁平に注意した。叔父たちに視線を移し、

「彼は大丈夫ですよ。いまは病院規則を破ることもないし、院内行事にも積極的に参加しています。多少の障害には、打ち勝つだけの強さを、集団生活や山登り療法から、身につけてきたと思いますよ」と言った。

ジラフは、この経験の浅い医師を無視して、

「本当のこと、言ってよ。嘘なんか要らないよ。あいつに話してから、ここに来たんでしょ。どうしてあいつのところじゃないの。正月も、退院しても、どうしてふたりのところなの。あいつは本当は、どう答えたの」

叔父夫婦に訊ねた。

叔父が、何やら口ごもった末に、

「お父さんは……仕事がとても大変な時期でね、いまはそのことで精一杯らしいんだ。おじさんなんかより、ずっと頭のいい優秀な人だからね。県内に道路を造ったり、橋を架ける計画を進めたり……とにかく社会に大きく貢献する仕事をしてるんだ」

「なんて言ったんだよっ」

ジラフはほとんど叫ぶように繰り返した。

叔父は、額の汗を手のひらでぬぐい、

「それにお父さん、離婚したし、自分のお母さんも亡くしちゃっただろ？　支えになる人がいなくなってるんだ。心が、とても傷ついている。余裕がなくなっているというのかな」

「どう答えたんだよっ」

ジラフは自分の膝を拳で打った。

「だから……」

叔父が答えにつまったとき、

「あの子は、もういいって……」

叔母が早口で答えた。

叔父がたしなめた。

「ばかっ」

叔母は、顔を両手でおおい、

「だって、あんまりだもの……」

叔父は、慌ててジラフに顔を寄せ、

「いや、違うよ。本心で言ったわけじゃない。言い方は、もっと優しかったし、お父さん、あのとき、少し酔ってたしね」

「……あいつは、飲まないよ」

ジラフは窓のほうを見た。

窓の外では、葉の枯れ落ちた木々が、いかにも寒そうに風にふるえていた。

「いや、しかしね、かなり仕事で疲れていたのは、確かだと思うんだよ」

叔父がまだ何か言いかけていたが、ジラフは椅子から立った。

小野が待つように言ったが、無視して、診察室を出た。

その日一日、ベッドにもぐり込み、モウルが話しかけてきても、答えなかった。

大晦日の朝、ジラフはベッドから出て、モウルに脱走を持ちかけた。

「ともかくさ、ここにじっとしていたって、どうしようもないだろ」

ジラフとモウルは昼食後、病院を抜け出した。

病院の職員も、休日態勢で数が減っており、誰にも見られず病院を出ることは、さほど難しいことではなかった。

ふたりは明神の森に向かった。

寝袋や食料、地図などを、リュックサックにつめたまま、例の穴に隠してある。

ふたりは黙々と山を登った。

空は曇り、鳥の声も聞こえず、周囲には落葉した樹木が多く、山全体が暗く沈んでいるように感じられた。

明神の森に着いたとき、ふたりは疲れきっていた。行くあてもないと思うと、しぜんと足は重くなり、山のなかを進むのに、ふだんの倍以上の力が必要だった。

ふたりは、クスの大木をはさんで、左右にわかれ、苔むした太い根の上に腰を落とした。

周囲の木々は常緑樹が多く、森は以前と同じ、濃い緑に包まれていた。

風もないため、寒さもさほどは感じない。

ふたりはため息ばかりついた。

「逃げなきゃ」

どちらかが言い、

「ああ……」

そのたび、どちらかが答えた。

「病院にいてもいいんだけど」

「うん……別にいいんだ」

想いは同じだった。優希がいるなら、病院でも、それなりに楽しく暮らせる。自分たちの感情を活き活きと生きることが、許されると感じる。

病院を出ても、きっとそれは変わらないだろう。優希がいれば、どれほど規則に縛られた世界でも、自由を感じられるはずだし、優希がいないなら、どれほど自由が許されていても、息苦しさを感じるに違いない。

「彼女のところへ行こうか」

ジラフが切り出した。

「連れて逃げるの？」

モウルが訊く。

「ああ。連れてさ」

「すぐ捕まえられるよ」

「捕まらないように、逃げるんだ。なんとかなるさ」

「けど、もし、彼女がついてこなかったら……」

ついてくる……とは、ジラフも言い切れなかった。

優希は、両親の前では、表情をなくす。機嫌を悪くしてではなく、たぶん感情を切ってしまうためだ。

優希が、両親の前で感情をつなげば、つらい記憶が彼女に襲いかかる。虐待と、虐待があった事実を否定された記憶……存在が否定され、押しつぶされたときの感情が、彼女を責める。だから、感情を切らざるを得ない。

結果として、無力感にとらわれたようになり、自分の意志を表現できなくなる。両親が迎えにくれれば、素直に自宅に戻るのも、そのためだ。

ふたりにも、似た経験があるから、理解できる。もし逃げようとしたとき、父親に見つかり、

「何をしてる」

と、厳しい声をかけられれば、優希はきっと立ち止まるだろう。母親から、

「どうしたの、戻りなさい」

と、涙ながらに訴えられたら、彼女はきっと静かに戻ってゆくだろう。

「無理だよ」

モウルは言った。

「ああ……」

ジラフはうなずいた。

頭上で、カラスがさかんに鳴いている。

ふたりは顔を上げた。森のふところに抱え込まれていたから、気がつかなかったが、木々越しにのぞける空が、赤く染まりはじめていた。

風もかすかに出て、赤のブルゾンを着たジラフも、青いウインドブレーカーを着たモウルも、それぞれ腕を組み、首をすくめた。

「いなくなれば、いいのに……」

どちらともなく、つぶやいた。

優希の父親がいなくなれば……。

「やる?」

ひとりが訊き、

「やるしかない」

ひとりが答えた。

ふたりは、日が暮れる前に、山を下りた。

誰にも見つからずに、病院に戻ることができた。夕食前だったため、売店にいたと言っただけで、人手が足りずに忙しく立ち働いていた看護スタッフには、叱られずにすんだ。

大晦日の夕食は、年越しを考えてか、そばだった。そばアレルギーがある子どもには、ラーメンが用意されていた。

ジラフとモウルは、病室に戻ってから、優希の父親を殺す方法について、計画を立てはじめた。

ふたりが考えた方法は、実はそれぞれが以前、親に傷つけられたり、裏切られた際に、ひそかに何度も考えたものだった。

除夜の鐘の音が、近くにある寺から聞こえてきた。

ふたりが、浅い夢のなかで殺している優希の父親の姿は、ときおり自分たちの親の姿に変わった。

4

元日の朝は、雪もなく、きれいに晴れ上がった。

優希は、聡志の部屋で彼より先に起き、志穂を手伝って、雑煮用のもちを焼いた。

家族そろって新年の挨拶をし、例年と変わらない形で、おせちを囲んだ。

「いい正月だ」

雄作が言い、

「いい正月だ」

聡志が真似た。

食事後、優希と聡志は、雄作からお年玉を受け取った。

志穂は、実家に行くための和服に着替えはじめ、優希は奥の部屋に呼ばれて、手伝った。

志穂が、着替えている途中で窓の外を見やり、

「晴れてよかったわね」

優希に言った。

正月に志穂の実家に行くことは、毎年恒例の行事になっていた。

雄作の実家というものがすでにないこともあって、志穂の実家に親戚たちが集まり、近くの神社に、そろって初詣に出かけるということがつづいている。夕飯も一緒に食べ、夜は泊まることにもなっていた。

「あなたも着物を着れば」

志穂が勧めた。

去年の正月に、祖母が作ってくれた着物があった。大きめに作ってあったため、いまでも着られるはずだった。

優希は首を横に振った。

志穂の表情が曇った。吐息をつき、

「お正月なのに、ジーパンなんてよしてね」

消え入りそうな声で言った。

雄作も背広に着替え、聡志もジャケットを着せられた。

優希は、灰色の綿パンツと黒のトレーナーの上に、茶のブルゾンをはおった。

「お姉ちゃんだけ、ずるいよ」

聡志が言ったが、志穂と雄作は、結局何も言わなかった。

実家には、午前中に着いた。親戚たちと挨拶を交わしたあと、全員で初詣をし、その足で実家の墓参りもすませた。

実家に戻ると、志穂は、自分の母親とともに、近所への挨拶回りの用意をした。

優希も誘われたが、断った。無理強いはされなかった。代わりに、聡志がついてゆくと言った。

志穂は、厳しい顔で、

「お姉ちゃんと一緒にいなさい」と言った。

聡志は、涙まで浮かべ、一緒に行くと言って、聞かなかった。祖母のほうが、

「早く行って、すませちゃおう」

聡志の手を取り、志穂をうながした。

ほかの親戚も出払って、優希は居間にひとりで残った。することもなく、テレビを眺めていると、

「他人の家は、やっぱり落ち着かないな」

雄作が背後から現れた。駐車場で、伯父と車のことについて話していたはずだった。

彼は、優希の隣に腰を下ろし、

「ドライブにでも行くか」と言った。

優希は、テレビの画面に顔を向けたまま、首を横に振った。

「どうして」

雄作が意外そうに言う。

優希の肩に、彼の手が置かれた。優希は、肩周辺の神経と意識とのつながりを、切っていようと努めた。

「一時間ほど走ってきたら、気持ちいいぞ。ずっと仕事で忙しかったから、優希ともゆっくり話せなかったしな」

優希は、自宅に戻ってから大晦日まで、家事のほとんどを、志穂とともに、ときに志穂を押し退けるようにして、おこなった。家中を掃除し、洗濯をし、買い物に行き、料理を作った。家事をしていないあいだは、聡志の相手をして、とにかくじっとしていることを嫌った。

雄作は、三十日まで連日仕事で、早朝に出て、深夜に帰ることがつづいた。彼が、朝から家にいたのは、大晦日からだった。その日も、新年を迎える準備に忙しく、この日まで、優希と雄作がふたりきりになることはなかった。

優希は、テレビから視線を動かさず、初笑いと称した番組の音声に集中しようとした。なのに、

「お父さんと、話したくないのか?」

苛立った雄作の声は、テレビからの笑い声より、鮮明に耳に入ってくる。

「お父さん、年末の仕事でストレスがたまってる。おまえも家にばかりいて、つまらなかったろ。一緒に走ってこよう」

雄作の手が、背中に回された。意識しないよう努めているのに、どうしても彼の手を感じてしまう。

やめてほしいのに、喉がつまり、声も出ない。

一方で、父親だから、娘にふれるのは当然だ、少しもおかしいことじゃないと、自分に言い聞かせようとする。

「どうした、優希。今日は素直じゃないな」

答えられない。拒否もできない。受け入れたくないのに、逃げることもできない。

逃げたら、雄作を傷つけるだろうかと考えてしまう。

親不孝な、悪い娘になるのだろうか……父親から逃げようとする自分のほうが、おかしいのか、狂っているのか……。

いつか暗闇のなかで、雄作が言った。優希が、あれを彼に許し、むしろ誘ったようなものだと……。

いまも、わたしが誘っているのか。自分のなかに、そうしたいやらしい、汚いところがあるのだろうか……。


目の前で、芸人たちが笑っている。

優希のことを笑っているように見えた。

「ただいまー」

明るい声が、近くで聞こえた。

雄作の手が、優希から離れた。

優希の従兄にあたる中学二年生の少年が、居間に駆け込んできた。

「なんだ、それ見てんの？」

優希に訊く。優希が答える前に、勝手にチャンネルを替えて、

「見たい映画があったんだ、いいかな？」

優希を振り返った。

優希は、笑顔を作り、

「いいよ、つまんなかったもん」

「いまのお笑いって、最低だよね」

あまり話したこともない従兄だったが、

「どんな映画なの、誰が出るの」

興味があるふりを装って、訊ねた。

従兄は、少し意外そうだったが、喜んで説明をはじめた。

雄作が立ち上がる気配がした。

「優希」

と呼ばれた。

優希は、聞こえないふりで、

「面白そうな映画ね」

従兄に答えた。

「優希」

苛立たしそうな声だった。

従兄のほうが、気にして、

「お父さん、呼んでるよ」と言った。

「わたし、映画を見るから」

優希は、振り向かずに、雄作に言った。

首筋から背中のあたりにかけて、父の視線を感じた。

従兄は、落ち着かない様子で、優希と雄作を見比べていた。

やがて、雄作が遠ざかってゆく足音が聞こえた。

従兄が隣でほっと息をついた。

「きみのお父さん、ちょっと怖いときがあるよね」

優希は、どきりとしながらも、

「そんなことないよ」

「うちの親父なんかより、ずっと頭いいから。どんなこと考えてんのか、わかんない感じでさ」

「普通よ。普通の父親と、何も変わんないよ」

優希は、明るい声になるよう心がけて、答えた。

この日、夕食の準備には、普段着に着替えた志穂が立った。毎年のことだった。

実家でいまも末っ子の扱いを受けている志穂は、正月くらいは頑張って、母親や兄に認めてもらいたいようだった。

兄嫁に代わって、台所を占領し、自分の手料理を母親たちに出そうとする。幾つか料理が並び、もういいよ、一緒に食べようと、彼女の母親が声をかけても、

「もう少しだから」

と、台所に立ちつづける。

そうしたときの志穂は、優希や聡志のことも、しばし忘れているように見える。

そして母親から、

「おいしい。志穂はまた腕を上げたね」

と言われると、本当に嬉しそうに笑った。

優希には、その日の志穂は、ふだんの年以上に立ち働いているように見えた。

「疲れちゃうよ」

祖母も注意したが、志穂は、じっとしていることを恐

れるように、台所と居間を行き来した。

優希たちの寝室には、例年どおり、母屋と廊下つづきの離れの一室が用意されていた。

優希と雄作が両端にわかれ、あいだに志穂と聡志が入る形を、志穂が指示して、布団を並べた。

優希はなかなか寝つけなかった。志穂も同じなのか、彼女のため息がときおり聞こえた。

その志穂が、夜明け前、苦しげな声を発した。

優希が声をかけるより先に、

「どうした」

雄作が部屋の電灯をつけた。

志穂は、腹部を押さえて、からだを丸めていた。額に、あぶら汗がにじんでいる。

「腹が痛いのか」

雄作が彼女の顔をのぞき込む。

「大丈夫……」

答えかけた志穂の声が、苦しげな息づかいで途切れた。

雄作が、志穂の額に手をあて、

「熱はないが……」

「どうしよう」

優希は父を見た。聡志はまだ眠っていた。

雄作は、パジャマを脱ぎ、スラックスとワイシャツに着替えた。

「病院に連れてゆこう」

「救急車を呼んだほうがよくない？」

「正月だからな、たぶんこっちから行ったほうが早い。いま、病院に連れていってやるからな」

雄作は、志穂に言って、彼女を毛布で包むようにして、抱き上げた。

彼は、優希を見て、

「伯父さんか伯母さんを起こして、このことを伝えて。そのあと、おまえは聡志を見てなさい」

「わたしも行く」

優希は、すぐに着替えて、志穂を抱えた雄作のあとを追った。駐車場に進む彼とわかれ、伯父たちの寝室に向かう。

伯母がすぐに起きてきた。優希は事情を話し、彼女と駐車場に走った。

車が道路に出たところだった。志穂は後部席に横たわっていた。

「聡志のことをお願いします」

雄作が言った。

伯母はうなずき、

「志穂さん、無理をし過ぎたから」

彼女は、この日開いているはずの救急病院の場所を、雄作に教え、こちらからも電話しておくと言った。

優希は志穂の隣に乗り込んだ。

車が走りだした。志穂は胃のなかのものを戻した。

優希は志穂の頭を膝の上に抱いた。

雄作は、車を走らせながら、何度も志穂を振り返り、

「しっかりしろ、もうすぐだから」と声をかけた。

病院に着いた。雄作が、夜間通用口から駆け込み、

「誰か、誰か、助けてくれ」

懸命の声で、人を呼んだ。

当直医と看護婦がすぐに出てきて、治療がおこなわれた。

ほどなく、志穂の状態は落ち着いた。医師からは、ひとまず問題はないと説明があった。

雄作は、気が抜けたように、

「よかった……」

とつぶやき、待合ロビーの椅子に腰を落とした。

やがて、伯父と祖母も病院に来た。

雄作が医師の話を伝えた。胃潰瘍《いかいよう》か、単なる過労、またはストレスからくる神経性の胃炎などが考えられるから、とにかく休ませることだという。

「優希の入院もあったりして、いろいろ気を張りつめていたんだろうね……」

祖母の言葉を、優希は心苦しく聞いた。

志穂は、様子を見るのと、検査のために、数日間入院することになった。

午前十時頃、四人部屋の病室のベッドの上で、志穂は意識を戻した。

入院のことを聞き、

「いえ、わたし帰ります」

顔を起こした。

優希は驚いた。代わって、祖母と伯父が、

「何を言ってるの、そんなからだで」

「雄作君も優希も、大変だったんだぞ」

志穂を叱るように言った。

「でも、子どもたちが……今日は家に帰る予定だったし」

志穂が心配そうに言うのに、

「おばあちゃんたちに見てもらえばいいさ」

雄作が答えた。

彼は、志穂の母と兄に、

「わたしは仕事の電話も入るので、帰ってなきゃいけませんが、せっかくのお正月だし、にぎやかなほうがいいと思います。うちの子たちのこと、お願いできませんか」

と、頭を下げた。

志穂の母は、顔をほころばせ、

「ええ、それがいいわよ。志穂も安心でしょう」

雄作は、ベッドの枕もとに立った優希を見て、

「優希、聡志と一緒に、おばあちゃんのところに泊めてもらいなさい」と言った。

彼の言葉に、優希よりも、志穂がほっと息をついた。

「じゃあ……休ませてもらおうかな」

彼女は枕に深く首を預けた。

だが、すぐにまた首を起こし、

「でも優希は、あさっての四日には、病院に戻らなきゃ」

優希は母の表情をうかがった。熱に浮かされたような目をしている。

志穂は、その目で伯父を見て、

「お兄ちゃんも一緒に、優希を病院のそばまで送ってくれない？」と言った。

伯父も、さすがに戸惑って、

「おれがどうして？　雄作君が送っていくんだろ」

「病院のなかには入らなくていいから。松山の街で、待ってるのでいい。一緒に海を渡って。何かあったとき、ふたりいたほうがいいの。お願い、お願いします」

「……仕事はまだ休みだから、別にいいけど」

「ありがとう」

志穂は、本当に安心したように力を抜き、ベッドに全身を預けた。

「いろいろ迷惑かけちゃって」

彼女は雄作に謝るように言った。

「そんなふうに気をつかうから、からだもこわすんだ。ゆっくり休めよ」

雄作は、手を伸ばし、彼女のほつれた髪を直した。

雄作は、午後、ひとりで自宅に戻った。

優希は、聡志とふたりだけで、実家の離れに寝た。

聡志は、寂しいのだろう、なかなか寝つけないようだったが、優希が手を握ってやると、いつのまにか眠りに落ちた。優希も、夜明け近くになって、少し眠ることができた。

翌日、優希は聡志を連れて、病院を訪れた。志穂の体調に変化はなかった。検査技師や責任を持てる医師が、正月休暇で不在なこともあって、もうしばらく入院が必要らしい。

「眠れた?」

優希は志穂に訊ねた。

志穂は、うなずき、

「あなたたちも、ふたりで大丈夫だったの」

「平気だよ」

聡志が先に答えた。彼は、ベッドの足もとの枠をつかんで、ぴょんぴょん飛び跳ね、

「お姉ちゃんが、怖がってたから、ぼくが手を握って、励ましてあげてた」と言った。

「偉いじゃない」

志穂がほほえみ、優希も思わず笑った。

優希は、病院から戻って、聡志の宿題を見てやった。自分の課題である日記も書いた。

退院後どんな生活が待っているのか、深く考えようとすると、からだがふるえてくる。さしあたって、当たり障りのない事実ばかりを、日記には書き連ねた。

祖母たちと夕食をとり終えた頃、居間に、雄作が入ってきた。

彼は、先に病院に寄ってきたと言い、

「顔色が少しよくなっていましたよ」

志穂のことを、祖母たちに告げた。

彼は、親戚たちと短く話したあと、従兄弟たちとテレビの前に座っていた優希に、

「じゃあ、家に帰ろうか」

ふだんと変わらぬ声音で言った。

優希の耳からテレビの音声が消えた。

「あら、泊まっていけばいいのに」

祖母が勧めたが、

「優希は、明日、病院に戻る用意がありますから。聡志だけ、泊めてもらえますか」

雄作が言った。

晩酌の酒がかなり入っている伯父が、

「本当におれも明日、病院についていかなきゃいけないのかい?」

面倒くさそうな声を出した。

雄作が、笑って、

「忙しいのに、いいですよ」

「志穂がなんだか強く頼むからさ……」

「自分が倒れたから、責任を感じてるんでしょう」

「じゃあ、おれは行かないけど」

「ええ、大丈夫です。気にしないでください。さあ、優希、遅くなりすぎないうちに帰ろうか」

雄作がうながすと、

「ぼくも帰る」

聡志が立ち上がった。

聡志は、明日は友だちと約束があると言い、

「みんな、バイバイ」

祖母たちに手を振った。

車内では、助手席に座った聡志が、テレビ・アニメの主題歌や、学校で習ったらしい歌を歌った。雄作もときおり合わせて歌った。雄作のほうから、聡志に楽しそうな歌を教えてやったりもしていた。

後部席から見ていると、雄作はただの子煩悩な優しい父親だった。

志穂を病院に連れていったときも、雄作は真剣だった。志穂のことを、本気で心配していることが伝わった。

こうした雄作を見ていると、本当にあんなことがあったのかどうか、優希は自分の記憶や感覚が疑わしくなる。

聡志は、自宅に帰っても、しばらく歌ったり、跳ねたりしていた。だが一時間もすると、リビングのソファで、うずくまるようにして眠った。

雄作が、聡志を彼の部屋に運び、ベッドに寝かせた。

優希は、聡志の小さなからだの上に、布団を掛けた。

「お母さんのことを心配したり、いろいろあって、疲れたんだろう」

雄作が言った。声に愛情が満ちている。

志穂のことと重ね合わせて、もしかしたら雄作が変わったのではないかと、優希は期待を抱いた。

雄作は、闇のなかで、謝ることがあった。優希の髪を撫で、もうしないと誓ったことが何度もある。

除夜の鐘とともに憑《つ》きものが落ち、改心したのかもしれない。だったら、どれほど嬉しいだろう。まるで、それを証明するかのように、

「優希も、早めに寝なさい」

雄作が温かな声で言った。彼女にはふれず、

「もうじき退院なんだから、無理をしないようにな。歯は磨いたのか」

「……向こうの家で、磨いた」

優希は答えた。

雄作は、うなずき、

「じゃあ、おやすみ。お父さん、まだ少し仕事があるから」

やや気弱そうにほほえんで、階段を降りていった。

優希は、自分の期待が、本当になりそうな予感をおぼえた。

もしそうなら、父が変わってくれたのなら、どんなに素晴らしいだろう。

もう、聞き耳を立てることなく、からだを固くすることもなく、ぐっすり眠れるなら……。父と一緒にいても、普通の子どものように……いや、ほんの数年前までのように、甘えて腕にぶら下がったり、あれを買ってとねだったり、すねて背中をぶったりできるのなら……。

優希は、彼が去ったあとを見送り、そっと手を合わせて祈った。

自分の部屋に戻り、病院から渡されたノートに、日記を書き終えた。クリスマスから正月を、何の問題もなく過ごせたように読めるはずだった。

バッグに着替えをつめ、一番上に日記を置いた。

明日着て帰るトレーナーとジーンズも用意し、パジャマに着替えて、ベッドに入った。

いつもの癖で、胸の上に手を重ねて置いた。やはり癖で、聞き耳を立てた。父親がのぼってくる気配はなかった。それでも、全身の筋肉が強張り、目を閉じることができなかった。いまはまだ聡志のベッドで寝るしかないように思い、部屋を出た。

聡志の部屋に入ろうとしたとき、階下で激しい物音がした。ガラス製の何かが割れた音に思えた。

階段に足をかけた。階下から、うめくような声が聞こえる。

「お父さん……」

小さく呼びかけ、階段を降りた。

階段下の廊下は暗かった。

奥のリビングから明かりが洩れ、かすかに笑うような声が聞こえてきた。ひきつった息づかいで、泣いているようにも聞こえる。

優希は、ドアの隙間から、リビングをのぞいた。

アルコールの匂いが強くした。

絨毯の上に、割れたグラスと、高級ウイスキーの瓶が転がっていた。ガラステーブルのガラスが割れ、破片が絨毯の上で光っている。テーブルの中央部分には、観葉植物のポトスの鉢が落ちていた。ポトスの鉢を叩きつけて、ガラステーブルを割ったらしい。

雄作はテーブルの前に立っていた。上半身裸で、下はパジャマのズボンをはいている。

雄作は、左手に、十センチほどのガラスの破片を持っており、

「底に沈んでいろ……」

うめくように言い、腹部に破片の先を押しあてた。浅く切ったらしく、うっすらと血が流れてきた。

優希は、声にならない悲鳴を発し、なかに踏み込んだ。

雄作が顔を上げた。目が血走っていた。ひどく酔っているのか、顔色は赤いというより、どす黒かった。

「優希」

彼は、目を見開き、迎えるように両手を広げた。

「何してんの……」

優希はこわごわ訊ねた。

雄作は眉をひそめた。優希の視線をたどって、腹部の傷を見下ろし、

「ああ、罰してるんだ……自分をこらしめてるんだよ」

彼は唇をゆがめて笑った。優希を見つめながら、絨毯の光っている部分に、裸足の足を下ろしてゆく。じゃりっと、ガラスの破片がつぶれる音がした。

「やめてっ」

優希は自分の口を押さえた。

「心配しないでいい。最初は痛いけどね、だんだん気持ちがよくなってくるんだ」

雄作が言った。秘密を打ち明けるように、ふくみ笑いをして、自分の胸を指差し、

「お父さんのなかの、悪い部分をこらしめようとして、こういうことをするんだけどね……悪い部分は、痛みが大好きらしい」

雄作はさらに足に体重をかけた。ガラスがこまかくつぶれる音がする。

優希は何度も首を横に振った。恐ろしさで声が出ない。

「優希」

雄作が呼びかけてくる。表情が厳しく変わっていた。

「おまえ、志穂に、何か言ったのか」

優希は振っていた首を止めた。

「秘密だと言ったのに、しゃべったのか」

優希は、生唾を飲み、小さく一度だけ首を横に振った。

「じゃあ、あいつはどういうつもりだっ」

雄作は声を荒らげた。持っていたガラスの破片を床に投げつけ、

「どうしてあいつは、おれたちがふたりきりになるのを、

邪魔するんだ？　あいつは、こっちに帰ってきてから、ずっとそのことばかり気にしてた。そうだろ？」

「……わからない」

優希はかろうじて答えた。

雄作は、優希の心を探るように目を細めて、

「本当は、話したんだろ」

と言う。声が柔らかい調子に戻り、

「だから、志穂は、からだがおかしくなったんじゃないのか。胃潰瘍にしろ、神経性の胃炎にしろ、原因はストレスだ。おまえが秘密をしゃべったために、志穂は倒れたんじゃないのか。優希のせいじゃないのかっ」

最後のひと言は、また鋭くなった。

優希は、口を開いたが、言葉が出てこなかった。

雄作はわざとらしいほどのため息をついた。急に泣きだしそうに表情を崩し、

「おれは何度も言っただろ？　志穂が知ったらどうなるか。向こうの家族に知れたら、どんな大変なことになるか。志穂を過保護に育ててきた、あの母親に、何を言われると思う。酔っぱらいの、つまらん男に、どんな顔をされるか……。離婚くらいじゃすまないぞ。おまえも、ふしだらな、汚れた娘だと、責められる。近所や学校中に知られて、白い目で見られる。もちろん、家族はばらばらになってしまう。もうみんな一緒には暮らせない。志穂なんて、今度の入院ぐらいじゃすまない。もともと神経の弱い女だからな、きっと死んでしまうだろう。優希、お母さん、おまえのせいで死んじゃうんだぞ、わかってるのか」

雄作は、言葉を切って、腹部の傷にふれた。赤く濡れた指を見つめる。息をふるわせ、

「おれも、生きちゃいないよ。とても生きちゃいられない。残される聡志は、かわいそうなことになるな……。あの子は何も知らない、何も罪がない、なのに、とてつもなく重いものを背負わされるんだ。将来がめちゃくちゃだよ。あまりにつら過ぎる。あの子をそんな目にあわせたくない。だから、おれは、自分が死ぬときには、先に聡志を、あの世に送ってやろうと思う。やらなくちゃいけない」

「やめてっ」

優希は叫んだ。

雄作は顔を上げた。不審そうに眉根を寄せ、

「おまえ、本当に自殺しようとしたのか……。病院の、タンクから飛んだのは、おれのせいなのか……」

優希は、自分の頬やまぶたが、ぴくぴくと痙攣するのを感じた。

「どうしてだ、優希？　どうして死のうとなんてするんだよ。死ぬことなんてないだろ。あれは愛なんだよ。あれは純粋におまえを愛してるだけだ。おまえに、愛されたいだけなんだよ……それがわからないのか？　受け入れてほしいんだ。でないと、おれは、誰にも受け入れてもらえないんだから」

優希は、混乱の底から、ジラフやモウルが言ったことを思い出した。

あいつには、ちゃんと奥さんがいるんだ……。

その言葉を、喉の奥から引っ張り上げるようにして、

「お母さんが、いるじゃない……」と言った。

雄作は鼻で笑った。

「志穂は、本当にはおれのものじゃない。向こうの家の、子どもだ。結婚しても、向こうの家の子どものままなんだ。あいつは、いつだって、なんだって、向こうの家と比較する。向こうの家のことを考えずに、おれを……おれだけを、認めたり、受け入れることができないんだ」

「わたしだって、できないよ」

「ああ、優希……できるんだ。おまえにはできるんだよ。おまえが受け入れてくれれば、お父さん、幸せになれるんだ」

「だけど……いけないことでしょ。親子だもの、しちゃいけないことでしょ」

優希はなんとか反論した。ジラフとモウルが支えになっている。

雄作のどす黒い顔が、みるみる憤怒の表情に変わってゆき、

「責めるのかっ。おまえはおれを責めるのかっ」

低い押し殺した声で言った。

雄作は、ガラステーブルのなかに落ちていたポトスの鉢を、右手で持ち上げた。

優希が止めるまもなく、鉢を振り上げ、洋酒の瓶や美しいグラスが並んでいるサイドボードに投げつけた。

扉のカットガラスが割れ、絨毯の上に飛び散った。

「ちくしょう」

雄作が叫んだ。彼は、身悶《みもだ》えするようにして、

「おまえは、お父さんを捨てるのか。悪い子だ、おまえは悪い子だ」

足を踏み出し、ガラスの破片を踏んだ。

優希は、自分の感情や感覚が乱れ、涙が出てくるのを

抑えきれなかった。

雄作も、泣いており、

「優希、助けてくれよ……いまおまえに見捨てられたら、おれは本当に狂ってしまう。おれはひどいよ、最低だ。でも、おまえに認めてもらえたら、生きてゆけるよ。おまえが許してくれれば、おれは自分の存在も許せるんだ。もしおまえが責めるんなら、おれはどうすればいい、おれはどうなってゆく？」

優希は、手足が麻痺したように、動けなかった。

雄作は、首をしきりに振り、

「おまえを傷つけたいわけじゃないんだ。どうしてそんなことができる？　愛しているんだ、おまえを心から愛してる……。聡志も、殺したくなんてない。聡志のことを愛しているんだ。志穂も大事だ。家族は、おれにとって、命なんだよ。おれは、ただ愛されたいだけなんだ。深く受け入れてもらいたいだけなんだよ……」

彼は、床からガラスの破片を拾い上げ、自分の腹部を浅く切った。新しい傷口から、血がにじんで、流れてゆく。

「世界で誰よりも受け入れてもらいたいのは、おまえなんだ、優希……いや、おまえでなきゃだめなんだ。おまえ以外の者にほめられたって、おまえに認めてもらえなかったら、すべて無意味なんだよ。だって、おまえは、おれの分身も同じだから さ……。これと同じ血が、おまえのなかに流れてるんだ。おまえは、おれからできてるんだ。おれから生まれたものなんだよ……もしかしたら、真のおれかもしれないんだ」

雄作が静かに歩み寄ってくる。

優希は動けなかった。

雄作の手が、優希の肩に置かれた。

優希にはもう何も思い浮かばない。

音も聞こえず、何も見えず、ふれられてもまったく感じない世界に、すとんと落ちていた。


四日の昼過ぎ、優希は双海病院に着いた。

駐車場に車が停まったのはわかったが、次に何をしたらいいのか、思いつけない。

「着いたよ」

雄作が隣から言う。彼は、足を少し引きながら、助手席側に回ってきた。ドアを開けて、

「早くしなさい」と言う。

単純に言葉に従う形で、優希は車から降りた。

空が目に入る。灰色に濁っていた。

雄作に腕を取られ、足を前に運ぶ。

「今夜あたり、雪になりそうだからな。風邪をひかないように、注意しなさい」

寒さなど、少しも感じなかった。寒いという感覚自体が、いまはよくわからない。

渡り廊下を進んで、くの字の形をした病棟の前に立った。

雄作が、扉を開き、

「あけましておめでとうございます」

明るい声を、奥に向かってかけた。

いつのまにか、白衣を着た女性たちが優希の前に立っていた。

いまいる場所がどこかは、ぼんやりと理解できた。だが、なぜいるのか、ここで何をするのか、理由や意味が抜け落ちている。言われるままに足を運び、ただ立っているに過ぎない。

「ええ、何も問題はありませんでした。とてもいい子にしてましたよ。家の掃除や、家族の洗濯までしてくれましてね」

雄作の声が聞こえた。水の底から聞いているように、微妙にゆがんで響く。

「ええ、この子にも、いいお正月だったと思いますよ。おかげ様で、もういつ退院しても、やってゆけるんじゃないでしょうか」

雄作が彼女にほほえみかけてくる。じゃあまた来週という言葉を残して、視界から消える。どうすればよいのか考えられずに、立ちつくす。

白衣を着た女性に、靴を脱いで上がるよううながされ、指示されるままにスリッパにはき替えた。

廊下を進んでゆく。階段の前を通る。踊り場のところに、ふたりの少年が立っていた。眉をひそめて、こちらを見ている。

ジラフとモウル……。

真っ黒に塗りつぶされている頭のなかに、ぼうっと名前が浮かんでくる。

おぞましい記憶が、一度によみがえってきそうになり、吐き気をおぼえた。

とっさに目を伏せ、彼らの存在を視界から消す。頭のなかからも名前を払った。

病室に戻る。隣から、青白い顔色の少女が話しかけてきた。

「変よ」と言っている。

何が変なのか。意味がわからない。

しばらくして、白衣を着た女性が優希の前に立った。

「日記を持って、診察室にいらっしゃい」

言葉を、音としては理解できる。だが、意味するところを考えたり、想像したりすることができない。したくないのかもしれない。

「忘れた？　バッグに入ってないの、捜してみたら？」

白衣姿の女性が指を差す。ベッドの上に、いつのまにか黒いバッグが置かれていた。女性の視線にせきたてられて、バッグを開けた。ノートが一番上にあった。

「それを持って、診察室よ」

女性のあとについて、廊下を歩いてゆく。

食堂の前を通りかかったとき、ふたりの少年が優希の前に飛び出してきた。

ジラフとモウル……。

名前と同時に、頭のなかに、クスの大木の姿が浮かんだ。

慌てて頭を振り、すべてを忘れようと努めた。

だが、それより早く、

「やられたのか……」

耳もとで聞こえた。

「やられたんだな」

もうひとりの声も鮮明に響く。

やめて、と叫ぼうとする。

声が出ない。耳を押さえた。ノートが廊下に落ちた。

「あなたたち、何をしてんの」

前を歩いていた白衣姿の女性が、ふたりの少年に注意した。

「ちくしょう」

彼らは、女性の言葉を無視して、吐き捨てた。

「ぶっ殺してやる」

彼らの声が、耳を打つ。

白衣姿の女性が、優希たちのそばに戻ってきて、

「ほら。あなたたちは食堂に入って」

少年たちを押しやり、優希の腕を引っ張った。

気がつくと、優希は白い部屋のなかにいた。柔らかい寝椅子に、腰を下ろしている。

正面には、白衣を着た小太りの若い男が、肘掛けのついた回転椅子に腰掛けていた。

「お正月はどうだった」

男がにこやかに話しかけてくる。手を、優希のほうに

伸ばし、

「日記を見せてくれるかな」と言った。

優希は、相手の視線を追って、自分の膝の上にあるノートを見た。

手に取ろうとした。

瞬間、ノートがもぞもぞと動いた。

優希は、飛び上がって、膝の上からノートを払い落とした。

床に落ちたノートは、身を揉むようにして動き、優希に近づいて、足もとから這い上がってこようとする。

優希ぃ……受け入れてくれよぉ……。

ノートのなかから声がする。

優希ぃ……愛してるんだよぉ……。

「やめてっ」

優希はノートを踏みつけた。

白衣を着た男が止めようとしたが、振り切って、何度もノートを踏みにじった。

優希はまぶたを開いた。

天井が目に入る。白い天井。まばたきをして、見えているものが現実かどうか、確かめようと試みる。

狭く固いベッドの上にいることを認めた。毛布が掛けられている。服は身につけている。首をめぐらし、周囲を確かめてゆく。

白い壁に囲まれた、小さな部屋だった。人の姿はなかった。大きな観葉植物が、部屋の隅にひとつ。自分が寝ているベッドのほかに、もうひとつベッドがある。診察室の隣の処置室が、確かこんな印象の部屋だった。

からだを起こしてみた。どこにも痛みはない。トレーナーの左の袖がまくられ、肘の内側に注射を打たれたのか、脱脂綿がテープで留められていた。

壁に掛けられているカレンダーに、目を止めた。一九八〇年一月のページが開かれている。日付が並んだ一番下に、『双海小児総合病院』と、印刷されていた。

やはり双海病院の、たぶん第八病棟の処置室にいるのだろう。そのことを自分に言い聞かせる。まだぼんやりしているが、ここにいることの意味も理解できそうだった。

ベッドから降りようとしたとき、窓のほうで音がした。

窓の下から、手が伸び上がってくる。こつこつと、窓ガラスをノックする。

優希は、窓に近づき、恐る恐る顔を寄せた。

外は、すでに日が落ちていた。暗闇のなかに、部屋の電灯を受けてか、白く、小さい粒が、幾つもよぎってゆくのが見える。

雪らしい。

優希は窓を開けた。

窓のすぐ下に、ふたりの少年が立っていた。

窓が高い位置にあるため、背の高いほうの少年が、背伸びをして、窓を叩いたようだった。

ジラフとモウル……。

名前が浮かぶ。

クスの木にからだを預けた夜の、ぼおぼおとうなる、風の音がよみがえる。

「大丈夫か」

「痛いところはないか」

ふたりが声をかけてくる。

彼らの言葉の優しい響きに、ほっとすると同時に、涙が溢れてきそうになる。

優希はどうにかうなずいた。

ふたりは、唇を引き結び、怒ったような顔で、優希を見上げていた。

「あいつをやる」

ジラフが言った。

「やるしかないよ」

モウルが言った。

ふたりの頭の上に、次々と雪が落ち、熱に溶かされ、水滴に変わってゆく。

「おれたちのためでもあるんだ」

ジラフが言う。

「三人を救うためだよ」

モウルが言う。

ふたりが目で問いかけてくる。

優希は視線を上げた。

彼方の闇から、淡い純白の粒が降り落ちてくる。

どうしてこんなに美しいものが、あんなに暗い闇の奥に、隠されていたのだろうか。不思議だった。

「いいだろ?」

ふたりの声が聞こえた。

優希は、視線を上げたまま、うなずいた。

第十三章　一九九七年　冬隣《ふゆどなり》

1

葬祭場の庭には、キンモクセイの甘い香りが漂っていた。

志穂のときには、満開だったサルスベリの花は、すでに散り、キンモクセイの黄色い花と、ニシキギの赤く色づいた葉が、庭に映えている。

優希は、葬祭場の庭に置かれたベンチに腰を下ろし、ぼんやりと庭木を眺めていた。

病院で、手術の甲斐もなく息を引き取った聡志は、いったん笙一郎のマンションに運ばれた。葬儀らしいものはおこなわないつもりだったが、

「供養だけは、してあげたら」

笙一郎に言われ、あえて反対する気も起きず、志穂の実家と同じ宗旨の寺から、僧侶に来てもらった。僧侶が理解のある人で、笙一郎が頼むと、志穂にも供養をさずけてくれた。戒名に関しては、その気になれず、断った。

親族には、聡志の死は知らせたものの、ひそかに送るつもりだから悔やみなどは遠慮する旨を、笙一郎の事務所から連絡してもらった。

それでも、志穂のこともあってか、山口県の志穂の実家から、従兄夫婦が来て、聡志の遺体と志穂の遺骨に、手を合わせてくれた。

ほかにも、聡志の学校時代の友人、笙一郎の事務所で一緒に働いた人間が何人か、優希の病院からも、婦長の内田や、同僚たちが数人訪れ、聡志の冥福を祈ってくれた。

優希は、ほとんど動くことができず、すべてを笙一郎にまかせきっていた。彼女は、人々の悔やみを受けているあいだも、頭のなかではずっと、聡志が最後に言ったという言葉のことばかり、考えつづけていた。

聡志の治療にあたっていた医師と看護婦たちは、聡志が、意識を失う寸前に、

「ぼくがやった」

と言うのを、聞いていた。

医師が訊き返すと、聡志は、言いふくめるようにゆっくりと、

「みんな、ぼくのせいだから」

と言った。それを最後に、二度と意識が戻ることはなかったという。

優希は、聡志にせめてもう一度、おまえのせいじゃないよと、言ってやりたかった。仔犬のふりをして、握った拳で頭を撫でてやり、大丈夫だよと、ほほえみかけてやりたかった。

ニシキギの鮮明だった赤い葉が、視界のなかでぼやけてゆく。

目の端を、影がよぎった。

「あの……久坂さん」

こみ上げてくるものを飲み下した。

振り向くと、黒のワンピースを着た、真木広美が立っていた。

彼女は、沈んだ表情で、

「お骨が、焼き上がったそうです」

優希は腕時計を確かめた。

聡志が死んでから、時間の感覚が狂っている。庭に出て、まだ十分ほどしか経っていないように思うのに、二時間近く過ぎていた。

「ありがとう」

礼を言って、ベンチから立った。優希は黒いパンツスーツを借りていた。

「本当に、弟さんのことは、残念でした」

広美が言う。

優希は、黙って頭を下げ、建物のほうへ歩きはじめた。広美はなお話したそうだったが、優希に余裕がなく、逃げるように、葬祭場の建物のなかに戻った。

遺骨を収める部屋には、従兄夫婦と、笙一郎、また梁平も今回は最初から集まっていた。みな無言で、優希に頭を下げた。

聡志の遺骨は、志穂のものより、太く、しっかりしていた。係員の指示で、遺骨を拾う箸が回され、集まった人それぞれが、聡志の遺骨を骨壺に収めた。

最後に優希が、彼の喉仏の骨と、頭蓋骨の湾曲した部分を収めた。遺骨の半分近くが、壺に収まりきらなかった。葬祭場のほうで供養するのでと、係員から説明があった。

優希は、入りきらなかった聡志の遺骨が、いとしくてならず、すべてを抱いて、持って帰りたかった。喉もとまで言葉が出かかったが、こらえて、あきらめた。

遺骨の入った骨壺は、白い厚手の布に包まれた。

それを抱えて、葬祭場の玄関へ向かう途中、閑散とし

たロビーのところで、

「優希ちゃん」

従兄から声をかけられた。

彼とは、雄作の葬儀のとき以来だった。あの頃の彼は、まだ中学生だった。いまは貫禄もつき、名刺には課長と刷られていた。

悔やみの言葉は、昨夜からもう何度も受けていたし、表情から、それとは違うものを感じて、

「ええ、もう充分です。わざわざ遠いところをありがとうございました」と答えた。

ここで帰るのだろうと察したのだが、従兄は、恐縮するようなそぶりで頭を下げ、

「ああ、いや、明日から仕事なんで、申し訳ないんだけど……。実は、別に少し話があって」

「……はい？」

従兄は、ロビーの奥に並んだ椅子を振り返り、

「座る？　すぐすむけど」

「大丈夫です」

立ったまま聞くというつもりで、答えた。

従兄は、うなずき、

「もっと前に話すべきだったんだけど、機会もないまま、つい話しそびれて……実は、うちの母には、叔母さんのことをまだ話さずにいたんだけど、今回そうも言ってられないから、聡志君のこととあわせて話したんだ。母は、ふたりとも交通事故だと思ってる」

「ええ……」

優希はそれで構わなかった。

「母は、さすがにショックらしくて、ずっと黙り込んでいた。それが、ぼくらがこっちに出発する直前、急にぼくを枕もとに呼んでね」

実家の伯母は、ずっと病で臥せっており、今回も来られる状態ではないことは、彼から先に聞いていた。

従兄は、少し言いづらそうに、

「お墓のこと、もう決めてるの？」

優希は考えてもいなかった。

従兄は、間を嫌うようにつづけて、

「もちろん、叔母さんも聡志君も、叔父さんのお墓に入られるのが、筋だけど……母によると、叔父さんのお墓は小さくて、とても場所がないだろうって言うんだ。うちのほうからも距離があるから、墓参りにもそうそう行かれそうにないし」

優希は、真意がつかめず、彼を見つめた。

従兄は、まぶしそうに目を伏せて、

「母の言葉だと……叔母さんは末っ子で、お祖母ちゃんからとても愛されていたそうだ。叔母さんが結婚してからも、元気だろうか、幸せだろうかと、よく連絡していたって。優希ちゃんたちが神奈川に出てからも、ずっと心配して、そのために神経も病みがちだったらしい。確かに、その頃、お祖母ちゃんがからだをこわしたのを、ぼくもおぼえてる。親にとって、子どもはいつまで経っても、子どもなんだろうね。お祖母ちゃんは、できれば叔母さんを一緒の墓に迎えたいと、考えていたみたいだ。うちの母に、遺言のように、それを言っていたらしい。幸いというのか……うちの墓は、石の下に、広く収納のスペースが取られている。余裕があるんだ。もし、お墓のことが決まっていないなら、叔母さんたちを、お祖母ちゃんと一緒にさせてあげたらと……母から、ことづかってきたんだよ」

優希は困惑した。墓のことなどまったく頭になかった。志穂には、そのほうがよいように思えるが、本当に聡志まで、彼女の実家の墓に迎えてもらえるのだろうか。聡志が母の死に関わりがあるという疑いは、いまも残っている。墓を守ってゆくのも自分ではない。

「よろしいんですか?」

従兄と、彼の背後に慎ましく控えた、彼の妻を見た。

「亡くなれば、みんな仏さんだから」

従兄は、優希の言葉の意味を察してだろう、さらりと言った。おだやかな笑みを浮かべ、

「それに、ぼくは不信心な人間だから、正直に言うと、お盆と正月に、お花を供えにゆくくらいしかしてないんだ。だからかえって、叔母さんや聡志君を迎えるのに抵抗もないというのか……来てもらったほうが、にぎやかでいいくらいでね。これも、賛成してくれてる」

彼は自分の妻のほうに首を傾けた。

彼の妻は、静かにほほえんでいた。

従兄は、顔を戻し、

「ただ、本当にこれは、きみのほうでよければのことだから。この場で決めなきゃいけないことでもないし……。こういう話もあるよって程度で、受け止めてください」

優希は頭を下げ、

「ありがとうございました。伯母さんにも、気をつかっていただいて、感謝します。どうか、よろしくお伝えください。よく考えてみます」

従兄の妻にも、深く頭を下げた。

優希は、集まってくれた人々に、あらためて礼を言い、遺骨を胸に抱いて、笙一郎のマンションに戻った。

残ったのは、笙一郎と梁平だけだった。

書斎用の部屋の机に、志穂と聡志の遺骨を並べて置き、三人は、フローリングされた床の上に、直接座った。

笙一郎が、聡志の分もふくめて寿司を頼み、梁平がビールなどの飲み物を買ってきた。

寿司には誰も手をつけず、笙一郎は煙草に、梁平はビールにばかり手を伸ばしていた。

梁平が、何本目かの缶ビールを空けたあと、

「火災班のほうは、捜査を終えるようだ」

ぽつりと言った。

笙一郎が、吸っていた煙草を灰皿に捨て、

「どういう形で」と訊いた。

梁平は答えをためらうようだった。

優希は、顔を上げ、目で梁平をうながした。

梁平は、新しいビールの缶を開け、

「放火と……遺体を傷つけたことに関しては、彼を被疑者とする書類が、検察に送られるだろう。ただし、送検されても、起訴は見送られるんじゃないか」

笙一郎が、新しく煙草をくわえ、

「聡志の、最期の際の言葉は、どんな扱いを受けてる」

「別に。具体的に何か供述したわけじゃない」

すべて自分のせいだと、聡志がうわ言のようにしゃべったところで、実際にはどんな証拠にもならないことは、優希にもわかる。

「おまえのほうの捜査は、どうなんだ」

笙一郎が訊いた。

梁平は、首を横に振り、

「さあな。所詮は組織捜査だ、言われるままに動くださ」

「おまえも、伊島という男と同じ考えなのか。聡志を疑ってるのか」

「もういいだろ、いまさら」

梁平が吐き捨てるように言った。

笙一郎が何か言い返しかけたが、

「よして」

優希は止めた。かすれたような声しか出なかった。

深夜零時を回った頃、ふたりはそろって立ち上がり、

「食べたほうがいいよ」

笙一郎が言い、梁平はただうなずくだけで、マンションの部屋を出ていった。

優希は、何も飲まず食わずで、ふたりの遺骨を見つめつづけた。

すべてが悪い夢のように思い、また十七年前の行為に対する罰として、ふたりを失ったようにも思えた。

一日二日と、何をする気にもなれず、ただ無為に日を過ごした。病院は、婦長の内田の好意で、今回も休職扱いになっていた。だが、自分がふたたび働きに出られるとも思えない。

笙一郎が仕事の合間などに顔を出し、何かしら買ってきて食べるよう勧めてくれたおかげで、どうにか生きていたようなものだった。

聡志が死んだのと同じ曜日が巡ってきたとき、彼が息を引き取ったのは数時間前ではなかったかと、錯覚した。

聡志の骨壺を開け、本当に彼までが失われたことを確かめた。彼を失って以来、初めて声を上げて泣いた。

ひと晩泣き明かした涙で、ほんの少し、ふたりの死を受け入れられたのかもしれない。いつのまにか深く眠って、翌朝遅くには、ため息をつかずとも、起きることができた。

からだを動かしているほうが、気がまぎれると思い、たまっていた洗濯や掃除をした。

笙一郎の机やベッド、タオルや洗面用具などを眺めているうち、このまま彼の部屋にいつづけるのは、迷惑をかけるのはもちろん、自分自身が息苦しいと感じた。

翌日、以前に訪ねた不動産屋に行き、契約するはずだった蒲田のアパートのことを訊いた。すでに人が入っていた。だが、別によい物件があるという。こまかな条件にこだわる気持ちの余裕はなかった。案内され、部屋を一度見ただけで、越すことにした。

笙一郎に電話をした。伝える義務があったし、伝えたい想いもあった。心の底にある想いは告げられず、よかったら保証人になってもらえないかと頼んだ。

「もう決めたのか」

笙一郎が言った。

「ええ。そうしたいの」

優希は答えた。

笙一郎は、ちょうど蒲田の近くで仕事があるからと言い、夕方五時に、アパートの前で待ち合わせた。

笙一郎は時間どおりに現れた。

蒲田駅から二十分近く歩いた住宅街のなかにある、古い二階建てのアパートだった。

一階二階に四戸ずつ部屋が並び、二階の西の角部屋が

空いていた。優希は、不動産屋から借りた鍵で、木製のドアを開けた。

玄関を入って、すぐ右に、半畳ほどの流しがある。向かって左側がトイレだった。部屋は六畳一間で、正面のサッシ窓から、傾いた日が差し、少しささくれた畳の目と、黒ずんだ壁のしみが浮かび上がっていた。

笙一郎が、靴を脱いで、先に上がった。何もない部屋を見回し、

「なんだか、懐かしいような部屋だよ」

苦笑を浮かべた。

彼は押入れの前に歩み寄った。開けるのをためらう様子を見せた。

優希も、部屋に上がり、彼に代わって押入れの襖を開けた。誰もいるはずがなく、かびくさい臭いだけが漂ってきた。

笙一郎は、押入れから目をそらし、

「ふたりは、どうする。ずっと手もとに置いておくわけにも、いかないだろ」

優希は、まだ迷っていたが、従兄からの申し出について、彼に話した。

「いい話かもしれないね」

笙一郎が答えた。彼は、窓のほうに歩み寄り、外を見ながら、

「聡志が、いまお母さんのそばにいるように……きみのお母さんも、自分の母親のそばにいるほうが、安心かもしれない。誰かの子どもとして、おだやかに眠れる場所があるとしたら、それは幸せなことだと思うよ」

「……そうね」

優希はあいまいに答えた。買っておいた缶コーヒーを、彼に差し出した。

笙一郎は、缶を受け取り、窓を開けた。

向かいは、放送会社の社員寮だった。すぐそばまで塀が迫っているが、相手方の庭に植えられた常緑樹が、圧迫感をやわらげてくれる。

笙一郎は、窓の枠に腰を掛け、

「梁平には、もう知らせたのかい」と言った。

優希は、彼の斜め向かいの壁にもたれ、

「いいえ、まだ……」と答えた。

「どうして」

「先に、言うべきだと思ったから」

「……そうだな、あいつは忙しくて保証人は難しいだろうから」

優希は答えなかった。

笙一郎は、缶コーヒーを開け、

「でも、あいつには知らせなきゃ」

「あなたから知らせて」

「きみが知らせろ……奴も喜ぶよ」

笙一郎は缶コーヒーをあおるようにして飲んだ。

優希は、彼がどうしてそんな言い方をするのかわからず、次の言葉を待った。

比較的暖かな日で、窓から風が入ってくるが、寒さは感じなかった。

笙一郎は、ポケットから煙草を出しかけ、途中でやめた。こちらを振り返り、

「病院にはいつ戻るつもりなの？」

ふだんと変わりない、柔らかな表情で言った。

「わからないけど……」

優希は、肩透かしをくったように感じ、顔を伏せた。

「アルツハイマー病の病室は、やはり閉じるらしい。おふくろ、退院を求められた」

優希は顔を上げた。

「嘘でしょう……」

笙一郎は、あきらめたように笑い、

「しばらく猶予はもらったけどね。アルツハイマー病に対する回復の試みは、いったん休むそうだ。新薬が開発されるか、医療行政が変わって採算のめどがつけば、再開したいとは言っていたけど……。こっちとしては、おふくろの手足の機能はずっと保たれていたし、効果はあったと信じてるんだけどね」

優希は、強くうなずき、

「そう思う。もう一度頼んでみる」

「でも、決まったことらしいからね」

「あきらめないで」

優希は壁から背中を離した。彼の正面に進み、

「病気になられた高齢者の方に、入院をきっかけにして、豊かな生き方を見いだしてもらえたらって、願ってきたの。アルツハイマー型の痴呆も、血管性の痴呆同様、これまで以上に力を入れて取り組むべきだと思う。子どもたちに対する働きかけや、語りかけにも、きっと関わってくることだと思うもの」

「少し、元気が戻ってきたみたいだな」

笙一郎がほほえんだ。

優希は目を伏せた。偉そうなことを言える立場ではない。

「病院の方針なら、確かにわたしひとりが、どうこうできるものじゃないけど……近く、病院に出てみる。挨拶もしなきゃいけないし」

「おふくろも、きみを待ってるよ。きみを待ってる人が、たくさんいる。大変だろうけど、幸せなことかもしれないだろ？」

笙一郎の言葉に、

「そうだね」

優希はうなずいた。だが、素直に幸せとは信じきれない心の動きもあり、窓の外に目をそらした。


三日後には、笙一郎のマンションを出て、アパートに越した。半日がかりで掃除をし、買ってきたカーテンを掛けると、古びた部屋も、こぎれいな印象に変わった。

小さな机と紫色の布を買い、窓の近くに机を据え、布を広げて、志穂と聡志の遺骨を置いた。

生活するうえで、必要最低限のものだけをそろえ、菓子折りを持って、隣と下の部屋の住人に挨拶をした。

新生活がはじまるという高揚感はなく、どんどん奥へ、底へと引きこもってゆく感覚のほうが強かった。

梁平には公衆電話から連絡した。部屋にはまだ電話を置く気にはなれなかった。

梁平は、そうかと、そっけない口調で答え、

「笙一郎は知ってるんだろう」と訊いた。

保証人になってもらったことを伝えると、

「よかったじゃないか」

やはりあっさりした調子で言った。話すのが億劫そうな感じがあった。

彼が言った。

「おれも引っ越すかもしれない」

「どこへ」

「さあな……異動の命令次第でね」

「転勤するってこと？」

「たぶんな」

「遠くなりそうなの」

「地方公務員だからな、決まったとしても、県内さ」

詳しいことは、それ以上聞けなかった。優希からも、あまり話すことがなく、こちらの住所を教え、もしも梁平が越したときは、きっと連絡してくれるように言って、電話を切った。

引っ越して五日後、ようやく多摩桜病院に足を向けることができた。

中庭のハナミズキの葉が、すべて紅く変わっていただけでなく、はや下に落ちはじめていた。

昼休みを見はからい、菓子折りを手に、ナース・ステーションをのぞいた。看護記録を点検している様子の、内田を見つけた。声をかけると、

「あんた、何やってんの」

内田が怒った顔で言った。

優希の挨拶を、彼女は、手を振ってさえぎり、

「そんな恰好じゃ働けないよ。早く着替えてきなさいよ。人が足りなくて、困ってんだから。ロッカーにあるんでしょ、白衣。新しいの貸そうか？」

優希は、内田の勢いに気圧された形で管理棟に降り、更衣室で白衣に着替えた。八階に戻ると、スタッフとの挨拶もそこそこに、すぐに仕事が待っていた。

おむつの交換、トイレの誘導、便のつまっている患者への浣腸、浣腸を使えない患者には、彼女が指でかき出した。いつものように、体位変換、入浴介助、バイタル検査も随時おこなった。ケース・カンファレンスにも参加させられ、現在の患者の状況を把握するように求められた。優希の知らない、新しい入院患者は、六名だった。

ひと段落ついた頃には、久しぶりに病院に顔を出した気まずさから、解放されていた。

スタッフや患者たちにも、最初のうちは戸惑いがうかがえたが、それぞれ自分の仕事や病気のことで精一杯であり、時間とともに彼女の存在にも慣れたようだった。

優希は、暇をみて、内田にアルツハイマー病の病室のことを訊ねた。

笙一郎の話したとおりだった。ずいぶん検討はされたが、経営上のこともあって、仕方がないという。

優希自身、患者はしっかり看るからと、みえを切っておきながら、不幸が重なったためとはいえ、長く休んでしまい、強いことは言えなかった。

せめて残された期間、少しでも患者たちが回復するようケアすることが務めだと、内田からは言われた。

まり子は、いつのまにか足の機能が落ちて、車椅子が必要になっていた。だが、手はよく動く。表情も豊かで、優希のことを認めると、

「お母ちゃん」

目を潤ませて優希を呼び、抱いてほしそうに両手を伸ばした。

ずっと食欲がなかったと聞いていたが、優希の介助によって、この日の夕食はすべて平らげた。

翌日から、優希は平常どおりのローテーションについた。働くことで、悲しみや喪失感をまぎらわすことができればと願った。

四日後、深夜勤についた。準夜勤の看護婦から申し送りを受けたあと、腰を落ち着ける暇もなく、患者たちのケアに働いた。

だが優希は、以前と違う自分を感じていた。勤めに戻って、ずっとだった。

からだは前向きに動いていても、思考は逆側ばかり見ている。慌ただしく働きながらも、頭のなかでは、

〈こんなことに意味があるのだろうか〉

同じ言葉が、ネオンライトのように明滅していた。声として聞こえてくることもある。

生死の境で病気と闘っている患者たちが、目の前にいるというのに……。

入院をきっかけにして、豊かな人生を生きてもらいたいと、あれほど人にも訴えていたくせに……。

痰の吸引をして、

「楽になりましたか、大丈夫ですか？」

患者に笑みを投げかけながらも、ふと、痰を少しばかり吸引したところで何になるのだろうと思ってしまう。

おむつを換えていて、

「気持ちよくなりますからね。ああ、いい便が出てますよ」

と語りかけながらも……。

「痛いところはありませんか、楽な姿勢があれば言ってくださいね」

と話しかけながら、体位を変換していても……。

最後にはみんな死が待っているのに、こんなことに本当に意味があるのかという考えが、頭をよぎる。

いくら振り払おうとしても、すべては虚しい営みじゃないかという想いが、心から離れない。

深夜の、照明が落とされた病室を行き交っていると、いっそうこの想いにとらわれる。

このままケアをつづけていたら、きっと取り返しのつかないミスを犯してしまうと思い、

「ごめんなさい。ちょっとのあいだいい？」

深夜勤のパートナーである、年下の看護婦に頼み、休憩をとることにした。

ロビーにいるからと相手に伝え、時計を見た。午前四時を回っていた。

エレベーター・ホールの前を通り過ぎ、照明の消えた

ロビーに進んだ。

道路側に面した窓に顔を寄せ、街を見下ろした。川崎駅方面の街の灯や、国道を行き交う車のライトが見える。移動する光は、人が生きている証だろうが、その実感は伴わない。

「どうして……」

つぶやきが洩れる。

「どうして、こんな想いまでして……」

目を閉じ、額を窓に押しつけた。

ひんやりしたのは一瞬だった。すぐに、みずからの体温で温まる。不快だったが、顔を起こせなかった。

あれ以来、いいことがあったろうか。

雄作が亡くなったのち、心から笑ったことがあったろうか。

少し泣けはしたけれど、感情のすべてで志穂と聡志の死を悲しめたという気は、いまもまだしていない。

ずっと昔に感情は切ったままだった。少しだけつないだり、思わず一端がつながったりはしても、完全に感情を開いて感じることを、自分に許したことはない。

もしも許せば、罪悪感や後悔や憎しみなど、過去に対する様々な暗い感情に呑まれて、自殺する余裕もなく、狂気に落ちてしまう気がする。

表面的に悲しみ、表面的に笑い、表面的に怒ったり喜んだりのふりをしながら、どうにか生きてきた。

だが、これからも同じことを繰り返して、たとえばこの病棟に入れる年まで生きて、何になるのだろう。

痰を取ってもらい、おむつを換えてもらって、さあ、豊かに生きてゆくために頑張りましょうと言われて、自分は、どこまでそれを信じられるだろう。

「意味が、あるの……こんな、わたしに……意味なんて、あるの……」

そのとき、背後で衣擦れの音がした。人の息づかいも聞こえた気がした。

優希は振り返った。

ロビーの隅のソファに、入院着姿の人が座っていた。

「誰……」

問う声がふるえる。

「ごめんなさい」

柔らかな声が返ってきた。

優希は目を凝らした。見おぼえのある女性に思えた。

「あなたが来る前から、ここに座っていたのよ。考えごとをしてて、ふと気がつくと、あなたが立っておられた

の。急に声をかけるのも、かえって悪いように思えて……」

申し訳なさそうに、相手が言う。

岸川という、上品なたたずまいの婦人だった。彼女の夫が、人はよい一方、少し品がなく、彼女とは不釣り合いに思えたことで、印象に残っている。

九月初めに入院し、検査の結果、高血圧、慢性腎不全、肝臓にも障害があるほか、胃には腫瘍が見つかっていた。腫瘍については、まだ大きくないこともあって、ほかの内臓の機能をよくしてから、十二月あたりに手術をと計画されていた。

「どうしたんですか、こんなところで」

優希は笑顔をとりつくろって訊ねた。

ロビーの照明はすべて落とされており、エレベーター・ホールの非常灯と、廊下からの明かりで、彼女がほほえむのが見えた。

「眠れなくて、出てきたの。ここは広いし、少しくらい音をたてても、平気だろうから」

「病室、おうるさいですか。確か、いびきの激しい方が、お隣に……」

「いびきは慣れてるの。夫もすごいから。こっちが、うるさくするだろうと思ったのよ」

彼女は、膝の上に置いたスケッチブックを、軽く持ち上げた。右手には、クレヨンのようなものも持っている。

「あ、絵を……」

優希は訊いた。

婦人は、うなずき、

「以前からの癖なの。眠れないときに、わーっと描いちゃう。家にいるときは、片手にお酒なんか持って」

「お洒落ですね」

「とんでもない、へたすると、ボトルを二本も空けちゃうほどなんだから。それもあって、からだもぼろぼろになったわけ」

彼女は肩をすくめてみせた。言葉の内容と合わない、品のよい笑みを浮かべ、

「ふだんは大丈夫なんだけど……前ぶれもなく、頭のなかに、ものすごく汚いもの、醜いものが渦巻くことがあるの。じっとしてると、その汚れや醜さに呑み込まれそうになって、胸がつまるし、つい叫んだりしちゃう。人が近くにいたら、叩くし、蹴るし、いっそ刺してやろうかなんて」

「そんな……」

優希は、冗談として、かわそうとした。

婦人は、首を横に振り、

「本当よ。夫は、しょっちゅうそんな目にあってきたんだから。もう少しで、あの人、死んでたかもしれないの。で、編み出したのが、この方法。頭のなかに浮かんだものを全部、絵のなかに吐き出しちゃう。すると、少しずつ落ち着いて、どうにかおだやかな気持ちに戻れるの。あなたが来てるのに気づいたのも、絵をわーって描き終えて、少し経った頃」

優希は、返事に困り、あいまいに首を傾げた。

「少し、座らない？　いいんでしょ、いま」

優希は、迷ったが、立ち去る気にもなれず、彼女の斜め前のソファに腰を下ろした。

「見る？」

婦人がスケッチブックを差し出した。

優希は受け取った。ページはもう開かれていた。光がぼんやりとしか届いてこないなかで、何が描かれているのか確かめた。

幼児がめちゃくちゃに白紙を塗りつぶし、描き散らしたような絵だった。ページをめくっても、似たような絵がつづいていた。

だが、よく見ると、黒く塗りつぶされたようなかたまりの奥から、形らしきものが現れてくる。

人が、何十本もの針状のもので刺され、犬に似た獣が、その人の股間に食いついていた。男性の性器らしいものが、ちぎれて、宙に飛んでいる。

次の絵では、並んだ裸の男女の、目のところが空洞のように描かれている。ふたりの腹部からは、はらわたが外に出ていた。

次の絵では、髪を三つ編みにした女の子の、手足が、胴体からちぎれている。女の子は涙を流しているが、口は描かれていない。

めくっても、めくっても、激しい攻撃性と、痛ましい魂の姿を示す絵ばかりだった。

「父親の弟に、セックスを強要されてたの」

婦人が言った。

ふだんどおりの、柔らかい声音だっただけに、優希は耳を疑った。顔を上げて、彼女を見た。

こまかな表情はうかがえないが、もの静かな雰囲気は変わらなかった。

「十歳のときだった。いま六十七だから、五十七年も前

のこと……。まだ戦争もはじまっていなかった。男は、わたしたちの家に、同居していたの。両親が出かけて、男とわたしが、留守番をしてるときだった。ふだんよく一緒に遊んでくれる、仲のいい叔父だったから、最初は何をされてるのかも、わからなかった。怖くなって、やめてって泣いたけど、許してもらえなかった。一度で終わると思った。一度だけなら、我慢しよう、黙って受け流せば、すむと考えた。子どもだったのね……」

婦人は深く息を吐いた。窓のほうに視線を移し、

「でも、つづいた。わたしは逃げられなかった。親にも言えなかった。別に、ナイフや包丁を突きつけられたわけじゃない。殺すと言われたわけでもなかった。なのに……おかしいでしょ？」

優希は、答えようとしたが、声が出なかった。

「幼い頃は、両親や祖父母から可愛がられて育ったの。少しくらい生意気でも許されたし、可愛い可愛いって、いつも周囲から言われて、得意気だった。きれいな着物も着せてもらって、当時有名だった画家のモデルになったこともあった。なのに……いきなり、踏みにじられて、汚された。自分が、取り返しがつかないほど汚れたと思った。せめて、両親や周囲には知られたくなかった。相手が、父の弟だったから、両親にいやな想いもさせたくなかった。祖父母にも、ショックを与えたくなかった……。もし話せば、彼らの平穏や幸せを、わたしがすべて壊すように思えて、つらかった。両親も祖父母も、二度と、わたしを以前のようには見てくれない、愛してくれないと思うと、たまらなく怖かった。可愛い、けがれのない娘として、大人たちに愛されつづけていたかった……。男は、そんなわたしの心を読んで、利用した。気弱で、平凡に思われていた男だった。根気もやる気もなく、万事に軽く見られていた。祖父母からも、父と比較されて、ため息をつかれたり、嘆かれたりしていた……。そんな鬱屈を、男はすべてわたしにぶつけてきた。わたしを支配するときにだけ、いつもはどんよりしていたあいつの目が、輝いていた」

婦人が顔を戻した。一瞬、目の表情がうかがえた。怒りをたたえて、とがっていた。

彼女は、その目を優希から隠すようにそらし、

「わたしが十五歳のときまでつづいて、その年、男は出征したの。五年間ずっと、わたしは人間として、生きていなかった。一番輝けたかもしれない娘時代だったのに……男の慰めのためだけに、呼吸していたようなものだ

った。そして、男が戻ったらまたつづくのだと思うと、そのあとも心から安心して眠れた日はなかった……。結局、男は南の島から帰ってこなかった。でも、わたしには、少しも救いにはならなかった。わたしは最後まで、自分の力で相手を止めることができなかった。はね返す機会も与えられないままに終わった。自分が無力で、生きるに値しない人間だということが、証明されただけだと思った。そのうえ、男からは、二度と謝ってもらえず、本当は誰が悪かったのか、説明してもらえないままになった。代わりに、盛大な葬儀がおこなわれた。男は神様になったと言われ、わたしは手を合わすように求められた……」

婦人は、右の拳で、みずからの左の手のひらを打った。痛みに耐えるように目を閉じていた。組んだ手が、ふるえている。息を長く吐く。肩から力が抜けてゆき、

「こんなわたしに、意味があるの」

感情を込めずに、優希がさっきつぶやいた言葉を繰り返した。

優希は、はっとして、恥ずかしさに顔を伏せた。

「ごめんなさいね、聞くつもりはなかったんだけど……こんな自分に、意味があるのって、わたしもずっと思ってきたの。もちろん、あなたの言った意味とは、違うでしょうけど……自分が無力で、無意味な存在にしか感じられなくなっていたの」

婦人は寂しげにほほえんだ。疲れたのか、ソファにぐったりと背中を預け、

「戦争が終わったあと、ひどく荒れた時期がつづいたの……十七、八の頃から、過去をとやかく詮索しない連中が集まってるところに行っては、酒をあおるように飲んだり、求められれば、簡単にからだを投げ出したりしてた。楽しくなんてなかったけど、周りに人がいると、自分が無意味だって考えずにすんだから。でも、虚しさは少しも埋まらなくて、アルコールはもちろん、危ない薬にも手を出した。肝臓や腎臓をこわして何度も入院したし、下の病気もうつされて……よく、この年まで生きてこられたって、いまさらながら思うけど」

優希は、婦人の白く浮かんだ喉のあたりを、見つめた。とてもそんな過去を持っている人には、見えなかった。さぞ上品で、優雅な暮らしをしてきたのだろうと思っていた。

気持ちが沈む。

だが一方で、自分も正直になれそうな、何を話しても

許してもらえそうな、そんな寛容な場所にいる気がした。

実は、わたしも……と打ち明けそうになる。

まるで、それを察したかのように、

「でも、誤解しないでね。途中から変わったの、わたしの人生」

婦人が声をはずませた。

彼女は、ソファから身を起こし、

「四十を過ぎてから、すごく幸せになれた。いままでは、いい人生だったと言える……というか、言いたいと思ってるの」

優希はまた別の驚きを感じた。

婦人は、照れたような笑みを浮かべ、

「あの人のおかげ。あの、がさつで、お調子者の、顔はお獅子みたいだけど……あの人に支えられて、自分の人生を、本当に生きることができるようになった。自分の感情で、日々の出来事を受け止めてゆくことが、できるようになったの」

彼女の顔が、誇らしく輝くように見えた。

優希は目で問いかけた。

婦人は、うなずき、

「彼、知ってるのよ。わたしが、子どもの頃に何をされたか。大人になってから、どんなひどい連中とつきあってきたか。薬に手を出したことも、全部知ってる……。わたしも、知ってるの。彼、以前は、ひどいアルコール依存症だった。奥さんとお子さん、水の事故で、彼の見ている前で亡くなったの。それ以来、人生を降りたようになって……酒に溺れて、肝硬変で、入退院を繰り返してた。わたしたちが出会ったのは、依存症を専門に診る病院。わたしはお酒も薬もやめられなくて……幻覚も出てたから、いつか誰かを傷つけると思って、怖かった。長い時間かかって、社会復帰病棟というところに移って、地域の工場や、お弁当屋さんに働きに出ながら、地道に暮らせる道を見つけようとしてた。でも、簡単にはいかないのよ。ひとりだと、絶対と言っていいほど悪い癖から抜け出せない。自分の無力さに絶望したり、昔の罪を思い出したりして、つい逃避したくなる……。わたしも、しばらくは頑張れたけど、昔の、いやなものや醜いものが浮かんできて……お酒を持ち込んでね、隠れて飲んでたの。それを彼に見つかったのよ。彼、社会復帰病棟で、わたしたちの班のリーダーだったから。頑張ろう、やり直そうって、励ましてくれた。彼自身、しっかり生きることが、奥さんやお子さんへの供養になると思えるまで、

十年かかったって言ってた。でも、最初、彼を信じなかった。誰のことだって、信じたことなんてないのよ。過去のことも、医者には話してなかったし。この男も、どうせわたしのからだが目的なんだろう、としか思えなかった。だったら抱けばって、外のホテルに誘って、目の前で裸になった。抱かせてあげるから、酒を見逃してよって……。彼、何もしようとしなくて、わたしがベルトを外してあげたら……泣いたの。混乱した。混乱させた彼に、無性に腹が立って、ひどい言葉を吐いて、怒らせようとした。殴られるか、犯されるほうが、まだ楽な気がしたの。泣かれるなんて、どうにも自分が崩れそうで、耐えられなかった……。ついにはバッグに入れてあった果物ナイフで、刺そうとした。でも逆上したふりをしてただけで、頭の一部は冷静だった……ナイフを奪い返されて、わたしのほうが刺されることを、半分以上願っていた。でも、彼は動かなかった。わたしが彼の腕を切っても、ただ子どもみたいに泣いていた……だめだよ、いけないよって……。こっちもとうとう泣きはじめて、泣きながら、昔のことを話してた。初めて、人にそれを話せた……。あの人は、何も言わなかった。驚きもしないし、疑いもしない。少しも言葉をはさまずに、聞いてくれた。話し終えたとき、彼は、そうかあって、うなずいた。そうかあ、大変だったねえ、ご苦労様でしたって、わたしに頭まで下げた。本当によく生きていらっしゃいましたって……言ってくれた」

婦人は、一気に語ると、言葉を切った。

目を閉じ、胸もとに手を置いた。荒くなりかけた息を、整えるようだった。

彼女は、静かに目を開き、

「そのあと、彼に勧められて、病院の先生にも話すことができたの。あなたは、生存者なんだって、先生から言われた」

「生存者……？」

優希は思わず問い返した。

「ひどい傷を受けながらも、死なずに、懸命に生きのびてきた人だからって……。わたしは、生きのびようと思ったわけでも、懸命に頑張ったつもりもなかった。周囲から見れば、ふしだらで、不良で、薬や酒に手を出して、子どもも産めないからだになった女なんだから。とても、生存者なんて、かっこうのいいものじゃないと思った。虚しく生きてきただけの人間だって……」

婦人の視線が優希にまっすぐ向けられた。

暗いのに、彼女の瞳が輝いているように見えた。

「でも、命があるでしょって言われた。そして、いまは支えてくれる人もいるでしょうって……。生きのびたからこそ、幸せになれる可能性もある、人生に意味を見いだせる機会も訪れる、よく頑張ってきましたねって……あの人と同じように言ってくれた。診察室を出ると、彼が、待っていてくれた。抱きしめてくれて、頭を撫でてくれた」

婦人は、そのときのことを思い出してか、上を向いて、深く息を吐いた。同じ姿勢で、首を横に振り、

「もちろん、すべてが解決したわけじゃない。そんなに甘くはなかった。きっと、わたしがかつてされたことは、その程度で完全に癒されるようなことではなかったのね……。あの人と暮らしはじめてからも、何度も暴れたし、煙草を無茶に吸ったこともある。いきなり頭のなかが、ひどい記憶で満たされて、思わずまた彼を刺しそうにもなった……。でも、恐る恐るだけど、感情を開いて、生きてゆくこともできるようになった。たとえば旅行に行って、風景や料理を楽しめるようになった。なんだそんなことかと思うかもしれないけど、以前は、何かを心から楽しむということはなかったのよ。たとえ笑っていたとしても、楽しんだふりをしてただけ。楽しければ楽しいほど、自分にはそんな価値はない、楽しんだりできる人間じゃないって、声が聞こえてきてたから」

優希はしぜんとうなずけた。

婦人も、うなずいて、

「楽しい感情だけじゃなく、つらい感情も、少しずつ受け止めて、生きられるようになってきた。あの人が、認めてくれるとわかっているから……。昔は、悲しいドラマにも泣くことが怖かった。泣く自分が、許せなかったし、絵空事に心を動かす自分を、人はばかにするだろうって、思い込んでいた。でも、あの人が認めてくれる。メロドラマに泣くわたしも、新聞の勧誘を断れないわたしも、認めてくれる。掃除も洗濯もできなくたって、怒らない。ただ生きてるだけで、認めてくれる人がいる……だから、どんな感情も、素直に出していいんだって、ようやく思えるようになった。そして、もうひとつ大切なことは、わたしも人を支えることができるんだって、自覚できたこと……。自分を犠牲にしたり、身を粉にしてつくすような形じゃなく、ただ相手を認めるだけでよかったの。あの人が、一番望んでいたことも、結局わたしと同じだった。あの人が、あの人として生きているこ

とを、わたしが、ただ認め、受け入れるだけで、支えになるとわかった。そんな単純なことで、わたしの人生は、意味のあるものに変わっていったの」

彼女は胸の底から深く息をついた。

優希は羨ましく彼女を見た。

「彼が、あるとき言ったの。自分たちは、どうあがいても、世界を変えられるような器じゃない。そんな力もない。外国に行っても、きっと同じようなものだろう。自分たちは、この社会、いまの世界で生きてゆくほかはない。だけど、心のなかでは、別の社会、ここととは違う世界に生きてるつもりで、暮らしてゆくことができるんじゃないだろうかって……。わたしたち、基本的には周囲に合わせてるの。世間の枠内で生きてるし、暮らしてきた……でも、ふたりのなかでは、世間の価値から、離れたところで生きてきたつもり。おかげで、生きることが苦しくなくなってきた。焦りもなくなって、生きてくことを面白がれるようにもなってきたの。もちろん、いつもじゃなかった。ふたりとも、年だもの。昔からの生き方、考え方がしみついてる。気を抜けば、すぐに世間体にとらわれてしまう。それでも、以前に比べたら、ずっと楽に暮らせるようになったの……。こんな話、あなたには、お門違いなのかもしれないんだけど」

「……いえ」

「わたしね、さっき話した病院の先生に頼まれて、何度か、悩んでる女性に、自分のことを話したことがあるの。生きるのを苦手に感じてるのは、あなただけじゃないよって、言ってあげたかった。ただつらくて、虚しいだけで終わるわけじゃない……きっと、生きることが楽しくなる道もあるんだって、伝えたかったの」

優希はうなずいた。

婦人は、困ったような笑みを浮かべ、

「でも、実際に行動に移すとなると、信じられる相手がいてのことだし、言うほど簡単なことではないのだけど……」

優希も、ほほえみを返そうとして、こみ上げてくるものに表情が崩れそうになった。

そのとき、ナース・ステーションのほうから、

「主任補ー」

呼ぶ声が聞こえた。

優希は立った。膝の上に置いていたスケッチブックが、床に落ちた。

「すみません」

慌てて拾って、婦人に返した。

彼女は、受け取りながら、

「怖いだろうし、自分への嫌悪にも耐えなきゃいけないし、すごく勇気の要ることだけど、支えになってくれそうな人に、すべてを話して、受け入れてもらって……こちらも、同じようにして、相手を支えられるようになったら……つらいことばかりの人生にも、意味が感じられるようになるかもしれない。そう思うんだけど」

優希は、答えを返したかったが、言葉にならない。

婦人は、慌てて付け加えるように、

「でも、焦らないでね。わたしの言ったことを、重荷に感じないで。大変なことなんだから……生きているだけでも、大変なことでしょ？　わたしなんかが言わなくても、毎日、目にすることですものね」

「主任補ー、お願いしまーす、ナース・コールが重なって」

声に焦りが感じられる。

優希は、婦人に頭だけ下げて、ナース・ステーションに戻った。

パートナーの看護婦はいなかった。ケアに走ったのだろう。

ナース・コールが鳴っている。受話器を取った。

「目の裏がかゆいのよ」

八十二歳の女性が訴えていた。

優希は病室に進んだ。脳梗塞を手術し、いまのところ快方に向かっているが、まだ包帯は取れず、今後もなお痴呆や運動機能に障害の残る心配がある患者だった。

「目の裏がかゆいのよ、かいて、目の裏をかいてちょうだい」

患者がかすれた声で訴える。細い手をわずかに持ち上げ、宙をかく。

優希は患者の名前を呼びかけた。患者は、ああと息をつき、

「いっそ死んでしまいたい」とつぶやいた。

優希は、枕もとに顔を寄せ、患者の手を握った。

「ごめんなさい、かいてあげられないの」

ささやきかけ、皺が深く刻まれた患者の頬に、手のひらをあてた。カテーテルが外れないよう気をつけて、左手で彼女の手を握り、右手で彼女の頬をそっと撫で、

「でも、わたしはここにいますから……ついていますから、眠れるようなら、眠ってください」

緊張して固かった患者のからだから、少しずつ力が抜

けてゆくのが感じられる。

ただそれだけで、優希のほうが慰められた。

2

十月末の土曜日、笙一郎はジャズの演奏を生で聴いていた。

黙って聴いていられる演奏ではなかった。

音が外れる。テンポも狂う。懸命に演奏しているなら、まだ許せる。五人編成のバンドは、明らかに手を抜いていた。

聴衆の多くは、それでも一曲終わるごとに拍手をし、笑顔を見せた。少数ながら、手を動かさず、表情も変えない人もいたが、代わりに付添いの職員が手を叩いていた。

民間の経営する老人ホームの、食堂ホールだった。入居者へのサービスと、入居者集めのイベントも兼ねてだろう、一応プロだというバンドによるジャズ・コンサートが開かれていた。

笙一郎は、施設を見学し、入居の条件などを聞いたあと、入居者たちの表情や、職員の働きを見たくて、ホールの後方で演奏を聴いていた。

施設は、都心に近い便利な場所にあり、同一施設のなかに介護専用棟を持ち、全員に個室が用意されている。滞在資格も、公的なホームより十五歳も若く、五十歳からと聞いて、期待をして訪ねた。

入居一時金は、六千万円から、部屋によっては九千万円が必要だった。これまで笙一郎が訪ねてきた民間の施設では、入居一時金の平均が四千万円前後、高いところは、一億四千万円という場所もあったから、金額自体にはもう驚かなかった。

食費、管理費込みの利用料が、月額二十五万円。介護が必要な入居者の場合は、別に介護料が月十万から、症状によって二十万円かかる。笙一郎が、母親の症状を話すと、全介護が必要なため、二十万円と言われた。しかも、その月額四十五万円は、一年分五百四十万円を、年度ごとに前払いとのことだった。

だが、それだけの大金を積んでも、本当に必要な介護を受けられるのかどうか……。

管理責任者である、男性の施設長からは、痴呆の症状を抱えた入居者の場合、夜間はベッドに縛って抑制をし

ていると、説明があった。

介護専用棟というのも、全室に鍵のかかる小さな平屋の建物で、室内にはベッドとトイレがあるだけだった。

また、寝たきりの入居者の場合、食事は、鼻から胃につながったチューブによって、栄養を摂る形をとっているという。誤って気管に入る場合があるためらしいが、どうしても食事の介助を求める場合は、入居者側で別に人を雇ったうえ、事故の際に施設側の責任を問わないとする書類も必要と言われた。

食堂ホールには、リンドウだろう、青紫色が鮮やかな花が飾られていた。床も清潔で、施設内のどこへ行っても、芳香剤の香りがした。

職員は、おおむね若く、男女とも、銀行員のような制服を着ていた。

入居者が、資産家や社会的な地位が高かった人物、あるいは、そうした人物の親がほとんどらしく、職員たちは、各種マナーの訓練を受けているという。実際耳にする言葉づかいにも、こまかな注意が払われていた。

だが笙一郎が見たところでは、入居者から用でも頼まれないかぎり、職員のほうから入居者に話しかける様子はなかった。

車椅子に乗った老人が、手からジュースの入ったコップを落としたとき、数人の職員が一斉に動いた。床を拭き、プラスチックのコップを処理して、新しいジュースを持ってきた。

だが、痴呆の状態にあるらしいその老人に、「お疲れになりましたか、おつらいところはありませんか」と声をかける者はいなかった。反応がないことを承知していながら、「この音楽、いかがですか、退屈じゃないですか」と訊ねる者はいなかった。

笙一郎は、まだコンサートがつづいている途中で、外へ出た。

優希が、笙一郎のマンションを出て、ほぼひと月が経っていた。

秋とは思えぬ陽気がつづいており、数日前には、都内の気温は二十五、六度まで上がったという。

昨日、仕事の合間をぬって、病院に行くと、母のまり子は車椅子に乗り、優希と中庭を散歩していた。

顔色はよく、優希がボールを投げると、受け取って、軽く投げ返すこともできた。

笙一郎を見て、相変わらず甘えた表情で、

「お父ちゃん」と呼んだ。

優希に、彼女自身の様子も訊ねた。

「なんとかやれてる」

優希はほほえんだ。

まり子のことも、もう少しだけでも改善薬やリハビリの効果を見てゆくことができないか、頼んでいるところだと言ってくれた。

だが、現実的には、年内に退院先を見つけなければならなかった。

笙一郎は、今日は比較的時間があるため、もう一カ所、心に留まった施設を見学することにした。

民間の介護専用ホームだった。

痴呆症や寝たきりの状態にある高齢者を専門に受け入れているところだが、パンフレットでは、年齢制限を設けていなかった。

ただ、場所が遠かった。

千葉県の、房総半島の丘陵部にあり、笙一郎のマンションからは、片道で三時間以上かかりそうだった。それでも、終身利用権が六百万、利用料が月額二十万円と書いてあり、電話を入れて訊いても、同じ答えが返ってきた。見学も自由だという。

市原で電車を乗り換え、平地を抜けて、小高い丘のような山々が連なるなかへ登ってゆく。線路沿いに川が流れ、川の両岸には、深く色づいた紅葉が見られた。

小さな木造の駅で降りた。駅前は、二、三の商店があるほかは、人けがなかった。めざすホームまでは、まだ距離がある。バスは数時間に一本だが、電話でタクシーを呼べると、駅員から聞いた。

初老の男性が運転する個人タクシーで、寂しげな道を十五分ほど走り、ようやくホームに着いた。帰りのことも考え、タクシーには待ってもらうことにした。

平屋建ての建物は、ずいぶん古かった。運転手の話では、双海病院同様、かつての結核療養施設を改築したものらしい。

なかに入って、すぐ正面に受付カウンターがあった。応対に出てきた若い男性職員に、こちらの事情を話し、説明を求めた。

すると相手は、困惑した表情で、パンフレットを制作した頃には、入居者の年齢制限を設けていなかったが、現在は経営上の問題もあり、男性は七十歳、女性は七十五歳からを原則としていると言った。

「だから、電話で確認したじゃないか」

笙一郎はつい声を荒くした。

時間をむだにした怒り、こうした施設を訪ねるたびに感じる不備や、対応の悪さへの苛立ち、そして母の受け入れ先が容易に決まらないことへの不安もあった。

鬱憤をすべてぶつけるように相手の不誠実をなじっていると、受付の奥にある部屋のドアが開いた。

「どうしました」

六十前後と思える、白髪まじりの、恰幅のよい女性が現れた。このホームの施設長だという。

笙一郎は、ここに来るまでの事情と、来てからの状況を説明した。なおおさまらず、これまで訪ねた施設に対する不満も、合わせて一気に吐き出した。

相手は、慣れているのか、しばらく黙って聞いていたあと、

「それは大変でした」

いい加減な感じではなく、うなずいた。

彼女は、心から同情するような表情を浮かべて、

「この施設にも、アルツハイマー型痴呆で入居している方が、何人もおられます。あなたのお母様のように、比較的早期に症状の出る方も増えてらっしゃるから、ご家族は本当にご苦労なさってると思います」

彼女は、受付の奥の部屋に、笙一郎を誘った。

笙一郎は、冷静さを取り戻し、部屋に進んで、彼女の勧めるソファに腰を下ろした。

施設長の女性は、あらためて職員の非礼を詫び、自分の指導が行き届いていなかったと頭を下げた。先の施設長が引退して、交代したばかりで、まだ少し混乱があるという。

「ですが、入居者に原則としての制限を設けたのは、しばらく前ではあるんです。医療やケアの技術が進み、介護が必要な方々の寿命も延びてくるに従い、そうせざるを得なくなったんです。失礼な言葉が出たら、ごめんなさい。現実的な事務上の話として聞いてください。あなたのお母様、まだまだお若いでしょ。実際、あと何年生きられるかわかりません。もちろん、長生きされることを願っています。けれど、我々がお世話させていただくとなれば、ここが民間施設の限界なのですが……どうしても経営を考えなければなりません。恥をさらすようですけど、借入金の返済、入所金の償還《しょうかん》、設備投資や建物自体の老朽化と、正直、様々な問題を抱えています。けれど、多くの方を預かっている以上、ここをつぶすわけにはまいりません。アルツハイマー型の痴呆のことは、まだわかっていないことが多く、五十代前半の女性の場

合、一般の方と同様、三十年以上生きられる可能性を考えなければなりません。また我々も、できるだけ長く生きていただけるようお世話したいんです。そうした方に、七十代の方と同じ入所金で終身利用の権利をおわけして、本当に我々はやってゆけるのかどうか。いったんお預かりすれば、最後まできちんとお世話する責任が、我々にはございます。ですから若い方に対しては、どうしてもためらわれます」

だが、五十代の入居者を、まったく受け入れていないわけでもないという。ホームの経営陣、メインバンクや提携先の医院との話し合いの結果、たとえば五十代前半の女性の場合、終身利用権が三千五百万、介護費をふくめて、利用料が月額二十五万円ならとの、説明を受けた。

「ですけど、うちのような田舎の、さして清潔でもなければ、サービスも都会の高級施設のようにはいかない場所では、あまりにも高額です。ですから、一般にはご紹介していないんですよ」

笙一郎は、ひとまず納得し、病室や介護の様子を見学したいと申し出た。

「もちろんですとも」

施設長みずからが案内に立ってくれた。

彼女の説明によると、介護の専門教育を受けた者は、管理職や、夜間の勤務にあたっており、日中、介護にあたっている職員は、パートタイムで働く、農家のおかみさんや近所の専業主婦だという。

廊下を進んでゆくと、排泄物の臭いを感じた。窓をところどころ開けているので、すぐに風に流されるが、芳香剤などは使っていないらしい。排泄物とはまた別の、すえた臭いもする。

廊下も居室も清潔で、おむつは定時にこだわらず、訴えがあれば随時換えているという。人の数が多いうえに、芳香剤などでごまかしていないため、どうしてもしみつき、こもる臭いなのだろう。

確かにくさいが、人が生きているゆえに、発する臭いだとも思う。実際慣れてくると、不快というのではない感覚で、受け止められる。

かつて結核患者の療養施設だったというだけに、入居者の部屋は洋間で、四つずつベッドが並び、病院の四人部屋とほぼ同じ造りだった。いまは、ほとんど人の姿はなかった。食堂のほか、プレイルームと作業室があり、そちらに多くの入居者が集まっているという。

プレイルームをのぞいてみた。車椅子に乗ったお年寄

りたちが、輪になって、童謡や古い流行歌を歌っていた。まだ足の達者なお年寄りたちは、一方に集まって、輪投げをしていた。作業室では、大きなテーブルの周りに、お年寄りたちが座って、折り紙をしたり粘土をこねたりしているところだった。

　そんな彼、彼女らに対して、トレーニング・ウェアの上に白いエプロンをした、あか抜けない印象の女性たちが、さかんに話しかけていた。

　彼女たちは、お年寄りの肩や背にふれ、手や足を揉み、

「ほらほら、立ってみて」

　と、手を引いて、なるべく立たせるように努めている。自分でマイクを持って勝手に歌ったり、お年寄りに対して、

「歌ってよ」

　と、ねだったり、また折り紙を折らせて、

「うまい、うまい。今度はツルを折ってよ」

　と、頼んだり、励ましたりしている。

「ばあちゃん、このクッキー食べてよ、わたしの手作り。じいちゃん、何を黙ってるの、また仕事の話を聞かせて」

　などと、ふさいでいるお年寄りを見つけては、さかんに話しかけてもいた。

　一方で、入居者たちのほうも、

「うるせえな」

　と、文句を言ったり、

「いやな女だよ」

　と、悪口も言いながら、笑ったり、歌ったり、甘えかかったりしていた。

　施設長が、カラオケや輪投げ、折り紙作りなどの、遊びを兼ねたリハビリ作業を紹介しながら、

「多少、職員たちの言葉づかいが荒いように思われるかもしれませんけど、あまり気をつかい過ぎても、結局互いがつらくなりますしね。人と人とのことですから、少々汚い言葉が出たとしても、よしとして……まず、遠慮せずに話し合うことと、寝かせきりにしないことを、一番に心がけているんです」

　笙一郎はホーム内の台所に案内された。

　台所では、職員と一緒に、何人かのお年寄りが包丁を扱い、火も使っていた。エプロン姿の職員が、

「玉ねぎ切って、里芋洗って、ねえ、もやしを炒《いた》めてくれる？」

　と頼むと、お年寄りたちは、気軽に応じて、こまめに

動き、むしろ職員の手つきを、近頃の若い者はなっていないと責めもする。

施設長は、ほほえましそうにそれを見て、

「包丁を持たせられるかどうかは、一応確かめてからにしてますけど……ただ、この年代の方々の多くは、幼い頃からずっと働いてこられてるんですよ。むしろ休むほうが苦手なんです。痴呆を抱えていても、役割があると、活き活きとした表情をされますしね」

笙一郎は、サンダルを勧められて、庭のほうへも案内された。

庭は広く、花壇では花が育てられ、家庭菜園にしている一角もあった。花壇でも家庭菜園でも、お年寄りが働いていた。

「長年農作業に従事していた方は、からだがおぼえているのか、立派な野菜を作ってくださいます。収穫した作物は、食事に出させてもらってます。みなさん、自分が役に立っていることが嬉しいご様子で、以前あった徘徊などが、なくなった方も少なくありません。作業場で服を直したり、家具を作ったり、建物の修繕をなさる方もいます。そうした花や野菜や家具も、ホームで使うだけでなく、近所の方に買ってもらったりしています。寝て、食べて、排泄するというだけでなく、個人個人、できることを探して、なるべく生きている実感のようなものを得ていただきたいと、願ってるんです」

日が傾いて、少し寒くなってきたが、お年寄りたちは、雑草を抜いたり、花壇の菊の手入れをつづけていた。エプロン姿の職員も、それを手伝い、

「寒くない?」と声をかけている。

笙一郎は、看護婦の数や、病院との提携関係について、質問した。

看護婦は常駐は一名。近くの医院と提携関係にあり、往診も頼め、定期的に健康診断もおこなっているという。ただし、重い病気の場合は、遠くの総合病院まで行かねばならず、

「その点は、やはり不便です。土地代が高かったり、周囲の理解を得られずに、本当に必要なものが町なかに造られないのは、悲しいことです。あと、個室を全員にはご用意できていません。トイレつきの個室が、人としての尊厳を守る意味では、絶対に必要ですのに、いまのところ予算的にめどが立ちません」

近所の主婦たちに働いてもらっていることについては、人手不足からの窮余の策だったらしいが、嬉しい誤算だ

ったという。

「彼女たちには、現実として、自分たちの舅《しゅうと》や姑、また実の親の問題ですから。切実な想いで、みてくれるんです。痴呆症状があっても、最後まで花や木に手をふれさせ、風を肌で感じさせながら、人生を終わらせてあげたいと願っている人が多いんですよ。もう少し人手を増やせれば、さらにひとりひとりに合ったケアができると思うんですけど。これ以上、入居者の負担を増やすと、入居できない方も出てきます。いまでも苦しいご家庭は多いですから」

「うちも、お願いするとなると、稼がないといけませんね」

笙一郎は自嘲気味に言った。

施設長は、困ったような表情を浮かべ、

「老いても平等でないのは、とても残念です。施設側の人間が申し上げることではないのですが……公的機関の助けが得られなかったり、充分でなかったりする場合でも、大きな施設に多額のお金を払わずにすむ方法を、みなさん、そろそろ考え、求めたほうがいいように思います」

「各家庭で、みるべきだということですか」

笙一郎はそれを言われるとつらい。

施設長は、柔らかくほほえんで、

「いいえ。逆です」

「逆……?」

「たとえばの話ですが、お嫁さんが、おばあちゃんを世話しても、タダだし、文句を言われても、黙って耐えるしかないですよね。世話をされるおばあちゃんのほうも、気づまりだったり、気兼ねをしたり……。介護側のストレスが、高齢者虐待へつながることもあります。でも、お隣に世話を頼んで五百円を払う、という約束ごとが成立していればどうでしょう。介護側は、お金をもらってるから、多少の文句を言われても、我慢できるでしょ。世話を受ける側も、お金を払ってるから、気兼ねをせずに用を頼めますし。ありがとう、どういたしましても、かえって素直に言い合えるんじゃないでしょうか。五百円を得た人間が、この町この村の品物を買えば、町民や村民に還元されるし、もちろん税収入にもなりますから、その税金を福祉に回してもらえる場合もあるでしょう。大きな施設を建設せずとも、一般の人々がそうした形で日頃から介護の技術や意識を育てておけば、お隣同士、おこづかい程度で介護を頼み合えるし、ご近所ごとに、

七、八人のグループ・ホームを作ることも、難しいことではなくなるかもしれません。あわせて、わたしども専門家や施設を、地域や家庭のサポート役として活用していただければ、さらによい状況が作ってゆけると思うんです。これは自戒を込めてのことですけど、家族というものを、もっと広い単位で見てゆければと願っています。お金があいだに入りますけど、すべてタダというのも、かえってぎくしゃくするものですよ。お金なんて、所詮は生活を便利にするための道具ですから。実際、お金の代わりにチケットを用いて、ご近所で助け合いをはじめた地域もございますもの。お金や経済の使い方に、わたしたちはもっと大人になれればいいのにと思います。おこがましいと、お思いでしょうけど」

「いえ……」

「でも、何千万という大金を払うより、隣近所とコミュニケーションをとってゆくほうが、きっと難しいんだろうと思います。誰もが人と結びつきたいと願っているのに、ほんの少しの心の壁が邪魔をするんでしょうね。越えてしまえば、なんてことない壁でしょうけど、越え方がわからない、教わってない……」

建物のなかから、チャイムが鳴った。五時だった。

庭に出ていたお年寄りたちが、こちらへ戻ってくる。施設長も、そろそろよろしいですかと、笙一郎を玄関に誘った。

庭のほうから玄関へ回ってゆく途中、お年寄りたちが、施設長に声をかけてきた。

彼女は、そのひとつひとつに笑顔で答え、彼らを見送りながら、笙一郎に、

「わたし、思うんですよ。生活において、自分たちの居場所を整える、家事。次の世代を育ててゆく、子育て。そして、先の世代の死をしっかりと看取るという意味での、介護。これをしないでいい人間というのは、本来、子どもだけじゃないでしょうか？　もちろん生活を支えるために稼ぐことは必要だし、とても大変なことです。でもそれはまだ、居場所を整える家事の半分を担っているだけであって、子育てと介護は、また別です。仕事だけして、よしとするのは、子どもが外で遊びに精を出し、家に帰ると全部母親にまかせていた頃と、似たところがあるんじゃないでしょうか。本当に大人がやるべき、大切で大変な仕事は、さらに子育てと介護を加えたものだと思います。でも、誰もが大人なわけじゃありません。第一、わたしたちの世界の中心に、本当の大人がどのく

らいいますでしょう……。わたし自身、父親への介護が不充分だった悔いが、この仕事に進むきっかけで、とてもまだ大人とは言えません。むしろ立派な大人のほうが、少ないだろうと思います。だからこそ、幼い者同士、協力して助け合うことが必要なんじゃないでしょうか。希望もそこにある気がしています。個々に自立を急がせることが、かえって多くの人を、幼さのなかに引きこもらせているように思えてなりませんもの」

腰の折れ曲がった老人が、農具をかたづける女性職員の尻にふれるのが、笙一郎の目に留まった。職員は老人をどやしつけた。老人は目を細めて笑い、職員も呆れながら笑った。

笙一郎は、玄関に戻って、借りていたサンダルを自分の靴にはき替えた。

「どうも、わざわざありがとうございました」

施設長に見学の礼を言った。

相手は、恐縮した表情で、

「いいえ。つまらないことばかりお聞かせして。本来は、先ほど提示したような、高額なお金をいただきたくはないのです。どんな方にも、最後には、活き活きとした日々を送っていただきたいですから……。ただ、いまのシステムでは、それがかなえられません。施設をつぶさないためにも、どうしても保証がないとやれないんです。ご理解ください」

「わかります」

笙一郎はうなずいた。

施設長の肩越しに見える正面奥の食堂ホールから、車椅子に乗った老婦人が、みずから車輪を回して、廊下に出てきた。彼女は、車椅子の上で、はおっていた桃色のカーディガンを脱ぎ、シャツのボタンに手をかけた。

ホールのなかから、五歳くらいの男の子が出てきて、

「ここは、お風呂じゃないよ」

真剣な声でたしなめた。

施設長が、男の子の声に振り返り、笑みを浮かべて、

「離婚した職員が、子どもを家に置いておけないから、連れてきてるんです。働いているあいだ、お年寄りたちが面倒をみてくれるはずなんですけど、どっちが面倒をみてるのやら……」

男の子は、車椅子の後ろに回って、ホールのなかへ押し戻してゆく。廊下に落ちたカーディガンを拾って、ふと笙一郎のほうを見た。

男の子は、笙一郎に、にっこり笑いかけ、

「おっす」

軽く手を挙げた。

笙一郎もとっさに手を挙げ返した。

男の子はホールへ戻っていった。

「問題はいろいろありますけど、でも、わたしは悲観してません」

施設長が静かに言った。

笙一郎は、彼女に会釈をして、玄関を出た。

タクシーと電車を乗り継ぎ、東京の事務所に着いたときには、すでに夜の九時を回っていた。

奥の部屋に入り、椅子に腰を落とした。煙草をたてつづけに吸った。

最後に見学したホームでも、少なくとも三千五百万円が必要だった。

三千万も一億も、不可能な金額としては同じだった。可能にするために打つ手も、一千万が、十億でも、似たようなものだった。要は、一歩踏み込むかどうかだけで、その一歩はもう踏み出していた。

奥の物置代わりの部屋に、金庫が隠してある。なかに、五千万円の札束が積んであった。

笙一郎が顧問をしていた会社が、あと二カ月のうちには、破産を申し立てざるを得なくなる。笙一郎が顧問となる前の時代の、土地や株への投資に失敗していた。業績が上向きの頃はごまかせたが、悪化したとたん、メインバンクから債務を一度清算するように言われた。経営陣の何人かが、笙一郎の反対をしりぞけ、金利の高い金融を利用し、かえって傷を大きくしていた。目先のきく役員のひとりが、会社の保養所の証書を持っており、処理できないかと、笙一郎に持ちかけていた。

笙一郎は、優希が彼のマンションを出ていったあとに、一歩を踏み出した。

聡志も死に、彼女とつながっていられた線が、これですべて断たれたように感じた。

連絡をした整理屋のほうが驚いていた。電話の三日後、ホテルの一室で、軽井沢にある保養所の資料を手渡した。整理屋は、価値を見抜いて、持参していた一千万を笙一郎の前に積んだ。あと四千万も渡すという。二億、三億でも安い物件だが、証書など売り渡しに必要な一切の書類と引換えに即金ということで、笙一郎は承知した。

整理屋は、保養所一件では、満足しなかった。会社の情報をすべて欲しがった。

「むろん、その分は別にお払いしますよ」

笙一郎は、言葉を濁したが、以後も相手からはたびたび連絡が入っている。断ればどうなるか、という脅しもふくんでいた。

一歩を踏み出す際、資格を失う覚悟はついていた。まっとうに弁護士をつづけて、これ以上どんな意味があるのか。誰が認めてくれるというのか。

煙草をひと箱吸いきったところで、事務所のインターホンが鳴った。

「真木です」

広美には、整理屋と会うことになった前日、アルバイトの打ち切りを伝えていた。彼女だけでなく、学生全員に伝え、ふだんのアルバイト料より一カ月分多く渡した。彼女たちまで巻き込みたくなかった。

「下を通りかかったら、部屋が明るかったから……ちょっとよろしいですか」

広美が言う。舌が回っていない気がした。

もう十時を過ぎている。笙一郎は、困惑しつつ、ドアを開けた。

広美は地味なベージュ色のパンツスーツを着ていた。イヤリングもしていない。少し酔っているらしく、からだが揺れている。あるいは、酔ったふりをしているのか。

「また遅くまで、お仕事ですか」

広美は、彼を押し退けるようにして、事務所に入ってきて、自分で鍵をかけた。

そのままドアに背中を預け、笙一郎を上目づかいに見て、

「どうです、この恰好」

「どうって……」

笙一郎は後ろに下がった。

「長瀬先生は、地味で、お固いイメージの女性のほうが、お好みなんでしょ」

笙一郎は、肩をすくめてみせ、

「根がいやらしいんでね。露出の多い女性には、いつも目を奪われてる」

「嘘つき」

広美がつぶやくように言う。笙一郎に視線をからめてきて、

「みんな、嘘つきばっかりだ。長瀬先生も、久坂先輩も、彼のお姉さんも……。嘘つきばかりだから、ややこしくなって、最後にはこっちまでとばっちりを食っちゃう」

彼女が何をどこまで知っているのか、わからず、

「だいぶ酔ってるね。タクシーで来たのかい。下に待た

せてないなら、呼ぼうか」

笙一郎は電話に手を伸ばした。

広美が、持っていたハンドバッグを、笙一郎に投げてきた。バッグは、彼の胸にあたって、床に落ちた。

「事務所、閉めるつもりなんでしょ」

彼女が低く叫んだ。

「何を言ってる」

笙一郎は笑ってごまかそうとしたが、

「事務の人間が誰もいなくなって、事務所がつづけられるわけないじゃないですか」

「これから雇うのさ。そろそろ学生諸君には、来年の司法試験に向けて頑張ってもらわないと。うちにいたから落ちたなんて悪い評判がたったら、それこそ事務所の死活問題だ」

「……どうでもよくなってるんでしょう」

「どうでもって、なんだい」

「わかります、近くで見てたんだから。ばりばり働いていた頃の先生じゃありません。お母様のことで、まず変わられたけど……いまは、もう完全に違う人です。久坂先輩が亡くなって、気を落とされたのはわかるけど……あの人が、マンションから越したからって、どうして事務所まで閉めるんです」

「きみは何か勘違いしてる。酒のせいだろう。早く帰りなさい」

笙一郎は彼女に背中を向けた。自分の部屋に逃げようとした。

「誰のために、働いていたんです」

彼女の言葉に、つい足が止まった。

「あなたは、いったい、誰のために生きてきたんですか。あの人のためですか。それほど、あの人を、愛しているんですか?」

「きみに何が……」

肩越しにたしなめかけ、

「わかりますよっ」

広美がさえぎった。彼女の息づかいは、泣いているように聞こえ、

「それほどまで愛してるなら、さっさと自分のものにすれば、いいじゃないですか。どうして事務所を閉めたり、身を引くようなことをするんです……」

笙一郎は、深く息をつき、

「きみには、何もわかっていないと言っているだろ」

「じゃあ、あの人のことは、あきらめたんですか。もう

終わりなんですか」

　笙一郎は答えられない。

「でも、すべてが終わったわけじゃないでしょ。あの人のために生きる人生が終わるなら……別の誰かと生きる人生を、はじめてもいいじゃないですか」

　笙一郎が首を振ろうとした瞬間、広美がぶつかってきた。

　笙一郎が振りほどく余裕もなく、

「わたしと、はじめることを考えてくれても、いいじゃないですか……」

　広美は、前に回って、笙一郎の胸にからだを押しつけてきた。

　彼女の体温が伝わる。熱く火照っているのを感じる。

　一方で、笙一郎は自分のからだが冷めたままなのを認めた。

　あの人、と広美が言う。

　その、あの人とは、誰なのか。

　自分が、その人のために生きてきたという相手は、本当に優希なのか……。

　十八年前に出会って以来、ずっと想いつづけてきた彼女に、自分をよく見せ、愛されたくて、これまで頑張ってきたのか。そして、彼女を愛する資格がないために、いま人生を降りようとしているのか。

　それとも、あの人とは、まり子のことなのか……。

　幼い自分を置き去りにした母親を、見返し、かつ、ほめてもらいたいがために、勉強し、資格を取り、仕事を開拓してきたのか。そしていま、彼女の残りの人生のために、苦労して築いたはずのキャリアも、棒に振ろうとしているのか。

「あの人と、そんなに違いますか」

　笙一郎の手に、広美の手がふれる。指をからめてくる。

　あの人、ともう言ってほしくない。

　広美に取られていない右手で、彼女の唇を押さえた。

　彼女の熱い吐息を、手のひらに感じる。

　広美は、顔を振って笙一郎の手から逃れ、甘えるように、彼の胸を額で突いた。

　笙一郎は彼女の髪にふれた。目を閉じ、彼女の肩に手を下ろして、押し離した。

　目を開くと、広美の戸惑った表情があった。

「帰りなさい」

　からだごと顔をそむけて言った。

酷だとは思ったが、

「悪いが、きみには何も感じない」

バッグを床から拾い、彼女の顔を見ずに差し出した。

短い間があった。笙一郎の手からバッグが消えた。

背後で、ドアが開いた。階段を降りてゆく靴音と、かすかに嗚咽の声も聞こえた気がした。

笙一郎は、近くのデスクの脚を蹴り、上に置かれていた書類ファイルを、払い落とした。

十分後には、事務所を閉めて、外へ出た。

タクシーをつかまえ、高輪に向かった。携帯電話でホテルの部屋を取り、チェック・インして、部屋から、また電話を掛けた。

芝にある店から、二十分で女が来た。清楚《せいそ》な印象の白いワンピースを着て、腕に淡いピンク色のコートを抱えている。化粧は薄く、香水もつけていない。笙一郎の希望だった。

ベッドの上に、十万円を置いてあった。照明はベッドのところにだけつけ、笙一郎自身は、顔に光があたらない場所に椅子を置き、腰を下ろして、煙草を吸っていた。

女は、携帯電話で店に報告し、金をバッグに入れてから、

「いつもと同じでいいですか」と訊いた。

笙一郎は黙って煙を吐いた。

女はワンピースを脱いだ。白い下着も取り、裸になった。ベッドの上に横たわり、指で自分を愛撫しはじめた。息を荒くし、あからさまでなく、少しだけ声を上げる。

やがて、男のものに似せた道具を出し、舌を丹念に使ってみせた。わざと唾の音も出す。自分には、機械を使った。

「もういい」

笙一郎は顔を伏せた。

女の吐息が消えた。機械の音だけが響く。

「でも、まだいつもの半分も……」

女が言った。

「いい」

笙一郎はさえぎった。

女が機械を止めた。ベッドを降り、下着をつけはじめる。動きが鈍く、

「あの……もう、わたし、飽きました？」

女が訊く。下着姿のまま、心配そうな上目づかいで、

「本当に感じてたんですよ、演技じゃなく……」

笙一郎は、答える気にもなれず、ただ首を横に振った。

「もっと、すごいこと、覚えてきますから……また、お声、かけてください」

女が懸命に言うのに、

「いいから」

笙一郎は顔をそむけた。

女は黙った。下着の上に、ワンピースを着る。途中で手を止めて、逆にまた脱ぎ、

「あの……いいんです、しても。いつも見るだけで、十万なんて……。お店には、一枚入れてるだけだから、すごく助かってるし。ほかの人にはしないことでも、大丈夫です」

笙一郎は、苛立ちをおぼえ、

「どうして、そんなに金が要る」

「え……」

「いくらあれば、本当に欲しいものが買える?」

「本当にって……」

女は不安げに目をしばたたいた。

笙一郎は、手を伸ばせる位置にあった煙草の箱を、女に投げつけた。

「どこまで自分を犠牲にすれば、心底欲しがってたものが、手に入る。どうなんだっ」

女は、答えず、ワンピースを素早く身につけると、コートとバッグを抱えて、逃げるように部屋から出ていった。

笙一郎は、トイレに駆け込み、便器のなかに戻した。

自分への嘔吐感だった。

水を流し、顔を上げた。

目の前に、まり子とよく似た顔がある。

「どこへ行けばいい」

鏡のなかの暗い目を見つめて、つぶやく。

「どこへ行けばいいんだ、ジラフ」

逃げてゆく場所なんてないよ。

ここと別の世界なんて、どこにもない。

どこへ逃げても同じことだよ、そうだろ?

「疲れたよ、ジラフ……」

笙一郎は不意に咳き込んだ。しばし止まらず、ふたたび戻しそうになって、ようやく治まった。

痰が喉にからんだ。

洗面所に吐き出すと、かすかに赤いものが混じっていた。

3

梁平が、県警の捜査第一課から、平塚署の刑事課に異動になる。

奈緒子は、伊島から聞かされても、

「そうですか」

関心のない顔で答え、ほかのなじみ客に、酒を注ぎに立った。

この日、十一月十日は彼女の母親の命日だった。今夜で店は閉めることになっている。

本当はもっと早く閉めるつもりでいた。

この夏に流産したのち、どうしても店を開く気になれず、いったんは家ごと売る気になっていた。だが、どうして自分だけが苦しまなきゃならないのか、逃げなきゃならないのかと、梁平への面当てに似た想いもあって、ふたたび店を開いた。

伊島をはじめ、心配をかけていた人々に、元気を取り戻した自分を見てもらおうとした。

健康面で問題はないはずだった。

なのに、店を開く時間になると、からだが重くなる。客に笑顔を見せていても、心の底から笑えていないことが、意識にのぼってくる。

もともと亡くなった母の代わりと思って、店を手伝い、父親の死後、深く考えもせず、引き継いだだけだった。

商売用の笑顔など見せないところが、逆によいと言われていた。その客の多くが、人の表情を見抜くプロだった。とりつくろった笑顔など、すぐに見透かされ、

「何か気になることがあるのか」

「そんな笑顔、似合わないぞ」

何度も同じように言われることがつづいた。

断る、ということもできなくなっていた。

長いつきあいの魚屋から、いい魚があると言われると、多く仕入れてしまい、そのくせ料理の段になると、億劫になり、たびたび腐らせた。野菜も同じだった。新聞や宗教関係の勧誘も、以前ははっきり断れたものが、最近は長々と話を聞いてしまう。そんな自分に嫌悪をおぼえ、いっそう落ち込んだりもする。

自分のせいで、命が失われたという罪悪感へのとらわれから、逃れることができずにいた。

もしも誰かがそばにいたら、その人を支えに、少しず

つでも自分を許せるようになったかもしれない。

だが、ひとりだった。

ひとりを選んだ。

プライドもある。いままた梁平を求めて、傷つけられることも、つらかった。それ以上に、もし傷つけられた場合、自分が彼に何かひどいことをしでかしそうで、怖かった。

彼の前で煙草を吸う、といった程度のことではない。彼のからだの特徴をあげつらい、あざ笑ってみせることまで、してしまうかもしれない。

自分のゆがんだ感情が、さらにいびつな形で噴き出すことを、恐れていた。罪の意識を引きずったままでも、ひとりで生きてゆくほうが、ましに思えた。

店は、二週間ほど開いたところで、やめようと決心がついた。亡くなった母の代わりと思って、はじめたことだから、母の命日まで営業し、あとは家ごと売り、兄のいる北海道にでも行こうかと考えた。

知り合いから紹介された不動産業者とは、簡単に話がついた。彼女に金銭的な執着はまったくなかった。

北海道の兄は、家を売ることについて、

「おまえのものだから」

と反対せず、北海道に来る気があるのなら、住む場所や職の世話くらいはしてやれると言ってくれた。

「おまえも、ようやく親父とおふくろの呪縛《じゅばく》から、離れられるんだな」

受話器の向こうで、兄が笑った。

伊島たち、なじみ客には、葉書などで閉店することを告げた。多くの人から、惜しい、残念だと言ってもらえた。ありがたかったが、肩の荷が下りた気もした。

この日、伊島は来てくれたが、梁平は一緒ではなかった。むしろ梁平が来ることを恐れていたから、奈緒子はほっとした。

伊島は、店を閉めることについて、もう反対はしなかった。これからのことについて、二、三訊ねてきたあと、

「いいんだな」

とだけ言った。様々な意味をふくんでいるように聞こえた。奈緒子は、

「ええ」と、笑みを返した。

伊島は、梁平のことに関しては、異動についてのみ語った。通常の異動時期から外れており、理由があってのことだろうが、奈緒子は問わず、伊島も話さなかった。

閉店間際、父親の元同僚の何人かが、肩を組んで歌を

歌った。奈緒子に、元気でななどと、それぞれが励ましの声をかけてくれた。

店の灯を落としたあと、伊島だけが残った。

「来なかったな」

伊島はつぶやいた。

奈緒子は聞かなかったふりをした。

伊島は、二階に上がり、仏壇に手を合わせてくれた。彼は、しばらく父親に向かって、話しかけていたようだったが、

「ほめてるよ」

仏壇のほうを向いたまま、奈緒子に言った。

「お父さんも、お母さんも、いままでひとりでよくやったって……奈緒ちゃんのこと、すごくほめてるよ」

奈緒子は声を洩らしそうになった。

あーあーと、幼い子どものように声を上げて泣きたかった。

だが、いったん気持ちをゆるめると、一気に崩れてしまいそうで、唇を嚙んでこらえた。

翌日の午後、約束していた業者が店に来た。売れるものは売り、売れないものは捨てることにして、ほとんど引き取ってもらった。

次の日も、家の整理にあたった。淡々と事務的に動くよう心がけた。おおかたかたづいたのち、十四日の金曜日、前日の雨が上がったこともあり、庭の始末を思いついた。

四季折々の花が咲くよう、丹念に手を加えていた庭も、夏から秋にかけて放っておいたため、ずいぶんと荒れていた。

しかし植物もしたたかで、何もしなくても、コスモスが庭の一角をピンクと白に彩り、誇らしげに揺れていた。

心苦しかったが、園芸用の道具を使って、コスモスをはじめ、伸びている草花をすべて刈ることにした。次の春に向けて咲く準備をしている球根も、残らず掘り起こしてゆく。懸命に育てたものだけに、見知らぬ誰かに踏みにじられるよりは、自分できちんと始末をつけたかった。

庭の端から、刈り取った草花などを、袋につめてゆく。朝からはじめて、全体を見るのに、半日かかった。昼食もとらずにつづけて、二時頃には、家の壁に沿ったあたりを残すだけとなった。

玄関付近から進めてゆき、トイレの前あたりの草を刈っているときだった。

奈緒子は、枯れかけた草のなかに、あるものを見つけて、手を止めた。

風景が揺れ、吐き気をおぼえた。口もとを押さえ、目を閉じた。十分近く、じっとしていた。

どうにか吐き気は治まったものの、どうすればいいのか、頭が働かない。ぼんやりと穴だけでも掘ろうと思いつき、スコップで柔らかな土を掘り返した。

「ごめんね……ごめん……」

謝りながら、穴を掘る。

ずっとこらえていたものが、ついに溢れて、掘り返したばかりの新しい土の上にこぼれた。

球根を埋めるときよりも深く掘り、穴の底に、それを埋めた。

骨だった。

小さな、小さな、骨。

ハムスターの形をしていた。

「ごめんね」

丁寧に穴を埋め戻し、周囲を捜した。

ほかの仔たちはどうなったのだろう……。

すみずみまで捜したが、結局、その一匹の骨しか見つからなかった。


奈緒子は、ふと、梁平に伝えなければと思った。

わたしたちの子どもが、この庭に埋まっていると伝え、祈ってもらう必要がある。

シャワーを浴び、黒いワンピースに着替えた。どうしてそんなことをするのか、自分でもよくわからないまま、布巾で包丁を包み、ハンドバッグのなかに入れた。

黒のコートを着て、バッグを胸に抱えるように持った。

家を出て、多摩桜病院に向かった。梁平はそこにいる気がしていた。

久坂優希という女性が、多摩桜病院で看護婦をしているということは、夏に、笙一郎から聞いていた。直後に一度、奈緒子は多摩桜病院に出かけてみた。病院の正門前まで行って、自分がみじめになり、誰とも会わずに帰ってきたけれど……。

今回は、引き返さなかった。

病院の玄関を入って、受付に進み、久坂優希の名前を出した。以前入院していた父親が、彼女に大変お世話になったと告げて、

「近くを通りかかったものですから、ぜひお礼が言いたくて。久坂さん、いまは何科にいらっしゃるでしょうか」

名簿が調べられ、八階の老年科だと案内された。内線で呼び出そうかと言われたが、

「かえってご迷惑でしょうから」

と断り、礼を言って、受付の前を離れた。

エレベーターのほうへ向かいかけ、不安になった。受付の女性が、奈緒子のことを、不審げに見ていた気がする。もしかしたら受付から優希に対し、注意するようにと電話が行ったかもしれない……。

コートを脱ぎ、左腕に巻きつけるように抱えた。その下でバッグを握りしめて、エレベーターで八階にのぼった。

先にロビーをのぞいた。入院患者らしい数人の高齢者が、見舞いの者と雑談したり、もの想いにふけったりしている。梁平の姿も、看護婦の姿もなかった。

病室のほうへ、面会者を装って進んだ。看護婦に出会うと、会釈をしながら、胸の名札を盗み見た。

ナース・ステーションの前を通った。若い看護婦が、点滴の用意をしていた。奈緒子のことに気づいて、

「ご面会ですか」と言う。

奈緒子は、とっさに、

「有沢、梁平さんは」と訊いた。

看護婦は、小首を傾げ、一方の壁を見た。

患者の名札が病室ごとに掲げられたボードがあった。

奈緒子は、過ちに気づき、慌ててカウンターに近づいて、

「ごめんなさい、間違えました。長瀬さんです。まだ入院なさってますか」

「ながせ……」

「息子さんが、弁護士をなさってる方です」

「ああ、いらっしゃいますよ。この廊下を……」

看護婦は、病室への進み方を、奈緒子に教えた。

奈緒子は、礼をして、

「久坂さんは、いらっしゃいますか。看護婦の？」

「主任補ですか、いらっしゃいますよ。いま、どこにいるかしら……放送で呼びましょうか」

「いいんです。もしもお会いできたら、ご挨拶だけでもと思っただけですから」

奈緒子は教えられた方向へ歩いた。

何人かの患者とすれ違った。奈緒子をじろじろ見る人もいれば、まったく無視する人もいる。

手に洗面器とタオルを持った、入院着姿の老人が、こちらに向かって歩いてきた。奈緒子は、彼の顔を見て、

胸をつかれた。

　父親に似ていた。父が年をとってやせ細れば、こんな感じだったかもしれない。

　老人は、しきりに首を横に振りながら、口のなかで何やらつぶやいていた。奈緒子のほうは、ちらりとも見なかった。

　なのに、すれ違った直後、

「おまえは、ここに来ちゃいけない」

と聞こえた。

　父とそっくりの声だった。

　奈緒子は、驚き、振り返った。

　老人の姿はなかった。

　すぐそばにトイレがあった。そこに入ったのだと、自分に言い聞かせ、教えられた病室に急いだ。

　その病室は、ほかの病室とは少し離れ、廊下を曲がって突き当たりの、奥まった位置にあった。出入口の脇に掛けられた名札に、

『長瀬まり子』

　という名前を見つけた。

　病室のなかから、

「大丈夫ですよ、怖くないからね」

　優しげに言う声が聞こえた。

　奈緒子はなかをうかがった。

　病室は、四人部屋だったが、ベッド二つは空いていた。残るベッドのひとつには、七十歳くらいの細身の老人が横になって、目を閉じていた。枕の代わりに、頭の下に靴を敷いているように見えた。

　もうひとつのベッドに、五十前後かと思う、若々しい印象の婦人が横になっていた。

　面影が、どことなく笙一郎に似ている。

　彼女は、甘えるような目で、自分の血圧を計っている看護婦を見上げていた。

　看護婦の横顔が、ちらりと見えた。奈緒子はもう名札を確認する必要を感じなかった。

　彼女の横顔だけでなく、全体のたたずまいから感じるものは、決して明るくはなかった。潑剌《はつらつ》とした陽気さで人を励ますような、前向きのエネルギーは感じられない。だが、この女性には、自分の傷や弱いところをさらけ出しても、きっと拒否せず、受け入れてくれるだろうと信じられるような何かが、内側からにじんでいる。

　彼女は、きっと多くの人に必要とされているだろう。

　奈緒子は、自分のいたらなさを突きつけられたようで、

胸苦しさをおぼえた。

　コートの下に持ったバッグの口を、静かに開いた。何をするつもりか、意識はしていなかった。自覚しないよう、思考を切っていた。ただ、悲しかった。奈緒子の存在が、久坂優希という存在によって、否定されているように感じていた。

　コートが手にからみ、動きを邪魔した。

　コートを床に置こうとした。背後から、

「久坂さん、なかかしら」

　柔らかな声が聞こえた。

　入院着を着た上品そうな婦人が、杖を突いて、こちらに歩み寄ってくるところだった。

　奈緒子にほほえみかけてきて、

「主任補さん、なかにいらっしゃる?」

　奈緒子は答えられなかった。

　婦人は表情を曇らせた。だが何も言わず、奈緒子に会釈をして通り過ぎ、

「ごめんください」

　病室内に声をかけながら、入っていった。

「あら、岸川さん」

　声が返ってくる。少し低い、落ち着いた声だった。

「夫が仕事が早めに終わったんですって。まり子ちゃんも、庭へ散歩に誘おうって言うから、許可をもらうのに、主任補さんを捜してたの。ちょうどよかった。どう、まり子ちゃん、外へ行ける?」

「ええ。大丈夫です。彼女、喜びます」

「まり子ちゃん、どう、調子は?」

　婦人の言葉に、横になっていた患者のものだろう、くすくすと笑う声が聞こえた。

「病室の外に、若い女性がいらっしゃったけど」

　婦人が言うのを聞いて、奈緒子は廊下を引き返そうとした。だが、いかつい顔をした初老の男性が、廊下の角を曲がって現れ、奈緒子と鉢合わせになった。

　彼は、奈緒子をまじまじと見て、

「お、こりゃまたべっぴんさんだなあ。お姉ちゃん、面会かい?」

　奈緒子はあいまいにうなずいた。

「あの病室は、ふたりしかいないけど。どっちに?」

　すると、病室のほうからも、

「ああ、まだいらっしゃった」

　婦人の声が聞こえた。

　奈緒子は、進むことも引くこともできず、

「……長瀬さんに」

と、男性に答えた。

いかつい顔の男性は、鼻の穴をふくらませ、

「まり子ちゃんの知り合いなの？　おい、まり子ちゃんに、べっぴんさんが面会だと」

病室のほうへ報告するように言った。

奈緒子は、彼に腕を取られて、強引に病室へ導かれた。出入口のところに、久坂優希に違いない看護婦も現れた。

奈緒子は彼女の名札を見た。間違いなかった。視線を上げると、優希と目が合った。

優希が先に会釈をした。

「長瀬まり子さんの、お知り合いでいらっしゃるんですか」

優希が訊く。

奈緒子は、短く迷って、

「いえ、息子さんと」と告げた。

「……笙一郎さん？」

優希の表情にかすかな動きがあった。が、彼女は、すぐに笑顔で、

「会ってあげてください」

からだを内側に引き、奈緒子を誘い入れるような姿勢をとった。

「息子さん以外の面会の方は、初めてですから、きっと喜ばれます」

奈緒子は、困惑しながらも、病室内に進んだ。

「息子さんのお知り合いですって」

優希が紹介するように、患者に言った。

ベッドの女性は、わからないのか、顔をしかめていた。

「お父ちゃんと言わないと、わからないんだよ。自分の息子のことを、息子だと思ってないんだから」

奈緒子の背後で、男性が言った。

彼は、奈緒子の横から顔を突き出し、

「まり子ちゃん。この人ね、お父ちゃんの、知り合いだって。お父ちゃんの、知り合いのべっぴんさん。まり子ちゃんの、お見舞いに来てくれたんだって」

ひと言ずつ区切るようにして、患者に向かって言った。

とたんに、笙一郎の母親の表情がゆがんだ。奈緒子を見上げて、泣きそうな顔で、

「ごめんなさい……ごめんなさい……」

か細い声で、謝りはじめる。

奈緒子は当惑した。

笙一郎の母親は、両手を顔の前に挙げ、祈るように指先を合わせて、

「叩かないで……許して……。お父ちゃん、早く帰ってきて」

必死に訴える。目を閉じて、首を振り、

「押入れはいや、押入れは嫌い。お母ちゃん、どこに行ったの。どうしてわたしを置いていったの……」

ついには、本当に泣きはじめた。

優希が、彼女の枕もとに顔を近づけ、

「大丈夫よ。ここにいるから。安心して。ほら、わたしはここにいるでしょう」

笙一郎の母親は、目を開いた。優希を見て、安堵の息をつく。手を伸ばし、優希の頬にふれる。心から嬉しそうに、ほほえんだ。

「まずいこと言っちゃったみたいだな」

奈緒子の背後で、男性が申し訳なさそうに言った。

彼は、奈緒子のほうにも、

「ごめんなさいよ」と謝った。

「よく確かめてから、そういうことは言わないと」

婦人の、男性を注意する声も聞こえた。

奈緒子は、いづらくなって、

「失礼します。お大事になさってください」

誰にというのでもなく、頭を下げて、病室を出ようとした。

「いや、まあそんな急に。まり子ちゃんも、落ち着くだろうから」

男性がなだめるように言った。

奈緒子は、無理に笑顔を作って、

「いえ。少しご挨拶できればと思っただけですから……失礼しました」

男性をかわして病室を出た。

廊下に出て、足を速めた。

「お待ちください」

背後で聞こえた。優希の声だった。

足を止めず、逃げるように廊下を曲がった。行き止まりだった。スチール製のドアが行く手をさえぎっている。

廊下の角を、逆側に曲がったらしい。

いまさら引き返すこともできない。ドアに肩をあて、強く押した。ドアが開き、階段に出た。すぐに下へ降りてゆく。

コートが腕から落ちそうだった。気づくのが遅れた。踊り場に足を着いたとき、コートの端を踏みつけ、前の

めりに膝をついた。コートの下で握りしめていたバッグも、踊り場の床に落ちた。口が開いていたため、包丁がすべり出た。

刃のところに布巾を巻いているが、柄と形態から、明らかに包丁とわかるものだった。

奈緒子は、あらためて自分のしようとしたことに戸惑い、床に座り込んだ。背後に人の気配を感じた。

首を振り向けた。優希が階段の上にいた。包丁のほうに目をやり、一段ずつ降りてくる。

「……長瀬君とは、どういう」

優希が言った。

奈緒子には、彼女の言葉が意味を持っては響かず、

「ごめんなさい、いきなり……」

口のなかでつぶやく。恥ずかしくもあり、悔しくもあって、顔を伏せ、

「どうか、梁ちゃんと……」

と言いかけたが、あとがつづかない。

「梁ちゃんて……じゃあ、あなたは、有沢君の……」

優希が言った
奈緒子は、目の前の床に広がる、自分のコートを見つめた。ぶざまに倒れた、自分の影のように思えた。

みじめな分身を早く隠したくて、コートを引き寄せる。

「どうして、ぐずぐずしてたんです?」

言葉が勝手に洩れる。コートを胸に抱え込み、

「昔からの知り合いだったら、わたしなんかと会う前に、さっさと結婚するなり、一緒に暮らすなり、してくれてれば、よかったのに……」

喉がつまる。手を伸ばし、包丁の柄をつかんだ。

奥歯を噛みしめ、こみ上げてきたものを飲み下す。

バッグの中身を刺すようにして、包丁をしまった。立ち上がって、バッグとコートを抱え直し、優希のほうは見ずに、

「本当にすみませんでした。今日のことは、笑って、忘れてください。二度とお会いすることもないと思いますから。どうぞ、元気でお暮らしください」

頭を下げた。

「あの……」

優希が話しかけてこようとしたが、

「さようなら」

奈緒子は、さえぎって、階段を駆け降りた。

玄関前に駐車していたタクシーに乗った。

家に帰り着くまでは、まだ自分を保っていた。家のな

かに入ったとたん、気が抜けて、畳の上に倒れた。

喉の渇きをおぼえて、からだを起こした。

周囲が、いつのまにか暗くなっていた。

電灯をつけた。閑散とした部屋に、ぽつんと自分がいるのが認められた。

カウンターの内側に入った。生活するのに必要な食器は残っている。コップに水を注ぎ、一気に飲み干した。どれだけ飲んでも、渇きがおさまらない。

時計を見た。十時を回っていた。時間の感覚があやふやで、どのくらい横になっていたのか自信を持てず、文字盤の下の日付も確かめた。

十一月十四日の金曜日のままだった。

畳のほうに戻り、転がっていたバッグを、カウンターの上に置いた。

包丁を出す。刃に巻いた布巾を取った。

蛍光灯にかざし、刃の輝きを確かめた。

切ったら痛いだろうか。

それ以上に、ほっとするだろうか。

すべての悩み、つらさ、恥、罪から逃れることができて、救われるだろうか。

手首に、そっと刃をあてた。

ひんやりとした冷たさに、安堵の予感と、恐怖を、同時に感じた。

包丁を置き、両手で顔をおおった。

死は怖くはなかった。生きのびたいとは、思っていない。

ただ、ひとりがいやだった。

久坂優希に恥をさらし、そのあと、何もなくなったこの場所で、たったひとり、手首を切って死ぬということが、あまりにみじめで、哀れに思えた。

これでも、懸命に生きてきたつもりだった。自分なりに、人生に誠実であろうと努めてきた。

せめて誰か、気持ちを本当に理解してくれる人に、一緒にいてもらいたい。

それなら、死ぬことも厭わない。

自分は確かに、愚かでつまらない人間かもしれないけれど、そのすべてをひっくるめて、理解してくれる人が欲しい。

わたしが確かに生きていたということを、しっかり認めてくれる人に、そばにいてもらいたい……。

長いあいだ、ずっと望んでいたことは、そういうことだった気がする。

でも、誰が……。

どこの誰が、自分の気持ちを、ほんの少しでも理解してくれるだろう。わたしと一緒にいてくれるだろう。

奈緒子は、迷った末に、電話のところに進んだ。

受話器を取り、番号を押した。

しばらくして、相手は出た。

奈緒子は、深く息を吸い、

「来ていただけますか」

恐る恐る、訊ねた。

4

十一月十五日、土曜日の午後早く、梁平は横浜駅の構内にいた。

すぐにはふたりがわからなかった。

見ないあいだに、ふたりとも、白髪も顔の皺も増え、年をとったと、あらためて感じ入った。同時に、自分が何もせずにきたことに、胸が痛んだ。

梁平がふたりに会うのは、五年ぶりだった。それも、四国に出張の際、少し顔を見せに寄っただけで、ゆっくり会うことなど、七年か、もしくは八年ぶりになる。

横浜駅の改札口から出てくるふたりは、相変わらず、灰色の地味な背広と、同系色のコート、また形の崩れた時代遅れの女性用スーツと、毛羽立ったコートを着ていた。

ふたりのほうは、すぐに梁平に気づいた様子で、養父のほうが先に高く手を挙げた。養母も、照れたように笑い、そっと手を挙げる。

梁平は、ふたりを迎えに進み、

「すぐにわかりましたか、乗り換え」

ふたりが提げているボストンバッグを受け取ろうと、手を伸ばした。養父は、

「いや、大丈夫だから」

と、遠慮しかけた。

梁平は、構わず、ふたりのバッグとも手に持った。

「荷物、これだけですか？　礼服は？」

「式の終わったあとに、みやげものと一緒にまとめて、家のほうに送った。あとは帰るだけだし、面倒だから」

養父が答えた。

「こっちです」

梁平は、ふたりをうながし、駅の出口に誘った。少し

人が減ったあたりで、

「父さん、品川で迷ったの」

養母が言った。

「黙ってろ」

養父がいやな顔をしたが、

「人に訊くのは、田舎者に思われるから、いやだって……田舎者のくせにねぇ」

養母が笑った。

養父は、わざと聞かなかった顔で、

「しかし、元気そうじゃないか」

梁平に言う。

「ほんと、元気そう」

養母も目を細めた。

嬉しそうでもあり、また、まったく故郷に帰らない養子への、恨みがましさも、言葉の底に流れているように聞こえた。

養父は来年の春に定年だった。高松の市役所で、清掃職員として、こつこつ仕事をつづけてきた。退職前に引き継ぎも終え、やるべき仕事もなくなったため、ずっとたまっていた有給休暇を使っての旅行を考えていたという。ちょうど東京で知り合いの結婚式があり、出席ついでに神奈川に寄るが、都合はどうかと、ひと月前に連絡があった。

結婚式は十一月十三日の大安におこなわれるので、一日置いて、十五日に横浜で会おうということになった。

横浜での宿は、梁平が取った。無理をしなくても、梁平のアパートでいいと、ふたりは言ったが、とてもふたりが泊まれるような部屋ではない。

「結婚式は、どうでした」

タクシー乗り場に案内しつつ、訊ねた。

「よかったよ、なかなか」

養父が答えた。気持ちが入っているようには聞こえない。

「大した知り合いでもないから、断れたんだけど……」

養母が苦笑しつつ言う。

結局、ふたりが、結婚式や旅行にかこつけ、梁平に会いにきたということは、彼にもわかっていた。

梁平は、ふたりをタクシーの後部席に乗せ、自分は助手席に乗って、横浜港に面したホテルに向かった。

「仕事よかったの？　忙しいでしょうに」

走りだしてから、養母が言った。

梁平は、首だけ後ろに傾け、

「明後日からなんですよ」と答えた。

「休みをとったのか」

養父が訊く。心配そうに眉根を寄せ、

「仕事が終わったあとにでも、ちょっとだけ会えればよかったんだ。わたしらのことなんかで、そんな有休とったりしたら、市民の方に申し訳ないよ」

養母も、うなずいて、

「あんまり気をつかわないで」と言った。

梁平は、直接それには答えず、

「昼ごはんは、どうします」と訊いた。

午後一時を回ったところだった。

「朝が遅かったんだよ。少し寝坊してね」

養父が言った。

「お疲れだったんですか、どこを昨日は回ったんです？」

「……大して回ってもないんだけど。ふたりとも、なかなか寝つけなくて」

養母が苦笑気味に言った。

「部屋が、うるさかったとか？」

梁平の質問に、養父は答えに困った顔をした。養母も、顔を伏せて、小さく笑い、

「緊張しちゃって……」と言う。

それ以上は語らなかったが、梁平と会うことに対してだということは伝わった。

「昼ごはん、おまえはいいのか。何か食えばいい。こっちはコーヒーでもつきあうよ」

養父が言った。

「いえ。少し前に食べましたから」

梁平は前に向き直った。

横浜港に面した超高層のホテルに、ふたりを案内した。梁平が、フロントに立ってサインをし、カードで払いをすませておいた。ベルボーイに、ふたりをまかせ、港が望めるロビーで待った。

十分ほどで、ふたりが降りてきた。そろって眉をひそめており、

「おい、ありゃまずいよ」

養父が言う。

「何か問題ありましたか」

梁平は訊き返した。

養母が、首を横に振り、

「すごい部屋じゃないの」と言う。

養父は、うなずき、

「ものすごい高さでな、うちの茶の間と寝室を合わせたより、全然広いよ」

「海も見えるし、ボーイさんに訊いたら、三万五千円の部屋だっていうじゃない」

「梁平、だめだ、ありゃもったいない」

「わたしたち、もっと小さな部屋でいいの」

梁平は、ふたりに笑いかけ、

「いいじゃないですか、たまには贅沢しても。せっかくですから」

「でも、贅沢なんて、し慣れてないから。父さん、かえって眠れないかもしれないし」

養母が言う。

養父は、顔をしかめ、

「何を言ってる。酒が入りゃ、どんなところでも眠れるよ」

「こういう人だから、景色なんて関係ないのに……」

「もうキャンセルもききませんから、ぜひ」

梁平は勧めた。

ふたりはなお迷っているようだったが、

「じゃあ、泊まらせてもらうか」

養父がほほえんだ。養母を見て、

「地上百メートルのさ、海の見える部屋に泊まったって言えば、みんな驚くよ」

「そりゃあ……羨ましがられるけど」

養母も、ぎごちなくだが、笑った。

夕食までには時間もあり、梁平は、ふたりを玄関のほうに誘いながら、

「どこか見たいところがありますか」

別にこれといって……と、ふたりはつぶやいていたが、

「梁平の勤めてるところは遠いのか」

養父が言った。

養母も、うなずき、

「神奈川県警のビルって、すごく近代的なビルになってるんでしょう?」

梁平は、ホテルの玄関を出たところで、

「もう県警が勤め先じゃないんです」と告げた。

ふたりが驚いた顔をしたのに、

「いえ、神奈川県警の一員ではあるんですが……今度、平塚署に異動になったんです」と言い添えた。

梁平は、十月末日で捜査第一課の仕事を終え、十一月から平塚署へ異動という命令を、しばらく前に受けていた。ただ十日ほどは、残務整理で、県警本部に残る必要

があり、養父母からこちらへ来ると連絡ももらったため、一週間有給休暇をもらい、十七日の月曜から、平塚署に出ることを願い出て、認められていた。

時期外れの異動となった原因のひとつは、この五月の、連続幼児猥褻の事件だった。

犯人の賀谷に銃を突きつけたのではないかと問題となり、法廷でも不謹慎な言動をとったことで、立場が悪くなっていた。

そして今回、多摩川緑地での中年女性の殺人事件において、梁平は生前の被害者に会っていながら、すぐに報告しなかったことを責められていた。さらに、知り合いという利点も買われて久坂聡志を追っていたはずが、事故とはいえ、結果として供述をとれないまま、彼を死なせてしまったことなどが、上司の印象を悪くしていた。

異動については、久保木係長もかばってはくれず、伊島ももう黙っていた。

多摩川緑地での事件は、現在も捜査中だが、捜査第一課は引き上げ、幸署の専従班が地道に犯人を割り出そうとしている。

久坂家が焼失した事件では、放火の被疑者を久坂聡志とする書類が、検察庁に送られたが、やはり起訴は見送られたらしい。送検された書類のなかでは、志穂の殺害についても、彼の犯行を匂わせる記述があったという。だが、どう書かれていたにしろ、公の捜査は終わっていた。

「じゃあ、もう刑事じゃないの？」

タクシーに乗ってから、養母が言った。表情が少し明るかった。

梁平は、助手席から振り返り、

「いえ、刑事課ですから」と答えた。

養母の表情がすぐに翳る。

「やっぱり怖い人たちを追いかけるの？」

「大きな事件は、それほどは。管内の強盗とか、傷害とかを、こまごまかたづけてゆく仕事です」

「でも、危ないことには変わりないんでしょ」

「母さん、おまえがこっちに出てから、ずっとそのことを心配してたな」

養父が口をはさんだ。苦笑を浮かべて、

「刑事ドラマなんて見やしない。たいてい犯人や暴力団に撃たれる警官が出るだろう？　作り物だっていうのに」

最初に警察学校を受けると言ったときも、養母は賛成

しなかった。はっきり口にしてではない。もう少し安全な職場でもいいんじゃない、と言った程度だった。

梁平は、優希のそばに行ければよかっただけで、無理に警察官を選ぶ必要はなかった。だが、養母に賛成されていないと思うと、逆にかたくなになった。反発というより、自分のような天《あま》の邪鬼《じゃく》は早くあきらめてほしい、見捨ててほしいという気持ちのほうが強かった。

「とにかく、無理はしないでね」

養母の言葉に、梁平はあいまいにうなずいた。

外人墓地の手前で、タクシーを降りた。

三人で、外人墓地から、港の見える丘公園のほうへ歩いた。

葉の落ちた樹木が多いなか、サザンカが真っ赤な花を咲かせているのが、目をひいた。

フランス山のほうへ進みながら、横浜港を眺めていたとき、養母がため息をついた。

「疲れましたか」

梁平が訊いた。

養母は、首を横に振って、

「思い出しちゃったの」

と言う。周囲の樹木や、草が茂ったあたりを見回して、

「山に登ったでしょ、昔。四国の霊峰……。お遍路さんも登っているのは、知っていたから、わたしたちでも登れるかと思ったら、けっこう大変だった。それに、梁平ちゃん、途中でいなくなるし」

「ああ、ありゃ大変だったな」

養父が相槌を打った。思い出すように遠い目をして、

「梁平は、禁じられてたはずの鎖場を、勝手に登ったんだ。確か、ほかにもふたりの子が、鎖場を登ったんだよ。女の子のお父さんと、わたしが鎖場に回って、ほかの人たちは迂回路を急いで登ったんだが……あの鎖が怖くってなぁ。子どもなのに、よく登ったよ」

「あとで、つらい事故も起きてしまったし……」

「ああ、ガスが出たからな。しかし、何も見えないんだから、あの男の人もじっとしていれば、事故にはならなかったはずだよ。何をしようとしたのか……。いまさら言っても、しようがないが」

梁平は、その話がつづくのを恐れ、

「行きましょう」

ふたりをうながして、先に進んだ。

途中で一度休んで、坂を下り、港の前に出た。

喫茶店でコーヒーを飲むうち、日が傾いてきた。

山下公園に入り、氷川丸も見た。

三人で、ゆっくり観光地を散歩するなど、彼らの家に入って十七年間、一度もなかったことだった。梁平が避けていたためだ。中学や高校の頃、何度も旅行に誘われながら、彼はいつも断ってきた。

いまの自分たちを、第三者が見れば、きっと仲のよい家族に見えるだろうに……。

ふたりの横顔をうかがうと、複雑な笑みを浮かべて、それぞれの想いに浸っているようだった。

暗くなる前に、タクシーでホテルに戻った。最上階にある中華料理の店の、窓際の個室を、梁平は予約していた。

座敷に上がりながら、

「こんなところ、本当にいいのかい」

養父が恐縮したように言う。

「靴、もっといいのをはいてきたらよかった」

養母が、養父の脱いだ靴をそろえながら、情けなさそうに言った。

彼女は、接客の女性がいったんさがったあと、ハンカチを出して、夫の靴だけでもと拭いた。

「ほら、梁平に恥をかかせちまうだろ」

養父がうながし、彼女もようやくからだを起こした。

この日、空気が冷たく冴えていたため、ベイブリッジの照明が鮮明に見えた。

「若い人に、人気のある橋なんだろ」

養父が言う。

「ほんと、立派なもの造られてねぇ」

養母も、調子を合わせて、

「瀬戸内海にも、どんどん橋が架かってるから、こっちからも帰りやすくなるはずなのよ」

明るい口調のまま言う。

「まぁ、警察の仕事だと、普通の会社員みたいに、盆暮にとはいかないさ」

養父が、梁平に負担をかけないよう気づかってか、言葉をつないだ。

梁平は、笑みを返しただけで答えず、ふたりにメニューを見せた。

彼らは、困ったように顔を上げ、

「わかんないよ、こういうところは。それに、すごく高いじゃないか」

「本当……スープが二千円だって」

「中華なんて、ラーメンと餃子《ギョーザ》くらいだよ」

「でも、結婚式で、フランス料理を食べたことはあるじゃない。一昨日も、ちゃんとフォークとナイフを使えたし」

養母がとりなすように言った。恐縮じ過ぎてもと思ったらしい。

養父も、少し胸を張って、

「そりゃ、高級な店に入ったことがないわけじゃないよ。寿司屋とか、小さな料亭とか、仲間とよく行った店も、一応割烹って名乗ってたし。梁平を連れていったこともあるよな」

梁平は、うなずき、

「ありましたね」

養父は、顔を輝かせ、

「おぼえてるかい」

「おぼえてますよ」

「寿司屋とさ、うなぎ屋、ステーキ屋も入っただろ」

養母が、苦笑して、

「数えるほどだったじゃない」

「おいしかったですよ」

梁平は言った。

「ほんとかい」

養父は顔をほころばせる。

「お世辞に決まってるじゃない」

養母が、養父の膝を叩いて、

「喜ばさないの、あとでうるさいから」

梁平に注意したが、彼女の目も笑っていた。

料理はコースにした。ビールを頼んだ。

ビールをふたりに注ぐ。初めてだと思った。ふたりからも注がれた。彼らからは、数えきれないほどジュースや麦茶など、気がつくといつも注いでもらっていたのを思い出す。

「定年のあと、どうするんですか?」

梁平は訊ねた。

養父は、もったいなさそうに、ゆっくりとビールを半分ほど飲んでから、

「友人から誘われてる仕事があってね……運転手だけど」

「タクシーか、何かですか」

「いや、バス」

養母が、首を横に振って、

「ワゴン車よ。特別な昇降機がついてるけど」

「重い障害を抱えた年長の子どもさんをね、各家庭から、

民間の施設に連れてくんだけど……。なんて言った」

「デイサービス。みんなでゲームをしたり、食事をしたりするらしいの。ふだん世話をなさってるご家族に、休んでもらうのも大事みたい」

「いい施設だと思うのに、町なかになくてな。車を運転できない年配の親御さんや、働きに出ないといけない親御さんもいるから。子どもさんを外に出してやりたいと願っていながら、どうしても引きこもるケースが多いらしい。だから、車で送迎するのを手伝ってくれないかって……役所で、福祉をやってた友だちの話でさ」

「仕事といっても、お金にはならないんだけど」

「どれだけいい施設でも、民間だと任意事業だからって、補助金が出にくいんだよ。出すところには、出すんだけどさ。なんだか、多くの人が、前ばかり見てる気がするよ……これからも、前ばかり見てゆくのかね」

「うちは年金もあるから、夫婦ふたりが生活するには、困らないと思って」

「まあ、せめて最後くらい人の役に立たないとな」

養父が言ったあたりで、料理が運ばれてきた。

並んでゆく料理に、ふたりは、目を見張り、感嘆の声を上げた。食べはじめると、おいしい、素晴らしいと、まるで梁平への賛辞のように、繰り返す。

「やっぱり、こういう店のコースだと、焼き餃子とかはないんだな」

養父がつぶやいた。

「頼みますか。ふかひれや海老の入った、蒸し餃子があると思いますよ」

「いや、いいんだ」

養父が手を振って止めた。照れたように笑い、

「ちょっと思い出しただけ。タレに、酢醤油《すじょうゆ》を使うってこと……」

養母も、ああそれか、という顔をした。

「なんですか」

梁平は訊いた。

「ソース、使ってたらしいの」

養母が言う。

養父は、苦笑し、

「おれの子どもの頃は、田舎だったし、餃子はまだ一般的じゃなくてね。うちは、母親とふたりだし、地味な人でね、外で餃子を食べることもなかった。あるとき、料理番組で、餃子の作り方をやっててね、おいしそうに見えて、母親に頼んだんだ。母親も、見よう見真似で、作

ってくれて……そのとき、何につけて食うのか知らないから、おれと母親は、ソースをかけて、食った。うまかったよぉ。以後、何度も作ってくれたけど、うちでは、餃子は、ずっとソースだったんだ」

「でも、お友だちの前で恥をかいてね」

養母がおかしそうに言葉をはさむ。

「うん。中学三年だったかな、初めて仲間とラーメン屋に入って、餃子を頼んだ。で、酢醤油しか置いてないから、ソースはないのって、おれが怒鳴ったんだ。友だちは笑ってな……。実際、酢醤油のほうがおいしいよ。でも、そのときはさ、本当はソースのほうがおいしいんだって、無理やりソースをたっぷりかけて、食ってやった。母親には、結局、最後まで言わなかった……。死ぬまで、母親は、餃子はソースで食うと思ってたんだ」

養父は、ハハと笑って、いきなり目もとをぬぐった。

食事が終わったあと、梁平は、同じホテル内のバー・ラウンジに、ふたりを誘った。

「こういうところも、たまにはいいでしょ」

ボーイにチップを渡して、窓際の、静かな席を用意してもらった。

ふたりが何でもいいというので、水割りを三つ頼んだ。

ピアノの弾き語りが聞こえてくる。

「こんな恰好で来ちゃって」

養母が恥ずかしそうに言う。

「大丈夫ですよ、客なんですから」

梁平は励ますように言った。

養父も、大きく息をついてから、

「まあ、今夜は梁平に甘えて、ゆっくり楽しもうか」

「……そうね」

養母もうなずいた。

横浜港に面した窓の外の風景を、しばらく三人で眺めた。港を彩るライト、港内を行き来する船の灯火、ベイブリッジ。暗く沈んだ海に、それらの明かりが映って、色が重なり、揺れている。反対側の窓から見えるはずの、横浜スタジアムの話も出て、

「野球、いまでも好きですか」

梁平は養父に訊いた。

「いやぁ……もう、ほとんど見ない」

「一度、ふたりは野球に行ったわよね」

養母が思い出したように言った。養父を見て、

「確か、梁平ちゃんが中学二年のとき。地方の球場だから、平日にオープン戦があって。父さん、仕事をずる休

みして、梁平ちゃんにも学校を休ませて……父さん、仕事をずる休みしたの、あれだけだったね」

　養父は、肩を落として、

「試合がつまらなくてな……梁平には、退屈だったな」

「そんなことないですよ」

「なんとか、親の真似をしようと無理をして……かえって、いつも、おまえを困らせてた」

「いえ……」

　養父が水割りを空けた。ボーイがすぐに近づいてくる。梁平が代わって、おかわりを頼んだ。養父は、二杯目も、置かれるなりすぐに半分ほど干して、

「梁平……」

　思いつめたような声を出した。意を決したように、大きく息を吐き、

「この際だから、訊いておくが……本当の両親の、いまのことを、知りたくはないか」

　梁平はふたりを見た。

　ふたりとも目を伏せていた。

「父親が、いまどこにいるかとか……母親が、どんな暮らしをしているかとか。もし、知りたいのなら……」

「いいです」

　梁平はさえぎった。息が切れそうになる。叫びだしたかった。水割りをあおって、どうにか感情を抑え、

「自分の親は、ふたりだと思ってますから」と告げた。

　短い間があってのち、ふたりの薄くほほえむ気配が伝わってきた。

「そういうことを言われると……きっと嬉しいだろうと思ってたけどな……」

　養父がつぶやく。

「嬉しいわよ」

　養母が小さく言い返した。

　梁平は、自分の言葉に、真情がこもっていなかったのだろうと悟り、

「すみません」

　頭を下げた。

「梁平ちゃん、優しいから。わたしたちを、傷つけないように気をつかい過ぎ」

　養母が声を明るくして言った。

「そんなこと、ないですけど」

　梁平も二杯目の水割りを頼んだ。運ばれてきたところで、

「結婚は？」

養母が訊いてきた。

「相手は、もういるんでしょ」

「いえ……」

梁平は言葉を濁した。

「わたしたちのことが問題になってるんじゃないかって、父さん、心配して。最近は、戸籍のことなんて、こだわらない人のほうが多いんだから、心配ないって言うんだけど」

「ふたりのことで、問題なんてないですよ。あるとすれば、自分だけの問題で……」

伊島から、『なを』が閉店するということは聞いていた。閉店の日には、一緒に行こうとも誘われた。

だが、行かなかった。どんな顔をして、奈緒子と会えばいいのかわからなかった。彼女は家を売って、北海道に行くらしいという話も聞いたが、からだは動かなかった。

「でも、いつかは結婚するつもり？」

養母の言葉に、梁平はピアノの弾き語りに耳を傾けるふりをした。

嫁を、なにより孫の顔を見せてほしいという彼らの想いは、ずっと感じてきた。梁平にはそれが負担だった。

「このところずっと考えてきたの……梁平ちゃんは、別に結婚なんてしなくても、いいんじゃないかって」

梁平は彼女に目を戻した。

養母は、言葉を探しているらしく、何度もまばたきをし、

「あなたが、昔ひどく傷ついてたこと、わたしたちは知ってるし……あの病院でも、たくさんの傷ついてた子どもを、見たんだもの。結婚とか、家族から逃げるなんて、とても言えない……。いまは、逃げたって、いいと思ってんの。逃げてると思うことで、自分を責めることがあるんじゃないか……結婚して子どもを持って、人は一人前だって常識を、憎んだり反発したりすることで、自分を窮屈にしてしまうことも、あるんじゃないかって、そう思ったの。結果として、その気がなくても、自分や、誰かを傷つける場合があるかもしれない……」

彼女はいったん言葉を切った。水割りに、少しだけ口をつけ、

「梁平ちゃん、わたしたちと、ずっと距離を置いていたでしょ？　責めてるんじゃないの。いまでは、思うのよ。梁平ちゃんが、距離を置いていたのは……なじめないってこと以上に、わたしたちを傷つけるのがいやで、なる

べく離れていようとしたんじゃないかって……」

「なじめるような夫婦じゃなかったのが、一番なんだろうけど」

養父が自嘲気味に言った。

養母は、まっすぐ顔を、梁平のほうに上げた。瞳がかすかにふるえていた。

「同じようにね、好きな人とも距離を置いてしまうことが、あるんじゃないかと思ったの。でも、気をつかい過ぎるあまり、より深く、相手を傷つける場合もあると思うのよ。結婚しなくても、家族を持たなくてもいい。でもね、できれば、一緒に生きる相手は見つけてほしい。相手を認めることと、相手から認められることが、生きてゆくには、大事だと思うもの。ひとりで踏ん張ろうとし過ぎると、自分はもちろん、やっぱり誰かを傷つける気がする。すべてを、ひとりで背負って、解決しようとするばかりが、大人のやり方じゃない。人を信頼して、まかせたり、まかせられたりできるのも、ひとつの成長かなって思うし。ゆっくりでもいい、自分を開いてみたら、どう……人にすべてを託して甘えることを、自分自身に許してあげたら、どうかしら……」

彼女は、そこまで言うと、声をつまらせ、顔を伏せた。

ピアノの音がやけに大きく聞こえてきた。

養父が、いきなり笑いだし、

「そんなおまえ、急に偉そうなこと言うなよ。おれも、戸惑っちゃうよ」

「そうね」

養母も照れたように笑った。

だが、すぐに手で目頭を押さえ、

「あれも伝えたい、これも伝えたいって、いろいろ考えちゃって……ごめんね。勝手にべらべら……」

「まいっちゃうよ、まったく」

養父が苦笑を浮かべた。上着のポケットからハンカチを出し、彼女に渡した。

「母さん、梁平のおかげで、頭使って、いろいろ考えるようになってさ……おれは、なんか、全然置いてかれてるよ」

彼は、空のグラスを振って、三杯目の水割りを頼んだ。

ラウンジは十一時に閉まった。

三人は、部屋に戻った。養父は酔って、足がふらつくため、梁平が腕を貸した。

養父をベッドに寝かせると、

「お茶でも、飲んでいきなさい」

養母に勧められ、梁平はソファに腰を下ろした。

「父さん、お茶」

養母が声をかけた。

養父は、からだを起こし、満足そうな吐息をついて、

「楽しかったよ、ありがとう」

梁平に頭を下げた。

「本当。ありがとうね」

養母も、梁平の向かいに腰を掛けて、頭を下げた。

「おい。おみやげ、出さないか」

養父の言葉に、彼女が、そうそうと、ボストンバッグのなかから包みを出し、

「讃岐《さぬき》うどん。いまどき、こっちでも買えるからって言ったんだけど」

「この店のは、よそには出てないのさ。梁平が、ここのがおいしいって言ってたから」

「高校生のときでしょ。もう、車でわざわざ一時間もかけて、買いにいったの」

「そういうことは言うな」

養父がたしなめるが、養母は、笑って、

「少し多いだろうけど、誰かと食べて」

梁平の前に差し出した。

梁平は、礼を言って、

「もっと、時間をとって、いろいろ案内すべきだとは思うんですけど」

養父が赤い顔の前で手を振った。

「いや、もう充分。何年分も楽しんだよ。ありがとう。嬉しかった。仕事をさ、頑張りなさい。大切な仕事なんだから」

「からだに気をつけてね」

養母が言い添える。

梁平は、立ち上がりかけたが、迷い、思い切って、

「田舎に帰って……職、あるかな?」

ふたりに訊ねてみた。

えっと、ふたりが同時に訊き返す。

「向こうで、職ありますか」

重ねて訊いた。

「職って、警察かい?」

養父が言う。

「いえ。一般の……普通に生活できるだけの金が得られれば、それで……」

養母が、梁平と養父を交互に見ながら、

「どうだろ、不景気だけど、若いし、梁平ちゃん、から

だはがっちりしてるし。父さん、それなりに顔は広いし」

と早口に言う。

「いや、あるよ。そりゃ、その気になりゃ、いくらだってあるさ」

養父も、何かを逃すのを恐れるように、早口で言った。

養母は、梁平のほうを見て、

「そんな気が、あるの？」

不安げな表情の底に、期待が溢れているのが伝わり、心苦しくなる。

すぐに答えなかったためだろう、養父がつめていた息を大きく吐いた。

「またまたぁ……驚かすなよ。ちょっと言ってみたんだろ、親孝行気分で」

「そうなの？」

養母がなお期待を込めて訊く。

梁平が答える前に、

「気をつかわないでいいんだよ」

養父が言う。

「おまえは、おまえの人生をしっかり歩けばいいんだ。もし疲れたんなら、別だが……こっちを気づかう必要はないよ」

彼は、養母のほうを見て、

「この人と、やってゆくさ。最後まで、やってゆけるよ」

養母は、寂しげに顔を伏せ、

「お互い、頼りないけど」

養父は、ほほえみ、

「警察官なんて、誰でもが、なれるわけじゃない。きっと、その気になれば、たくさんの人を助けられる。人の暮らしのなかで、何が本当の幸福となるのか、おまえが真剣に考えれば、考えるだけ、実際にそれが生かせる仕事なんだ」

「この子は、大丈夫よ。自分のことばかりにかまけるような子じゃないから」

「もちろんだ。おれたちとは違うもの。おれたちに似てたら、こうはいかないよ」

養父は軽い冗談口調で言った。赤い顔を両手で二、三度こすり、

「おれは、小心者だからな、結局何も人のためになるようなことができなかった。自分たちの暮らしで、精一杯でさ。怒鳴ったり、叫んだり、つまんないことでうじうじ泣いたり、笑ったり……そんな暮らしだったよ。自分

のことしか見えない、狭い、小さい人間だったから……。よかったよ、似ないでよかった。まぁ、戸籍だけの親子だから、似るわけもないいんだけど」

「……そんなことないですよ」

梁平は、伏せた顔を、横に振った。

「いいんだよ」

養父が言う。

「いいのよ」

養母が言う。

梁平は、もらった讃岐うどんの包みを、握りしめた。たかだか千円か、二千円のみやげを買うためだけに、車で一時間走る人たちだと思う。

自分は、かつて、病院を出るためだけに、この人たちを利用したというのに……。

「おれは……あなたたちに、似たかったですよ」

喉がつまり、声がかすれた。溢れる感情を押し戻すことができない。むしろいまは、表にあらわしても許される気がして、

「双海病院の、運動会のとき……母さんが作ってきてくれた、弁当のことは、いまも忘れられないですよ。おれに、おれなんかに精一杯、気をつかってくれて……。おれは、あなたたちのように生きたかった……似たかったよ……本当に、似たかったですよ」

顔を上げられなかった。

ふたりの息づかいだけが聞こえた。

しばらくして、

「ありがとう」

養父の声がした。

「ありがと……」

養母の声はつまって、最後まで聞き取れなかった。

梁平は、ホテルを出てから、タクシーには乗らず、夜風にあたりながら歩いた。

イチョウ並木がつづく人けのない道を、あてもなく港のほうへ向かった。

イチョウは、葉の半分以上が枯れ落ちて、歩くたびに、道の上の枯れ葉がかさかさと乾いた音をたてた。

退職を、本気で考えていた。

自分が、日々の暮らしのなかで、本当に何を望んでいたのか。あらためて問えば、現実的ではない、夢物語的な幻想を抱いていただけのように思う。

優希には、笙一郎がいる。

もともと自分にこそ資格はなかった。

現実の暮らしを、たかをくくらず、地に足を着けて引き受けてゆくことを考えれば、浮かんでくる顔は、やはり奈緒子だった。

しかし、いまさら奈緒子に何を言えるのか。傷つけ、放り捨てて、ずっとかえりみなかったくせに……。

甘えていた。ずるくもある。だが、養母の言葉が支えになった。甘えることを、自分に許したい。

奈緒子は、いったんは、自分を受け入れてくれた人だった。許しを求められる、また許されることを願える、唯一の人のように思えた。

港に向かう道から引き返し、表通りに出た。

電話はとても掛けられず、タクシーをつかまえ、直接彼女の家に向かった。

少し手前で車を降り、家の前まで歩いた。

店の看板代わりだった、『なを』と書かれていた電球が外されている。

二階の部屋に、明かりが灯っていた。

木戸に手をかけた。鍵はかかっていなかった。裏口に回ることも考えた。こそこそするようで嫌悪をおぼえ、そのまま表から進んだ。

二階からの明かりで、ぼんやりと庭の様子が浮かび上がっていた。あれほど豊かに色づいていた庭が、いまは見る影もない。草花はほとんど刈られ、むき出しになった土が、さらに掘り返された状態だった。

玄関の戸に手をかけた。ここも鍵がかかっていなかった。

なかに入った。階段の上から洩れてくる光で、食器棚や業務用の冷蔵庫などがなくなっているのが見てとれた。

梁平は、たたきから、

「こんばんはー」

二階に声をかけた。間の抜けた挨拶だと思ったが、ほかに思い浮かばなかった。

靴を脱いで、上がった。階段に足をかけ、

「奈緒子」

と呼びかけた。

返事の代わりに階段が軋って、きいと鳴った。

何度も彼女にふれた。

揺さぶり、撫で、叩くことさえした。

「どうして」

彼女の胸を押す。頬を両手ではさみ、強くこすった。

髪をかき上げ、

「奈緒子」と呼ぶ。

答えはなかった。

梁平は、彼女から離れて、壁にもたれた。

顔を両手でおおった。長い時間、同じ姿勢でいた。

あえぐように息をつき、手を下ろして、あらためて奈緒子を見た。

黒いワンピースを着て、布団の上にじっと横たわったままでいる。

梁平が、揺さぶったため、腰のところからわずかにからだが斜めによじれ、長い髪が布団の外に流れている。

ふたたび、彼女のそばに這ってゆき、ほっそりとした顔を上から見つめた。

まぶたを固く閉ざしている。その薄いまぶたに指でふれ、

「起きてくれ……」

指先に神経を集め、まぶたの下で、彼女の目が動くのを感じようとした。

指には、冷たさしか伝わってこない。

彼女の額に手を置き、髪の生え際のあたりを、何度も撫でた。髪のあいだに指をすべり込ませて、形のよい小さな頭にふれる。

こらえきれなくなり、彼女におおいかぶさるようにして、首の下と、膝の下に、手を差し入れて、自分の膝の上に抱き上げた。

頬ずりをし、頬に唇をつける。鼻に、閉じたまぶたの上に、唇を押しつける。

「おれのせいだ」

冷たい唇に、唇を重ねた。

「許してくれ……」

梁平は、奈緒子を抱きしめ、子どもをあやすように、ゆっくりと揺らした。

彼女のからだの脇に垂れた手が、力なく揺れ、細い指が、そのたび梁平の膝にふれた。

第十四章　一九八〇年　春

1

養護学校分教室の図書室は、二階、東側の角にあった。

優希は、放課後、人けのない階段をのぼって、図書室に入った。

室内は空調設備がないため、床の冷たさが、上履きの底を通しても感じられる。

二月三日、瀬戸内海に面した場所なのに、今年になってもう五度目の雪の日だった。それでも例年よりは、暖冬のほうだという。

一月半ばに予定されていた優希の退院は、延期されていた。外泊も、ここしばらく許可されていない。

正月明けに自宅から戻ってきて以降、カウンセリングの際、彼女はひと言もしゃべらず、心理検査も拒否していた。グループ・ミーティングも、ただ座っているだけで、自分から話すことはなかった。食事もよく残している。

「このままだと、春の新学期までに退院できないよ。今度、中学生になるんだろう?」

前回のカウンセリングのおり、黙っている優希にじれた様子で、担当医の小野が言った。

中学校のことは、雄作も口にした。

雄作と志穂は、毎週面会に訪れていた。正月明け以降の優希の変化を聞いてか、志穂はほとんどいつも黙っていたが、雄作は心配そうに、しきりに話しかけてきた。

雄作は、優希の進学のことについて、地元の教育委員会や学校に確認をとったらしい。春までに退院できれば、すんなりと地元の公立中学校に入学できるという。

「私立じゃなくて、残念だけどな。本来の優希の成績なら、間違いなく私立に行けたんだ」

雄作は悔しそうに言った。

優希自身は、中学校のことなど、どうでもよかった。

四月のこととはいえ、永久に訪れることのない遠い未来としか感じられない。自分にも将来があるという、実感が持てなかった。

いま実感として胸に迫るのは、雄作が訪ねてくることへの不安だった。彼の存在や行為にではなく、ジラフとモウルが、彼に対して、どういう行動をとるのかわから

ず、落ち着かなかった。

ふたりは、何度も優希に、

「あいつをやる」と言った。

自分たちのためでもあるという。

「三人を救うためには、やらなきゃいけないんだ」

自分自身に言い聞かせるように、彼らは繰り返した。

彼らの言葉に、優希は反対しなかった。初めて明かされた日から、ずっと反対できなかった。

反対することは、父親の行為を許したことになる気がした。

殺人を犯すということの、現実感が乏しい一方で、彼の行為を許せば、自分がさらに醜く汚れるという感覚は、耐えがたいほど強かった。

だが、ジラフとモウルが実際にどんな行動をとるつもりか、この一カ月、彼らは具体的なことを何も語らなかった。

それが今日、ふたりは授業中に話しかけてきた。放課後、グループ・ミーティングがはじまるまでの自由時間に、図書室に来てくれという。

うずうずして、待ちきれない様子のふたりに、優希はいやな予感がした。行きたくなかった。恐ろしい話など聞きたくない。だが、足を運ばずにはいられなかった。

図書室といっても、普通の教室に、本棚が幾つも置かれているだけだった。閲覧用のスペースもなく、子どもたちは、本を借り出し、病室に持ち帰って、読むことになっている。

部屋に入ってすぐ脇に、机が一脚あり、ペンと貸出しノートが置かれていた。借りる者が、本の名前と整理番号、自分の病棟と名前、日付を書くだけでよかった。

しかし、漫画の類は一冊もなく、様々な辞典や、学習をうながすような本、郷土資料、小説は選定図書や児童文学全集といったものばかり。画集や写真集もあったが、派手な印象のものがないためか、子どもたちにはあまり人気がなかった。

たまにいる本好きな子は、安静が必要な場合が多く、看護スタッフらに頼んで借り出してもらうため、図書室には、ふだん人の気配はなかった。

「いるの？」

優希は小さく呼びかけた。奥へ進みながら、

「いないの？」

「こっちだよ」

ひそめた声が返ってきた。

部屋の一番奥の隅に、ジラフとモウルがしゃがんでいた。出入口のところからは、本棚が邪魔をして見えない場所だった。

ふたりとも、膝を胸に引き寄せ、互いの肩をつけ合っている。

「何をしてるの」

優希は訊いた。

ジラフが、小刻みに膝をふるわせ、

「寒いんだよ」

モウルは、自分の腕をこすりながら、

「じっとしてたから、冷えてきちゃったんだ」と言った。

ジラフは赤のブルゾンを、モウルは青のウインドブレーカーを着ていた。だが、その下は、優希が着ているようなセーターではなく、夏用のポロシャツやTシャツだけの様子だった。

病棟内はもちろん、養護学校の教室も、空調設備が整っている。ふだんはセーターなど必要ないが、ここは確かに寒かった。

「じゃあ、ほかの場所に行く?」

優希が言うと、

「だめだよ」

ジラフが首を横に振った。

「例の話なんだ、どこでも話せることじゃない」

モウルが神妙な口調で言った。

優希は、予想があたったと思い、いますぐ外へ飛び出してゆきたかった。が、彼女が動きだすより先に、

「誰もいなかった?」

モウルが訊いた。

ジラフが確かめにいった。戻ってきて、

「誰かが入ってきたら、ノートが落ちるように仕掛けておいた」

「じゃあ、はじめようか」

モウルが切り出した。

ふたりの視線を受けて、優希は彼らの前にしゃがんだ。

「ずっと考えてたんだ、やり方のこと……」

モウルが説明をはじめた。

ふたりはいろいろと方法を話し合ったらしい。

たとえば、紐や鎖を首に巻きつける……ナイフか包丁で刺す……毒物を飲ませる方法や、自動車のブレーキに仕掛けをすることも、考えたと言った。

「方法は、いくらだってあるんだけどね」

モウルは声を落とした。

検討してゆくほど、大人の男を相手にするとなると、現実的に難しいことがわかってきたという。

なにより、どこでやるか、場所が問題だと語った。

「あいつが面会に来たときしか、いまはチャンスがないだろ」

ジラフが言葉をはさんだ。

「こっそり近づくことなんて、とてもできないからね」

モウルが首を横に振った。

じゃあ、あきらめたというのか……。

優希は、ほっとし、力が抜ける気がした。

だが、すぐに胸が熱くなるような焦りをおぼえた。だったらどうすればいいのと、叫びたくなる。

複雑な想いで、ふたりを見つめた。

モウルが、優希の前に、厚い大判の本を置いた。

険しくそびえる山の姿が、目に飛び込む。

茜色《あかね》に染まった雲のあいだを貫くようにして、岩の峰がそそり立ち、頂上付近は風があるのか、白いしぶきのように、雪が舞っていた。

その写真が飾られた本の表紙には、『神々の山』と、タイトルがつけられていた。

「ジラフと一緒にテレビを見てたんだ。山で遭難した人のニュースだった。町からも近い低い山なのに、ガスに巻かれて、足を踏み外したらしい。で、思いついたんだ」

モウルが言った。

ジラフが、写真集のページを開き、

「モウルと、山の本を探してたら、これが見つかったのさ。日本中いろんな場所に、神様の山って呼ばれてるところがあるんだよ」

彼は次々にページを開いてみせた。

国内の様々な地方で、神の山と呼ばれている山々の写真が、優希の目に入ってくる。それぞれに、峻厳《しゅんげん》であったり、神秘的な雰囲気を漂わせていたりする。こんもりとした、愛らしい感じのものもあった。

ジラフが手を止めた。

開かれたページには、『四国・石鎚山《いしづち》』と書かれていた。

写真の撮り方にもよるのだろうが、なだらかな山並みがつづいている中央に、いきなりその部分だけが突出した形で、頂上が鋭くとがった山が、高く、空へと突き上げている。

左右のページに、夏と冬の写真が一枚ずつ掲載されて

いた。

夏は、ごつごつした感じの岩がむき出しになっている頂上付近を残して、山肌全体が濃い緑におおわれ、山裾は白い霧によって隠されている。

冬の山は、頂上も白く雪におおわれ、木々の緑がすべて樹氷に変わっていた。暗い空の下、純白のとがった毛を持つ獣が、じっとうずくまっているように見える。

「この山さ。第八病棟が、春と夏に登る、神様の山は」

ジラフが言った。

「きみも登りたいって言ってたろ」

モウルが訊く。

優希はうなずいた。

写真には、『西日本最高峰』という一文も書き添えてあった。

「図書室には、この霊峰への登山に関する文集が残されてるんだ」

モウルが言う。

「文集?」

優希はふたりを見た。

ジラフが、うなずき、

「山に登った連中が、書いてんのさ。遊びで登るわけじゃないから、登ったあとに感想文を書かされるみたいでさ」

「それを集めて、こういう本にしてるんだ」

モウルが、優希の前に、週刊誌のような小冊子を置いた。

二冊、三冊と重ねてゆく。どの表紙にも、手書きによる山のイラストが描かれ、『霊峰』と、大きく書かれてあった。たぶん、この小冊子の名前なのだろう。隅に、年度と、春か夏かの季節が書き込まれていた。

「付き添った保護者の感想や手紙なんかも、一緒にまとめられているんだよ」

モウルが言った。

「読んだの」

優希は訊いた。

「大変だったぜ」

ジラフがうんざりした声で言った。わざとらしく顔をしかめて、

「この文集自体の数が多いし、なかに載ってる感想文もいっぱいあるしさ。親たちの手紙は、読めない漢字がどんどん出てくる」

モウルは、小冊子を幾つかめくってみせ、

「登ってるあいだはつらかったけど、頂上に立ったときは感動したって……そんな感想ばかりだけどね。親たちも、いい経験をしたとか、子どもにも自信がついてよかったなんて、全部、似たりよったり」

「けど、苦労した甲斐があってさ、探してたものも見つかったよ」

ジラフが、別に用意していた小冊子を、優希の前に差し出した。

ところどころに、栞《しおり》がはさまれている。

ふたりの視線にうながされ、優希は栞がはさんであるところを開いてみた。

並んでいる字を、いくら目で追ってみても、ふたりの意図がわからないため、頭に入ってこない。

優希は、困って、ふたりを見上げた。

ジラフとモウルは、それぞれ小冊子を手に取り、交代で、栞のところを小さく声に出して読みはじめた。

「白いガスが、急に登山道を隠して、何も見えなくなったときは、とても怖かったです」

「落石注意と書かれた場所は、どきどきした。だって本当に、小さな石が転がってきたから」

「幅が五十センチもない道があって、すべったら、絶対に死ぬなぁって思いました」

「気を抜いたり、寄り道してたりすると、みんなが見えなくなって、迷子になるかと思った」

「田中君を脅かそうと背中を押したら、彼が本当に崖から落ちそうになって、心臓が止まりそうでした」

ふたりは、読むのをやめ、優希の表情をうかがうように顔を上げた。

優希は逆に目を伏せた。

「つまりさ、霧やガスで、何も見えないときがあるし、石が落ちてくる場所もあるらしいんだ」

ジラフが言った。

「道幅が狭くなってるうえに、すべりやすいところもあるみたいだよ。実際、この写真でも危なそうだもんね」

モウルが写真集を指差す。

優希は、写真に視線をやり、無意識に、稜線のあたりを目でなぞった。

「子どもたちは、保護者と一緒に登る規則になってるから、もしあいつが登ることになるならさ……」

ジラフの声がかすれる。

「霧がたちこめたら、きっと誰にも見られずに近づけると思うし」

モウルの声はいっそう低くなった。

優希はふたりの視線を感じた。

彼らの言葉が意味するところを、はっきりとは想像できずにいた。想像することを、心のどこかで拒否している。

にもかかわらず、優希はうなずいた。

雄作に何かをするということではなく、神様の山に対する、以前願っていた〈救い〉への希望を、思い出していた。

この山に登ろう。登れば、何かが変わるはずだ……そう思った。

「いいのか？」

「本当に？」

ふたりが訊いた。

優希はふたたびうなずいた。

ジラフとモウルは、ほっとした様子で、大きく息をついた。

「けど、これだと、大きな問題もあるんだ」

ジラフが困ったような声で言う。

「登山の時期のことなんだ。小野に聞いたら、四月五日になるだろうって言ってた。これを逃すと、次は八月になっちゃう。だから……」

モウルの声の調子に、焦りのようなものを感じ、

「つまり、どういうこと？」

優希は訊ねた。

「つまりさ……登るには、退院が決まってないといけないだろ」

ジラフが言った。

優希はまだよくわからない。モウルに視線を移す。

「だから、三人そろって、三月の終わりまでには退院が決まっていないと、一緒に登れない。計画を進められないんだよ。これは、最低条件なんだ」

モウルが説明した。

「簡単じゃないけどね」

ジラフがつぶやいた。

モウルが、うなずいて、

「簡単じゃないけど……きみは前に、山に登りたいんだって、頑張ってたことがあったろ」

そうだ、夏休みに入る前、そういうことがあった。

「あのときみたいにすれば、いいってこと」

優希は、自分に言い聞かせるように、問い返した。

ジラフが、固い笑みを浮かべ、

「おれたちも、絶対に退院してみせるから」と答えた。

モウルも同様の笑みを浮かべた。

図書室の戸が開いたのか、ノートが床に落ちたような音がした。

三人は息をつめた。ジラフが写真集を閉じ、モウルが小冊子を抱えて、優希も一緒に人に見つからないように移動した。

優希はその写真集を借りた。病室に戻り、神様の山の写真を見つめつづけた。

この日の夕方、優希は夕食をすべて平らげた。

夕食後には、節分のため、豆まきの行事が食堂内でおこなわれた。イフェメラなどは、

「ばかみたい」

と、調子が悪いふりをして病室で寝ていたが、優希は参加した。

鬼の面をつけた看護士に、

「鬼は外っ」

優希は、叫んで、豆をぶつけ、

「福は内……」

ささやき、豆を自分のからだにそっとあてた。

翌日のカウンセリングの時間、優希は遅れずに診察室に入った。

「昨夜の節分は、どうだったかな?」

小野が、答えを期待していないような、そっけない口調で言った。

「楽しかった」

優希は答えた。

小野が、少し驚いた表情を浮かべ、

「そう、どんなことが」

優希は食堂での様子を話した。鬼の役だった看護士が、豆をぶつけられて逃げたところは、少しおかしかったと、つけ加えた。

小野が満足をおぼえたらしいことが、かすかな表情の変化からわかった。

彼が次々に質問をはじめた。優希は、すべてには答えられなかったが、できるだけ反応を返すように努めた。

時間が終わって、診察室を出る際、

「この調子で、どんどん話し合っていこうよ」

小野が笑顔で言った。

「はい」

優希ははっきりした口調で答えた。

2

ジラフとモウルは、自分たちのほうが、優希よりも、よほど退院が難しいということは理解していた。

症状は、ふたりとも緩和している。

ジラフは、少し前に比べると、ずいぶん怒りを抑えられるようになっていた。

火傷の痕をからかわれないためには、他人と入浴や水泳をしないかぎり、問題なかった。

煙草を吸う女性を見ても、目を閉じたり背中を向けて、その場を去ることができるようになった。

もしも暴れだしたくなったときには、明神の森のクスを、頭のなかに思い描いた。

目の前のものを壊したくなったとき、人が可愛がっている小動物を痛めつけたくなったとき、クスの幹に手を回した三人の姿を想う。穴のなかでかけ合った言葉を思い出す。

すると、自分のなかに湧き起こる恐怖や憎悪や苛立ちを、暴れることで発散したり、振り払わなくとも、しぜんと気持ちが落ち着いた。

モウルも、多少薄暗い場所にならば、ひとりでいても、耐えられるようになってきた。狭い部屋でも、豆電球くらいの明かりがあれば、恐慌状態に陥らずにすんだ。

以前は、完全な闇を想像しただけでも、我を失った。自分より弱い相手に暴力をふるったり、相手を先に闇に閉じ込めたりして、みずからの恐怖に耐えていた。

だがいまは、衝動にかられそうになったら、明神の森と、穴のなかで三人がかけ合った言葉を思い出す。すると、恐怖がやわらいで、自分のいまの姿を受け入れることができる。

ジラフもモウルも、カウンセリングでは話せているし、グループ・ミーティングの時間に、おどけてみせられるだけの余裕も出てきた。しかし、さらに症状がよくなったとしても、どうにもならないことがあった。

ジラフは迷っていた。

父親が、自分を引き取ってくれる可能性が、どのくらいあるのか。

何年も会っていない母親が、母性に目覚めて、自分を呼び戻してくれる可能性が、あるのかどうか。

母親からは、いまだに一通の手紙も受け取っていない。

きっと忙しいんだ、いつかは自分を迎えにこようと思っているんだと、自分に言い聞かせてきた。

周囲の子どもたちが、それぞれの親に対して同様の夢を抱いているのを見聞きしていると、自分の期待が、愚かな幻想だとさめる。さめるくせに、すぐにまた、自分の母親だけは違うと思い込む。

しかし、四月までに母親が迎えにくることは、さすがにあきらめるほかなかった。

どうすればいい、どうしたら退院できるのか。悩みつづけて、浮かんできたのは、叔父夫婦の姿だった。

彼らの子どもになるということが、どういうことか、いまひとつ想像できない。抵抗があるというより、嫌悪に近い感情をおぼえる。

二枚目じゃない、美人じゃない。背も高くない、服装のセンスもひどく、持っているものは安っぽい。猫背で、自信なさそうで、へらへら笑ってばかりいる。はっきりしゃべらず、スポーツだってできそうにない。周りから、かっこいいお父さんだと言われることはない、きれいなお母さんだと憧れられることもない。

ずっと思い描いていた両親の姿からは、あまりに遠いふたりだった。

だが、時間がなかった。

二月中旬、病室でふたりだけのときに、ジラフはモウルに相談した。

「意外に、いい方法かもしれないよ」

モウルが答えた。

ジラフはかっとした。

「あいつらの子どもになることが、どうしていい方法なんだよっ」

モウルが、戸惑った表情で、

「反対してほしかったの?」と言う。

ジラフは、言葉につまり、

「そうじゃねえけど……」

「でもさ、本当の親が迎えにきてくれそうにないんなら、一緒に山に登ることも承知してもらわなきゃいけないんだし……時間はあまりないよ。魅力的じゃないかもしれないけど、いい人たちだと思うよ」

「笑ってんだろ。人のことだと思って……。あんなのが親になるのを、笑ってんだろっ」

「笑ってないよ」

「黙れっ、ばか野郎」

ジラフはモウルを突き飛ばした。

ジラフは、トイレに駆け込み、個室のドアを蹴り飛ばした。掃除用のモップを握り、鏡も叩き割ろうとした。

「こら、有沢っ」

駆けつけてきた看護士が叫んだ。

「うるせえ」

叫んで、モップの柄を鏡に叩きつけようとした。

「保護室だぞっ」

看護士に言われた。

「罰点もつく。いいのかっ」

保護室入りになれば、退院は遠のく。罰点が重なれば、退院を勧められるが、それは、もっと厳重な規則の施設に移ることを意味する。どちらにしろ、四月の登山に加わることはできなくなる。

ジラフはモップを床に下ろした。

「掃除だよ」

とつぶやく。看護士に背中を向け、

「便所が汚れてて、気持ち悪いから、掃除しようと思っただけだよ。脅すようなことばかり言うんじゃねえよ」

ジラフは、モップを使い、いい加減に床を拭きはじめた。

「掃除のつもりなら、もっと真面目にやれ」

看護士が言った。

「これでいいのかよっ」

ジラフは床を強くこすった。

床をすべて拭いてゆき、終わると、モップを放り投げ、水をいっぱいに出して、顔を洗った。

濡れた顔を拭かずに、排水口に落ちてゆく水を、じっと見つめた。

「ジラフ……」

気づかうような声が聞こえた。

出入口のところに、看護士に代わって、モウルが立っていた。

「いま何か言ったら、おまえだって、ぶっ殺すぞ……」

顔をそむけて、つぶやいた。

モウルは、まだしばらく立っていたが、やがて黙って立ち去った。

その夜、ジラフは夢を見た。

父親が彼の正面に座っていた。右側に母親がいた。亡くなった祖母は左側の席にいた。

食卓で、三人は笑いながら食事をしていた。楽しそうだった。

だが、三人を見ている自分は、どこにいるのか……。

少なくとも三人は、ジラフに気づいていないようだった。

ぼくはここにいるよと、ジラフは訴えた。三人は聞こえないのか、声を上げて笑い、

「あの子は要らないな」

父親が言い、

「いないほうが、全然いい」

母親が答えた。

「このほうが、家族には幸せだね」

祖母は深くうなずいた。

ジラフは大声で叫んだ。

三人には届かないのか、笑顔で食事をつづけている。

食卓の、手前の席が見えた。ぽつんと空いたままだった。誰もその席を見ようとはしなかった。

ジラフは、自分のすすり泣く声で、目を覚ました。

病室のベッドの上にいた。カーテン越しに、ほかの子どもたちの寝息が聞こえる。

彼は、ベッドの上に、膝を抱えて座った。

頬が濡れているのがわかった。手のひらでぬぐい、

「こっちが捨ててやるよ」

低く吐き捨てた。

翌朝、担当医の小野に、叔父夫婦に連絡したいと申し出た。

モウルは、養護施設と呼ばれている場所に入るしか、退院の方法はないかもしれないと思った。

まり子が、自分をいますぐ引き取ってくれるとは、とても考えられない。戸籍の上で父親になっている男が、反対するに違いない。

養護施設に入るにはどうすればよいのか、モウルは図書室で本を探した。一冊、それらしい本はあった。

だが、子ども自身が望んで入所する方法は、書かれていなかった。様々な調査や診断、手続きがとられたうえで、保護者の同意が条件だと記されていた。

まり子が同意などするはずがない。

彼女は、母親失格と言われることを、極端に恐れている。モウルとの別居は、彼が病気だから仕方なくであり、彼が暗闇を怖がるのも、発作的に暴れるのも、すべて病気のせいだと思い込もうとしている。彼が施設でなく、病院に入院していることが、彼女の自尊心を傷つけないためには必要だった。

モウルは、退院後、施設に入らず、まり子たちとも同

居せずに、ひとりで生きてゆく方法を考えてみた。

　まり子には、退院のときにだけ、責任を持って引き受けると言ってもらい、実際には別居して、彼が働き、生活費を稼げばいい。住み込みの新聞配達でもよかった。以後も、資格を取るなどすれば、ひとりで生きてゆけると思う。

　ジラフから、叔父夫婦に連絡したと聞いた夜、モウルは思い切って、まり子の店に電話した。

　若い男の声が返ってきた。モウルは、どう言うべきか迷い、できるだけ声を太くして、

「まり子さん、いますか」と訊ねた。

　間があって、

「どちら様？」

　いぶかしむ声が返ってきた。

「知り合いです」

　モウルは答えた。

　待たされるあいだ、調子外れの歌声や嬌声が聞こえてきた。母の笑い声が近づいてきて、

「違うわよ、いい人のわけないでしょ」

　客に言っているらしい、明るい声が聞こえた。が、次には、

「いったいなんなの」

　受話器から、よそよそしい声が返ってきた。

　モウルは言うべき言葉を忘れた。

「店には掛けないように言っただろ。なんの用」

　声が苛立っていた。

　モウルは、懸命に言葉を探し、

「退院、したいんだ」と告げた。

「ばかなこと言ってんじゃないよ」

　切られそうな予感がして、

「自分で働くから。退院したら、住み込みのアルバイトをして、ひとりでやってくからさ……」

　必死に言葉を継いだ。

　まり子のため息にさえぎられ、

「じきにまた面会に行ってあげるから、二度と掛けてくんじゃないよ」

　電話が切られた。

　もう一度掛ける勇気はなかった。

　モウルが病室に戻ると、

「どうだった？」

　ジラフが声をかけてきた。

　彼の電話が、母親に退院させてくれるよう求めたもの

だと察したらしい。

モウルは答えたくなかった。

病室には、ほかにふたりの患児もいたため、ふたたび廊下に出た。階段のある方向とは逆に歩き、一階のプレイルームの真上にあたる、物干し場の前まで進んだ。

夜間、物干し場に出てはいけないことになっている。だが、ひとりになれる場所、外の空気を吸える場所は、ほかになかった。

物干し場に出るドアの鍵は、廊下側から開けられる。モウルは、鍵を開けて、物干し場に出た。床は、コンクリートの打ちっぱなしで、十畳前後の広さがある。天井もふくめて、周囲は金網で囲われていた。

電灯はないが、中庭の照明灯の光が届く。ドアの上部の窓から、廊下の明かりも差し込んできて、意外にほの明るかった。

物干し竿と支えの台をよけて奥に進み、モウルは金網に手をかけた。

空気は冷たく冴え、風に乗って、波の音が聞こえた。顔を上げると、金網越しに、中途半端に丸い月が見えた。

「だめなのか、退院」

背後から聞こえた。

ジラフが少し離れた位置に立っていた。

モウルは、顔を前に戻して、

「ぼくは逃げる。逃げて、どこかに隠れてる。石鎚山で落ち合おう」

「何を言ってんだ」

ジラフが訊き返す。

「四月五日に、山の頂上で待ってるってことさ」

「どのくらい遠いか、わかってんのか。バスで山んなかを飛ばして、三時間以上あるんだぜ。文集に計画表も載ってたろ。山の七合目あたりまで、バスで登ってくんだ。千五百メートルはあるって書いてた。どうやって、ひとりで登れる」

「観光客やお遍路さんも登るんだ。ヒッチハイクでもなんでもして、行き着くよ」

「怪しまれて、警察に通報されるぞ」

「だったら、歩いて登る。山登り療法で慣れてるよ」

「ばか、高さが違うよ」

「決めたんだよ。逃げて、向こうで落ち合って……あいつをやるんだ」

「無理だよ」

ジラフの声が沈んだ。

モウルは、苛立ち、

「自分だけで、やるつもりなんだろっ」

低く叫んだ。金網を揺さぶり、

「ジラフは、ひとりで、やるつもりなんだ。自分だけが、資格を手にできると思って」

「資格って、なんだよ」

「彼女を……好きになってもいい資格さ。好きになってもらえる資格さっ」

モウルは、金網を離して、振り向いた。

ジラフを正面から見つめ、

「そうだろ？　やったほうが、彼女を救ったことになるんだから。そうだよね？」

ジラフは、顔を伏せ、

「そうかもしんない」と答えた。

海のあたりで風が強まったのか、波の音がさらに高く聞こえた。

「……どっちが押す？」

モウルは、ずっと思い悩んでいたことを、口にした。

ジラフは答えなかった。

「どっちが、あの男の後ろに回って、最後に押す？」

モウルは重ねて訊いた。しばらくして、

「おれさ」

ジラフが答えた。

「ぼくだよ」

モウルは言った。

ふたりは長く見つめ合った。

「逃げて、絶対、山に登ってやるから」

モウルは唇を嚙んだ。

「誰か、物干し場に出ているのか？」

ドアの向こうから声がした。

ドアが開き、看護士が厳しい顔で現れた。

「夜は出ちゃいけないことになってるだろ、何をやってるんだ」

ふたりは病室に戻った。罰点はつかなかった。

モウルは、ひとりで山に登る方法について、図書室の本で調べはじめた。

具体的な計画など少しも立てられないうちに、二月が過ぎ、明日から三月という日を迎えた。

モウルは、授業が終わったあと、このところずっとそうしているように、優希とジラフから離れ、ひとりで図書室で調べものをした。役に立ちそうなことは、何も見つけられなかった。

グループ・ミーティングの時間が迫っているため、病棟へ戻ってゆくと、玄関前に女が立っていた。

毛皮のコートを着て、背中をこちらに向けていたが、全体のたたずまいで、モウルには母だとわかった。

「お母ちゃん……」

まり子は振り向かなかった。

モウルは、不審に感じて歩み寄り、

「どうしたの」

母の前に回り込んだ。

まり子は、左目に眼帯をしていた。唇の端には絆創膏を貼っている。絆創膏からはみ出したところは、青黒く腫れていた。

「……階段から、落ちちゃってさ」

まり子は、口をほとんど開かずに話し、虚ろに笑った。と思うと、喉をふるわせて、その場にしゃがみ込んだ。

モウルは、手を伸ばして、彼女の眼帯をそっと下ろしてみた。ひどい青痣《あおあざ》ができ、腫れたまぶたには、切れた痕もあった。瞳はまったく見えない状態だった。殴られたものだということは、ひと目でわかる。

「ちくしょう……別れてやる……」

まり子が閉じた唇の隙間から言った。しゃべると痛むのか、唇を軽く指で押さえて、しゃくり上げ、

「ふたりで暮らそう。やっぱりわたしには、おまえだけなんだよ」

モウルは、すぐには信じられず、

「本当なの」と訊いた。

「本当だよ」

まり子が顔を上げた。すがるような表情でモウルを見て、

「病院から、電話があったよ。調子がいいんだって? すぐにも退院できるって言ってた。あとは、保護者次第だなんて言うから……言い返してやった。わたしなら、大丈夫だって。いつだって、帰ってきてほしかったんだ、一緒に暮らしたかったんだって」

モウルは、なお半信半疑で、

「病院、なんて言った?」

「だったら、退院に向けてのプログラムを組みましょうって……。ああいいよ、やってちょうだいよって、答えてやった。四月から中学校だし、ちょうどいいよ。ふたりでやり直そう」

「本当に、男と別れるの」

「こんな目にあわされて、一緒にいられるもんか」

彼女は吐き捨てるように言った。モウルの手を握り、

「結局、おまえだけだよね。いつも思うよ、裏切らないのはおまえだけだ。ずっと一緒に生きてゆこうね」

「……嘘つき」

モウルは言った。

まり子が右目を見開いた。

モウルは、冷静に母を見つめ返し、

「お母ちゃんは、またどこかに行っちゃうよ。いつも同じことの繰り返しじゃないか。いつかまた、ぼくを残して、別の男のところに行っちゃうよ」

「何を言ってんの」

まり子は、顔を動かすと痛むのだろう、少しだけ眉をひそめた。握ったモウルの手を振り、

「決めたんだよ。今度こそ、おまえとずっと一緒にいるんだって。本当だって、信じなよ」

モウルは、さりげない口調を心がけ、

「だったら……退院するときに、記念の山登りがあるんだけど、一緒に登ってくれる?」

「山登りぃ」

まり子は露骨にいやそうな声を出した。

モウルは、焦って、

「誰でも登れるんだよ。バスで七合目まで行って、項上までの、ほんの少しの距離を登るだけさ。八十歳のお婆さんでも登ってるんだから」

まり子は、疑わしげに彼を見て、

「なんて山」

「石鎚山」

まり子が、眉を開き、

「ああ、霊峰かぁ。確かに、お遍路さんが登ってるね。わたしも、一度は登らなきゃって思ってたんだけど。病院で登るの?」

モウルは、はずみそうになる声を抑え、

「病院からバスが出て、退院する子と保護者が、一緒に登ることになってるんだ」

「子どもが、大丈夫なの?」

「安全な登山道が、整備されてるんだ。鼻唄を歌いながらでも登っていけるって、前に登った子が、作文に書いてたよ。危ないところなんて、全然ないんだって。春だから、山桜でも眺めながら、花見気分で登ってゆけるはずだよ」

モウルは、勢いにまかせて、嘘をまじえて話した。

「そんな簡単に登れて、霊験なんてあんの」

「だからこそ、神様の山なんだよ。神様が願いを聞き届けてくれるよ。ずっと一緒に暮らすっていうなら、神様の山に登って、誓ってよ」

　まり子が、おかしそうに笑って、

「おまえ、そんなに山が好きだった？　何か、ほかに目的があるんじゃないの」

　モウルは慌てて首を横に振った。

「せっかくここで山登り療法をつづけてきたから、高い山で自分がどのくらいできるか、試してみたいだけだよ。出直すんだったら、ちょうどいいかもしれないじゃない。神様の山に登って、身を清めてさ……」

　モウルは、息をつめて、母の言葉を待った。

　まり子はしばらく考えている様子だった。やがて、モウルの両肩をとんと叩き、

「よし、登ろうか。神様の山に登って、いやなこと、全部捨ててこよう」

「本当にっ」

　まり子は、うなずき、

「石鎚山には一度は登っておいたほうがいいなんて、客もよく言ってたしね。で、いつ」

「四月五日。鶯《うぐいす》もきっと鳴いてるよ」

「けど、泊まりだと、仕事のこともあるか」

「日帰りだよ。ここを朝に出て、向こうでお昼を食べて、夕方には帰ってくるんだ」

「じゃあ、文句なしだ」

「嘘じゃないね、約束するね」

「お母ちゃんが、約束破ったことある？」

　まり子が真面目な顔で言った。次にはハハと声を高くして笑い、

「破りっぱなしか」

　モウルもつい笑った。

「いいよ、じゃあ指切りだ」

　まり子は、モウルの小指を取り、自分の指とからめた。つないだまま、何度か振って、

「お母ちゃんが嘘ついたら……そうだな、年とってから意地悪しちゃえ。ぼけても、放り出していいよ」

「いやだよ、そんなの。もっと楽しいことにしてよ」

　モウルは口をとがらせた。

　まり子は、指を離さず、

「だめだめ、こっちが約束守ったら、最後まで面倒みろよ。女ができても、捨てんなよぉ。はい、指切ったぁ」

　まり子は、モウルとからめた指を二、三度振ってから、

指を離した。

　不意に玄関の扉が開いた。看護婦が顔を出し、モウルを見て、そこにいたのと手招きした。グループ・ミーティングがもうはじまっているという。

　まり子は、モウルに顔を寄せ、

「退院のこと、もう一回ちゃんと先生にお願いしておくから」

　モウルは、とっさに言葉が出ず、うなずくことしかできなかった。

　病棟のなかに戻りかけ、玄関の扉を開けたところで、母を振り返った。

　眼帯をし、唇の端に絆創膏を貼ってはいるが、母はきれいだと思った。

　人前では、こう呼べと言われ、しかし反発して呼ばずにきたが、

「お母さん」

　母を呼んだ。

　まり子が右目をしばたたいた。

「お母さん……ありがとう」

　モウルは、照れくささもあり、指切りした小指を軽く挙げて、病棟内に飛び込んだ。

3

　優希は、三月の第一週から、退院に向けてのプログラムに入った。

　彼女だけでなく、ジラフもモウルも、またほかの何人かの子どもたちも一緒だった。

　新学期前の時期には退院者が増えるという話は、ジラフとモウルから以前にも聞いていた。三月には、卒業を控えた子どもたちを中心に、夏や冬以上に、退院が認められるケースが多いらしい。

　同じ話は、隣のベッドのイフェメラも語った。だから、彼女は、

「家に戻されないよう、厳しい施設にも送られないよう、適当によくなったり、悪くなったりしてるの」

　家に帰るくらいなら、ここで一生を送ったほうがましだとも言い、優希を見つめて、

「あなたも同じ？　退院できそうかなって感じになると、暴れてるみたいだけど」

　優希は、それに対し、

「わたしは退院する」

きっぱりと答えた。

退院に向けてのプログラムは、自分自身で行動計画表を作ることからはじまる。

計画表は、一週間分と、一カ月分の二種類を作る。さらに、それに合わせて一日の計画表も作り、前もって担当医に提出する。

毎日寝る前に、計画どおり実行できたかどうか、自分で評価し、翌朝、当日の計画表とともに、この評価記録も提出する。

グループ・ミーティングにおいては、交代で、司会をまかされる。まず自分から、その日あったことと、それについてどう思ったかを述べる。つづいて、ほかの子どもたちに話を聞いてゆき、騒ぎだす子には注意もして、ミーティングが円滑に進むよう努めなければならない。

こうしたプレッシャーのかかる行動をとっても、体調を崩さず、精神的にも落ち込んだりしないことが認められて、退院に近づくと言われていた。

優希は無難にプログラムを消化した。

小野や看護スタッフの反応もよかった。

ジラフとモウルも、退院に向けての環境は整ってきているらしい。ただし、

「この時期は、連中の診断も甘いから」

ジラフが言い、

「できるだけ退院させようとしてるんだ。でも、五月頃には、三分の一は戻ってくるんじゃないかな」

モウルが言った。

実際、退院に向けてのプログラムに進む子どもたちは、次第に増えて、三月半ばには、病棟全体の半数近くに達した。

三月十九日、優希は診察室に呼ばれた。小野だけでなく、水尾も同席していた。

三日後に迫った卒業式のあとに、自宅で一泊してくるように言われた。その際、退院後の生活に対する抱負と目標をテーマに、作文を書いてくるよう宿題が出された。最後のテストのようなものらしい。

また、四月五日に登山をする場合の、保護者の同意書も渡された。

退院記念の登山は、保護者が一名以上同伴することが条件とされており、同意書と、バス代などをふくめた人数分の費用を、外泊から戻ったおりに提出しなければならなかった。

ジラフとモウルも、彼女のあとに呼ばれ、やはり同意書を渡されていた。

三人は、浄水タンクの前で、同意書を見せ合った。住所と名前を書けばよいだけの、薄い一枚のプリントだった。

だが優希には、特別な許可証、あるいは、あらがうことのできない命令書になるような気がした。

タンクの背後にある白梅が満開で、周囲に甘い香りが漂っていた。

三人は、そろって歩きだし、体育倉庫の裏に回って、海を眺めた。

春の日差しを受け、海は明るかった。

潮の香りは強くなく、波が砂を洗う音が、耳に心地よい。

できれば、いつまでもここにじっとして、海を眺めて過ごしたかった。

わけもなく、涙がこぼれた。恥ずかしくて、ふたりを見られなかった。

だが、ふたりの息づかいからも、泣いている気配が伝わってきた。確かめることはできず、海を見つめつづけた。

三月二十二日、養護学校分教室で卒業式がおこなわれた。

すべての病棟の、小学六年生と、中学三年生の子どもたちは、分教室内の小さな講堂に集められ、教員や病院関係者、そして保護者たちに見守られて、卒業証書を渡される。

慢性的な疾患のため、まだ退院が決まっていない小学六年生も、一応小学校の卒業証書を渡され、四月からは同校の中学生になる。

双海病院が、十五歳までの子どもを扱う専門病院であり、養護学校分教室も小中学校の教育課程しか教えていないため、中学三年生で、まだ退院できる状態にない少年少女たちは、ほかの病院に再入院することになっている。

幸いに回復を果たし、本当に卒業できる子どもたちにしても、四月からの新生活に順応できるかどうか、不安を抱えている。

卒業式といっても、晴れやかな顔をしている者は、多くなかった。

第八病棟の小学六年生は、優希とジラフとモウルの三

人だけだった。

かつて同じクラスにいた、拒食症だったリザも、強迫症状に悩まされていたラトルも、すでに退院していた。リザは回復に向かったのだが、ラトルは逆に重い症状に陥り、別の病院に移っていった。

その後、入院してきた六年生は、十人近くいたが、誰もがあだ名が定着する前に、退院した。症状がよくなったというより、規則に厳しい病棟生活や山登り療法などの治療方法になじめず、保護者か子どもたち自身が、退院、転院を望んだ場合が多いようだった。

式では、小学六年生から、病棟ごとに卒業証書が渡されてゆき、

「第八病棟……」

優希たちは、順番に本名を読み上げられた。

三人は椅子から立った。ほかの病棟の子どもたちにならい、前方の壇上に歩いてゆく。

「校長に、唾、吐きかけてやるか」

ジラフがささやいた。

「ウインクがいいよ」

モウルが応じた。

優希は笑いをこらえた。


三人は、養護学校本校の校長から、素直に証書を受け取った。参列した大人たちからは、拍手を受けた。

ジラフの保護者として、彼の叔父夫婦が出席していた。

ふたりは、やや緊張した面持ちで、用意された椅子に浅く腰掛けていた。ふたりとも、優希がこれまで見たのと変わらない、灰色の地味な背広と、やや古びた女性用のスーツを着ていた。

優希は、ジラフに養子の話があることを、モウルから聞いて、知っていた。

ジラフは、しばらく叔父夫婦の家で暮らし、互いに慣れ親しんだ頃、そうした手続きをとるかもしれないということ。

「でも、ジラフは、山を登ったあとのことは、何も考えてないみたいだよ。ぼくも、そうだけどね……」

モウルが言った言葉に、優希はうなずいた。

彼女も、山に登るまでのことしか、いまは考えられない。

モウルの母親も、式に出席していた。

フリージアの花柄をプリントした黄色いミニワンピースに、革のジャケットをはおり、サングラスをかけ、固い椅子が居心地悪そうで、足をたびたび組みかえている。

優希は、モウルの母親がじきに離婚するらしいと、ジラフから聞いていた。

「けど、モウルはさ、母親を本当には信じちゃいないみたいだ。山に登ってみないと、きっとどんなことも信じられないいんじゃないかな……」

ジラフの言葉に、優希はうなずいた。

彼女も、実際に山に登ってみないことには、いまは何も信じられない。現実感を持って、何かを考えることができない。

優希が保護者席を振り返ったとき、雄作の姿はなく、志穂の姿しか見えなかった。フォーマルな濃紺のスーツを着て、化粧はいつもより明るい印象に見えた。

卒業式は大きな問題もなく終わった。子どもたちがそれぞれ、いったん病棟に戻ってゆく途中、

「気をつけろよ」

ジラフとモウルが、優希の両側から言った。

ふたりは、励ます口調で、

「危ないときは、明神の森のクスを思い出せ」

「嵐の夜のことを考えれば、きっと力が出てくると思うからさ」

優希はうなずいた。


三人と、中学三年の卒業生は、外泊の用意をして、食堂で保護者を待った。終業式は前日におこなわれており、外泊許可が出ているほかの子どもたちは、すでに病院を出ていた。

保護者たちは、教室に残って、担任の教師から個別に、子どもたちに対する今後の注意や指示を受けているはずだった。

志穂が一番に食堂に入ってきた。

彼女は、固い表情で、優希の前に歩み寄ってきて、

「行きましょう」

優希をうながした。

優希は、ジラフとモウルの視線を背中に感じつつ、志穂につづいて、食堂を出た。

「お父さん、急な出張で、来られなかったの。夕方には大阪から帰ってくるから、五時に着く船に乗れば、柳井港まで迎えにくるって」

病棟の玄関に進みながら、志穂が言った。

優希は、何を期待していたのか、雄作が迎えにくると聞いて、自分でもよくわからない失望感をおぼえた。

第八病棟の外に出たとたん、志穂が大きく息をついた。固かった表情が、少しゆるんだように見える。

優希の視線を感じてか、志穂は、恥ずかしそうに目を伏せ、

「病棟の子どもたちに、黙って見つめられると、責められている気がして、息苦しくなるのよ」

言い訳気味に言った。

彼女は、気をとり直したように笑顔を浮かべ、

「卒業、おめでとう。本当によくなったみたいね。勉強も、外の学校の子どもと同じくらいに進んでるって、担任の先生、おっしゃってた。これからは、新生活よ。気持ちを切り換えてゆきましょう」

志穂の言葉は、むしろ自分に言い聞かせているように聞こえた。

玄関前に、タクシーは停まっていなかった。電話ですぐに呼べるはずだが、港までは六、七千円はかかることもあってか、

「駅まで歩こうか」

志穂が言った。

優希は、母の健康のほうが心配で、

「大丈夫なの」と訊ねた。

志穂は、ほほえみ、

「歩いても、二十分くらいでしょ。問題ないわよ。最近は食事にも気をつけてるし、体操をしたりして、からだを鍛えてんだから」

彼女は力こぶを作る真似まで見せた。

優希は笑えなかった。

志穂は、青く澄み渡った空を見上げて、

「お正月は、少し無理をして、優希たちにも迷惑をかけたよね。これまでも、たびたびそんなことがあったし……わたしが寝込んだあとには、優希も調子が悪くなることが、多かった気がするの」

優希は、胸をつかれ、母の横顔を見つめた。

志穂は、若葉をつけはじめた山の木々のほうに視線をそらし、

「だから、わたしが元気なら、優希も元気になるんじゃないか……わたしが気持ちを安定させてたら、優希も落ち着いてくれるんじゃないかって思って、心身の健康に、これまで以上に気をつけてるのよ」

優希は、母の言葉の真意がつかめず、混乱した。さらに言葉を待ったが、志穂はそれきり何も言わなかった。

優希は、志穂のあとについて、駅に向かって歩きはじめた。

病院の正門を出て、二百メートルほど進んだあたりで、

優希たちの脇に、赤い車が停まった。

　運転席の窓が下がり、

「乗ってく?」

　モウルの母親が顔を出した。アメリカ製の香水が匂う。

　助手席に、モウルの姿があった。

　モウルの母親は、サングラスを少しだけ下ろして、

「松山方面だったら、送るけど」

　と言った。優希のほうに顎をしゃくり、

「うちの子と、仲もいいみたいだし、一緒の退院でしょ」

　志穂は、笑顔をとりつくろい、

「大丈夫ですから」と答えた。

「大丈夫って?」

「駅から、電車で行きますので」

「各駅停車の電車じゃないと、停まらないから、なかなか来ないよ。乗っていけばいいじゃない、せっかく……」

　言いかけて、モウルの母親は言葉を切った。表情を強張らせ、

「なるほどね。今後は街で会っても、見知らぬ同士ってことか」

「いえ……」

　志穂が顔を伏せた。

　モウルの母親は、サングラスを戻して、

「ご迷惑様」

　アクセルを踏んだ。

　車が走り去る寸前、助手席のモウルの顔がゆがんだように見えた。

　すぐに車は見えなくなり、

「行きましょう」

　志穂が先に歩きはじめた。

　駅に通じる国道は、進行方向に向かって、左側に海が広がり、右側は優希の身長よりやや高いくらいの土手だった。土手の上に、線路が走っている。

　土手には、ツクシが生えていた。ところどころ、早咲きのタンポポも、白や黄色の花を咲かせていた。

　二十分以上かかって、小さな駅に着いた。

　木造の小さな駅舎があるだけで、駅員はいない。線路を越えたところに、古い商店がある。ガラス戸に、『切符あります』と貼り紙が出ていた。切符はそこか、乗ったあと車内で車掌から買うらしい。

　駅舎内の時刻表を確かめる。電車が来るまで、一時間近くあった。

いったん駅舎の外に出た。ふたりの前に、古い型の黒い車が停まった。

窓から、ジラフの叔父夫婦が顔を出した。後部席に、ジラフの姿がある。

「乗ってゆかれませんか」

ジラフの叔父が言った。人のよさそうな笑顔で、

「確か、港に行かれるんでしょう。わたしどもは香川まで帰るんで、途中です。お送りしますよ」

叔母のほうも、

「どうぞ」と勧めた。

だが志穂は、作り笑いを浮かべ、

「大丈夫ですから」

と、頭を下げた。

彼らはしきりに勧めてくれたが、志穂はかたくなに遠慮した。

あきらめて、車は発進した。彼方に走り去るまで、ジラフが後ろの窓からこちらを見ていた。

志穂が突然口もとを押さえた。優希から顔をそむけるようにして、駅舎のなかへ駆け込んでゆく。

駅に改札はなく、すぐにホームに出られる造りになっていた。

線路が単線のため、ホームはひとつしかなく、なかほどに、屋根のある待合所が設けられていた。

志穂は、待合所に置かれた古いベンチに腰を下ろし、両手に顔をうずめていた。

「いやだ……いやんなる……」

手の隙間から、志穂が声を洩らした。

優希は、志穂の前に立って、彼女のうなじを見下ろした。ほつれた髪が、小さくふるえている。

「どんどん、いやな人間になってく。わたし……本当に、だめな人間になってく……」

優希は叫びだしたくなった。目の前にうずくまって、自分自身を責める言葉を洩らす母に、殴りかかりたくなった。

志穂が、どんなつもりで言っているのかわからないが、優希には、自分が責められているように聞こえる。

優希が病気にならなかったら、こんなことにはならなかったのに……優希が以前のいい子のままでいてくれたら、こんな目にはあわなかったのに、と……。

優希は、危うく声を上げそうになるのをこらえて、志穂に背中を向けた。

線路をはさんだ向かい側は、すぐ山の斜面だった。

山には、山桜が植えられていた。まだ二分から三分咲きといったところだった。

背後で、志穂のため息が聞こえた。

「今度こそ、大丈夫よね。退院したら、もう二度と、ここに戻ることはないわよね」

優希は、母に怒りをぶつけたい一方で、抱きついて、ごめんねと謝りたい気持ちにかられた。

お母さん、やっぱり、わたしが悪いと思っているの……わたしが汚れてて、悪い子で、愛される価値もない子どもだと思っているの……。

「どうして答えてくれないの」

志穂が言う。声が泣いているように聞こえ、

「どうして、もう大丈夫って言ってくれないの？　よくなってるって、先生もおっしゃってくれたのよ」

優希は歯を食いしばった。口を開くと、母をののしり、傷つけるかもしれない。

母を傷つけたくなどなかった。この人を、悲しませたくない。大切にしたい。心の底から愛したい。

志穂があきらめたように吐息をついた。

国道を走り抜けてゆく車の音の合間に、波の音が聞こえた。


「海、一緒に入ろうか」

志穂がつぶやいた。

海側で、鴎《かもめ》がさかんに鳴きはじめた。

「……線路を、歩いてく？」

優希はまぶたを閉じた。山を想った。森を想った。クスを想い、ふたりを想った。

まぶたを開き、

「いや」

低く、だが、はっきりと答えた。

「わたしは、山に登るから」

「……山？」

志穂が訊き返す。

優希は、山桜に向かってうなずき、

「退院記念の登山。神様の山」

「……夏にも、そんなこと言ってたわね」

「一緒に、登ってよ」

優希は大きく息をついた。

赤い錆がところどころに浮いた線路に目をやり、

「海に入るなんて言うくらいなら……登ってよ。からだ、鍛えてんでしょ。お婆さんだって登ってるんだから。線路を歩くくらいなら、一緒に登ってよ」

山で何をするつもりでいるのかは、言えなかった。考えないようにしていた。

線路がかすかにふるえていた。顔を振り向けると、電車の姿が遠くに見えた。

志穂が隣に立つ気配を感じた。

優希は線路に目を戻した。赤い錆の色が、目の前に迫ってくる。拳を握った。視界が闇に閉ざされた。

背中に手のぬくもりを感じた。

「乗るわよ」

志穂の声に、顔を上げた。

電車が停まっていた。

二両編成の電車で、松山市内まで戻り、さらに電車を乗り換えて、港に最も近い駅で降りた。

駅前の食堂で昼食をとったあと、二時半のフェリーで海を渡った。

太陽の動いてゆく位置が、正月のときより高くなっていた。海に浮かぶ小島の木々に、緑の色が萌えはじめている。波の色も、青みが増している気がした。

まだ日が残っている午後五時に、柳井港に着いた。

港の改札を出たところで、雄作が待っていた。

彼は、両手を広げて、優希を迎えた。

「せっかくの卒業式に、参加できなくて、すまなかった。その代わり、中学校の入学式は絶対に出席するから。平日だけど、もう休みを届け出てる」

優希は聞き流した。中学校のことなど、いまは考えられない。

雄作の運転で、自宅に向かった。

志穂の実家のほうへ折れてゆく道に来たとき、曲がらず、まっすぐ進むので、

「聡志は？」

優希は訊ねた。

「預けなかったの」

志穂が答えた。助手席から、少しだけ首を傾け、

「四月からは、三年生だし。半日のことだから、留守番をまかせてみたの。病院から電話したけど、大丈夫だって答えてた」

港からも電話したらしいが、優希は気がつかなかった。ともかく、祖母や伯父たちと顔を合わせなくともすむことに、ほっとした。

車庫に車が入る前に、聡志が駆けだしてきた。優希は車を降りた。聡志が、笑いながら、飛び蹴りをしかけてきた。

夕食は、家族四人で、近くのレストランに出かけた。優希が入院する前は、月に一度は出かけていた店だった。

聡志は、はしゃぎ過ぎて、何度もフォークを床に落とした。

食後には、ケーキが運ばれてきた。チョコレートの飾り文字で、

『おめでとう　優希ちゃん』

と書かれてあった。

聡志が羨ましそうな歓声を上げげた。

「小学校を卒業したから？」

聡志が訊く。

「お姉ちゃん、退院もするんだよ」

雄作が答えた。

聡志が、疑わしそうに顔をしかめ、

「でも、夏も、冬休みのときも、もうじき退院だって言ってたよ」

「今度は間違いないさ。な、優希」

雄作が優希を見た。

優希は、聡志のほうに目をそらし、

「チョコレートのところ、食べていいよ」

「やったあ。お母さん、切ってよ」

志穂がそれぞれに取りわけた。

自宅に戻っても、雄作と聡志は陽気で、優希と志穂はいくぶん沈みがちだった。

寝る時間にはまだ早かったため、雄作の提案で、家族四人はダイニングに移った。テーブルに着き、雄作と志穂はコーヒー、聡志はジュースを飲んだ。優希は水だけでよかった。

優希の進学のことや、聡志の成績などについて、雄作が中心になって話し、聡志が楽しげに言葉をはさんだ。

しばらくして、

「優希が退院したら、久しぶりに家族で旅行に行くか」

雄作が言った。

「行く、行く」

聡志が叫んだ。椅子の上で跳ね、

「ハワイ、ハワイ」

と、繰り返す。

雄作は、苦笑いを浮かべ、

「ハワイは、ちょっと遠いな。それに、やっぱりお姉ちゃんの希望を聞かないとな。優希は、どこがいい」

優希は、いつ切り出そうか、ずっと迷っていた。いましかないように思い、

「山に、登りたい」と言った。

雄作と聡志が、そろって口を閉ざした。

優希は、焦りをおぼえ、

「前にも、登りたいって言ったでしょ。許してくれたでしょ」

雄作は、不審そうに、

「それは……石鎚山のことか」

優希はうなずいた。

雄作は、眉をひそめ、

「石鎚は近いんだ。またいつでも登れるだろう。せっかく家族で行くんだから、東京とか、奮発して北海道とか沖縄とかさ」

「登りたいの」

優希は父の言葉をさえぎった。声に力を込め、

「いま、登りたいの。いまでなきゃ、だめなの」

雄作が困惑した表情で志穂を見た。

志穂はうつむいていた。

聡志は、話がわからないためか、戸惑い顔で優希たちを交互に見ている。

雄作は、咳払いをして、とりつくろうように笑い、

「まあ、確かに、いつかいつかって言ってるうちに、チャンスを逃すものだしな……。じゃあ、みんなで登ってみるか」

「ぼくも、登れるの?」

聡志がこわごわ訊ねた。

雄作がうなずきかけた。優希は、とっさに、

「聡志は、だめっ」と叫んだ。

語気の強さに、聡志だけでなく、雄作と志穂もからだを起こした。

優希自身も驚き、目を伏せ、

「子どもは、まだ登れないから……」

つぶやくように言った。

「なんでだよ、登れるよ」

聡志が不満げに言う。

「そうさ、連れていってやればいい」

雄作が言った。とりなす口調で、

「お年寄りも、登ってる山だろう。登山道が整備されていて、ハイキング感覚で登れるって、前に病院からもらったプリントに書かれていたのを、おぼえてるぞ」

「だめ。絶対に、聡志はだめだから」

優希は、譲れぬ想いで、首を横に振った。

「なんでだよぉ」

聡志が優希の腕をつかんだ。ぐいぐい引っ張り、

「登るよ。絶対に登るからね」

優希は、彼の手を振り払い、

「聡志は、みんなに迷惑だから、連れてかない」

「迷惑なんて、かけないよぉ」

聡志が、悔し泣きをしそうな声で言い、椅子の上でからだを揺らしながら、両親のほうを見た。

「優希、いいじゃないか」

雄作が言った。

「だめ。聡志は連れてけないの」

優希はかたくなに言い切った。

「なんだよ、ぶす。連れてけよっ」

「聡志、ひどい口きかないの」

志穂が弱々しい声で注意した。

ついに聡志は、涙をこぼして、

「じゃあ、連れていってよ。一緒に登るように言ってよ」

「……優希」

志穂がつらそうな声を出す。

「うるさいっ」

優希は、生まれて初めて、母に荒い言葉を吐いた。

家族の誰からも顔をそむけ、

「聡志は登れないの。登ったら、だめなの」

「ばか野郎。だったら、みんなも行かせないからな、邪魔してやるから」

聡志が、優希の前に、顔を突き出した。

優希は、一瞬の衝動にかられ、聡志の頬を平手で打った。

乾いた音が、優希の耳に響いた。

聡志が目を見張った。両親も声を失った様子だった。

優希の全身が冷え、すぐに燃えるほど熱くなる。

聡志が、わっと泣き、

「きらいだよ、大きらいだっ」

叫んで、階段を駆け上がっていった。

部屋のドアが閉まる音が届いた。

優希は、力が抜け、椅子の背にからだを預けた。後悔で、胸が締めつけられる。

「どうしたんだ、優希。聡志に、あんなこと……おまえらしくないじゃないか」

雄作が言う。

優希は、胸の痛みが広がらないよう、からだも気持ちも動かさず、

「とにかく、聡志は登らせないで。旅行は、登山のあと

にでもして。そのときはわたし、留守番でもなんでもする」

両親からの返事はなかった。

優希は、じれて、

「お母さん、登ってくれるでしょ」

声に怒りを込めた。

聡志を叩いてしまった自分に、腹が立つ。聡志を傷つけるように仕向けた、自分のなかの何かに対し、憎しみがつのる。

「登ってくれるでしょ」

もう一度言った。

短い間があって、

「そうね」

志穂が答えた。

優希は雄作を睨んだ。

わたしが、どれだけのものを犠牲にしたか、わかっているの？

泣きわめきそうになるのを、歯を食いしばって、こらえた。

雄作が先に目を伏せた。

「そうだな……旅行は、またにするか」

優希は、簡単に寝る準備をして、自分の部屋に上がった。

聡志の部屋のドアは、固く閉まっていた。

「ごめんね」

ドアの外から、ささやいた。

優希は、トレーナーとジーンズのまま、ベッドに入った。夜が明けるまで、ほとんど一睡もできなかった。

翌朝、志穂から、登山のための同意書と、登山費用の入った封筒を渡された。

同意書には、同行する保護者として、雄作と志穂の名前が書かれていた。

イメージでしかなかった登山が、現実の形になってゆく。そのことに、胸をつかれた。

「ふたりも、登らなくていいんだよ」

つぶやくように口にした。

ダイニング・テーブルで、コーヒーを飲んでいた雄作に、

「お父さん、仕事で忙しいんじゃないの」と言った。

「なんだよ。昨日、あんなに揉めといて」

雄作が苦笑いを浮かべた。

優希は、言葉を探し、

「でも、からだとか……大丈夫なの」

　雄作は、おかしそうに笑って、

「からだのことなら、お母さんだろ」

「わたしは平気よ」

　志穂が朝食の用意をしながら答えた。

　優希は、なお言いかけようとして、聡志の降りてくる気配に口を閉ざした。

　聡志の機嫌は直っていなかった。

　雄作が、登山のあとに旅行するからと話して、聡志を慰めた。聡志は、返事をせず、優希を見ようともしなかった。

　車で家を出るとき、優希は、後部席から自宅を振り返った。

　二階の窓に、聡志の顔が見えた。目が合ったと思った瞬間、聡志はぷいと顔をそむけた。

　優希は、フェリーのなかで、宿題だった作文を書いた。

　退院後の目標については、

『先のことは、何もまだわからないけれど』

　と前置きして、

『ずっとさびしい思いをさせてきた弟に、やさしくしたい、かわいがりたい』と書いた。

　何事も、これからは弟にゆずりたい、自分のものも、すべてわけてあげたい。とにかく幸せになってもらいたい、あの子が幸せになれば、わたしもきっと幸せなはずだから……。

　病棟に戻って、登山の同意書と費用の入った封筒、そして書いたばかりの作文を提出した。

　翌日、診察室に呼ばれた。小野と水尾がいた。

「四月からは、地元の中学校で頑張ってみようか」

　水尾から言われた。

　退院は、登山の日と同じ、四月五日に決まった。

　その日まで、退院に向けたプログラムをつづける。登山へは、病院から直接バスで出発し、夜、病院に戻ってのち、個々の荷物を持って、退院するということだった。

　ジラフとモウルも、作文とともに、保護者の同意書を提出したらしい。昼食後、浄水タンクの前で顔を合わせたとき、そろって、

「退院が決まった」と言った。

　ジラフは叔父夫婦が、モウルは母親が、一緒に登ることになったという。

　のどかな笛の音が、空から落ちてきた。三人は顔を上げた。トンビが山の上空を舞っていた。

三人は、壁に描いた絵を見に、病棟の北側に進んだ。描いてから、四カ月あまり経つが、壁の絵は少しも色あせていなかった。子どもたちが思い思いに塗り込めた色彩が、壁から溢れ、目の前で躍りだす。

周囲は、白い病棟が並ぶ単調な風景だった。北側の日陰でありながら、ここでは一転して、秩序に収まりきらない色や形が飛び跳ねている。暗い絵も、悲しい絵も、描いた個人の意図を超え、多くの子どもたちの、生きたいという祈りが伝わってくる気がした。

「不思議なんだよな」

壁の絵の前で、ジラフが言った。優希とモウルを見て、照れたように笑い、

「例のことをやることに決めてからさ……なんだか、妙にやる気が出るんだよ」

モウルが、うなずいて、

「ぼくもだよ。前は何をするにしても、いやいやだったのに、いまは進んで自分のことがやれる。規則も、守ってることが苦痛じゃないしね」

ジラフは、病棟の壁に額を預けて、

「叔父さんの家に行っただろ。布団を上げたり、自分の使った食器を洗ったりしてさ……やらなくていいって言われるんだけど、したいんだよ。自分で自分のことを、きちんとしたくて、じっとしていられない気持ちなんだ」

「もしかして、自立ってやつ？」

モウルが言い、ふたりは薄く笑った。

優希は笑えなかった。

モウルが描いた、クスの木に茂った青い水のなかで泳ぐ、キリンとモグラとイルカの絵に目をやった。水を突き破って、泳ぎつづけてゆけと思う。

ジラフの描いた、ろうそくの火を見た。もっと燃え上がれと、心のなかで叫ぶ。

そして、優希自身が、壁の両端にわたって長く引いた、一本の白い線を見つめた。もっと、どこまでも延びてゆけたらと願った。

4

一九八〇年、四月五日の朝、双海病院の上空は、厚い雲におおわれていた。

前日の天気予報では、一時山沿いに雨が降るかもしれ

ないが、午後は晴れると言っていた。

　この日が近づくにつれ、優希たち三人は無口になり、顔を合わせても、ほとんど話をしなかった。ことに、ジラフとモウルは、喧嘩でもしているのか、互いに反発し合っている雰囲気があった。

　前日、四日の昼食後、たまたま三人だけになったとき、優希はふたりに訊ねた。

「喧嘩してんの」

　ふたりは、そろって顔を伏せ、

「どっちの役か、揉めてるだけさ」

　ジラフがぶっきらぼうに言った。

「ジャンケンででも、決められればいいんだけど」

　モウルが息をついた。

　何の役かは、ふたりとも答えなかった。

　優希も、予感があって、重ねて訊ねることは避けた。

　登山に臨む子どもたちは、病棟内で、十二名だった。小学生が五名、中学生が七名。

　また、すでに退院しているが、からだを鍛えたい、自分を見つめ直したい、あるいは、みんなと楽しみたいなど、様々な理由で、登山に申し込んできた元患児が、五名いた。夏の登山の際は、参加する元患児の数はもっと多く、十名を超すときもあるという。

　病棟内の子どもたちは、生活のリズムを乱さないよう、ふだんどおり六時半に起床した。七時に食事をはじめ、食後に酔い止めの薬を飲むなどして、八時までには準備を整えた。

　優希は、志穂が送ってくれた、白いトレーニング・ウェアの上に、キャンピング・ジャケットを着て、桃色のトレッキング・シューズをはいた。黒いリュックサックには、タオルや着替えのシャツなどをつめた。

　ジラフは、ふだん着ているジーンズに赤いトレーナー、やはり赤のブルゾンを着ていたが、白いスポーツ靴だけは新しく、しっかりしたものだった。語らなかったが、たぶん叔父夫婦から贈られたものだろう。

　モウルは、ふだんと変わらない青のトレーニング・ウェアとウインドブレーカーを着て、いつも山登り療法で使っている古びた運動靴をはいていた。

　ふたりは、山登り療法のおりに病棟から借りるナップザックを、この日も借りたようだった。

　七時半を過ぎた頃から、同伴する保護者たち、また元患児とその保護者らも、登山に適した服装で、病棟内の食堂に集まりはじめた。

雄作と志穂は、早い時間に現れた。

昨夜は、松山市内のホテルに泊まったらしい。

ともに、色違いのストレッチ素材のパンツと長袖のシャツ、ジャンパーを着て、トレッキング用の靴をはいていた。小型のリュックサックと水筒も持っている。

志穂が、スポーツ・ドリンクの入った水筒を、優希に用意してくれていた。

「聡志は、実家？」

優希は訊ねた。

雄作が、苦笑を浮かべ、

「昨日、家を出るまで、まだ一緒に登るとぐずってたんだがな」

志穂が、薄くほほえみ、

「でも最後は、ちゃんと送ってくれたのよ。優希にも、気をつけるようにって」

「本当？」

優希は母を見た。

志穂は、うなずき、

「本当よ。お姉ちゃんも気をつけてって」

優希は、胸が温かくなると同時に、同じところが刺すように痛んだ。

ジラフの叔父夫婦も、早い時間に食堂に現れた。

ふたりとも、やや古いタイプの登山姿に思えた。ニッカボッカをはき、ポケットの多くついたキャンピング・ベスト、登山帽もかぶっている。リュックサックも、ほかの保護者のものより大きく、山で何泊かできそうだった。

八時には、ひとりを残して、登山希望者の全員が集まった。

モウルの母親だけが、まだ来なかった。

遠い地域にいる保護者には、病院の寮の空き部屋が提供された。ジラフの叔父夫婦も利用したらしい。

だがモウルの母親は、松山市内に自宅があるため、家から直接来る予定になっていた。

小野が、水尾と相談したのち、

「仕方がない。きみは病棟に残っていなさい」

モウルに言った。

モウルの顔が青ざめた。肩をふるわせ、いまにも昏倒《こんとう》するか、発作的に暴れだすのではと危ぶまれた。

優希はモウルに声をかけようとした。それより早く、

「うちは、大人がふたりいるんだ」

ジラフが言った。

彼は、椅子から立って、

「だから、こいつも登っていいだろ」

モウルに視線をやってから、小野に言った。次に、叔父夫婦を見て、

「こいつも、一緒にいいでしょ」

彼の叔父夫婦は、戸惑いながらも、うなずき、

「そのお子さんも、楽しみになさってたでしょうし。わたしどもで、みてあげられたらと思いますが……」

叔父が、小野たちに言った。

病棟責任者の水尾が、小野に代わって、

「お気持ちはありがたいのですが、保護者の方に一緒に登っていただくのは、安全や管理の問題だけではないのです。この登山は、あくまで治療の一環、いわば家族療法として、我々はとらえておりますから」

水尾は、いい機会と思ったのか、前方の壇上に進むと、手を二度打って、子どもや保護者たちの注意を集めた。

「今日の登山は、遊びではありませんよ。楽しんでもらいたいとは思っていますが、きみたちと、保護者の方々が、ともに協力し、助け合って、ふだん登らないような高い山に登るということに、大切な意味がある行事です。確かに、高齢の方も登っている山ですが、標高は二千メートル近くあります。なめてはいけません。どんなに安全に思えても、注意を怠れば、危険な場所に変わってしまう。無茶をすれば、軽い怪我ではすまないかもしれない。引率の先生方の指示を守らなければ、遭難する可能性だってあるんです」

水尾はいつになく厳しい表情で言った。

食堂内が静まったところで、彼は表情をやわらげ、子どもたちの顔を見回して、

「ですが、きみたちは、ここで山登り療法をつづけて、体力がついている。山の登り方も心得てきた。もしかしたら、保護者の方々よりも、山について、自然について、詳しいくらいかもしれない。一方で、保護者の方々は、やはり知恵がある。きみたちを良い方向に導いてゆく力もある。だから、互いに助け合い、励まし合えば、ひとりでは登れなかったような高い山も、きっと登れる……。家族そろって頂上に立ち、自分たちがどのくらい高い場所に登ったか、確かめてほしいと思います。地上では見られない景色を、ひとつのことをやり遂げた感動を、互いの汗を拭き合うなかで、経験してほしいんです。確かに彼は残念ですが、機会はまたあります。今日も、退院後に参加してくれた子たちが、五人います。彼も、退院

したのち、また夏にでも、お母さんと一緒に登ればれば、山では、何も起こらないかもしれないから……。

……」

水尾がまだ言い終わらぬうちに、

「待てよっ」

ジラフが叫んだ。

モウルが食堂を飛び出してゆくところだった。

優希も椅子から立った。モウルを追ってゆきたかった。

どうしてこんなときにまで、彼の母親は、彼を裏切るのだろう……。彼の気持ちを想うと、つらくてならない。

「どうした」

雄作に手首を握られた。

「座って」

志穂も言う。

ためらっているあいだに、水尾の指示を受けた看護士が、モウルのあとを追っていった。

「座りなさい」

雄作に手を引かれた。

強く握られた感触に、力が萎える。優希は椅子に腰を落とした。

ふと、このほうがいいのかもしれないと思った。

モウルは登らないほうがいいのかもしれない。そうすれば、山では、何も起こらないかもしれないから……。

「では、準備を確認してください」

水尾が言った。

そのとき、食堂の外から笑い声が聞こえてきた。

「ごめん、ごめん」

モウルの母親が、モウルの首に手を回して、食堂に入ってきた。

今朝は、いつもの派手な恰好ではなく、ジーンズに黒のトレーナー、赤いブルゾンをはおり、白い帽子をかぶっていた。

ただし、トレーナーには蝶の模様が彩られ、化粧も濃く、離れた優希のところまで香水が匂ってくる気がした。

モウルの母親は、水尾や小野たちを上目づかいに見て、

「すみません。一時間前には着くように出たんですよ。それが、気がついたら、ハイヒールで途中まで来ちゃってて。慌てて引き返したりしてたら、あっという間に時間が経っちゃって」

甘えかかるような口調で言う。すらすらと出る言葉が、かえって嘘を感じさせた。腫れたまぶたが、寝不足を訴えている。

「みなさんも、ごめんなさいね」

モウルの母親は、集まった人々に愛想笑いを浮かべ、モウルの頭を押さえて、自分ではなく、モウルのほうに謝らせた。

バスは病院の玄関前に停まっていた。

引率側のスタッフは、九名だった。第八病棟の小野、看護士と看護婦が二人ずつ。登山好きだという、外科病棟の若い医師と、事務職員が一人。養護学校から、男性教師と女性教師も一人ずつついてゆく。

子どもたちは、元患児をふくめて、十七名。保護者は二十一名。引率者と保護者を合わせ、子ども一人に対し、ほぼ大人二人がつく計算だった。

養護学校の男性教師が、七合目のロッジに連絡をとったらしく、壇上から状況を報告した。

「暖冬で雪も残っておらず、道は歩きやすいということです。曇ってはいますが、登るには、かえって楽だろうとのことでした」

小野や看護スタッフが、気分の悪い者がいないかどうか、最後のチェックをし、全員がバスに乗り込んだあと、

「くれぐれも事故のないよう、気をつけて登ってください」

水尾の言葉に送られて、バスは病院の門を出た。

車内では、できるだけ家族がまとまって座るように指示されていた。

優希たちは、バスの中央付近に席をとった。

優希と雄作が並んで腰掛け、通路をはさんで志穂と、モウルの母親のまり子。優希のすぐ後ろの席に、ジラフとモウルが並び、通路をはさんで、ジラフの叔父夫婦が腰掛けていた。

私服姿の看護婦たちが、バスの前方でマイクを握り、

「え、みな様、これより約三時間のバスの旅でございますが……」

バスガイドの真似をして、ゲームや歌を歌うなどして、楽しく過ごそうと、語りかけた。

最初はクイズ形式で、石鎚山の標高や地層などのデータ、歴史、また山で見られる動植物についての説明がおこなわれた。

元患児たちのほうが、すべてに積極的だった。マイクが回されると、彼らは次々に流行している歌を歌い、なかなかマイクを離そうとしなかった。

一時間ほど走ったあたりで、小粒の雨がバスの窓を打った。

子どもたちが先に騒ぎはじめた。

保護者たちも心配そうな声を上げるのに、引率側の人間が、前方に集まって話し合い、

「休憩所からロッジに連絡して、状況を聞いてみます」

養護学校の男性教師が、マイクを通して説明した。

「雨だったら、どうなるの……」

優希はつぶやいた。

「登山は、中止だな」

雄作が答えた。

優希は、目を見開いて、彼を見た。

雄作は、あっさりと、

「雨じゃ登れないさ。みんな雨具なんて用意していないし、危険だからね」

優希は志穂に視線をやった。

志穂は黙って窓の外を見ていた。

モウルの母親が、大きなあくびをして、

「だったら、わざわざ早起きして、出てくるんじゃなかった」

「行ってみないと、わかんないよ」

優希の後ろで、ジラフが言った。

「山の天気は、平地とは違うからね」

モウルがつづけて言った。どちらも、強がっているように聞こえた。

「できれば、登らせてあげたいけどな」

人のよさそうな、ジラフの叔父の声がした。

「わたしたちも楽しみだったし」

ジラフの叔母の声も聞こえた。

これ以降、車内には不安とあきらめの声が行き交い、看護婦たちが盛り上げようとしても、しりすぼみに終わった。

平地から高みへと、バスが登っていることが、周囲の風景から感じられた。住宅がまばらになり、田や畑が広がり、遠かった山々の姿も次第に大きく迫ってくる。

バスは、二時間ほど走ったのち、チャーターしているバス会社の営業所に、休憩のために停まった。

乗っていた全員が、いったんバスから降りた。

雨は小粒だが、まだ降っていた。

子どもや保護者たちが、それぞれトイレに行ったり、ジュースを飲んだりしているあいだ、養護学校の教師がロッジに電話をしたらしい。引率側の人間が、彼の報告を待って、協議をはじめた。

話し合いを終えた彼らは、保護者たちに声をかけた。

優希とジラフとモウルも、大人たちの輪の外に立ち、

説明を聞いた。

「ロッジの人の話では、こちらと同様、一時間ほど前から雨が降りはじめたそうです」

優希は拳を握った。彼女の両側にいる、ジラフとモウルのからだが強張る気配も伝わった。

「ですが、風向きや雲の流れからして、三、四十分もすれば、雨は上がり、晴れ間も見えるだろうとおっしゃるんです。経験的に、一時間もすれば、間違いなく晴れるとのことなんですが」

「しかし、いまは降ってるわけでしょ」

保護者のひとりが言う。

「雨が上がっても、足もとがすべりやすくなってるんじゃないですか」

別の保護者が言った。

「ロッジの人の話では、降ってるといっても、ほとんど霧雨に近く、乾いた地面が湿る程度で、ぬかるんだり、水溜まりができるようなものではないそうです」

養護学校の教師が説明した。

小野が、話を引き継ぐように前に出て、

「このままロッジのある土小屋まで進んだのちに、登山をするかどうか決めるか。あるいは、もうここであきらめて引き返すか。みなさんのご意見を、尊重したいと思うんですが」と言った。

「登っても、雨じゃしようがないわよ」

モウルの母親が言った。

「でも、みんな楽しみにしてたわけだし」

ジラフの叔父が言う。

「多数決で決めませんか」

雄作が持ちかけた。

少し揉めたが、雄作の提案どおり決をとることになり、営業所の待合室の一角に、保護者ばかりが集まった。

「子どもたちの意見も聞いてあげるべきだと、思いますけど……」

ジラフの叔母が恐る恐る言った。

子どもたちも全員、輪のなかに呼ばれ、熱気と湿気でむせ返るなか、登るか引き返すか、挙手が求められた。

登るほうに、子どもたちが多く手を挙げ、引き返すほうに、大人たちが多く手を挙げた。ジラフとモウル、ジラフの叔父夫婦は登るほうに、雄作とモウルの母親は引き返すほうに挙げた。

引率者たちを除いて、十八票ずつにわかれた。三十八名いて、あと二票足りない。

誰が手を挙げなかったか、優希はわかっていた。優希自身と、志穂だった。

「どっちですか」

養護学校の教師に問われた。

「引き返しますか、登りますか」

全員に見つめられるなか、とくにジラフとモウルの強い視線を受けて、優希は手を挙げた。

「それは、どっち?」

教師に訊かれ、

「……登る」

目を伏せて、答えた。

次に、全員が志穂を見た。

「どうした」

雄作が苛立った声でうながした。

志穂は、優希を見て、小さくうなずき、

「とりあえず、登ってみましょう」

消え入りそうな声で答えた。

バスはふたたび走りはじめた。

勾配がだんだん急になり、道も狭まる。石鎚山系へ登ってゆくために整備された道路に入ると、さらに急なのぼりとなった。バスは、ガードレールすれすれを通って、カーブのつづく道を登ってゆく。

あまりにカーブがつづき、気分の悪くなる子どもが次々に出た。

優希も胸のむかつきをおぼえた。

「大丈夫なのか」

雄作から訊かれ、窓に額をつけた状態で、顎をそっと引いた。

窓越しに見えるガードレールの向こう側は、高い崖だった。

笹の茂った斜面が、鋭い角度で谷へ落ちている。谷の底は、霧かガスかが湧いていて、何も見えない。

谷をはさんだ向かいには、こんもりとした山並みが望めた。間近な山の頂上が、ほぼ平行の位置に見えることで、自分も高みに登っていることを確認した。

空気も冷え込んできたのか、肌寒さをおぼえる。両腕を抱き、谷底の白い流れを見つめていた。

ふと、窓の外が明るくなった気がした。

厚い雲におおわれて沈んでいた風景が、輪郭を取り戻し、傾斜地に並ぶ木々の形や、笹の緑、また彼方の稜線も浮かび上がってくる。山々の上を、雲が速いスピードで流れていた。

「雨が上がったんじゃないか」

期待のにじんだ声が、後ろから聞こえた。

ジラフかモウルが、窓を開けていた。

優希が振り返ると、窓の外に、二本の手が突き出されていた。

「上がってる、雨が上がった」

ジラフが叫んだ。

「感じない、もう降ってないよ」

モウルの声もはずんだ。

ほかの子どもたちも、窓を開け、手を出そうとする。慌てて看護婦や教師たちが、窓から手や頭を出さないようにと、注意した。

運転席の前のワイパーも止まった。マイクを通して、「雨が上がったようです、あと十分ほどで到着です」と説明があった。

優希は窓を開けた。

風が流れ込んでくる。平地の空気とはもちろん、明神の森の匂いとも、微妙に違っていた。もっと冷たく冴えた印象の匂いを、薄い空気のなかに感じた。

神様の山に近づいたと思った。

十分後、バスは広いロータリーが設けられている場所に出た。

『土小屋』と書かれた停留所があり、周辺にはロッジが数軒並んでいた。

「到着しましたー」

男性教師がマイクを通して告げた。

車内に歓声が上がった。

バスが停車し、全員が降りてゆく。道路は濡れていたが、水溜まりなどはなかった。

「お疲れ様でした」

ロッジの人らしい、年配の男性が出迎えてくれた。

彼は、雲が流れてゆく空を指差して、

「晴れますよ、間違いないです」と言った。

全員がロッジの食堂に入った。昼食が用意されていた。カレーライスとサラダ、ジュースとバナナ。一時間の昼食時間のあいだも、どんどん空は明るくなってゆく。

「いま無線連絡が入りました」

先の年配の男性が、食堂の前方に立って、全員に報告した。

ロッジから、登山道の確認のために人が出されていたらしく、

「道の両側に茂った笹に、露がついた程度のことで、崩

れてるところも、ぬかるんでるところもなく、ふだんどおりに登れるとのことです。実際に、いまも多くの登山者が登っているようです。お遍路さんの一行や、松山の児童会の子どもたちの一行とも、すれ違ったそうです」

小野が、代わって前に出て、

「では、予定どおりに進めるということで、よろしいですか」

全員に承認を求めた。一時は消極的だった保護者たちも、納得した様子で、反対する者は出なかった。

雄作も、頭を切り換えたのか、

「じゃあ、元気を出して登るか」

優希に笑顔を振り向けた。

十二時半に、一行はロッジを出た。

空はまだ少し曇っていたが、西の空は明るかった。

『登山道』と標識の出ている道は、国民宿舎の前を通り過ぎ、低い茂みのなかへ割って入る形で造られていた。

両側に笹が茂り、ヤマツツジの低木が育っているため、もともと広くない道が、さらに狭くなっていた。一行は、縦に一列になって歩いた。

報告されたとおり、地面は湿ってはいたが、水溜まりはなく、ぬかるんでいる箇所もなかった。一方で、拳ほどの大きさの石が、ところどころ転がっていることもあり、

「足もとを、よく見てー」

先頭のほうから、何度も注意が飛んだ。

慣れている看護士や教師らが列を引っ張り、初めて参加した小野は最後尾についたようだった。

子どもたちは、あくまで家族単位で、まとまって登るように指示されていた。

優希たちは、列のやや後方に位置し、優希の後ろに志穂、その後ろに雄作。雄作の後ろを、ジラフとモウルが交互に先になる恰好で登っていた。

雄作は、車にいたずらしようとしたふたりのことを覚えているようだったが、少しいやな顔をしただけで、何も言わなかった。登山が終われば優希も退院するため、今日だけのことと割り切ったのかもしれない。

ジラフとモウルの後ろには、ジラフの叔父夫婦。モウルの母親はその後ろを登っていた。

登山道が急に翳った。低い茂みから、ブナやミズナラなどの高い樹木が並ぶ林のなかへ入っていた。

両脇の笹も背が高くなり、湿りけを帯びた草と土の匂いが濃くなった。

樹木に隠されて、周りの風景が望めないために、道がのぼりなのか平坦なのか、わからなくなる。足が重くなることで、傾斜はゆるくとも、のぼり勾配がつづいていることを感じた。

あたりには、ひんやりした空気が流れているのに、トレーニング・ウェアの下は、汗びっしょりになってゆく。

「ずっと、こんな調子なのか」

雄作がため息まじりに言った。

「鶯の声なんて、聞こえないじゃないの」

後方で、モウルの母親のつらそうな声も聞こえた。しばらくして、先頭のほうから、歓声に近い声が聞こえた。

何かと思い、先を急いだ。林から抜け、目の前が開けた。なだらかな山々がおり重なってつづく景観が、目を打った。

自分たちの立っている位置より高い山は、すでになかった。すべての山が眼下に並び、遠く彼方の稜線まで見通せる。黒々とした山と山のあいだには、霞《かすみ》だろうか、灰色の流れがたなびいていた。

そこからは、彼方の山々を眺めながら、南側に面した明るい道を進んだ。向かって右が林となり、左手が谷に向かってなだらかな傾斜地になっていた。傾斜地には一面、笹が密生していた。

山道に入って一時間が過ぎ、子どもたちよりも、保護者たちから、

「疲れた、まいった」

という声が聞こえはじめた頃、登山道から山側へ少し入る形で造られた、休憩所らしい場所に到着した。

「十分間、休憩します」

引率者側から告げられた。

休憩所といっても、草木を払った五メートル四方ほどの空間に、木のベンチが数脚置かれただけのものだった。保護者たちは、ベンチに腰掛ける余裕もなく、地面に直接腰を落としてゆく。

優希が両親を見ると、雄作はまだ余裕があったが、志穂はかなり疲れている様子だった。

「大丈夫？」

優希は声をかけた。

志穂は、口をきくのも億劫そうで、小さくうなずき、水筒のスポーツ・ドリンクを飲んだ。

「もうだめ、死んじゃう」

モウルの母親が声を上げた。

彼女は、ベンチのひとつをひとり占めにして、身を横たえ、

「わたしは、ここに置いてって」

息もたえだえに言う。

看護婦が、彼女の脈をみるなどして、

「大丈夫ですよ。もう少し我慢すれば、とても素敵な景色が見られますから」

笑顔で励ました。

ジラフの叔父夫婦は、休憩所の隅で、草の上に並んで座っていた。タオルで汗を拭き合いながら、満足そうに景色に目をやっている。

ジラフとモウルは、一行から少し離れた場所に立っていた。

彼らは、疲れた様子もなく、道の前後を行き来して、何やら話し合っている。笹の密生した谷側の斜面を見下ろしては、首を横に振り、山側の林を見ては、また首を横に振った。

彼らがどこかでうなずくのかと思うと、優希は怖くなり、目をそむけた。

十五分後、一行は出発した。

ほどなく、鶯の声が聞こえた。姿は確かめられなかったが、よく通る声で、谷から谷へと渡ってゆくように鳴いた。モウルが鶯のことを母親に教えて、励ましていた。

周囲がまた翳った。南側に面していた道が、いつのまにか北側に移っていた。これまでと逆で、向かって左手が山側となり、右手が谷だった。谷へと落ちてゆく傾斜地には、高い杉が育ち、上からの光をさえぎっている。

道はいっそう狭くなり、のぼりも急になった。

「踏み外さないように、よく足もとを見て、歩いてください」

引率者たちの声の調子も、厳しくなった。

列の前後で間隔があきはじめた。

優希たちの前を行く家族とは七、八メートルあいた。優希と志穂と雄作がまとまって歩くあとを、同じくらいの距離を置いて、ジラフとモウルがつづいてくる。さらに同じほど遅れて、ジラフの叔父夫婦が、モウルの母親を助けるようにして、登っていた。

優希はときおり山肌に手をついた。固い感触で、山全体が大きな岩でできているような気がした。道の上にも、砂利のような小石が多く転がっている。

「足もとだけでなく、頭の上も注意してください」

厳しい声が、前方から飛んでくる。

少し進んだ道の上に、『落石注意』と書かれた看板が出ていた。

看板の上方を見上げると、草や木を押し退けるようにして、大きな岩のかたまりがむき出しになっていた。岩は、風雪によって削られたのか、先端の部分が鋭くとがっている。いまにも崩れて、登山道の上に落ちてきそうだった。

その岩のそばに、大小無数の石が集まり、川に似た流れを作っている場所があった。

雨水の流れる道に沿って、落石がしぜんと集まり、下方に流れていった跡らしい。

幅が五メートルほどの落石の流れは、まるで石の滝とでもいうような印象で、登山道を断ち切り、さらに下へ流れ落ちていた。

もちろんいまは、石の流れは止まっているが、完全に安定しているようにも見えなかった。何かの拍子で、新たな石が落ちてくれれば、連鎖反応的に、止まっていた石までが転がり落ちてくるように思う。

「ここは、本当に危ないな」

雄作が言った。首を伸ばして、落石の流れを見下ろし、

「落石も怖いが、ここですべり落ちたら、ただじゃすまない。一気に麓まで落ちてしまうんじゃないか。石で、頭も打つだろうし」

ただし、登山道と落石の流れが交差している箇所は、ほとんど道から石が取り除かれており、注意して渡れば、問題はなさそうだった。

「上を見て、落石がないことを確かめてから、一気に素早く渡ってください」

道の向こう側で待機している、看護士のひとりが言った。

優希たちの前を歩いていた家族は、指示どおりに渡り、優希の順番になった。

「お父さんが、先に行ってみよう」

優希の不安を察してか、雄作が言った。

雄作が前に出る。彼の背負ったリュックサックが、優希の目の前で揺れる。

優希は彼の足もとを見た。少しでも踏み誤れば、簡単に落石の流れのなかに、落ちてしまいそうに見える。

優希は、かすかにめまいをおぼえ、目を閉じた。

「優希、早く来い」

前方で呼ばれた。

雄作が先へ通り抜けていた。落石の流れの向こう側で、

手招きをしている。

「優希、どうかしたの」

そばで志穂に言われた。

優希は、前しか見ないようにして、小走りで渡った。

雄作が手を広げていた。

優希は、山側にからだを預ける恰好で、彼の脇をすり抜けた。道が狭いため、山肌に少し肩をぶつけた。痛みは感じなかった。

「おいおい、大丈夫か」

雄作が苦笑気味に言った。

すぐに志穂が渡ってきた。彼女も、ほっとしたのか、小さく息をついた。

「どうにもハイキングって感覚じゃないな」

雄作がぼやくように言った。

優希は後ろのふたりが気になった。

ジラフとモウルは、落石の流れの前で、足を止めていた。ためらっているようにも見えたが、表情に恐怖やおびえの色はなかった。むしろ、彼らの瞳は輝いている。

優希は慌てて前に向き直った。

「遅れてるから、急がないと」

雄作たちに言って、足を速めた。


『落石注意』と看板の出ている場所は、先にも何カ所かあった。

幅がさほどなくとも、大きい岩がごろごろと転がっている場所、道の上に石が残っている場所もあった。何人かの子どもが不安がり、保護者や引率者の励ましを受け、手を伸ばしてもらうなどして、渡っていた。

優希は、危険な箇所では、二度と後ろを振り返らなかった。ジラフとモウルがどんな表情をしているのか、見るのが怖かった。

途中、もう一度休憩がとられ、それぞれの健康状態が、看護婦や看護士によってチェックされた。志穂やモウルの母親など、疲労の目立つ大人が何人かいたが、子どもたちはみな元気だった。

大きな問題もなく、土小屋を出てから約二時間後、

「中継地点に着きましたー」

前方から、明るい声が届いた。

歓声や安堵の声が、申し送りのように次から次へと聞こえてくるなか、優希たちも、茂みに囲まれた道を抜け、大きく開けた場所に出た。

三叉路《さんさろ》になった中継地点は、向かって右側は下りで、別の登山道をたどって、麓に下りられるようになってい

流れている。方角は北になるはずで、彼方の山並みのほうへ雲が
た。

向かって左側がのぼりで、頂上へつづくらしい。鳥居の手
のぼりの道に入るところに、鳥居があった。鳥居の手前には、小さな山小屋が建っていた。

山小屋の屋根越しに、岩の壁がそそり立っているのが見える。岩の壁の上方は、白いもやがかかっていて、見通せなかった。

先に着いていた家族は、周囲に散って、思い思いの恰好で休憩をとっていた。優希たちも、邪魔にならない場所を見つけて、腰を下ろした。

優希たちが着いてから、ほぼ十分後には、全員の到着が確認された。口をきく余裕もない小野に代わり、養護学校の男性教師が、

「現在の標高が、だいたい千七百から千八百メートルのあいだです」と説明した。

子どもたちだけでなく、保護者のあいだからも、歓声が上がり、拍手が起きた。

「お疲れ様でした。ですが、いまからが本番ですよ。ここから山頂までが、真の難所なんです」

歓声はため息に、拍手は苦笑いに変わった。

教師は、説明をつづけて、

「ここは神様がいらっしゃる場所として、とても大切にされています。決してふざけたり、ごみを捨てたり、自然を傷つけたりしないように。敬虔《けいけん》な気持ちで登ってください。目の前にそそり立っている岩の壁が、この山の北壁です。ほぼ垂直に切り立っていて、一般の人はとても登れません。ですから、特別の鎖が、頂上付近から垂らされています。もとは修験道場であり、日本七霊山のひとつです。頂上には、小さいですがお社《やしろ》もあります。現世での願い、来世での救い、また次の世でも幸いをと、いわば永遠の救いを求めて、お遍路さんや、七十、八十の腰の曲がったお年寄りですら、あえて、この鎖を登っていかれるようです……。ただし、我々は、救いを求めにきたわけでも、冒険をしにきたわけでもありません。迂回路のほうを進みます。もちろん迂回路であっても、頂上まで登ってお参りすれば、ご利益はあるそうですから。なお、迂回路は安全に整備されていますが、なんといっても高い山です。どうか家族で助け合い、注意し合って、最後まで気を抜かずに登ってください」

この説明のあいだも、看護婦や看護士、外科病棟の医師らによって、子どもや保護者たちの健康状態がチェッ

クされた。

志穂の顔色がひどく悪かった。膝のあいだに頭を垂れ、ぐったりしている。

彼女の状態をみた看護婦が、ここに残るように勧めた。

「いいえ、登れます」

志穂は弱々しい声で答えた。

「無理をするな。かえってみなさんに、迷惑をかけることになるぞ」

雄作が反対した。

「でも、優希は登りたいんでしょ」

志穂が優希を見た。

優希はうなずいた。ひとりでも登りきる覚悟だった。

「お父さんがいらっしゃるんだから、優希さんはお父さんと登って、お母さんはここで待ってればいいじゃないですか」

看護婦が言った。彼女は、志穂をさとす口調で、

「ここから先は、また空気も薄くなってきます。自重されたほうがいいと思います」

「でも……」

志穂がなお心配そうに優希を見た。

「無理はなさらないほうがいいですよ」

ジラフの叔父が言った。彼ら夫婦は、優希たちのやや下の場所で休んでいた。彼は、見かねた様子で話に加わってきて、

「わたしたちも、娘さんたちの後ろから登ってゆきますから。奥さんは安心なさって、ここで休んでおられたらいいですよ」

「本当に、顔色がひどくお悪いもの。なんだったら、わたしも一緒に残りましょうか」

ジラフの叔母が言った。

「あ、待って。わたしが残る」

モウルの母親が声をかけてきた。彼女は、優希たちよりやや上の場所に、身を横にして休んでいた。

彼女は、疲れきった顔で、化粧もかなり崩れており、

「わたしは、もう限界。これ以上は、本当に死んじゃうから。ここに残って、面倒みてあげる……なぁんて、実はみられるほうか？」

と言って、力なくほほえんだ。

看護婦が、まり子の背後にいたモウルに目を止め、

「お母さんが残られるなら、あなたも一緒に残ることになるけど、いい？」

「どうしてだよ」

モウルでなく、彼の隣にいたジラフが訊いた。

「家族の方とつねに一緒にいることが、この登山では大事なことなの。家族なんだもの、どちらかが登れなくなったら、そばにいて助けてあげるべきでしょ。そういうこともおぼえてほしいのよ」

モウルは、不満げな表情で何か言いかけたが、唇を嚙んで、目を伏せた。

まり子が、モウルを振り返り、

「暗い顔しないの。これ以上無理して登ったら、わたしは本当に死んじゃうよ。もう充分に約束は果たしただろ?」

モウルは、頂上の方向を見上げたり、登山道のほうを振り返ったりしていたが、

「ちょっと待てよ」

と言い、ジラフを誘って、登ってきた道のほうへ戻った。茂みの陰で、ふたりは何やら話しはじめた。

優希がうかがっていると、モウルの言葉に、ジラフが納得した表情でうなずいた。ふたりは約束を交わすように、互いの胸を拳で軽く叩いた。

彼らは、そろって戻ってきて、

「いいよ、ここに残るよ」

モウルが言った。

結局、志穂とまり子とモウルが残り、優希は雄作と、ジラフは叔父夫婦と、迂回路から頂上をめざすことになった。ほかにも中学生の患児ふたりと、その保護者が残ることになった。

全員の到着が確認されてから約二十分後、一行は出発した。

志穂とモウルは、山小屋の前に立って、優希たちを見送った。

志穂は、優希に対して何度も、

「気をつけてね」と言った。

モウルは、優希を見て、励ますようにうなずいた。そして彼は、優希の後ろを歩くジラフを、睨むように見た。ジラフが彼に対してうなずき返すのが、優希にも見えた。

ほぼ垂直に切り立った北壁の前で、一行はいったん足を止めた。

岩の壁に沿って上から垂らされている鎖は、綱引きに使う綱よりも、ひと回りは太く、つなぎ目の輪の内側は、大人が足をかけてもまだ余裕がありそうだった。

岩の壁の上空は、霧かガスかの白い流れに隠されていた。そのため、特別製の鎖は、天空までつづいているか

のように見えた。

　優希は、白い流れの向こうにあるものに、目を凝らした。

　確かに、この鎖を登ってこそ、〈救い〉と呼べるものが待っている気がする。

「じゃあ、行きましょう」

　看護士たちの先導で、一行は迂回路へ進んだ。

　山肌に沿って螺旋状に登ってゆく道は、かなり狭く、やはり一列になって進むしかなかった。

　危険な箇所には、手すりが設けられ、鉄板で補強もされていた。だが、片側は一気に深い谷になっており、足を踏み外したらと想像したときの怖さは、先の登山道とは比べものにならなかった。

　ことに、下山者とすれ違う際には、道が狭いだけに、慎重さが必要だった。

　優希は、五分ほど雄作のあとについて登っていたが、ついに我慢できなくなり、立ち止まった。

「お母さんの様子を見てくる」

　雄作に言って、彼に背中を向けた。

「待ちなさい、優希」

　雄作が止めたが、

「先に行ってて」

　言い置いて、駆けだした。

　驚いているジラフや、ジラフの叔父夫婦の横をすり抜け、後ろにつづいていた人々の脇も巧みに抜けて、迂回路を駆け降りた。

　雄作は、人の列に阻まれてか、

「優希っ」

　声は聞こえたが、すぐに追ってくる気配はなかった。

　優希は、ほとんど転びそうになりながら、鎖場の前に戻った。

　山小屋の近くにいるはずの、志穂やモウルの姿も、ここからは見えない。

　優希は岩の壁を見上げた。

　きっと〈救い〉が待っていると信じた。

　優希は鎖を素手でつかんだ。

　ひんやりと冷たく、彼女の手にはあまった。

　雨に濡れていたためか、すべりやすそうに感じた。

　トレーニング・ウェアの膝のあたりで、手をぬぐい、ふたたび鎖を握った。

　飛び出した岩の上に、足をかけた。

　手に力を込め、からだを宙に引き上げた。

第十五章　一九九七年　初冬

1

優希は天をめざしていた。

鎖にしがみつき、岩場にかじりつくようにして、垂直の壁を登ってゆく。

からだが異様に重かった。全身に、体重の倍近いおもりをつけられた感覚だった。

鎖を登りきり、白い流れのなかをくぐり抜けた。

石と砂だけの、狭い頂上にたどり着いた。隅に、祈りの場としての祠があった。

優希は、しるしとなるものを求め、祠の前に進んだ。

祠の扉は開いていた。三体の御神体が安置されるのは、確か夏だと聞いていた。不審に思いながら、暗い祠のなかをのぞいた。

御神体ではなく、三つの骨壺が安置されていた。雄作と志穂、そして聡志の遺骨……。

優希は、声にならない悲鳴を上げ、外へ飛び出した。

顔を手でおおった。その手が、子どものものではなかった。指が荒れている。ひびも入っている。

自分をかえりみた。白衣を着た、大人の姿だった。

ようやく、夢だと思いいたった。

だが目覚めない。目覚めたくない。

むしろ、このまま夢のなかにいつづけて、やり直したいと思う。この先の、真の頂上をめざして進んだあとから、やり直したい。

東南の方角に目をやった。さっきまでガスにおおわれ、何も見通せなかった場所に、すっと一本の稜線が浮かび上がった。

幅が五十センチもない稜線を、まっすぐ前を見て、進んだ。

背後から足音が聞こえた。耳をすます。ふたりいる。

優希のあとをついてくる。

そうだ。あのとき、ジラフとモウルは、どうして、わたしを追いかけてくることができたのだろうか。聞いたっけ？

「話したじゃないか」

後ろから聞こえた。ジラフの声だった。

「いきなり列を離れて、駆け戻っていっただろう。きみ

の父親は、びっくりして、追いかけようとしたけど、迂回路は狭いからさ。登ってくる人間とぶつかって、かなり危なくなったんだ。ちょっとした騒ぎになったから、おれは、その隙に列を離れて、追いかけることができた。きっと鎖場のほうに行ったって、信じてた」

「走ってくる、ふたりの姿が見えたんだよ」

別の声が言った。モウルの声だった。

「ぼくだけ、取り残された恰好だったから、気が気じゃなかった。ジラフと話し合って、例のことは、登山道の途中の、落石の跡がある場所でやろうって、約束したけど……。迂回路の途中でも、いい場所があったら、ジラフは気が変わって、ひとりでやるんじゃないかって……心配だった」

「そんなことしやしねえよ」

ジラフの不満そうな声が聞こえる。

「いろいろ考えちゃうんだよ、ひとりでいると」

モウルが言い訳気味に言う。彼のため息が聞こえ、

「とても山小屋の前でじっとなんてしてられなくて、迂回路のほうを、何度も確かめにいった。きみに似た影が、鎖を登ってゆく姿を見かけた。錯覚だと思ったよ。想いつづけてるから、そう見えたんだろうって……ガスに隠されて、すぐに見えなくなったしね。でも、迷っていたら、迂回路からジラフが降りてきた。ジラフはまっすぐ鎖場に走った。だから、ぼくも追いかけて、ジラフのあとから登りはじめたんだ」

優希は、振り返らずに、うなずいた。

ジラフとモウルの声は、子どものときのものだった。

だが、姿はどうなのか、見るのが怖かった。

稜線が次第に険しくなり、立ったままでは渡れなくなった。峡谷に向かって傾いた岩盤の先端をつかみ、這うようにして進む。大人であるいま、からだが重く、引き上げるのにも、懸命の力がいった。

いつのまにか、視界をさえぎる岩が消えていた。

頂上に達していた。

だが空気は変わらない。風は感じない。

優希は周りを見回した。

闇だった。眼下に山々の姿はなく、虚しい闇が広がっているだけだった。顔を上げると、遥か頭上に、点のような光がまたたいていた。登っていたつもりが、下っていたのだろうか……。

登ってきたはずの道を、振り返った。

稜線が、闇のなかに白く浮かび上がり、彼方の、祠の

ある峰とつながっていた。

祠の前には、雄作が立っていた。雄作の顔は怒っていた。優希のほうに腕を振り、大きく口を開いた。

危ないじゃないか、どういうつもりだ。

口の動きで、読み取れた。声は聞こえなかった。

ジラフの叔父が、雄作の後ろから、汗びっしょりの姿で現れた。優希を見て、ほっとしたような笑みを浮かべた。

よかったよ、三人とも無事で。みんなに心配かけちゃいけないよ。

彼の言葉も、口の動きで理解できた。

ジラフの叔父は、祠の下に建つ、山小屋のほうへ下りていった。迂回路から登ってきた、第八病棟の患児や保護者たちが、到着したところだった。医師や看護士、養護学校の教師たちは、優希を見て、驚き、怒り、安堵した表情を浮かべた。

「あれは、きみだ」

耳もとで声がした。

ジラフでも、モウルでもない。もっと太く、陰湿な響きがあった。自分の内側から聞こえたようにも思えた。

「あれは、きみ自身の姿だ」

祠の前に残っている雄作の背後に、いつのまにか、〈光る人〉が立っていた。

背恰好が、優希とそっくりの〈光る人〉は、雄作の背後に忍び寄った。

優希は首を横に振った。

止めようとして、手を伸ばした。

〈光る人〉が、それを真似るように手を伸ばし、雄作の背中を押した。

だめ、そうじゃないっ。

優希は目を開いた。

蒲田の、アパートの部屋だった。布団のなかで息をつき、窓のほうへ目をやった。

日を受けると淡い緑色に映える、裏葉色のカーテンは、まだ灰色に沈んでいた。

枕もとに置いた腕時計を見る。午前五時を回ったところだった。日付は、十一月十七日になっている。

昨日が準夜勤だったため、午前零時まで勤務し、終電でどうにかアパートに帰ってきた。床についたのが、おおむね二時。しかも、眠りは浅かった。

昨夜の勤務中に、岸川夫妻から聞かされた話が、胸に重く残っていた。

十四日の日勤の際、笙一郎の母親を見舞いに訪れた女性が、夜のニュースに出ていたようだと、彼らは言った。

岸川夫妻も、偶然にまり子の病室で、その女性の顔を見ていたから、テレビに写真が映ったとき、もしかしたらと思ったらしい。

「でも、いいニュースじゃないから、間違いだといいんだけど……」

夫人がつらそうに言った。

自宅で首を絞められていたという。

「いや、写真は確かに似てたけど、世間には、他人の空似ってのが、意外に多いから」

夫のほうが、妻を落ち着かせるように言った。彼は、優希に向かって、

「あのときのべっぴんさんの名前、知らないかい。早川奈緒子さんって、テレビじゃ出てたけど」と訊ねた。

名前も住所も、優希は知らなかった。

ただ彼女が、笙一郎ではなく、梁平と深いつながりがあるということは、わかっていた。

病院を訪ねてきた際、彼女のハンドバッグのなかから転がり出たものは、包丁に違いなかった。

理由はわからない。だが、布巾を巻きつけてあった刃は、本当は優希に対して用意されたものではなかったかと、感じていた。でなければ、自分自身に向けるつもりでいたのか……。

梁平に伝えるべきかどうか、迷った。迷ううちに日が過ぎていた。

本当に、あの女性が亡くなったのか……誰であれ、悲しいことだが、やはり彼女でなければと願った。

これ以上は眠れない気がして、布団から出た。

電灯をつけ、顔を洗い、パジャマからジーンズとセーターに着替えた。湯を沸かし、茶をいれて、志穂と聡志の遺骨が入った骨壺の前に供えた。

志穂の通常の納骨の時期は、とうに過ぎていた。聡志の死と重なったこともあり、気持ちの整理がつかなかった。

遺骨まで手放すと、ふたりを二度失ってしまう気がしていた。

少し前までは、食事や洗濯など、なにげない行為の途中でも、涙が溢れてきた。ふたりが実はどこかで生きているという夢は、いまもしばしば見ることがある。

骨壺の脇に置いた、シクラメンの鉢に水をやった。

岸川夫妻がプレゼントしてくれたものだった。

「何か、育てたほうがいいと思うから」

と、夫人から渡された。

渡されたときには閉じていた蕾が、いまは幾つか開いて、純白の花を咲かせている。さらに多くの蕾も育ちつつある。

それが何であれ、〈育てる〉ということに、優希は負担を感じてきた。ペットにしろ植物にしろ、自分に何かを育てることなど、できるはずがないと思い込んでいた。だがシクラメンは、鉢を窓際に置いて、水をときおりやるだけで、花を咲かせた。

ほんの少しの注意で、花は自分で咲きたいように、咲く。安心できる場所でなら、自分の力で、命をまっとうする……そんな単純なことに、慰められる想いがした。

不意に、ドアがノックされた。

こんな早朝に、錯覚かと疑った。だが執拗にノックの音がし、古い木製のドアがふるえた。

笙一郎、それとも梁平……ふたりの可能性を考えながら、

「どちら様ですか」

声をかけた。

「開けてもらえますか」

低い声がした。

誰なのかわからない。

「朝早く、申し訳ないが……」と言う。

声に疲れがにじんでいた。その底に、簡単には引き下がりそうにない、固い意志も感じられた。

「どちら様ですか」

もう一度訊いた。

「伊島です」

優希は、意外に感じて、

「……警察の？」

問い返すと、

「有沢を、出してくれ」

相手は、低いが、強い語気で言った。

優希は、戸惑いながら、

「ちょっと、お待ちください」

部屋のなかを見回した。着替えてはいたが、布団はたたんだだけで、押入れにも入れていない。

「有沢っ」

拳でだろうか、ドアが叩かれた。

優希は、驚き、

「やめてください」

「有沢、出てこいっ」

優希は、布団を隅に寄せただけで、鍵を外し、ドアを少し開けた。

伊島がやつれた顔で立っていた。黒い礼服を着ている。

「いったい、どういうつもりですか」

優希はとがめる口調で言った。

伊島は、勝手にドアを引き、部屋のなかに入ってきた。

土足のまま部屋に上がる。室内を見回し、優希が止めるまもなく、押入れを開けて、

「有沢っ」と叫んだ。

「やめてください」

優希の声も聞こえないのか、伊島は窓のほうに進み、カーテンを荒く引いた。

カーテンがはね上がって、骨壺を置いた小机に当たり、骨壺が畳に落ちた。供えた茶もこぼれる。

伊島は、窓を開けて、外を見た。冷たい風が吹き込んでくる。

彼が振り返った。険しい表情で、

「有沢は、どこだ」

優希は、ドアを閉め、部屋に戻った。

伊島と向かい合い、不精髭の生えた頬を、平手で打った。

伊島が目を見張った。

「母です」

畳に落ちた骨壺に、目をやった。

もうひとつの骨壺は、小机の上で、横に倒れている。

「弟です」

伊島に目を戻した。

伊島が、戸惑った顔で、目をしばたたいた。

優希は、膝をついて、厚手の布に包まれた骨壺を、胸に抱き上げた。邪魔になっている伊島の足を、片手で払い、叫びたいのをこらえて、小机の上に母の遺骨を戻した。

「いや、そんなつもりでは……」

うめくような声が落ちてきた。

優希は聡志の骨壺も直した。シクラメンの鉢も倒れ、濡れた土が小机の上にこぼれていた。

「すまなかった……」

伊島は玄関のほうに戻った。

優希は、彼を追うようにして、流しに進んだ。

たたきに降りた伊島を、肩で押すようにして、流しの縁に置いた布巾を取り、水道の水で濡らした。

布巾をしぼって、部屋に戻る。畳にこぼれた茶を拭いていると、

「雑巾を貸してもらえないか。土足で、汚してしまったし……わたしが、自分で」

伊島がかすれた声で言う。

「けっこうです」

優希はさえぎった。

シクラメンの鉢からこぼれた土も、布巾と手を使って、丁寧に鉢へ戻した。

「まだ、納骨をしていなかったんだね」

伊島が言った。

優希は答えなかった。窓から冷たい風が入ってくる。立ち上がってカーテンをまとめたが、窓は開けたままにした。

「きみは、どう思っているんだ。弟さんが、お母さんを……そうは思っていないのか？」

伊島の口調に非難めいたものはなかった。

「弟は何もしてません」

突き放すように答えた。布巾をすすぎに、流しに進んだ。

伊島は、力が抜けたように上がり框のところに腰を下ろし、こちらに背中を向けていた。

優希は、彼の脇からたたきに降りて、布巾をすすいだ。雑巾を取り、水で濡らす。部屋に戻って、畳を拭きはじめたところで、

「有沢は、来なかったのか」

伊島が言った。声が沈んでいた。

「そうだな……ここには、来ないんだろう。冷静に考えれば、そのほうが、あいつらしい。あなたも、そんな軽い人じゃない」

優希は顔を上げた。彼は膝のあいだに頭を垂れていた。

黙っていられない心持ちがして、

「彼は来ていません。だいたい、あなたはどうして、ここがわかったんですか」

伊島は、同じ姿勢で、

「病院で教わった」

「病院に、行ったんですか」

「捜すあてがなくてね」

「あて？」

「あいつが、行きそうなところのさ……」

伊島がさらに深く首をうなだれた。自嘲気味に笑う声が聞こえ、

「けっこう長いつきあいでね。あいつが、まだ交番勤務の頃、現場で一緒になった。見どころのある奴だと思った。鼻もきくし、よく動く。動き過ぎて、組織からはみ出しそうになるのが、欠点だったが、バランスさえとれれば、いい刑事《でか》になると思った。その後所轄で一緒になってね、いろいろ教えたよ。波長が合ったというのか、わたしの言うことは、素直に聞いた。あいつが、職場で笑うのは、わたしの前だけだったんじゃないかな。年齢が合わないのに、隠し子じゃねえのなんて、からかわれたこともあった……。友だちなんて、いそうにもなかった。先輩連中には嫌われ、同年代や後輩からは、怖がられてた。古いつきあいの友だちがいると聞いて、正直、驚いた。しかも、ひとりは女性だ……」

伊島は少し首を起こした。両手で顔をこすり、

「こんなことを言うのはなんだが……あいつが、あなたのことを見るときの目も、語るときの口ぶりも、普通とは違っていた。惚れたはれたじゃない……それもあるのかもしれないが、もっと込み入った事情がある気がした。あいつが、いなくなったとすれば、長瀬って弁護士か、あなたしか思い浮かばなかった」

「いなくなった?」

優希は訊き返した。

伊島は、聞こえなかったのか、

「だが……大切な相手だからこそ、軽々しく来られないんだろう」

「何があったんですか」

「水、いいかな」

伊島は立ち上がった。自分の喉を指差し、

「少し脱水気味でね」

彼の目は充血していた。目の下の隈も濃い。水道の蛇口を開いて、落ちてくる水に口をつける。喉を鳴らして、しばらく飲みつづけたあと、

「ある娘がいた」

つぶやくように言った。黒い礼服の袖で口もとをぬぐい、

「娘の父親が、世話になった人でね、その人が亡くなったあとは、自分が父親の代わりをと思っていた……。有沢と、つきあっていた。結婚すればいいがと、考えた時期もある」

優希は彼の横顔を見つめた。

「その娘が……死んだ」

優希は目を閉じた。

多摩桜病院で出会った際の、彼女の面影がよみがえる。

「知ってるのか」

伊島の声が鋭くなった。目を開くと、彼と視線がぶつかった。表情から見抜かれたのか、

「お名前は、わかりませんけど……」

「奈緒子という、早川奈緒子」

岸川夫妻から聞いた名前を思い出し、

「ニュースで、放送された方ですか」

「見ていないが、流れただろう」

「病院に、来られました」

伊島は、眉をひそめ、

「いつ、何をしに」

優希は自分の見聞きしたことを話した。

包丁のことは隠した。亡くなった彼女も話されたくないはずだと、信じた。

「そのとき病院に、有沢は？」

「いいえ。二度と会うこともないからと挨拶に見えたようでしたけど……あの方は、わたしと有沢君のことを、誤解なさっていたんだと思います」

伊島は流しのほうに顔を戻した。

「誤解じゃない。たとえ、あなたには誤解でも、ほかの人間には誤解じゃないさ」

伊島は、よろけるように、上がり框に腰を落とした。

「大丈夫ですか」

優希は立ちかけた。

伊島が、制するように手を挙げ、

「仮通夜だったんだ。夜明け近くなって、どうにも我慢できなくなって抜け出してきた。たぶんまだ捜査本部は、あなたのことは調べていないだろうと思った。訪ねてきても、通り一遍の捜査しかできないだろう。あなたと有沢のあいだの、なんというか、深いつながりについて感じていないと」

「捜査本部はって……あなたは」

「わたしは休暇をもらった。担当の班じゃなかったし、あの子の葬儀もある。第一、捜査できるはずがない。わたしに、捜査なんて……」

彼の声がつまった。肩が小さくふるえている。

「有沢君が、何か関係が……」

優希は訊ねずにいられなかった。

「昨日の朝……有沢から、電話があった」

伊島が言う。首を横に振り、

「奈緒子が死んでるから、見てやってくれと……自分の

せいだと……そう言って、電話は切れた。ばかなことをと思いながらも、家に行ってみた。あの子が、横たわっていた。ひと目で、どういう状態かわかった。それでも病院に運んだんだが……」

彼は、また立って、水を飲んだ。

優希も喉の渇きをおぼえた。

伊島は、口もとに袖をあてたまま、

「上司に、有沢の言葉を報告した。検死ののち、捜査本部が置かれた。現場周辺をあたって、あの子の交友関係を洗い、目撃者も捜しているだろう。なにより有沢を捜しているはずだ。ただし現役の警察官だ、慎重にならざるを得ない。職場、自宅、実家、上司、同僚……それらを押さえるだけでも、精一杯だろう。わたしは、有沢とあなたとの深いつながりについては、誰にも話してない。ただの勘だし、なにより余裕がなかった……あの子のそばに、いなきゃならなかったんだ。北海道にいる、あの子の兄貴や、多くの人間にも連絡しなきゃならなかった。すべて、わたしがやらなきゃ、誰もいないんだ……ほかには誰もいない」

彼はみたび水道の蛇口をひねった。今度は飲まずに、片手ですくい、額にあてた。顔を振り、

「何をしゃべってるんだ、わたしは……」

手のひらで、顔を拭くように撫でた。

気持ちを切り換えたように、優希に視線を戻し、

「有沢の行きそうなところを、知らないかね」

「いいえ」

優希は本心から答え、

「長瀬君のところは」と訊ねてみた。

「いや、彼も留守で、つかまらない」

「じゃあ電話は？　有沢君、携帯を持っているんじゃないですか」

「何度も掛けたが、出ない。いまのままでは、事件とどう関わっているにせよ、連絡なしの欠勤になる。休職の手続きだけはとっておいたが……」

優希には、からだがふらついている伊島の状態のほうが心配になり、

「本当に大丈夫ですか、少しでも休まれたほうがいいと思います」

伊島はかすかに苦笑を浮かべた。

「こんな朝早くに、申し訳ないことをした」

「いえ……」

「だが、あいつは、いまはまだ来なくても、きっと近い

うちに、あなたの前に現れる。あなたに会わずにはいられないはずだ。だから、これは個人的な願いとして、聞いてもらえれば、ありがたいんだが……もし、有沢の居場所がわかれば、連絡をもらえないだろうか」

　彼は、ポケットからメモを出し、番号を走り書きして、上がり框のところに置いた。

「わたしには、どうにも信じられない。有沢が、自分のせいだと言った本当の意味を、奴自身の口から聞きたい。本来なら、ここに張り込みたいところだが……できそうにない」

　伊島は、立っているのがつらい様子で、上がり框に腰を戻した。

　優希は、近づくのもためらわれ、黙って彼の背中を見つめた。

　伊島は、前に垂れた首を二、三度横に振り、

「ここまで来るのも、自分を励まし、励ましだった。真相が知りたくはないのかと、自分を何度も怒鳴りつけなきゃならなかった……。憎しみが、湧かないんだ。有沢を、どうしてもこの手で捕まえ、殴りつけてという想いにならない。有沢の声は泣いていた。奈緒子を頼むと言ったときの声は、自分を責めていた。だが、それだけじゃない……あいつの、ふだんの生き方が痛々しかった。奈緒子もそうだ。あの子も、懸命に生きてた。そんなふたりが、どうして傷つけ合わなきゃならない？　一方が死んで、一方は自分のせいだと泣いている。もうたくさんだ、うんざりだよ……。なぜかね、どうして人はこうなのかね。憎んだり、傷つけたり、嘘をついたり……その果てに、何がある？　あなたを張り込むより……あの子のそばについているほうが、ましなんだ。あの子のね、生きてきた日々を、静かに思い出してるほうが、あいつを憎むより、ましだよ。だが、知りたいからね。なぜ、あいつが、自分のせいだと言ったのか、やはり知りたいから……」

「約束は、できません」

　優希は答えた。

　嘘はつけないと思った。いま、嘘はいけない。

「もしも彼が現れたときには……わたしは、彼のことを、なにより優先したいと思うはずです。彼を守りたいと、思うかもしれない。わたしにも、大切な人です。誤解されるかもしれませんけど、わたしには、そう言うしかない人です。だから……」

　伊島はかすかにうなずいたようだった。

「ただ、わたしも知りたいと思ってます。彼に何があったのか、何をしたのか……。その答えを、もしも伊島さんより、先に知ることがあれば、なんらかの手段でお話しするか、彼に話すように伝えます。それじゃあ、だめでしょうか」

「いや、構わない」

伊島は立ち上がった。

「あの」

優希は呼び止めた。

「奈緒子さんという方の葬儀は、どういう形でおこなわれるんでしょうか」

伊島は、背中を向けたままで、

「昨日が仮通夜で、今夜が本通夜になる。葬儀は、明日の十二時からだが」

「ご自宅ででしょうか」

「いや。自宅は……つまり、現場だからね。近くの葬祭会館で。名前は」

彼の口にした葬祭会館の名前と場所は、優希も知っていた。以前、病院の関係者が葬儀をおこない、告別式に参列したことがある。

「わたし、明日は非番なんです。お線香を上げに、うかがってはいけないでしょうか。一度しか、お会いできませんでしたけど……とても近しいものを感じました。妙な言い方ですけど、場所と時間が違えば、もっと親しくおつきあいできたんじゃないかって……。よく知りもしない方を、軽々しく、こんなふうに申し上げるのは失礼かもしれませんけど、本当に残念でならないんです。せめて、ご冥福だけでも祈らせていただけたらと思うものですから」

伊島はしばらく答えなかった。深く息をついた。こちらを振り返って、上がり框に膝をついた。

「ここからで、悪いけれど」

彼は、志穂と聡志の遺骨に向かって手を合わせ、瞑目した。

優希も、膝をただし、それを受けた。

彼は、祈りを終え、

「死んだ人は、ときに支えになるね」

柔らかい声音で言った。優希を見て、薄くほほえみ、

「支えにして、生きてゆかなきゃね……焦らないでいいよ、忘れる必要もないだろう。大切にして、抱えて、生きてゆけるのなら、そのほうがいいよ」

優希は、畳に手をつき、頭を下げた。

2

午後、激しく雨が降った。多摩桜病院に、コートを腕に抱えた背広姿の警察官がふたり、優希を訪ねてきた。梁平の行方について訊かれた。知らないと、正直に答えるほかなかった。早川奈緒子という女性が、病院に現れたことは、話さなかった。

質問に出なかったこともある。が、亡くなった人の感情や想いが、ただの捜査対象として検討されるのだと思うと、口にすることがためらわれた。

警察官が訪ねてきたとき、ちょうど岸川夫人がロビーにいた。優希は、それより前に、夫人に対して、やはり亡くなったのは彼女であることを告げておいた。

夫人が彼女のことを話すのは、止められないと思っていた。だが夫人は、優希と話していた相手が警察官と知っても、何かを話しだそうとする様子はなかった。

仕事が終わったあと、優希は梁平の携帯電話に、電話した。連絡はつかなかった。笙一郎の携帯にも掛けたが、留守番電話につながるだけだった。

翌日、優希は奈緒子の葬儀に出席した。

雨は未明のうちに上がって、朝から晴れ、淡い水色をした空が高く感じられた。葬祭会館の玄関前の花壇には、白や黄色、薄い桃色の菊が、しっとりした色合いで咲いていた。

伊島は、受付に立ち、参列者の挨拶を受け、記帳を勧めていた。

優希は、彼とは言葉を交わさず、会釈をし合うにとどめた。

祭壇に、奈緒子の写真が飾られていた。

数年前のものではないだろうか、優希が対面したときより、若々しく華やいで見えた。彼女は、小首を傾げ、屈託のない表情で、こちらにほほえみかけている。

奈緒子に面差しの似た男性が、喪主を務めていた。その男性の娘だろうか、三歳くらいの少女が、しきりに奈緒子の位牌《いはい》を抱こうとしては、母親らしい女性から叱られていた。

参列者は、奈緒子の年齢には似合わず、年配の男性が多かった。みな一様に沈んだ顔をしており、彼女が多くの人に愛されていたことが感じられた。

それとは別に、葬祭会館の周囲に、人が乗ったままの乗用車が停まっているなど、私服の警察官らしい人物が、何人か張り込んでいる気配を感じた。

優希も、出棺を見送るために玄関前に出たおり、しぜんとあたりを見回した。梁平がどこかに来ていないかと、不安をおぼえながらも、期待した。

見おぼえのある人影が、遠いビルの陰に立っている気がした。

ほんの一瞬で、すぐに見えなくなり、確かめきれなかった。

ちょうど霊柩車が走りだすところだった。

優希は、手を合わせて、車を見送った。

奈緒子の葬儀から、十日あまり過ぎた日曜日、準夜勤の勤務前に、優希は笙一郎の事務所を訪ねることにした。

前日、生命保険相互会社から文書で連絡があった。請求書に従って調査した結果、死亡給付金がおりることになったので、手続きに来てほしいとの趣旨だった。生命保険は、志穂が契約したものだった。聡志と優希それぞれを被保険者に、死亡の際には三千万円、姉弟互いを受取人にした形での契約だった。

志穂が亡くなって以降、事務的な手続きは、ほとんど笙一郎にまかせていた。請求書が提出されていたことも知らなかった。

むしろそうした請求は避けたい想いが強かった。聡志と接触した車の運転手は、聡志が息を引き取る少し前に、病院に見舞いに来てくれた。聡志自身が、運転手には悪いことをしたと言っていたとおり、運転手の男性には責任がないことを、そのおりに告げた。このことは、笙一郎も一緒にいたから知っている。まだ聡志が助かるつもりでいたからだろう、賠償の請求が難しくなったよと、彼が苦笑気味に話していたのを、かすかにおぼえている。

だから、いまになって保険金がおりるということには、傷を逆撫でされるような想いがした。聡志の命と引換えの金など、とても受け取る気にはなれない。

優希は笙一郎に電話した。連日、彼と梁平には電話していたが、ずっと連絡がつかなかった。梁平はともかく、笙一郎まで連絡がとれないのが不思議で、午前中に、事務所のある品川に向かった。

だが、事務所のドアには鍵がかかっていた。インターホンをいくら押しても、返事はなかった。一応隣のコンビニエンス・ストアでも訊ねてみたが、要領を得なかっ

た。

優希は、自由が丘にある、笙一郎のマンションまで足を伸ばした。

彼のマンションの部屋にも、鍵がかかっていた。郵便受けには、様々なチラシやダイレクト・メールがたまっていた。

梁平と笙一郎、ふたりして、どこかへ消えてしまったようだった。

優希は、商店街を通って、自由が丘の駅へと歩いた。商店街の街灯には、以前、モミジを模した飾りがあったのを思い出す。いまは、雪だるまの飾りが吊るされ、ウインター・セールという文字が躍っていた。

ふと、背後から見られている気配を感じた。振り向いたが、買い物客ばかりで、それらしい人物はいない。

しばらく駅に向かって歩いたあと、もう一度振り向いた。見られている気配は消えていた。

電車に乗り、多摩桜病院に向かった。

途中、南武線に乗り換えるため、武蔵小杉駅でホームに降りた。見慣れたホームで電車を待つうち、思い立って、駅の外に出た。

かつて暮らしていた家には、焼失後数日して、近所に詫びて回る際に訪れた。そのときは家の残骸が残されたままだった。以来、訪れたことはない。

近所の迷惑にならないように、早く解体などの処理をして、土地も値段にこだわらず売ってもらうよう、笙一郎に頼んでいた。解体や廃材処理の費用を込みで、業者に一括して売れなくはないが、大きな金額にはならないと、笙一郎から聞かされていた。金額の問題ではなかった。

だが、笙一郎から売れたという報告はまだだったのに、数日前、優希の銀行口座に、多くはないが、決して少なくもない金額が、聞いたこともない不動産会社の名義で振り込まれていた。

優希は、近所の人に会わないようにと願いながら、自宅のあった場所まで進んだ。

自宅のあったところには、何もなかった。すべて処理され、更地に戻されていた。家が建っていたとは思えないほど、狭い土地で、はや雑草も生えはじめている。

優希は、家と家とのあいだにぽつんと空いている、更地の中央に立ってみた。

悲しくはなく、つらくもなかった。ただ妙に気が抜けた。

ここには、志穂や聡志と暮らした痕跡は何もなかった。彼らが生きていたという証すら、もう自分の記憶のなかにしか存在しないのかと疑い、虚しさに立ちつくした。自分の存在そのものが虚しいものじゃないかと、突きつけられた気もした。

幸い近所の誰とも会わずに、駅まで戻ることができた。三時半からの勤務のため、病院の食堂で遅い昼食をとり、三時過ぎに、病棟に上がった。ナース・ステーションの手前で、

「あ、主任補。見えてますよ」

年下の看護婦から、声をかけられた。

また警察かと思い、

「どこ。ロビー?」

「長瀬まり子さんのところです。残念ですね。わたしも、本当は退院には反対なんですけど」

相手が同情をふくんだ口調で言うのに、

「なんのこと」

「長瀬まり子さん、退院なさるんですよね? だから施設の方が……。御存じじゃなかったんですか」

優希はまり子の病室に向かった。

最近、彼女の病室のベッドが、新たにひとつ使われていた。新規のアルツハイマー病の患者は受け入れていなかったが、循環器を患って入院しながら、アルツハイマー病の症状を起こした患者がいた。症状は軽いが、夜間に徘徊するようになったため、ひとまずまり子たちの病室に移していた。

社会の高年齢化が進めば、今後も、別の疾患で入院した患者が、アルツハイマー病の症状を併発する可能性は高くなる。どう対応してゆくか、病院側も困惑しているようだった。

「そうそう、もっとしっかり握ってみて」

病室の手前で、聞き慣れない女性の声がした。

優希は、病室の外に立って、なかをうかがった。

靴好きの老人は、やはり靴を枕にして、寝ていた。

本来循環器の疾患で入院した患者は、リハビリか散歩にでも出ているのか、ベッドは空いていた。

まり子はベッドに腰掛けていた。

やや大柄な女性が、中腰になって、まり子と向かい合っている。

髪がなかば白く、六十歳前後かと見える女性は、まり

子の左手を両手で握っていた。

「もう少し、力が入るかしら」

女性がまり子に訊いている。

「あの、どちら様でしょう」

優希は、病室に入りながら、声をかけた。

女性が振り返る。と同時に、
優希の右手側から声がした。

「やあ」

病室を入ってすぐ脇の、優希の死角になっていたところに、笙一郎が立っていた。

優希は言葉が出なかった。

笙一郎の存在にも驚いたが、それ以上に彼が変わっていたのに、胸をつかれた。

薄い灰色のスーツを着て、身だしなみは相変わらず整えていたが、顔色が悪く、頬のあたりがやせたというより、こけて、やつれたように見えた。そのくせ、目が妙に輝いている。活力に溢れた感じではない。つらい方向へ、みずから落ちてゆくことを望むような、危うい輝きに感じられた。

「母親を、施設にお願いすることにしてね。そこの、施設長さんなんだ」

笙一郎が年配の女性を紹介した。その女性には、

「母をずっと看てくれている人です」

優希を紹介した。

「こんにちは。お疲れ様です」

施設長という女性が頭を下げた。

優希は挨拶を返した。

「千葉にある介護専用施設でね。アルツハイマー病の方も、多く受け入れてらっしゃる。もちろん見学に行って確かめてきた。夜間も抑制をしていないし、寝かせきりにしないよう努めておられるんだ。これまで見学したなかで、一番母に合ってると思ったよ」

笙一郎は、やや早口で、流暢《りゅうちょう》にしゃべった。

目がぎらつき、躁《そう》的な印象も受けるほどで、

「ただ、母はまだ若いだろ。預かるにも、やはり様子を見てからと、こちらがおっしゃるし。じゃあ早いうちがいいと頼んで、今日、東京に出る用がおありだというので、無理を言って、来ていただいたんだ」

「そう……」

優希は、話よりも、彼自身の状態をいぶかしみながら、うなずいた。

「じゃあ、ちょっといいかしら」

女性が、優希に断って、前に向き直った。笙一郎の母の目を見て、

「じゃあ、まり子さん、また握手してちょうだい」

まり子は、応じず、優希に顔を向け、

「お母ちゃん」

と、甘えるようにほほえんだ。

優希は笑みを返した。

まり子が施設に移るとなれば、優希を慕っていたことが、今後どう影響するのか、気がかりだった。施設長の女性も、優希を振り返った。だが、こうした事例に慣れているのか、追及はしてこず、

「はい、まり子さん、こっち見て。手を握れますか」

まり子の注意をうながした。

まり子が彼女の手を握った。

「ああ、強い、強い。右と同じくらいしっかりしてるわね。じゃあ、今度は指を動かしてみようか」

女性は、自分の指を、交互に立てたり折ったりしてみせた。

まり子は、右手の小指を立てて、

「お父ちゃん、指切り」

笙一郎を見た。

女性も、笑って、笙一郎を見て、

「指切り、してさしあげたら」と勧めた。

笙一郎が、苦笑しつつ、まり子の前に進んで、自分の右手の小指を出した。

まり子のほうから、からめて、ぐっと引いたようだった。

「嘘ついたら……」

まり子は、歌いかけ、あとは思い出せないのか、首を傾げた。

笙一郎がつらそうに目を伏せた。

まり子は、小指だけでなく、次々に指を変えて、笙一郎と指切りをした。

「上手、上手」

施設長の女性がはやすように言った。

人差し指のときは、笙一郎も声を上げて笑い、

「痛いくらいだよ」と言った。

「足の機能は衰えてらっしゃいますが、手のほうはまだ丈夫なんです」

優希は言葉をはさんだ。まり子の指の動きを見つつ、

「指もとてもよく動かせるので、リハビリ次第では、これからまだ機能回復の可能性もあると、思っているんで

すけど」

「衣服の着脱は？」

女性が訊ねてきた。

「観念失行の状態で、ひとりでは、うまくできません。視覚失認、視空間失認もあって、ものの認識ができないことがあります。箸やスプーンは持てるんですけど、自分ですくって口に運ぶということに困難が生じます。介助が必要です。トイレは誘導すれば、ご自分で。ただしバランスを崩されることが多くて、トイレの形態によっては、支えが必要です」

施設長の女性から、つづけて質問がされ、優希はひとつひとつ答えた。相手も、途中からはメモをとりはじめ、優希と確認し合った。

女性は、感心したようにうなずいて、

「皮膚にも張りがあるし、褥瘡もないご様子で……本当によくケアなさってますね」

「とんでもないです」

優希は、恐縮して、頭を下げた。

「どこまで、この病院のようなケアができるか、自信はありませんけれど……お名前を呼べば、反応してくださるし、ご自分でからだも動かせる。うちのみなさんと楽しく生活していただけると思います。ただ、せっかくここまでしっかり治療やケアをしていただいてるんですから、できれば、今後もご指導や情報をいただいて、連携の形をとらせてもらえないものかと思うんですが」

優希は、少し励まされた想いで、

「こちらこそ、お願いしたいことです。あとで思い出すこともあるでしょうから、長瀬まり子さんに対しておこなってきた治療やケア、注意すべき点などは、あらためて正確にノートして、お渡しします」

「嬉しいわ。病院とうまく連携がとれないことも少なくないんです。それじゃあ……」

女性は、笙一郎を見て、施設入所についての時期を訊ねた。

「ついていってもらえないだろうか、施設まで」

笙一郎が優希に言った。

「わたしが……」

優希は驚いた。

「母もきっと喜ぶし、ぼくも安心だから。一緒に行ってもらえるとありがたい」

優希はまり子を見た。

まり子も、優希を見て、ほほえんでいる。

「休みの日で、いいのかしら?」

「休みをとっちゃ悪いんだけど」

「ううん。お母様を、しっかりお届けすることができれば、わたしも気持ちが落ち着くし」

施設側の受け入れのこともあり、優希の休みと合う一週間後が、施設入所の予定日となった。優希は、内田の承認を得るため、いったんナース・ステーションに戻った。

内田は、休日出勤をしており、事務局で会議をしているはずだった。内線電話で連絡をとった。まり子の施設入所の話を、内田も喜んだ。優希がついてゆくことにも賛成してくれ、

「自分の目で施設を見てくるなら、安心だろうし、勉強にもなるだろうからね」

内田は、事務局の人間と簡単に相談したのち、退院の日程も問題ないと答えた。

優希は病室に戻った。笙一郎が廊下に出ていた。

優希は、彼の脇から、病室をのぞいた。まり子はベッドに横になっており、年配の女性の姿はなかった。

「待ち合わせがあるらしい。よろしくと言ってた。変更があれば、連絡してくれってことだったけど」

病院側は問題のないことを、優希は伝えた。

彼を見つめ、

「ずっと連絡していたのよ」

責める口調で言った。

笙一郎は、背後の病室のほうに首を傾け、

「施設に預かってもらう手続きとか、いろいろあってね。動き回ってたんだ」

「施設長さん、いい方のようだったけど、民間でしょ。入所金とか、利用料とか、介護専用の施設だと、高いんじゃないの」

笙一郎は、目をそらしたままで、

「五千万、明日にも払い込む」

つぶやくように言った。

優希は、あまりの金額に、声も出なかった。

「まだ五十一歳だから特別扱いでね。終身の利用権が三千五百万、年間利用料が三百万近くかかるんだ。仕事でしばらく外国に行くから、五年間、利用料を前払いしたいって申し出た。とりあえず五千万さ」

優希は、さらに驚き、

「外国に五年間って……どういうこと、どこに行くつもり」

「企業法務の本場は、欧米だからね」

「だけど、五年も……」

「もう少し長くなるかもしれないけど」

「どこか決めてるの、暮らすところとか」

「だいたいね」

「いつ行くの」

笙一郎は苦笑を浮かべた。

「尋問だな」と言う。

優希は、苛立ちをおぼえ、

「ずっと連絡してたのよ。話したいことがあったの。保険や家のことも動いてくれたんでしょ？」

「土地のほうは、以前に契約が成立してた。金の振り込みが遅れてたから、せっついただけでね。保険金はおりるんだろ」

「連絡があった。でも、わたし、お金なんて……」

「きみは金のことを嫌うだろうと思った。けど、何かに役立てることだってできるだろう？　きみ自身のためじゃなくても、誰かのために使える場合だってあるはずだ。保険会社や不動産業者が、つまらない投資で泡のように失うことを考えたら、きみが持っておくほうがいい。きっといつか有効な使い道も見つかる」

「わからないわ」

「ゆっくり考えればいいよ」

「今日、事務所とマンションに行ってみたの。どちらも鍵がかかってたし、マンションには帰っていないみたいだったけど」

笙一郎は、自分の足もとに視線を落とし、

「あちこち飛び回って、閉めておくしかなかった。たぶん事務所はこのまま閉めたきりになるだろうけど。マンションも出るよ」

「そんな、急な出発なの」

笙一郎は顔を上げた。視線が微妙に優希から外れている。

「もしかしたら、母親を施設へ連れてゆく前に、出発しなきゃいけないかもしれない。そうなったら……きみだけで、連れていってもらえるかな」

優希は、戸惑い、

「何を言ってるの」

彼につめ寄ろうとした。

廊下をこちらに曲がって、患者が戻ってきた。

「あら、大好きな主任補さんが、いらっしゃいますよぉ」

患者に付き添った看護婦が、優希を見て、患者に語りかけた。杖をついた老婦人が、優希に笑いかけてくる。

優希は、笑顔を返し、彼女にからだの調子のことなどを訊ねた。

その隙をついたように、笙一郎が、患者と看護婦の脇をすり抜け、エレベーター・ホールのほうへ歩いていった。

「ちょっと、ごめんなさい」

優希は、看護婦にあとを頼み、笙一郎を追った。

足早に行く笙一郎に、小走りで追いつき、

「待って。どうして急に外国なんて……。第一、お母さんを送っていけないかもしれないなんて、どういうこと」

笙一郎は、まっすぐ前を見て歩きながら、

「迷惑ばかりかけて、申し訳ないと思ってるけど、急いでるんだ。まだやり残してることがあるから……」

そう言いかけたところで、軽い咳をした。

咳は次第に大きくなり、笙一郎は立ち止まって、苦しげに手で口もとを押さえた。

「どうしたの、おかしな咳じゃない」

笙一郎は、ポケットからハンカチを出し、口もとをぬぐった。

優希は、すれ違う患者や面会の家族たちから声をかけられ、そのつど愛想笑いを返したり、会釈をしたりせざるを得なかった。

笙一郎は、咳が止まったらしく、笑顔を上げて、

「煙草の吸い過ぎさ」

「診てもらったほうがいい」

「落ち着いたらね」

彼はまた歩きはじめた。

「ちょっと待って。大事な話があるの」

笙一郎はエレベーター・ホールまで進んだ。昇ってきたエレベーターの扉が開いた。笙一郎は素早く乗ろうとしたが、

「やあ、お兄ちゃん。久しぶりだね」

岸川が言った。彼は、車椅子に乗った夫人とともに、エレベーターから降りてきた。笙一郎の前をふさぐような恰好になり、

「しばらく面会に来なかったね。まり子ちゃん、寂しがってたよ」

笑顔で、笙一郎に語りかける。

岸川は、後ろの優希にも気づいて、

「主任補さんも、寂しがってたよ」

からかうように言った。

夫人のほうが、

「よして」

彼をたしなめた。笙一郎の表情、あるいは優希の表情からも、何か察したのかもしれない。優希たちには、

「ごめんなさいね」

会釈だけして、夫に対しロビーのほうを指差した。

岸川は、優希たちに歯を見せ、なおからかうような笑みを残して、車椅子を押していった。

優希の背後で、

「主任補、そろそろ準夜への申し送りがはじまります」

若い看護婦の声が聞こえた。

優希は、振り向かずに、

「いま行きます」

と答えて、

「話があるの。有沢君のこととか……どこかで会えない？」

笙一郎に言った。

笙一郎は、エレベーターを呼び戻すためのボタンを押し、

「言っただろ。まだ、始末をつけなきゃいけないことがあってね。時間がないんだ」

そっけなく答えた。

「何をそんなに慌ててるの」

「別に慌てちゃいないさ」

彼が周囲をしきりに確かめているのにも気づいた。追われている人間のように見える。

優希は笙一郎の左腕にふれた。

笙一郎がからだを固くした。

「外国なんて嘘でしょ。本当は、どこへ行こうとしてるの……」

笙一郎は答えない。

ふと、感じることがあり、

「葬祭会館に来てた？」と訊ねた。

笙一郎が肩をふるわせた。

優希は、彼がこちらを向くように、軽く腕を引いた。

笙一郎は素直に振り向いた。

いまにも泣きだしそうな、許しを乞うような目をしていた。

「有沢君とつきあっていた人のこと……知ってるの？」

彼の目をのぞき込んだ。

笙一郎は、すすり泣くように息を吸い、

「きみが来てるなんて、思いもしなかった」

「どうして、あなたがあそこに」

「……知り合いだったからね」

「だったら、どうしてビルの陰からなんて……」

「きみこそ、なぜ参列してたんだ」

「一度、彼女に会ったの。病院に来られたから」

笙一郎は、目を見張り、

「いつ」

「今月の十四日」

「十四日……」

「初めは、あなたのお母さんの面会に来たようなことをおっしゃってたけど、本当は、わたしに会いにこられたみたい。たぶん、わたしと有沢君とのことを、勘違いしてたんだと思う」

「何か、話したのか」

「いいえ。来て、すぐに帰られたから、ほとんど何も話せなかったんだけど」

「どんな様子だった」

「……あの人、自分を責めてらっしゃるようだった。病院まで来たことを、後悔してるような、自分でいやになってるような。おつらそうだった。もっと話しかけたかったのに、言葉にならなかった。安易に慰められる雰囲気でも、立場でもなかったし」

笙一郎が大きくため息をついた。

「教えるんじゃなかった」

「どういうこと」

笙一郎は、あいまいに首を横に振り、

「彼女は、きみをずっと気にしていた。梁平ときみとのことを……詳しいことは知らなくても、深いつながりがあることを感じてた。たぶん嫉妬とも言い切れないものだから、彼女自身、どうすればいいのか困惑してただろう。それをわかっていながら、きみの名前や勤め先を教えた。教えずにはいられない状態だった。でも……もし教えなかったら、ここには来なかったんじゃないか。来なかったら、彼女は、あれほど自分を責めることはなかったかもしれない……。結果的に、梁平にもひどいことをしてしまった」

優希は、よくわからず、

「有沢君が、どこにいるか、知ってるの」

「いや」

「隠さないで。彼をかくまっているの?」

「かくまうって……あいつは、どうしてるんだ。もしかしたら、ここを張ってるかもしれないと思ってた。葬儀の場所にも、姿が見えないようだったけど、捜査に加わっていないのか」

「……彼、いなくなってるのよ」

「どうして」

「疑われてるみたい。あなたも知ってるでしょ、伊島って上司の人。彼に電話してきて、奈緒子さんって女性が亡くなっているから、お願いするって……そのとき、自分のせいだって言ったみたい。そのまま行方がわからなくなってるの。わたしもずっと電話してるけど、連絡がつかない」

「ばかな……」

笙一郎がうめくように言った。

「何か知ってるのね」

優希は訊ねた。

笙一郎は、伏せた顔を強く横に振った。

「……あいつじゃない。あの人を、死なせたのは、奴じゃないよ」

笙一郎の背後でエレベーターが開いた。

降りてくる人がある。ふたりのことを少し迷惑そうに、脇を通り抜けてゆく。エレベーターの扉が、誰も乗せないまま、閉まった。

優希は彼をじっと見つめていた。

笙一郎はしきりに首を横に振っている。

背後をまた人が通ってゆく。音がし、声がする。だが、優希にはすべてが遠かった。

笙一郎が、覚悟を決めたように顔を上げ、優希を正面から見つめた。

「小児科病棟の、火傷を負った女の子……退院しただろ？」

「ええ」

優希はうなずいた。

「亡くなった母親の保険金が、あの女の子の名義で入るよ」

「どういうこと」

「迷ったよ。金なんて何にもならないのは、わかってる。きみが、聡志の命と引換えのように感じて、保険金をうとましく思うように、金なんて、親の代わりには決してならない。逆に、女の子を困らせるだけかもしれない。母親を亡くしたことで手にした金で、自分が成長することに、罪悪感をおぼえるかもしれない……。ただ、もし

かしたらと、考えた。母親が、自分のために、お金を残す準備をしていたということ……金額の問題じゃない。自分のことを、本気で考えていた、心から愛していたから、万一の用意をしていたんだという幻想なり夢なりを、遺族に抱かせるものとして役に立つのなら……金も意味を持つかもしれないって……。傷を負った人間が生きてゆくには、やっぱり幻想や夢は必要だろう？　〈想像上の家族〉が、かつて第八病棟の子どもたちに必要だったように……」

優希は、彼の表情と言葉の、もっと奥にあるものに目を凝らし、耳をすました。

「あなたの言ってることって……つまり……」

「聡志に、容疑がかかるとは思ってもみなかった」

「どうして……」

優希は同じことしか言えない自分がもどかしい。

笙一郎は、鋭い痛みに耐えるように顔をしかめ、

「わからない。衝動的だったし、発作的とも言えた。自分がおかしいことは、意識してた。なのに、欲求を抑えきれなかった。でも、あの人は違う。奈緒子さんは……あの人の場合は、違ってた」

笙一郎は両手を顔の前に挙げた。顔を手でおおい、しばらくじっとしていた。やがて、顔の皮をはごうとでもするように、ゆっくり額から顎にかけて撫で下ろした。

手を下ろすと、自分の内側をのぞくような目をしていた。

「だけど、同じだったのか。結局は、求めているものは、同じだったのか」

彼が、自問するように、つぶやいた。

優希は、笙一郎のその目が怖くなり、

「長瀬君。笙一郎……モウルっ」

彼の注意を自分に戻すよう、呼びかけた。

笙一郎がぼんやりと優希を見つめ返した。迷子になった幼子のように、瞳がふるえていた。

優希は笙一郎の手を握った。

笙一郎が、驚き、一瞬手を引こうとした。その手を離さず、

「行こう」

長いあいだ想っていたことを、言葉にした。

どこへかはわからない。ただ、ここことは別の世界へ、ともに行きたいと願った。

笙一郎が、迷っているように、首を傾げた。

優希は笑みを返した。

笙一郎の視線が、優希の喉のあたりをかすめた。

もしかしたら、発作的に優希をも死なせてしまうことを、恐れているのだろうか。あるいは、それこそが、彼の望みだったのだろうか……。

いいよ、それでも。

優希はうなずいた。握った手に力を込めた。

いきなり、背後で悲鳴が上がった。

優希より、笙一郎が先に反応して、目をそらした。

優希も振り向いた。瞬間に、目に入る空間が広がり、遠ざかっていた現実が、自分の周りに戻ってくる。

ロビーのところに、人が集まりかけている。雑談していた患者や、面会の家族たちがソファから立って、一点を見つめている。

床の上に、車椅子から落ちたのか、岸川夫人が倒れていた。岸川が、彼女の上におおいかぶさるようにして、抱き起こそうとしていた。

優希は笙一郎に目を戻した。

軽やかな鐘の音がして、彼の背後でエレベーターの扉が開いた。人が降りてくる。白衣姿の看護婦もいる。驚いた顔で、ロビーへ走ってゆく。

笙一郎の背後の箱は、無人だった。無人の箱が、どこまでも落ちてゆく穴のように感じられる。笙一郎が、その穴のなかに吸い込まれる錯覚を抱いた。

優希は、背後の病人を放っておいて、いますぐ笙一郎とともに、穴に飛び込み、どこまでも落ちてゆくことを思った。

自分の幸せは、そちらにこそあると、信じた。

病院だもの、たくさんの看護婦も医者もいるもの……自分が無理して頑張らなくても、きっと助かるに違いない。

だが、笙一郎のほうが、手を離し、

「行かないと」

ロビーのほうに、視線を送った。

目はもう幼子のものではなく、年相応の……それ以上に自分を抑えた、理性的な目に戻っていた。

「早く、行ってあげないと」

救われたように、優希のなかに安堵感がこみ上げてくる。

だが、つらくもあった。

行こうと強く手を引かれ、連れてゆかれたほうが、自分にはどれだけよかっただろうか。

涙が溢れそうになる。こらえて、

「ごめん」

笙一郎に言った。

笙一郎も、ほほえみ、うなずいた。

優希は彼に背中を向けた。

とたんに、岸川の懸命に叫ぶ声が耳に入ってくる。若い看護婦の、夫人に呼びかける声が聞こえてくる。その看護婦の肩を押さえて、

「先生をっ」と命じる。

ナース・ステーションのほうへ去った看護婦に代わって、夫人の様子を見た。まぶたを開き、瞳孔の状態を確かめる。脈を取る。細いけれど、脈はある。呼吸もしている。

「お願いだ、助けてやってくれ」

岸川が訴える。

「大丈夫ですから」

優希は答えた。

一瞬、目を上げた。

ホールに、笙一郎の姿はなかった。

エレベーターの扉が閉まるところだった。

待って……。叫びたい想いを振り切って、目を戻した。

「この人は、もっと幸せにならなきゃいけないんだ。つらい想いばかりしてきた人なんだから……これから、もっともっと幸せにならないといけない人なんだよ……お願いだよ」

「そうですね、そう思います」

優希は、答えて、夫人の呼吸が楽になるよう、入院着の襟もとを大きく開いた。

3

優希は、深夜勤の看護婦に申し送りをすませたのち、日付が変わっても、しばらく残って、ケアを手伝った。

それも終わり、帰り支度をする前に、岸川夫人の病室をのぞいた。

彼女は、尿を我慢するうち、もともと疾患を抱えていた腎臓の機能を悪化させ、意識を失うまでに陥ったらしい。処置が早かったためか、状態はすでに回復していた。

彼女は、これまで排泄は、自力でおこなってきた。具合のよくないときも、看護婦にトイレへの誘導を頼み、おむつは拒んでいた。病院側も、トイレのためのナース・コールに遠慮は要らないと告げてきた。だが、彼女

が遠慮しがちに頼むのは伝わったし、なにより夫に対しての遠慮は明らかだった。

　岸川のほうも、それが不満らしく、尿意を催せば、いつでも言ってくれと、しきりに勧めていた。彼女はうなずくだけで、実際は我慢することが多い様子だった。

　夫人のベッドを囲ったカーテンは、内側でライトが灯っているらしく、ほのかに明るかった。

　優希は、ほかの三人の患者を起こさないよう、静かに歩み寄り、

「久坂です」と告げた。

「お入りになって」

　おだやかな声が返ってきた。

　優希はカーテンの内側に入った。

　夫人は、枕に背中を預けて、からだを起こしていた。ベッド脇のライトに照らされ、白髪が目立っている。本を手にして、老眼鏡をかけた姿が、かつての志穂の姿と重なり、どきりとした。

「老眼鏡のこと？　年をとれば仕方ないのよ」

　夫人は苦笑した。眼鏡を外し、本を脇に置いて、

「あの方と、どうなさった」

　優希は、わからず、目で問い返した。

「何か大切な話をしてたんでしょう。わたしが、邪魔してしまったんじゃない？」

「いいえ」

　優希は笑みを返した。

　だが、実際の表情には何があらわれたのか、

「ごめんなさいね」

　夫人は申し訳なさそうに言った。

　優希は、休憩時間などを利用して、何度も笙一郎の携帯電話に連絡をしてみた。応答はなかった。

「おトイレ、我慢なさらないでください」

　優希は言った。

　彼女も、うなずき、

「わかってはいるのだけど……」

「そろそろ手術の準備に入ろうというときです。ここで体調を崩されたら、元も子もないですよ。それに岸川さんも、どうしてトイレのことくらい言ってくれなかったのかと、傷ついてらっしゃいました」

「ああ見えて、意外に繊細なところがあるから」

　夫人はほほえんだ。吐息とともに、肩の力を抜き、

「でもね、全部受け止めてもらうっていうのも、ときに負担でもあるのよ。もちろん、認めてもらいたいし、受

け入れてもらいたいの。でもね、赤ちゃんではないわけだから。女として、自立した人間として、誇りを持って生きたくもあるわけだから……。そのためには、譲れないところとか、意地も、必要だったりしない？」

「……かもしれませんが」

「わたしだけのものと呼べるもの。当然、精神的なものでもいいのだけれど、しっかり持っていたいじゃない。トイレのことで、何を言うのかって、笑われるかもしれないけど」

「いえ……」

「無防備なままでも安心して、落ち着いていられる場所として、あの人は存在してくれてる。わたしも、あの人の、そんな場所でありたいと願ってる。安心できる場所が自分にあるから、自立に向けて歩きだす力も湧いてくるように思うもの。でも、それと、自分のものを全部相手に渡すこととは、少し違うようにも思うのよ。病気になって、いま依存しきっているから、なおさら譲れない部分を持っていたい……だから、無理したんだと思う」

「わかりました」

優希はうなずいた。彼女に笑みを返し、

「でも、病院側としては、やはり我慢なさらないようにと申し上げないと。これ以上無理をなさると、かえって岸川さんへの依存を強めることにもなりますし」

「本当ね。何か別のことで、意地を張らなきゃ」

彼女はいたずらっぽく肩をすくめた。

「もっと幸せになってもらいたいって、岸川さん、何度もおっしゃってました」

「時間や量じゃないのにね。もう充分だったのに……。これからは、死というものも考えていかなきゃいけないわけだし」

「そんな……」

「否定的な意味じゃないの。あなたが、患者さんたちに対し、入院を機会に、逆にもっと豊かに生きてもらいたいと願ってることは、何度かお話しするうちにわかったけど……そうは言っても、誰だって、明日には死を迎えるかもしれないわけでしょ。生きる、生きようってことだけじゃなく、自分の死を、ちゃんと見つめておくことも、大切じゃない？　用意しておくこと、心構えは要ると思うの。どうあがいたって、すべては無に帰する時が来るわけでしょ。だからこそ、人やものを犠牲にしてまで、何かを成そうなんてしたくないし、できるだけ正直に、いまの平凡な生活を、かけがえないものとして生き

たいと思うの」

夫人は両手を顔の前に挙げた。手のひらを広げ、皺のひとつひとつをいとおしむように見つめ、

「生きていたことが、間違ってなかったって、信じさせてくれた人と、出会えたことで、充分なのよ……。裸をね、ほめてもらえるようなことがあれば、お世辞だとしても、嬉しいじゃない？　本気で、心から愛《め》でてくれていると、わかったときは、もう充分幸せでしょ。男の人も、きっとそうなのね。自分が大きいか、感じさせられているか、気にしてばかりいる……みんな、ほめられたがってるのよ。ほめてくれる人と出会えたことで、充分なのよ」

彼女は、気がついたように、口を押さえた。照れたような目で、優希を見上げ、

「ごめんなさい。独身の女性に言うことじゃなかったわね」

優希は首を横に振った。

短く、静寂の時間が流れた。

「お別れすることになると思います」

優希は切りだした。

夫人は、目を見開き、

「やめるの、病院？」

「いやになったわけではありません。あの夜、慰めていただいたので、そのことだけは申し上げておきたかったんです。虚しくなって、投げ出すんじゃありません」

「理由は、訊いても？」

「一緒に、そばにいたい人がいます」

夫人がうなずいた。

「どれだけ一緒にいられるのか、どんな暮らしができるのかも、わかりません。たぶん、普通に言われている暮らしというものは、持てないだろうと思ってます。償うだけの日々なのか……どんな償いができるのかも、わかりませんけれど。生きていることが、ときには、罪滅ぼしになると、言ってもらえたこともあります」

窓越しに、雨の音が聞こえてきた。

夕方から降りはじめた雨が、強くなっているようだった。

夫人が、優希の手を取り、励ますように握りしめてくれた。何も言わず、ただしばらく握ってくれていた。

優希は、静かに頭を下げ、彼女の病室を出た。

そのまま帰る気になれず、まり子の病室に進んだ。

まり子は眠っていた。安らかな寝顔に見えた。

傷つけられたことへの怒りや恨み、安定を求めていたときの焦燥や不安、自責の念にかられての苛立ちや苦悩など、かつて彼女の表情を翳らせていたものが、すべて消えている。

痴呆は、介護者にとってつらく、本人には悲劇だとしても、一方で、ただ悲惨なものだけではないと、あらためて感じさせられる表情だった。

生きているからこそ見られる、こうした寝顔に、深いところでの慰めをおぼえる。

死んじゃいけないよね、お母さん。

まり子を見ながら、志穂に問いかけた。

死んだら、本当には償いにならないと思うもの。誰かを救えることも、慰められる機会も、なくなってしまうんだもの……。

優希は、病室を出て、ウール織りの茶系のパンツと、灰色のセーターに着替え、タクシーで笙一郎の事務所に向かった。

窓に明かりはなかった。運転手に待ってもらい、事務所のある三階に上がった。ドアには鍵がかかっていた。マンションも同じだろう。

あきらめて、蒲田のアパートに戻った。

雨足がさらに強まっていた。

タクシーを降りてから、バッグを頭上に掲げて、アパートまで走った。雨の匂いに、全身が浸される。

部屋の前に進み、鍵を開けた。電灯のスイッチを入れようとしたとき、微妙に部屋の様子が違うのを感じた。

他人の空気とでもいうのか、優希のものとは違う匂い、体温のぬくもりといったものが、暗い室内に漂っている気がした。

彼だとすれば、暗いところは苦手だと思い、電灯のスイッチを入れた。無人の、六畳の部屋が浮かび上がった。

拍子抜けしたが、

「長瀬君……」

あえて呼びかけた。間があって、

「おあいにくだけど」

声が返ってきた。

「……有沢君なのっ?」

優希は、靴を脱ぎ、半信半疑で部屋に上がった。

玄関からは死角になっている押入れの前に、梁平があぐらをかいて座っていた。

髪が濡れ、肩から毛布をはおっている。

「勝手して悪かったけど、押入れのなかから毛布も借り

たぜ。雨に濡れて、かなり冷えちゃってな」

梁平は薄く笑った。うつむいて、はなをすすり上げ、

「ストーブもないんで驚いたよ。けど、ほとんど病院にいるんだものな。必要もないわけか」

優希は、彼と視線が合わないのがもどかしく、バッグを下ろして、彼の前にしゃがんだ。

「いったい、どうしてたの。いままでどこにいたのよ」

梁平の顔には、不精髭が伸び、顔色も悪く、頬のあたりもこけて見えた。暗い方向に向かっているような目の輝きが、笙一郎と似ていた。

「窓に、鍵がかかってなかったぜ」

梁平が軽い口調で言った。優希の質問をかわすように、窓のほうに視線をやって、

「二階だからって、気を抜いちゃまずいな。向かいの寮の塀に登れば、大した苦労もせずに入ってこられた」

優希は窓のほうを見た。カーテンが閉められ、小机の上の骨壺なども、変わらないままだった。

優希は、彼に目を戻し、

「ずっと、どこにいたの」

梁平が、ちらりと上目づかいに優希を見て、

「今日の昼……もう、昨日か。十二時頃に、自由が丘のマンションを、訪ねただろ」

「長瀬君の、部屋のこと？」

笙一郎のマンションから駅に戻ってゆく途中、背後から見られている気配を感じたことを、思い出した。

「あそこに、いたの？」

梁平はうつむいて答えなかった。

優希は、息苦しくなり、

「髪はちゃんと拭いたの。風邪、ひいちゃうよ」

立って、押入れを開けた。休みの日に近所のコイン・ランドリーで洗ったばかりのタオルを取り、彼に差し出した。

「濡れた服はどうしたの」

梁平は、自分の脇に丸めてある背広とコートに視線を投げ、

「濡れたのは、上だけだから」

「干しておかないと、いつまでも乾かないよ」

「だめだ、外から見えるところには……。いま捕まるわけにはいかないんでね」

優希は、察して、

「わたしは、見張られていないみたいよ。何度か確かめたもの」

梁平が眉をひそめた。

「どうして、確かめるなんて」

「伊島さんが、ここに見えたの。そのあと、神奈川県警の方たちも病院に来られたし」

「主任が、ここに……」

優希は彼のコートと上着を拾い上げた。ハンガーに吊るし、雨でもあるため、結局軒下には出さず、鴨居《かもい》に掛けた。動きながら、伊島が訪ねてきたときのことを、簡単に話した。

「じゃあ、だいたいのことは、わかってるわけか」

梁平が独り言のように言った。

優希は流しに立った。

「コーヒーでも飲む？　インスタントだけど」

ケトルに水を受け、コンロに置いて、火をつけた。

青い炎を、しばし見つめてから、

「奈緒子さんて方、病院に一度見えたの」と告げた。

梁平の驚いた気配が伝わってくる。

彼の顔を見るのはつらかった。彼もまた見られたくないだろうと思い、流しの前から戻らずに、

「恋人だったんでしょ」

間があって、

「ああ」

こもった声が返ってきた。

「伊島さん、話が聞きたいと、おっしゃってた。自分のせいだって言ったことの、本当の意味が知りたいって」

「意味なんて、ない。おれが……彼女を、殺したってことさ。この手で殺したんだ」

自棄気味の、荒れた声に聞こえた。

優希は、目の前の青い炎に向け、首を横に振った。

「もう嘘はやめよう……わたしたち、もう嘘は、だめだよ……」

梁平からの声はない。

「長瀬君が、病院に来たの」

「笙一郎が……いつ」

梁平が、からだを起こし、こちらに顔を突き出した。

優希は、彼の目を見ずに、

「昨日の午後。彼から、聞いたの。彼が、奈緒子さんという人を……」

胸がつまった。息を整え、

「あなたも、彼だってことは、わかってるんでしょう。だから、マンションの前で、彼をずっと待っていたんでしょう」

懸命に抑えようとしても、声がふるえた。

横顔に、梁平の刺すような視線を感じた。問いつめられているように思う。

笙一郎が人を殺したと聞いて、何も思わないのか、ショックじゃないのか……。

優希は、姿勢を変えず、取り乱さないように耐えた。

「あいつは、言ったのか。どうして、あんなことになったのか。どうして、奈緒子とあいつが……ああいう結果を迎えることになってしまったのか」

「いいえ。そのことは、何も」

ガスの燃える、ごーっという音が耳の内側に響く。

梁平の、すすり泣くような、ため息が返ってきた。

視界の端に、彼がふたたび死角となる押入れの前に戻るのが見えた。

「苦しんだ顔は、してなかった」

梁平が言った。おだやかな口調だった。

「見つけたとき、彼女は布団の上に手を組んで、寝ていた。暴れた様子もなく、本当に眠ってると思った。どこにも傷がなく、きれいだった。笙一郎が、ちゃんとしていったのかもしれないが、奈緒子の静かな顔を見て、彼女自身、望んで死を受け入れたんだろうと感じた。それはつまり、おれのせいってことだろう？　彼女を、そんな想いにさせたのは、やっぱりおれだ。少なくとも責任の一端はあるはずだ……。とても、あいつを犯人だと名指して、捜査なんてできなかった。だが、知りたかった。どうして、ああなったのか。何が、奈緒子とのあいだにあったのか。はっきりあいつの口から聞きたかった。警察だと組織で追うしかない。ひとりで、捜そうと思った。ただ、奈緒子を放り出してもおけないから、主任に頼んだ」

優希は、青い炎が激しく揺れているのを、不思議に思った。自分の息づかいのせいだと気づくのには、時間がかかった。顔をそらし、

「どうして、彼だと、わかったの」

短い間があってのち、衣擦れの音が聞こえた。

優希は顔を振り向けた。

梁平が、鴨居に掛けた背広の内ポケットに、手を入れているところだった。

彼は、優希のほうに向き直り、

「これが、彼女の枕もとに、たたんで置いてあった」

右手を開いた。手のひらの上に、灰色の、小さなハンカチのようなものがのっている。

優希は、わからず、彼を見た。

梁平が、投げて寄越すように、右手を振った。

布が宙を流れた。一端を彼が握っていたため、細長い布は、ふんわりとふくらみ、もう一端がゆっくり畳の上に落ちた。

布は、黄ばんで、ところどころ傷み、しみもあった。

「包帯だよ」

「包帯……？」

「きみが、双海病院の前の海で、浜に残していったものさ。初めて三人が出会ったとき、海から上がったあと、この包帯が、きみの左腕から落ちた。おれと奴がそれを拾い、引っ張った。半分に裂けたものを、わけ合う形になったんだ」

優希は、信じられず、

「だって……十八年前さ」

「ああ。十八年前さ」

「残ってるはずないでしょ」

「残っているさ。持っているさ」

彼があまりに自信を持って言うため、優希は目で問いかけた。

梁平は左手をズボンのポケットに入れた。出された手の上には、同じ色と形の布がのっていた。

「肌身離さず、ってほどじゃないにしろ、守り袋に入れたりして、ずっと持っていた。あいつも同じだったろう。あいつは、これを、奈緒子の枕もとに置いていった。きみへ分がやったと、おれに教えるためだとわかった。自分の想いを断ち切るという意味も、あったのかもしれない……。十七年前に、別れ別れになってからも、気持ちの上では、離れていなかったはずだ。でも、今度は本当に別れるつもりだと、語っている気がした。そのくらい大きな意味が、おれたちにはある、包帯だったから」

「別れる……」

不意に、笛に似た音が鳴った。ケトルだった。

優希は慌ててガスを止めた。

「笙一郎が言ったのは、奈緒子のことだけだったか」

梁平の声がした。

優希は彼を見た。

「あいつが、告白したのは、奈緒子に対する罪だけだったか。ほかには……」

不安そうに訊ねる、梁平の瞳が揺れていた。彼も勘づいている気がした。

優希は迷った。ごまかそうと口を開いた。言葉が出な

い。あえぐように息をつき、

「例の、女の子に火傷を負わせた、お母さんのことも……」

思わず口にしていた。

梁平の顔がゆがんだ。壁に背中を預け、ずり落ちるような恰好で、畳の上に腰を落とした。

彼は、包帯を握った右の拳で、自分の膝を殴った。

「最初は、きみを疑った」

うめくように言う。拳を嚙み、

「きみがやったんじゃないかと思い、現場の草を踏みつけたり、何か落としてないか、捜したりした。だが、主任に、聡志が疑われたとき、笙一郎がやけに聡志をかばうのが気になった。もし、あのとき、もしかしたらと思いはした。あのとき深く追及していたら……奈緒子は助かっていたのかもしれない。奈緒子が、たとえ死の方向に傾いていたとしても、あいつが、ということはなかったかもしれない」

梁平は、いきなり首を起こして、壁に後頭部を打ちつけた。

優希には見ていることしかできなかった。

彼は、壁に頭を預けたままで、

「笙一郎と同じ感情は、おれだって抱いた。あの母親に対する怒りや憎しみを、少しだけ先に、奴が形にあらわしただけとも言えるんだ。おれも同罪だと思うから、追及できなかったのかもしれない」

「でも……彼、あなたに追及されたかったんだと思う。自分の罪に、苦しんでいるようだった。償えることが、お金しかないことが、つらそうだったもの」

「あいつは残酷だ」

優希は、意外で、

「どうして」と訊いた。

梁平は、憎々しげな表情で優希を見返し、

「おれに、できるか？　笙一郎を追及したり、裁いたりできるか。あいつはきっと、逮捕なんて生ぬるい罰じゃなく、もっと深い罰を望んでた。けど、おれに何ができる。あいつは、おれがやれなかったことを、やってくれただけなんだ。女の子に火傷を負わせた母親に対して、おれも怒りを吐き出したかった。被害者の姿を見たとき、きみがやったにしろ、笙一郎がやったにしろ、代わってやってもらったような、後ろめたさを感じた。それは……今回だけのことじゃないんだ」

梁平は手の包帯に目を落とした。強く握りしめ、

「おれは、あのときもやれなかったんだから……また代わって、やってもらったんだ。また、あいつに代わってやってもらった……」

悔恨の想いがこもった口調に、

「また、って？」

優希は訊き返した。

梁平は、志穂と聡志の骨壺に顎を振り、

「ふたりの遺骨、いつ墓に納めるつもりだ」

優希は、じれて、

「どういうこと。また代わってやってもらったって、なんのこと言ってるの」

梁平は小机の前に進んだ。ふたりの骨壺を見下ろし、

「……きみの、父親のことさ」

優希は息をつめた。

「あのときも、おれは、直前になって、びびって、だめだった。岩の峰の頂上で、きっと自分がやると、心に誓ったのに……双海病院の物干し場で、おれと笙一郎のどっちがやるかで、張り合ったのに……土壇場になって、おれは立ちすくんだ」

梁平は、崩れ落ちる恰好で、小机の前に正座した。

ふたりの遺骨に向かって懺悔《ざんげ》するかのように、頭を垂れ、

「頂上に登ったあと、みんなと合流して、ずいぶん叱られただろ。今度こそみんなと一緒に、迂回路を通って、山を下りていったよな。ひとまず下の休憩小屋のところに戻った。あいつの母親と、きみの母親が待っていた。少し休んでから、バスが待っているロッジの前に戻りはじめた。その途中だった。『落石注意』と看板の出ていたところさ。何カ所かある、落石の多い場所のひとつで、きみの父親をやろうと、先にあいつと決めていた。絶好の場所に通りかかったとき、ちょうどガスか霧が出てきた。ほんの少し離れただけで、誰が何をしているのかわからなくなった。おれたちは、きみと父親が並んで歩いている、そのすぐ後ろを歩いていた。チャンスだと思った。白い流れがもっと濃くなり、きみの父親の背中も、沈んでしまった。でも、動くなという、きみの父親の声が聞こえた。場所がはっきりわかった。落石の流れの手前だ。少し押せばいいだけだと思った。いまだという瞬間……おれとモウルは一緒に前に出た。もうモウルの姿さえ見えなかった。けど、おれは、二歩目には足がすくみ、立ち止まってしまった。次には、きみの父親の悲鳴と、石の崩れる音がした……。あいつがやったんだ。モ

ウルが、代わって、やってくれた。資格がなかったのは、おれだった。あいつは何を勘違いしてるのか、自分には権利がないようなことを言っていたけど……あいつのほうにこそ、資格はあったんだ」

梁平の前に咲いている、シクラメンの白い花が、大きくふるえたように見えた。

優希はつめていた息を吐いた。

「違うよ」

彼に言った。

優希は、力が抜け、上がり框に腰を落とした。

「彼じゃない。だって、わたしがやったんだもの……わたしなんだもの」

4

窓の表面を雨が打ち、滴が流れ落ちてゆく。

笙一郎は窓ガラスに額をつけた。

芝浦の工場の明かりや、彼方のレインボーブリッジの灯火が、流れてゆく滴の向こうに、にじんで見える。

高輪にあるホテルの、十階の部屋だった。

窓は、すべてはめ殺しではなく、両側が換気のためだろう、大人ひとりが通れるくらい開いた。

窓の下は、アスファルトの道路で、見下ろせば、水溜まりにネオンの灯が揺れている。

現実としての死は怖くなかった。

死の観念、イメージが怖かった。

死の意味するところは、闇と感じていた。

闇はやはり怖かった。

ひとりで死ぬということは、果てしなくつづく闇のなかに、ぽつんと孤独に取り残される姿を想像させる。

その恐怖のために、飛び込むにしろ、首を吊るにしろ、踏み切れずにいた。

額で窓を押すようにして離れ、ベッド脇のテーブルの前に戻った。

テーブルには、ホテルが用意した、薔薇の造花が飾られていた。赤い色が褪《あ》せ、花びらを模した布が、少し破れている。

煙草をくわえ、火をつけた。このところずっと、胸の内側に異物が居座っているように感じていた。異物は日ごとに成長している。

無理やり押さえつけるように、煙を吸った。

少し咳き込み、テーブルの下に置いてあるビジネスバッグを軽く蹴った。

バッグには、四千万円の現金が入っている。朝になって、被害者の遺族に渡せば、心残りだったほとんどの手続きが終わる。

事務所の入っているビルとは、契約を切った。今朝にも業者が入って、処理をすることになっている。

事務所の仕事に関しては、依頼を受けていた一般の客には、これまでも融通をきかせ合っていた、別の弁護士事務所を紹介するなどした。企業の場合は、事務所を閉じることを伝えて、預かっていた書類もすべて返送した。自分で長年かかって作った資料の類は、すべて裁断して捨てた。

マンションの契約も打ち切った。事務所同様、今朝にも業者が入って、きれいに処理してゆくはずだった。

金については、まり子の施設入所の費用のこともあり、奈緒子とのことがある以前から、作りはじめていた。

顧問企業の保養所を、整理屋に売ったのが最初だった。その後、同じ会社の役員から頼まれて、役員数人分の株の売り抜けをおこなった。得た金は第三者にプールしておくという名目で、笙一郎が用意した口座に受け取った。目標と考えていた金額には、それだけでは足りず、整理屋に連絡をとった。脱税の件で依頼を受けている個人資産家の、処分に困っている都内二カ所の土地の資料と委任状を、整理屋に見せた。実際の土地にも案内し、三日前の金曜日、整理屋が連れてきたブローカーを名乗る男に、権利書、売渡証書、印鑑、印鑑証明、委任状などを、相手の言い値で渡した。前金だけだったが、株の儲《もう》けと合わせて、目標としていた金額を超えた。

ただし、書類は一部本物でも、わからぬ程度に笙一郎が手を入れていた。土地の売却や融資といった話が進めば、確認がとられ、売り渡しは無効となるはずだった。

だます自信はあった。整理屋が、弁護士を仲間に引き入れようと試みるのは、情報はもちろん、世間が信用している弁護士という肩書を利用したいがためだった。裏を返せば、彼らが最も肩書を信用していた。失うものが多いインテリが、自分たちを裏切る度胸などないと見ている。軽井沢の保養所については、すべて本物だったし、彼らが笙一郎の弱みをつかんだと思い込んでいるところにも、隙はあった。

むろん、長い時間、だましきれるものでもない。様々な確認をすぐにとるか、あるいはしばらく手もとに置い

ておくのか。いま、日付が変わって十二月一日の月曜のため、相手の動きが早ければ、今夜か明日には、笙一郎の居場所が捜しはじめられる。さらに時間が経てば、彼らの背後にいる暴力団に追われることにもなるだろう。

軽井沢の保養所を売った金は、まり子の施設入所の費用にあて、今回得た金は、被害者ふたりの遺族に渡すことにしていた。遺族に対しては、被害者の保険金が入る形の書類を偽造した。

火傷を負った女の子の自宅には、昨日すでに、多摩桜病院を出たあと訪ねていた。住所は前に調べてあった。

応対に出てきた女の子の父親に、笙一郎は、弁護士を名乗り、偽名の名刺を渡した。保険金が入ることになったと告げ、驚く彼に書類を見せた。受取人の名義は、女の子にしてあった。亡くなった母親が、娘のためにひそかに保険に入っていたことを説明し、現金をテーブルの上に積んだ。

書類は、実際の保険相互会社のものを用意した。仕事上、何度も同様の書類を扱い、コピーも持っている。もちろん調べられれば、嘘とわかるが、提示した書類は、形だけの印鑑をもらって、こちらで引き取った。四千万円の現金を積まれた驚きからか、父親は書類など気にも止めなかった。気にしていたのは、税金の負担と、つまらぬことを言って、せっかくの金を取り上げられはしないかということだった。

当の女の子は、笙一郎と父親が話していた居間の隣の部屋で、ベッドに横になっていた。笙一郎とは病院で会っていたが、彼女がおぼえている様子はなかった。

「お母さんが、きみのことを考えて、用意されていたお金だよ」

笙一郎は彼女に告げてみた。

女の子の表情に変化はなく、笙一郎を見ようともしなかった。母を亡くした心の傷が、簡単に癒えるわけもない。が、嘘ではあっても、母親の愛情が、少しでもよい形で彼女に伝わり、励ましとなることを願った。

「亡くなった奥さんは、娘さんを心から愛されていたご様子です。条件というのではありませんが、娘さんのために使われることが、ご遺志にかなうことと思います」

女の子の父親に、そう言い残し、テーブルの端に置いてあった偽の名刺も取って、部屋を出た。

いまから数時間後、朝を迎えたら、五月の末に、多摩川緑地で彼が殺した、中年女性の遺族を訪ねる予定でいる。

遺族のことは、当時、興信所に調べさせていた。被害

者には、結婚した娘がふたり、孫もひとりずついる。

保険金の受取人は、被害者の孫ふたりにし、それぞれにわけて届けるつもりでいた。昨日のように、書類や名刺を持ち出せるかどうかわからない。もしものことを考え、かぶれているからと、白い手袋をする予定でいる。

大金を前にして、動転しない者も少ないだろう。たとえ遺族が不審な金として警察に届けたとしても、本来の所有者が現れることはない。亡くなった妻、母、祖母の贈り物だと、よい形に受け取り、遺族たちのささやかな救いとなってくれることを望んでいた。

しかし、奈緒子は違った。

奈緒子とは、ある種の同意があり、固く結ばれるものがあった。

遺族としての悲しみが同じだとしても、奈緒子の兄に金など残しても、ただ困惑を生むだけだろうし、奈緒子もそれを望んでいるとは思えない。

最初の犯行は、突発的であり、衝動的だった。

優希と梁平の三人で、十七年ぶりに再会した、五月二十四日の夜だった。

深夜、母親を見舞ったあと、多摩川沿いの遊歩道を歩いていた。どうして三人で会ったのか、会ってしまったのか……悔やみながら、あてもなく歩きつづけていた。

自分は優希の父親を殺していなかった。背中を押していなかった。

ここでやろうと、梁平と話し合った場所で、白い流れのなかに、雄作の背中が浮かんで見えた。やがて隠れたものの、声が聞こえた。いまだと思い、梁平と同時に前に出た。だが、二歩目には、笙一郎はためらい、立ち止まった。梁平の姿も、白い流れに隠され、見えなくなった。きっと梁平が、そのまま進んで、雄作の背中を押したに違いない。ほどなく悲鳴が上がり、石の崩れる音が聞こえてきたのだから……。

その瞬間、笙一郎はもうひとつの賭けにも負けた。

当時の笙一郎は、優希の父親を、自分の父親と重ねて見ていた。優希の父親を殺すことは、実の父親を殺すというか、越えてゆくのと同じ意味に感じていた。

だから、ひそかな願いも込めていた。

〈もしも、あいつを殺すことができれば、きっとおちんちんも、固くなる。お母ちゃんも、捨てていったお父ちゃんを見返すくらいに大きく、お母ちゃんも、二度とばかにできないくらい強いものになる……〉

だが、自分の父親と重なるがゆえに、雄作の背中は押

せなかった。長いあいだ憧れつづけた父親を、殺すことなどできなかった。

これまで彼の性器が、女性に対し、性的な機能を果たす状態になったことはない。たとえ女性と一対一になり、それらしい雰囲気になっても、試みに性風俗の店に通ってみても、雄作の背中を押せなかった自分の姿と、

「使えなくたっていい。使えないほうがいいんだよ」

明神の森で叫んだ優希の声がよみがえってきて、どうしても無理だった。

笙一郎は、二重の意味で、優希を得る資格がないと思いつづけてきた。

それでも、優希を愛していた。彼女だけを求めていた。梁平に譲らねばならないことがつらかった。

その分、母のまり子への恨みがつのった。怒りをぶつけたかった。

なのに、まり子は、笙一郎の怒りや恨みを、受け止められる状態にはなかった。逆に、笙一郎が彼女を保護する必要があった。しかも、まり子がもとに戻る望みはほとんどない。

彼女が亡くなったのなら、墓前で呪うことも、あきらめることもできただろう。だが、まり子は笑っていた。邪気のない笑みを浮かべて、笙一郎に手を伸ばし、

「お父ちゃん」

と呼び、幼子のように彼に甘えかかってきた。

笙一郎には、親として生きる負担だけが求められ、謝ってもらい、受け入れてもらい、甘えてゆきたいという願いは、二度とかなえられそうになかった。

そうした鬱屈を抱えて、川の流れを見つめていたとき、不意に、まり子が昔つけていたのと同じ香水の匂いがした。

女性が語りかけてきた。彼女が、煙草を吸うためにライターをつけた。まり子と同年齢かやや年上で、水商売風の服装をしているのが見て取れた。

親を大事にしろ、と彼女は説教口調で言った。親は、親なりに苦労してるんだから、許してやれと言った。

からだのなかが熱くなり、動悸がした。じっとしていられなかった。ため込んでいた暗い感情が、一気に噴き出すかのようだった。

彼女が背中を向けたときには、足もとの石を拾っていた。香水の匂いが強くなった。次には、血の匂いがした。草の香りがそれに混じった。

高ぶりからさめ、意識が戻ったときには、相手に馬乗りになり、首に手をかけている自分の姿を認めた。

相手はもう息絶えていた。

自分のしたことに、ショックを受けた。犯行を隠すことだけを考えた。凶器の石は、川に捨てた。皮膚に指紋が残ることがあると、司法研修所の授業で聞いたことがあり、被害者の首筋をシャツの袖で拭いた。被害者を川べりまで引きずり、水量が増えていた流れに押し出した。彼女が持っていたバッグを拾い、ほかに落ちているものがないか確かめて、現場を去った。彼女のバッグもライターも、遠く離れたゴミの集積所に捨てた。

のちに、自分はあのとき、母の首を絞めている気でいたかどうか、自問を繰り返した。答えは出なかった。

二件目の犯行も、やはり衝動的だった。

だが、最初の犯行に比べれば、意識的でもあった。

やはりまり子を見舞いに、病院を訪れたときだった。

女の子に火傷を負わせた母親と、路上ですれ違った。

そのときはまだ、あんなことになるとは思ってもみなかった。彼女が、いったん国道に向かって進みながら、あらためて病院に戻ってきたときには、正直驚いた。いま思えば、身勝手なものだが、自分の前にわざわざ戻ってきた彼女を見たとき、頭のなかで、

〈母親は罰されたがっている〉

という言葉が、瞬間的にひらめいた。

自分が壊れつつあるのではという疑いも、一方で意識していた。なのに、自分を律することができなかった。

彼女は、いったん笙一郎を見たのち、多摩川のほうへ向かった。彼女が誘っているように思えた。

〈母親は罰されたがっている、許しを求めている〉

彼女のあとを追い、多摩川緑地に降りた。

彼女は待っていた。罰を受ける者として、彼に無防備な背中をさらしていた。彼は足もとの石を拾った。

二度の犯行とも、先に頭部を殴ったのは、計画があってのことではない。のちに考えると、無意識のうちにも、抵抗を恐れていたのかもしれない。〈母親〉は、幼い自分よりもきっと力が強い……そう思い込んでいた気がする。

血が匂い、草の香りがした。気がつくと、やはり相手に馬乗りになり、首に手をあてていた。

前回と同じで、罪悪感と恐怖、強い自己嫌悪に襲われた。被害者の首筋をぬぐい、凶器の石も持ち去った。物証らしきものが残っていないか確認もした。

まさか聡志に容疑がかかるとは、思いもしなかった。

だが、自首はできなかった。自分から、母を捨てるような真似はできなかった。なにより優希の軽蔑を恐れた。いっそ梁平が罰してくれればと思った。逮捕という形ではない、もっと根源的な罰し方を望んだ。自分に優希を愛する権利も、愛される資格もないのであれば、いっそ梁平の手で、すべてを終わらせてほしかった。すべての罪、すべての責任、すべての恥、また新たな犯行の可能性も……。そして、優希へのかなわぬ思慕も……。終わらせてくれるのは、梁平しかいないと信じた。

だから、梁平が自分を追及しないことに苛立った。彼でなければ、誰が、すべて終わらせてくれるのか。誰が、自分を罪からも、優希からも、またまり子からも解放してくれるのか、わからず、ただ苦しんでいた。

奈緒子も死を望んでいた。

十四日の夜、奈緒子から電話があった。消え入りそうな声で、来てほしいと訴えてきた。放っておける声ではなかった。結果的には、放っておいたほうがよかったのかもしれない。

だが、笙一郎も慰めを求めていた。むしろ自分こそ救われたいと願い、彼女のもとに駆けつけた。

店だった一階は、もう何もなく、二階に誘われた。日本酒とグラスを持ち、奥の部屋で、ふたりは向かい合って座った。あいまいな挨拶のあと、ほとんど話も進まないまま時が流れた。日本酒の五合瓶が空になり、酔いが回ってきた頃、

「昔、何があったのか聞かせてくれますか」

奈緒子から切り出された。

十七、八年前のことだとわかった。

笙一郎は隠す必要を感じなかった。逆に、誰かに打ち明けたくてならなかった。

ごくしぜんに、彼女に話しはじめた。

双海病院に入院したこと。梁平と会ったこと。ふたりのあだ名。そして、優希と海で出会ったこと。

人に話したのは、初めてだった。財布の奥にしまってあった包帯も、彼女には見せた。

「ずっと持っていたんですか」

奈緒子が驚いた表情を浮かべた。

お守り代わりだったと、笙一郎は答えた。

「梁ちゃんも、持ってるかしら……」

彼女の問いに、わざわざ答える必要は感じなかった。

笙一郎は昔の話をつづけた。

明神の森に優希が隠れ、梁平と一緒に捜したこと。

木々のあいだから差し込んできた光の縞、大いなるいきものとして感じられた森、地球の中心とつながっているように思えたクス、クスの向かい側の山肌に掘られた横穴のこと。穴のなかに優希が寝ているのを見つけ、タオルを掛けたときのことを話した。

優希が山登り療法を楽しむようになったこと。だが、夏休み前、浄水タンクの上から飛び、死のうとしたこと。傷は回復したが、病院から抜け出し、嵐のなか、梁平と彼が山に捜しにいったこと。ついには、嵐の夜、明神の森で、三人がそれぞれの秘密を語り合い、互いを慰め合ったときのことも話した。

三人それぞれが受けた、心とからだの傷についても、できるだけごまかさず、正直に打ち明けた。

奈緒子は言葉を一切はさんでこなくなった。ふと見ると、涙を流していた。

笙一郎は独り語りのように話しつづけた。

三人が心を開いて過ごした、秋の日々。運動会のリレー、文化祭で描いた壁の絵、燃え上がったキャンプ・ファイアーの炎、見上げた星、波の音……。

うまくいっていると思っていた。なのに、優希はやはり虐待を受けたらしく、梁平とふたり、彼女の父親を殺すことに決めた。その冬の日のこと、雪のこと……。

そして春、霊峰への登山。実際に彼女の父親の背中を押したのは、梁平だということも語った。

「だから……あいつなんですよ。あいつに、資格があるんです」

奈緒子は納得したようにうなずいた。

「そのあと、どうなさったんですか」

「……ばらばらになってしまったんです」

白い流れがはれると、優希の父親は、ずいぶん下まで落ちていることが確認された。

落石もあり、出血もみられる様子だった。

騒ぎになり、大勢の人間が集まった。無線連絡がなされる一方で、看護士たちが助けにゆこうとし、さらに石が落ちるなどして、混乱がつづいた。

引率側の半数が現場に残り、子どもたちは保護者たちとともに先に下山することになった。優希は、彼女の母親とともに現場に残った。

笙一郎たちは、下山途中、救助隊らしい、装備を整えた人々とすれ違った。ロッジのある土小屋に到着すると、登山道の入口近くには、救急車が待機していた。

登山道の入口と、バスとのあいだの広場で、一行は待

った。

雄作のそばにいた者として、笙一郎と梁平が事情を訊かれた。ふたりとも、霧で何も見えなかったと答えた。

笙一郎は梁平を見られなかった。梁平の、きっと誇らしく輝いているだろう顔を見るのが、つらかった。

一時間ほど経ち、日も傾いて、子どもたちだけでも、病院に帰そうという声が、周囲の大人たちから出はじめた。バスに乗るように指示が出た。笙一郎と梁平は、できるだけ残っていたかった。一緒に下山してきた担当医の小野が、ふたりをせかしたとき、登山道から人々の声が聞こえてきた。

救助隊らしい人々が、先頭に現れた。担架を担いでいた。担架には、毛布が掛けられていた。

現場に残っていた引率側の人間がつづいた。みな、沈痛な表情をしていた。最後に、看護婦に支えられるようにして、優希と志穂が現れた。

優希は目の焦点が合っていなかった。ふらふらとして、足取りも頼りなく、顔色は真っ青だった。

梁平が先に駆けだした。笙一郎も追った。ふたりは彼女の前に立った。優希と目が合った。だが、優希は仮面をつけているかのように表情がなかった。

笙一郎と梁平は、看護士たちによって遠ざけられた。担架は救急車に運び込まれた。優希と志穂も乗り込んだ。優希は、ドアが閉められるまで、一度も笙一郎たちのほうを振り返らなかった。救急車が走り去った。笙一郎たちが少女時代の優希を見た、最後だった。

笙一郎と梁平は、病院に帰り、警察からふたたび事情を訊かれた。何も見えなかったという答えを繰り返した。梁平の答えぶりが、やけに堂々としているように聞こえて、笙一郎は胸が苦しかった。

彼らの前後にいた、まり子と、梁平の叔父夫婦も、事情を訊かれた。同様に、何も見えなかったし、事故が起きてもおかしくない自然条件だったと答えていた。

まり子は、事件に巻き込まれたことが迷惑そうで、早く帰してくれと何度も訴えていた。梁平の叔父夫婦は、じっとしていれば事故は起きなかったろうに、どうして優希の父親は動いたのかと、不思議そうにつぶやいていた。

笙一郎たちは、十時過ぎに、ようやく解放された。ふたりは、このまま退院になるため、病室まで荷物を取りに上がった。梁平が話しかけてこなかったことが、笙一郎には救いだった。おれがやった、おれが勝ったと、梁平に言われでもしたら、殴りかかるくらいではすまなか

っただろう。

ふたりは黙って病棟の玄関先に降りた。まり子と、梁平の叔父夫婦、小野と看護婦たちが待っていた。

看護婦から、友だち同士、別れの挨拶をしたらと勧められた。笙一郎は顔を上げられなかった。梁平も何も言ってこなかった。

病院の駐車場で別れたのが、子ども時代の梁平を見た最後だった。笙一郎は、車に乗る直前、思い切って顔を上げてみた。梁平も、車の前で、こちらを見ていた。

驚いたことに、梁平の顔が泣きだしそうにゆがんでいた。優希に愛される資格を得た梁平が、なぜ泣くのか、わからなかった。梁平は、唇を嚙み、笙一郎を指差した。おまえだと言っているような、指の差し方だった。笙一郎には意味が理解できなかった。

梁平は車のなかに消えた。笙一郎は慌てて手を挙げた。梁平に向かって振る前に、彼の乗った車が走りだした。以後十七年、梁平と会うことはなかった。

笙一郎は、母親のまり子と一緒に生活をはじめたが、まり子は、ほどなく男を作って出ていった。

笙一郎は、新聞配達のアルバイトをしながら、自活をし、中学を出た。アルバイトをつづけ、大学の入学資格検定試験も受け、神奈川に出てきた。そのあいだ優希のことを忘れたことはなかった。

同時に、自分には資格がないことも、忘れることはなかった。男としての性の機能が果たせないことが、その証拠のように、彼を責めつづけた。

笙一郎は、ふたりの女性を殺したことも、奈緒子に告白しようかと思った。が、できなかった。

昔のことを語るだけで、疲れきった。自分も知らないあいだに泣いていた。顔をぬぐったとき、濡れていたので、それと気づいた。

恥ずかしさに、顔をそむけた。涙はしばし止まらなかった。

奈緒子が、近づき、彼を胸に抱き寄せてくれた。

笙一郎は抵抗しなかった。彼女のぬくもりによって慰められる心地よさに甘えた。

奈緒子は、しばらく彼を抱いてくれたのち、

「いまもですか」と言った。

笙一郎は意味がわからなかった。

奈緒子が、立って、電灯の紐を取り、

「真っ暗はだめでも、小さな明かりがあれば、大丈夫ですか」

笙一郎を見た。

笙一郎は、戸惑いながらも、うなずいた。

奈緒子は電灯を小さいものにした。

「押入れを、お願いします」

彼女の口調は静かなものだった。

それゆえに、笙一郎は抗しきれないものを感じた。言われるままに立って、押入れの襖を開けた。

「上の布団を……」

彼女の細い声が聞こえた。

笙一郎が振り返ると、奈緒子は、彼に背中を向け、ワンピースのボタンを外しはじめていた。

笙一郎は困惑した。止めようと思った。彼女の肩がふるえているのを認めた。

黙って布団を出し、部屋の中央に敷いた。毛布も出したところで、やはりつらくなり、彼女を止めようと振り向いた。

下着だけになっていた彼女は、布団の上に横になり、毛布で自分のからだをおおった。

笙一郎が立ちつくしていると、

「一緒に」

奈緒子が言った。

「ぼくは……」

言いかけて、言葉がつづかなかった。

「お願い」

彼女の声は泣いているように聞こえた。

笙一郎は、顔をそらし、服を脱いだ。下着を取るか迷った。彼女の手が毛布から出て、みずからの下着を布団の下に隠すのが、目の端に見えた。笙一郎は、思い切って裸になり、彼女の隣にしゃがんだ。

奈緒子に肘を引かれ、横になった。からだの上に毛布が掛けられた。ひとつの毛布のなかに、ふたりで包まれる形になった。

奈緒子が、上になり、からだを重ねてきた。笙一郎の両足を割り、なめらかな脚がすべり込んでくる。

笙一郎は、慌てて、自分の性器を手で隠そうとした。その手を、奈緒子の手が止めた。

彼女は、指をからめてきて、頬を合わせた顔を、かすかに横に振った。

「いいんです。こうしているだけで、充分なんです」

優しい声だった。

笙一郎は、少しだけ安堵し、力を抜いた。

彼女の体温が感じられてきた。自分の肉体が、生まれ

て初めて、温かく迎えてもらえた気がした。

心から受け入れてもらえていることが、肌を離さないようにおこなわれる身じろぎや、いたわるようなふれ方に感じられる。

彼女のぬくもりに包まれていたなら、いつかは自分の性の機能も回復するのではと期待を抱いた。

いや、回復というのではなく、ようやく芽生えるのかもしれない。幼いまま成長の止まっていたものが、励まされ、うながされて、やっとオスとしての機能が成長を遂げるのかもしれない。

だが、顔を振り向け、奈緒子の顔をとらえたとき、完全な闇でないために、彼女の表情がうかがえた。

瞬間、失望をおぼえた。心のどこかで、優希の顔をそこに見ることを願っていたためだった。

奈緒子もまた同様に、笙一郎以外の者を感じようとしていることが、瞳の揺れから理解できた。望みがかなわないことでは、奈緒子も同じだった。

奈緒子が、笙一郎の想いを理解したのか、悲しげにほほえんだ。

彼女に対するいとしさがこみ上げてきた。唇を重ねた。互いに高ぶり、激しく唇を吸った。

奈緒子の頭を両手ではさみ、彼女とからだを入れ換えるようにして、彼女の上になり、舌をからめた。

彼女の乳房がつぶれる感触を、自分の胸に感じた。

彼女が脚を開き、笙一郎を迎えてくれた。

彼女に、直接自分があたった。

このときが、永遠につづくことを望んだ。

それはまだ確かな形にはなっていない。だが、きっといつかはと信じられる。

奈緒子に迎えられていれば、そのかすかな潤みにふれていれば、確かな形になる予感があった。この予感が、永遠につづくことを願った。

だが、現実の時間は、きっと終わりがあることを、幼い頃から、覚えさせられてきた。永遠など、ありはしない。自分が作ることでしか得られない。自分の心のなかにのみ、永遠と呼べるものは生まれる。

奈緒子の首に手をかけていた。

奈緒子の口から聞けた、最後の言葉は、

「大丈夫……」

死を受け入れるという意味だったのか。

あるいは、その一瞬だけ、確かな形になったと思えた自分のそれが、さらに温かい潤みに包み込まれた気がし

たが……もしかしたら、うまくいったということを、彼女は伝えようとしてくれたのだろうか。

笙一郎が正気に戻ったとき、奈緒子はすでに息をしていなかった。

からだを揺り動かした。名前を呼び、頬を叩き、心臓マッサージや、人工呼吸の真似も試みた。あきらめて、救急車を呼ぼうとした。

電話を手にしたところで、気が変わった。苦しげな色もなく、安らかに眠っているような彼女の顔を見て、本当に蘇生を望んでいるのだろうかと疑った。

彼女の正面に腰を下ろした。

自分で首を絞めておきながら、いま思えば身勝手な妄想としか言えなかったが、そのときは、息を吹き返すのも、このまま眠りつづけるのも、彼女にまかせたい心持ちだった。

小さな明かりのもとで、奈緒子を見つめていた。

どのくらい経った頃か、彼女のからだが、静かに光った。細身のからだが、内側から白く輝きはじめ、やがて全身が光に包まれた。

かつて霊峰の頂上で見た、〈光る人〉を思い出させる輝きだった。〈光る人〉と化した奈緒子は、横たわった姿勢のまま、宙に浮かんだ。

彼女がそのまま去ってしまいそうに思い、一緒に連れていってもらいたいと願った。手を伸ばそうとした。からだが硬直したように動かなかった。

奈緒子はゆっくりと浮かび上がってゆき、天井にぶつかる手前で止まった。長い時間、とどまっていた。次第に光が失せていった。青白い肉体が、また同じようにゆっくりと布団の上に落ちてきた。

雀だろうか、小鳥の声が窓の外から聞こえた。

笙一郎は目をしばたたいた。

奈緒子は、変わらない姿勢で、彼の前に横たわっていた。美しい肌をしていたが、光ってはいなかった。

笙一郎は奈緒子の死を認めた。

美しいとはいえ、裸を誰かに見せるようなことは、避けるべきだと思った。彼女の尊厳を守る態度で、丁寧に下着をつけ、服を着せた。できるだけ、きれいな形で彼女の姿を整えようと努めた。

謝ってもどうしようもないことだが、手を合わせ、奈緒子に謝った。自分を迎え入れてくれたことに感謝した。

奈緒子の両手の指を組み合わせ、胸の上に置いた。

急に咳き込み、布団の上に血痰《けったん》をこぼした。あえて拭

かなかった。

十八年前、優希の腕に巻かれていた包帯の半分を、奈緒子の枕もとに置いた。梁平には、それでわかるはずだった。

優希への想いを完全に断ち、奈緒子に向けて、あとを追うよと伝える意味も、自分なりに込めていた。

電気をつけたままで、奈緒子の部屋を出た。明けたばかりで人けのない通りを歩き、彼女の家から遠ざかった。梁平に知らせずとも、きっと誰かが見つけるだろうと思った。

よもや梁平が、彼女のことを見つけたあとに、逃げるとは思わなかった。心情を思えば、理解できないことではない。きっと自分自身を責めているのだろう。

だが、そのときの笙一郎には、梁平のことまで考えが及ばなかった。自分の死の準備を整えることで、精一杯だった。仕事のこと、まり子のこと、被害者の遺族に渡す金のこと、処理すべきことが多かった。それも、今日中にはほとんどかたがつく。まり子の施設入所のことが残っているが、優希が送り届けてくれるだろう。

ふと、昨日の優希の態度と言葉を思い出した。

優希に対し、そのつもりはなかったのに、つい罪を打ち明けた。心のどこかで、彼女に軽蔑され、見捨てられれば、いっそ楽な気持ちで死へ進んでゆけると感じていたのかもしれない。

彼女は軽蔑しなかった。逆に、共感めいたものを持って受け入れようとしてくれた。

優希が、笙一郎の手を握り、

「行こう」

と言ってくれたのは、どういう意味だったのか。

自分に、少しでも想いを傾けてくれたのなら、それが憐れみや同情であっても、やはり嬉しかった。

同時に、心苦しくもあった。

自分には資格がない。

彼女の愛を受ける資格は、十七年前に失っている。

そして、自分の死は、奈緒子との約束だとも感じていた。自分は優希から、奈緒子は梁平から、それぞれが身を引く、変形の心中でもあるのだから……。

ただ、どういう方法をとればいいのか、時間が経つほどにわからなくなった。奈緒子と一緒にいるときに、紐でも包丁でも使って、一気に終わらせておけば、これほど迷うことはなかった。

いまは、ひとりきりで実行するしかない。奈緒子が待

っていてくれると思っても、彼女が本当に待っているのは梁平だと思い直すと、闇の前で足がすくんだ。

新たに煙草をくわえた。火をつけて、ひと口吸ったところで、胸の異物がはち切れんばかりにふくらんだ。

咳き込み、異物を口から吐き出した。白いテーブルと便箋《びんせん》の上に、どす黒いものがこぼれた。褪せた造花の花びらが、散り落ちたかのようだった。

人差し指で、褪せた花びらに似たそれにふれた。どす黒く濡れた指を、しばらく見つめつづけた。

笙一郎は、携帯電話を出し、興信所に連絡をとった。興信所の所長は、かつて暴力犯捜査の刑事だったが、暴力団との親密な交際が知れて懲戒処分を受け、現在の仕事をはじめたと聞いている。

笙一郎は、別の依頼人の紹介で知り合い、以来、笙一郎からは仕事関係の調査を頼み、相手方からは税務関係や株売買についての相談を受けてきた。何度も合法的な節税、ときには違法すれすれの株取引も助けた。

「今日中に、用意してもらいたいものがあるんですよ」

笙一郎は頼んだ。

何かと、相手が訊く。

「整理屋と少し危ない仕事をしましてね。万一のことを考え、護身用に持っていたいんです。お宅ならと思いましてね。その筋の知り合いも多いでしょう」

笙一郎は、煙草をくわえかけ、やめておいた。

窓の隙間から、風が吹き込んできた。雨をふくんだ風は、懐かしい霧の匂いがした。

5

祠のある峰から、迂回路を通って、山を下ってゆく。

鎖場を登ったために、厳しい叱責を受けた優希たち三人は、雄作とジラフの叔父、また看護士たちに前後をはさまれる形で、歩いた。私語はもちろん、咳をすることさえ許されない雰囲気だった。

心地よい風が吹き、下りは順調に足を運べた。ほかの子どもたちからも、疲れたといった声は出なかった。ほぼ三十分ほどで、迂回路の登り口に戻った。

休憩小屋の前には、志穂と、モウルの母親が待っていた。優希がいなくなったことは、雄作が迂回路から小屋まで捜しに戻ったおりに、知らされたようだった。

モウルの母親は、鎖場を登ったモウルに、何をやって

んのと呆れたように言っただけで、別段叱るということはなかった。

一方、志穂は、優希を見て、心底ほっとした表情を見せ、次には泣きそうに顔をゆがめた。

「いったいどうしたのよ、優希……」

優希は、罪悪感で気持ちが落ち込み、かえって怒ったような顔しか、母に向けられなかった。

一行は、十分間ほど休んだのち、バスが待っているロッジ前へと出発した。

往路は一時間四十分ほどかかったが、下りは約一時間で戻れる予定だった。

出発してほどなく、空が曇ってきた。大気の状態が怪しくなってきたのか、登山道にも薄い霧が流れ込んできた。

以前登山をした子どもたちの文集でも、春の登山の際は、下山途中に、霧やガスに巻かれるケースが多いように書かれていた。季節や時間的な問題かもしれない。

下山の列も、なるべく家族でまとまってと、指示を受けていた。優希たちは、登りのときとは、少しだけ順番が変わっていた。

休憩小屋で待っている際に仲良くなったのか、志穂とまり子が、支え合うようにして、優希と雄作の前を歩いていた。志穂は、優希がふたたび逸脱することを防ぐために、無理をして前を歩いているようにも思えた。

ほかはほとんど変わらず、優希と雄作から数メートル離れた位置を、ジラフとモウルが歩き、ふたりのあとに、ジラフの叔父夫婦がついていた。

やがて、最初の『落石注意』の看板が見えた。優希は緊張した。さりげなく背後を振り返った。ジラフとモウルはやや離れたところにいた。

歩くうち、霧なのかガスなのか、白い流れがどんどん濃くなってゆく気がした。引率者たちの注意する声が、前方から、また後ろから、繰り返し聞こえた。

「道が見えなくなったら、無理に進まないでください。風がありますから、きっとはれます」

二つ目の『落石注意』の看板の前を通り過ぎ、三つ目の落石が起きている箇所を渡りきった。そして、ひときわ大きく登山道と交差している落石の流れを前にした。

いきなり谷の底から湧き出してくる感じで、あたり一面、白い流れにおおいつくされた。

先に向こう側に通り抜けていた、志穂とまり子の姿がかすんだ。振り向くと、そばにいる雄作の姿ははっきり見えたが、ジラフとモウルの姿は、薄い幕を引いたよう

にぼやけていた。ジラフの叔父夫婦にいたっては、ほとんど影しか見えなくなっていた。

「動くな」

雄作が言った。

あと、一、二歩踏み出せば、落石の流れの端に足がかる場所だった。

「もっと下がりなさい」

雄作が、優希の肘をつかんで、後ろに引いた。

優希は雄作の背後に回った。

雄作は、足を少しずつ伸ばして、道を確かめている様子だった。

周囲が、白一色に閉ざされているため、リュックを背負った彼の背中が、ひときわ確かに浮かんでくるように見えた。

「そっちは大丈夫かー」

雄作が志穂のほうに訊ねた。

志穂が何か答えたようだが、よく聞こえない。

「優希、じっとしてろよ」

雄作が言う。彼はまた足を踏み出したようだった。

彼の背中が鮮明さを欠き、白い流れのなかに沈んでゆく。

砂を踏む音がした。小石が下に落ちてゆく音も聞こえた。

「危ない危ない。もう少しで落ちてしまうところだった」

苦笑気味に言う雄作の背中が、すべて白い流れのなかに沈んだ。

そのとき、背後から足音が聞こえた。

ジラフ？　モウル？

だめっ。優希は心のなかで叫んだ。

やめて、殺さないで。

優希は父を守りたかった。

殺したいと思ったことがあるのは、事実だが、その瞬間は違った。

だって、お父さんだよっ。

優希はとっさに前に出た。

ふたりの少年より先に進み出て、手を伸ばした。父の腕をつかんでいようとした。

あっと、雄作の声が聞こえた。

石が崩れる音がした。

雄作が悲鳴を発した。

激しく石が流れ落ちゆく音が響いた……。

「……それじゃあ、助けようとして、誤って押したということなのか」

梁平が訊いた。

優希のアパートの部屋だった。

優希は、上がり框から少し入って、押入れの前に膝を崩して座っていた。梁平は骨壺を置いた小机の前にいた。

優希は、梁平の問いに、首を横に振った。

「押したのよ、わたしが押したの……」

「助けたいと思ったのは、本当なんだろう。手を伸ばしたら、偶然にってことなんだろう？」

優希は答えなかった。

梁平が笑った。息がふるえ、泣き声に変わりそうだった。

「ずっと笙一郎だと思ってきた。資格は、あいつにあると思ってきた。あいつも、そう言ってた。自分には資格がない、権利がないと繰り返してた……。あいつも、おれがやったと思ってたんだ。だから、互いに遠慮し合っていた。何をやってた……おれたちは、十七年ものあいだ、何をしてたんだ」

「初めから、あんなこと考えるべきじゃなかったのよ。あんな恐ろしいことを、考えたから……」

「考えたから、あの時期を、生きのびられたんじゃないのかっ」

梁平が叫ぶように言った。やりきれなさそうに、手のなかの包帯を見つめ、

「おれと笙一郎は、あのことを計画する前、親から見放され、傷つけられてた。けど、計画を進めてるあいだは、いやなことを忘れていられた。何をすればいいか、はっきり目標が見えていたから、授業も受け、規則も守った。おれたちは、たぶんきみの父親と、自分自身の親を重ねて見てた。殺すというより、捨て去る感じに近かった。いつか、いい父親いい母親に変わって、自分を迎えにきてくれるという、幻想や夢ばかり見ることを、あの計画であきらめて、自分たちだけで生きる道に進もうとしていた。おれは、あの計画がなかったら、何をどうしていいかわからないまま、いつかきっと誰かを傷つけていただろう。病棟内の子か、看護婦か、それとも教師か……ちょっとしたことで、意味のない苛立ちをぶつけていたと思う。逆上して、本当に殺すようなところまで発展したかもしれない。笙一郎も同じはずだ。きみだって……また自殺を図ったかもしれない。みんな、危うい状態だった。あれを計画しなかったら……いま、生きていない

かもしれないんだ」

「けど、こんなふうにしか、生きられていないじゃない」

優希は胸の底からしぼり出すようにして言った。

志穂の骨壺を見る。聡志の骨壺を見る。

「こんなことになるのなら……生きてこなかったほうがよかったじゃない」

「けど、おれたちが、あのとき、ほかにどうできた？」

「……わたしが死ねばよかった」

「じゃあ、おれも笙一郎も死ねばよかったのか。おれたちは生きのびようとしただけだ。おれたちも、追いつめられていたんだ」

「母も、聡志も、死んだのよ。あの頃、あんなことを考えずにいたら、ふたりだって、いま頃は……」

「きみの父親に、罪はないのか。きみから話を聞きながら、何もしなかったお母さんはどうだ」

「それでも、あんなことは考えるべきじゃ……」

「じゃあ、耐えられたのか。あのあとも、きみは、あいつにつづけられても……耐えられたのか」

優希は、いまわしい記憶が浮かんできそうになり、両手で顔をおおった。

「死なせたのよ。わたしが死なせたの。父も、母も、聡志までも……。わたしひとりが生きてるのよ」

「気持ちは、わかるけど」

「やめて。わかるわけない」

「あの頃みたいに、気持ちを添わせれば、すべてじゃなくても、少しはわかるさ」

優しい言葉が、かえって胸に痛かった。優しくなどしてもらいたくない。なじられ、ひどい女だ、生きる価値もないと言われたほうが、どれだけ楽だろう……。

「こんなふうになら、生きるべきじゃなかった。そう思ってるのよ。生きてたって、どんな意味もなかった。そう思ってるの。人を傷つけ、殺して、何も生まなかった、何も育てなかった。最低の人生だった……そう思ってるのよ」

「自分をひどく言うな。きみが生きてきたことに、意味はあったさ。たくさんの人が、きみに救われてる。病院で、感謝されてるじゃないか」

優希は両手でおおった顔を横に振った。

「全然だめっ」

「だめじゃない。だめな生き方なんてないんだ。きみ自身、自分の患者さんたちに、そう言ってるんじゃないの

か。それに、これからだって変えてゆけるだろ。意味があると思える生き方を、作ってゆけばいいだろ」

いつのまにか、梁平の声が耳もとで聞こえた。

肩に手を置かれ、からだを揺さぶられた。

優希は顔を上げられなかった。

「おれたちには、きみがいてくれることが、大事だった……あの頃、そうだった。いや、あの頃だけじゃない。ずっとそうだった。この十七年、きみがいるということで、おれはどうにか生きてこられた。大した生き方じゃなかった。何人もの人を傷つけた。それでも、きみがいたから……きみがいるということで、どうにか、ここまでやってこられた。これからも……これからは……」

不意に梁平の声がつまった。深い間があり、

「これからは……どうなんだ？　おれは、奈緒子も死なせた。もっと、誰かを死なせるのかもしれない」

彼の言葉は自問のように響いた。泣いているような息づかいが、優希の耳にふれる。

「優希、おれは、どうなる……おれは、どうしてゆけばいい？　おれこそ、生きていてもいいのか？」

優希には答えられなかった。

「優希」

梁平が懸命な声で呼びかけてくる。

「生きてくれよ、おれのために……生きてくれるだろ」

優希は首を横に振った。

「優希……」

彼のからだの重みを受けた。

柔らかく、静かにではあったが、あらがいがたい重みによって、座っていた優希のからだが崩れた。

何が起きるのか、一瞬感じかけて、恐怖にかられ、感じる心を遮断した。

神経が断ち切られたように、肉体の感覚は、ほとんど伝わってこなくなった。

ただ、この行為が、いま苦しんでいる梁平を慰めるものであることだけは、理解していた。

せめて、彼を慰められるのなら……。その想いだけが、ほとんど闇に埋めつくされた意識の、わずかに残った隅で揺れていた。

自分が生きてきたことの意味など、もうこのくらいしか残っていないのではないかという考えも、同じ意識の片隅を、力なくかすめて過ぎた。

わずかな感触のほかは、何もわからず、ただ漠然とした恐れと、焼けつくような恥ずかしさだけがつのってき

た。

　こらえきれず、左腕を口もとに上げ、歯を立てた。

　瞬間、腕が押さえられた。

「優希」

　梁平の声を聞いた。声が泣いていた。

　顎から力が抜けた。されるままに、腕を下ろした。

「きれいだ」

　ささやかれた。

　ありふれた言葉が、自分のなかにしみ入ってくる。

「きれいだよ」

　もしかしたら、最も欲しい言葉だったかもしれない。

　自分が醜く、汚れているというイメージで、ずっと生きてきた。決して誰にも見せられない、開きたくないと、みずからを内側に閉ざしてきた。

　だが、心の底では渇望しつづけていた。

　ほんの少しでいい、讃えてもらえる日のあることを……。

　つらさばかりを感じながらも、どうにか生きてこられたのは、いつか、ほめてもらえる日のあることを信じ、それに憧れ、求めていたためだとも思う。

　優希は、梁平の首に、手を回した。

　彼ではなく、彼の言葉を逃したくなかった。

　認めてもらえたこの瞬間の、その言葉に、強くしがみついた。


　電気を消してくれるように頼んだ。

　梁平が離れたときの、隙間に感じた肌寒さに、つかの間の興奮がさめていた。

　目を開いて、自分を見ることが恐ろしい。

　自分を見ている梁平の目よりも、見られていることを意識したときの、内に溢れてくる感情が怖かった。

　スイッチの音がして、

「消したよ」

　梁平の声が聞こえた。

　まだ目は開けられない。からだの上にふんわりとのるものがあった。感触で、毛布とわかった。

　毛布を肩まで引き上げ、全身をくるみ、足を引き寄せた。足はまだ、自分のからだの一部だという気がしなかった。

　手探りで、下着と服を求めた。衣類をすべて自分の腹のなかにしまい込むようにして、身を丸め、ようやく目を開くことができた。

暗いことに安堵した。毛布のなかで、素早く下着と衣類を身につけた。着終わった頃、

「……きみが本当に求めているのは、おれじゃない」

梁平の声がした。

力の抜けた、虚ろな声だった。

「あいつは……知ってるのか」

優希は胸がうずくのを感じた。

「知らないのか？」

毛布を握りしめ、うずきを抑えようと試みる。

「知らないんだろうな。資格がない、権利がないって言ってた奴だ……」

梁平のため息が、自分の口から洩れたもののような気がした。

「いつからだ。双海病院の頃には、もう奴のことを？」

優希は闇のなかで首を横に振った。

……あの頃、そんな余裕はなかった。

「きみは、もしかしたら、あいつだったら、だめだったのかもしれない」

梁平が言う。自己嫌悪にさいなまれているような、暗い声だった。

「きみは、またいつかのように、感情を切っていたんじゃないのか。もし、求めている相手だったら……心をすべて開いて、受け入れたいと願ってる相手にだったら……そのときになった瞬間……」

「やめて」

止めようとしたが、梁平の声はつづき、

「心底恐ろしくなって、たとえば暴れて……」

「やめてったら」

耳をふさいだ。涙が思わず溢れ、

「好きだよ。ジラフのことも、好きだったよ」

梁平に伝えた。

しばらく何も聞こえなかった。

耳を押さえた手の隙間から、鳥の声が聞こえてきた。手を下ろしてみた。雨の音は去り、鳥たちのさえずりがさかんに聞こえる。

「あいつを、捜しにゆくよ」

梁平が言った。

靴をはく音が聞こえ、優希は顔を上げた。

部屋がほの明るくなっていた。梁平は、たたきのところに、こちらに背中を向けて立っていた。背広を着て、腕にコートを抱えている。

彼が振り向いた。優希はとっさに目を伏せた。

「わからないことがある……。きみのお母さんの死について だ」

梁平が独り言のように言った。

彼は、上がり框に腰を下ろし、

「笙一郎のはずがない。あいつは、奈緒子と病院にいたことがわかってる。お母さんは、やはり聡志が……」

「聡志は何もしてない」

優希はさえぎった。

「きみは、ずっとそう言いつづけてきた。かばってるんじゃないのか。正直に答えてくれ。警察の人間として言ってるわけじゃない。本当のことが知りたいだけだ」

優希はふたりの骨壺のほうに視線を上げた。シクラメンの白い花が、薄明かりのなかに浮かんでいる。

長く息を吐いた。思いを決め、

「母は自殺したの」

はっきり告げた。

「……本当か」

梁平が振り向く気配を感じた。

優希は、シクラメンの花に目を置いたままで、

「ええ。遺書も残してた。聡志が見つけたの。聡志は、病院に、それを渡しにきたの。深夜勤のパートナーだった子が、聡志がわたしにお金のようなものを渡していたって、証言したでしょ。封筒に入った、母の遺書なの。母の、わたし宛の遺書……」

「だけど……自殺だったら、初めからそう言ってくれればよかったじゃないか。放火はともかく、お母さんを殺したという彼への疑いは晴らせたはずだ。その遺書を警察に見せればよかった」

「見せられなかったの」

「どうして」

「聡志がいやがったし」

「だから、どうして」

「……わたしと、父親のことが、書いてあったから」

優希は、毛布を置いて、小机の前に進んだ。聡志の骨壺を見つめ、

「この子は、見つけた遺書を読んで、ショックを受けたの。当たり前よね。父親が、自分の姉をなんて。しかも母親は、それを知ってて、見逃してた……。知りたくなんて、なかったことだよね」

「詳しく聞かせてくれないか。お母さんは、どうやって自殺したんだ」

「聡志が見つけたとき、母は、たんすの引出しに紐を掛

けて首を……そう話してくれた。嘘じゃないと思う」

「じゃあ、聡志は、お母さんを下ろして、そのあと家に火を、ってことなのか」

優希は、手を伸ばし、聡志の骨壺にふれた。

「かわいそうな子……ずっと事務所で寝泊まりしてたこの子が、あの日にかぎって、わたしより先に帰ってくるなんて、お母さんも思ってなかったのね。本当は、わたしが見つけるはずだった。だから遺書は、わたし宛だったのに……。聡志、あなた、お母さんに謝ろうと思って帰ってきたの？　それとも、まだ昔のことを追及しようとしてたの？　知らなくていいことだったでしょう。知らないほうがよかったでしょう」

「しかし、どうして火を」

「この子から聞いたことだけど……」

優希は話した。

自宅に戻ってきた聡志は、居間で、首を吊っていた志穂を見つけた。

志穂は、たんすの一番上の引出しに着物の紐を通して、首を掛け、足を前に投げ出し、座り込む姿勢で、首に掛かった紐に体重がかかる形をとっていた。

聡志は、すぐに紐を外し、志穂を畳の上に横たえた。


息をしていないことがわかったが、心臓マッサージをおこない、口に息を吹き込んだ。そのおり、ウイスキーの空き瓶が彼の足にあたった。聡志がたまに飲んでいたものだった。志穂はふだん飲まない。酒で、自制心を、あるいは恐怖心を麻痺させたのかもしれない。

母は自殺を図ったのだと、その空き瓶で、聡志ははっきり意識した。

なぜだ、どうしてと母に叫んだ。救急車を呼ぶため、電話のところに走り、受話器を取り上げた。そのとき、電話機のすぐ脇に、あらかじめ計算されていたように、封筒が置かれているのを見つけた。

母の字で、『優希へ』と書かれていた。遺書だとわかった。聡志は、救急車を呼ぶべきだと思う一方、素早く封筒から便箋を出し、受話器を片手に持ったまま、さわりの部分だけでもと目を走らせた。

「母の遺書には、『ごめんなさい。もう疲れました。終わりにさせてください』と、最初にそうあった。『結局、最後まで弱い自分でした。あなたが、あの男から、ひどいことをされていたと、知っていながら何もできなかった、あの頃から、ずっと同じです』って、そうつづいていたの。この子、もう電話のことも忘れて、最後まで目

を通したみたい」

　優希は、感情が乱れないよう気をつけて、そらんじている志穂の遺書について語った。

「母が書いていたのは、父がわたしに、性的にひどいことをしていたということ。それを、わたしが打ち明けたのに、母は、嘘だと否認してしまったこと。わたしが何度か自殺しかけたことも、書いてあった。母は、遺書のなかで何度も詫びていた。ずっと罪の深さを感じていて、いつかは死を選ぶことを考えながら、生きていたらしいの。でも、わたしや聡志がいたから……わたしや聡志が就職するまでは、なんとか支えないとって思っていたみたい。聡志の就職先にこだわったのも、自分の死を遠くない時期に、意識していたからなのね。わたしが結婚を拒否していたことは、ことに母を苦しめたみたい。『結婚しないと言われるたび、わたしの罪を、あらためて突きつけられているようでつらかった。本当は生きて、あなたへの償いをつづけることが、正しい道かもしれません。でも、わたしが生きていることで、あなたをつらい過去に引き戻してしまうのではないか……わたしが生きていると、あなたも過去を吹っ切れないのではないかと、思うようになりました。考えているうち、どちらが正しいのか、わからなくなり……やはり最後は、疲れてしまったの。聡志にまで、あんな過去のことを知られるなんて、耐えられない。あの子の父親だもの。父親が、実の娘をはずかしめてたなんて、あの子が知ったら……。しかも母親は、事実を話してくれた娘を、嘘つき呼ばわりして、見捨てたんだもの。軽蔑すべき母親です。でも、聡志にまで軽蔑され、なじられるのは、どうしても耐えられなかった。勝手なことをして、結局は迷惑をまたひとつ、あなたに残すだけなのでしょう。けれど、過去は、わたしが一緒に持ってゆくと思って。わたしの死とともに、過去を深く埋めて、生きてほしいの』」

　優希は、繰り返し読んで、頭のなかにすべて入っている遺書の内容を、淡々と語った。

　聡志の遺骨の入った骨壺を抱え、膝の上に置いた。

「聡志は、遺書を読み終えて、驚いたろうし、混乱したろうし、怒りにふるえたと思う」

「それで、家に火を？」

「この子、言ってた。あの家が、山口で暮らしていた頃の家に思えたって。間取りも少し似ていたから、錯覚を起こしたんでしょうけど。この家で、いまわしいことが起きてた、なのに、自分は何も知らずに、甘えて暮らし

ていた……燃やしてしまいたい、このいまわしい家を燃やさなきゃって……そう思い込んだらしいの。灯油は、冬場に使った残りが、裏の小さな物置にあったから。でも……息を引き取った病院で、この子、言ったの。最後は、憎しみじゃなかったって。お母さんを見て、お母さんの悲しみが伝わり、いとしさがこみ上げてきたんだと思う。お母さんも、苦しんできたんだもの。自分を責めつづけてきたんだもの。すべてを終わりにしてやりたかったって、言ってた。自殺の理由を追及されたり、詮索されるのは、お母さんがかわいそう過ぎるって……。一緒に燃えてもいい気持ちでいたとも、言ってた。でも、火の勢いが強かったろうし……家の外に出たら、今度は自分のしたことが恐ろしくなったんだと思う。病院に来たとき、火をつけたことを悔やんでた。隣近所に燃え移って、誰かを傷つけたり、もっとひどいことになるのを恐れてた。この子も苦しんでたのよ」

「だが、類焼はなかった。殺人を疑われるより、本当のことを話したほうがよかったんじゃないのか」

梁平の言葉に、優希はうなずいた。

「わたしも聡志に言ったんだけど、この子はいやがった。火をつけたこともふくめて、おおやけに納得してもらえるように説明するには、過去にさかのぼった我が家の秘密も、話さなきゃいけなかったでしょう？　この子は、家の恥や罪をさらすのを嫌ったの。いい思い出もあったのに、すべてが汚されるのが耐えられなかったみたい。そのくらいなら、自分で罪を背負ったほうがいいって。だから、最後に、全部自分のせいだなんて……」

「両親を守りたかったってことか」

「わかってもらえないかもしれないけど」

梁平が小さく息をついた。

「わかるさ。子どもにはそういうところがある」

「そういうって……」

「自分の親が悪く言われるのは、我慢できない。どんな親でも、人に悪く言われるくらいなら、自分が悪く言われるほうがましだと思う。親に頭を割られても、階段から落ちたって言いつづけたガキもいるんだ……。それに聡志は、きみを守りたくもあったんだろう。きみのつらい過去を、他人に知られたくなかったんだと思うよ。いわば、お母さんの遺志を継ぐ形で、きみに過去を深く埋めて、生きてもらいたかったんじゃないのか」

優希は、答えず、聡志の骨壺を抱き寄せた。

梁平が立った。

優希は、彼を振り仰ぎ、

「終わったことだから、いまのことは誰にも……」

梁平がうなずいた。

「蒸し返したって、誰も得なんてしやしない。お母さんの遺書は?」

「燃やしてしまったの、つら過ぎて」

「そうか」

「伊島さんに連絡してさし上げて。ひどく悲しんでおられたもの」

梁平は浅くうなずいた。ドアに手をかけ、

「きみはどうするつもりだ」

背中を向けたままで言った。

「……どうって」

「これからのことさ」

「まだ、何もわからない」

本心だった。

「あいつは、もう一度、きみのところに来る。きっと会いにくる」

笙一郎のことだとわかった。

「……だといいけど」

「行けよ。そのときは、一緒に逃げるなり、なんなりして、一緒に生きていけよ」

怒っているような声だった。

優希は答えを返すのがつらかった。

梁平がドアを開けた。声をかけたかった。だが、どう言っても彼を傷つけるだけの気がした。

梁平が部屋の外に出た。

足音が遠ざかり、ついには聞こえなくなった。

優希は、聡志の骨壺を胸に抱き上げ、

「ごめんね、ジラフ」

壺を包んだ厚手の白い布に、濡れてくるまぶたを押しつけた。

6

梁平は、優希のアパートを出て、蒲田駅に向かった。雨は上がっていた。空もくすんだ灰色に明けかけている。

電車が動きはじめたのか、駅には電気が灯り、まばらながら人の動きも見えた。周囲から浮き立つような明るさに、かえって気後れして、線路沿いの道を歩きつづけた。

優希とそうなることを、願いつづけてきた。

だが、それを得たいま、虚しさしか残っていない。

きっと、得たと言える状態ではなかったからだろう。

彼女の心は少しも抱けていない。彼女を利用したようにしか感じられない。その意味で、彼女の父親と同等のようにも思えてくる。

目の前の電信柱を、拳の腹で叩いた。

自分にも、自分を受け入れた優希にも腹が立つ。

同時に、優希のことが悲しく思われ、いっそういとしく感じられた。

道端に停められていた自転車にぶつかりそうになり、蹴り倒した。ハンドルとサドルをつかんで持ち上げ、道路に叩きつけた。

どれほど大声で叫んでも、耳にはささやく程度にしか聞こえない。叫んだという爽快感《そうかい》もない。

呼び止める声が聞こえた気がして、振り返った。

自転車に乗った制服警官が、こちらへ向かって走ってくるところだった。

梁平は、走りだす気力も湧かず、相手を待った。

まだ二十そこそこに見える、若い警官だった。階級章を見た。巡査だった。彼は、梁平の前に自転車を停め、

「それ、おたくの自転車なんですか？」

とがめる目つきで訊ねてくる。

夜勤だったのか、目がやや充血している。夜が明けたことで、多少緊張がゆるんでいるようにも見えた。

梁平は、相手の腰の拳銃に、目を止めた。

「おれのだよ、名前がフレームに書いてあるだろ」

梁平は言った。

巡査は、梁平に注意を払いながら、道に倒れた自転車をのぞき込もうとした。

相手の視線がそれた瞬間をとらえ、彼の内側に飛び込み、脛を蹴った。声を発してうつむく巡査の首を、手で押さえ、膝で顎を蹴り上げた。腰からすとんと相手が崩れた。後ろ向きに倒れそうになるのを、制服の襟をつかんで支え、線路と道路を隔てる柵にもたれさせた。

周囲を見て、通行人がいないのを確認した。

巡査の腰のベルトに手をかけた。

背後の線路を、電車が走り抜けてゆく。線路脇の枯れススキが揺れ、かさかさと乾いた音をたてた。

意識を失った巡査が、かすかに首を動かした。にきびの浮いた童顔で、十代の少年のように見えた。

拳銃を盗まれたとなれば、懲戒処分を免れない。その

銃で誰かが死ねば、自殺だとしても、人道的な罪も問われるだろう。そして、罪は彼ひとりが背負うだけではすまなくなる。親、兄弟……幼い妹もいるかもしれない。また、親戚、上司、同僚、ひとりひとりが大なり小なり、なんらかの責任を負い、負わされる。

たったひとりの欲望が、ときに無数の人間の人生を壊し、ゆがめてゆく。

たったひとつの罪が、人々のあいだを行き交ううちに、取り返しがつかないほどにふくれ上がって、多くの人生を押しつぶす。

梁平は巡査の頰を軽く打った。相手の意識が戻りかけたところで、立ち去った。

しばらく走り、見かけた駅に入った。ともかく切符を買い、来た電車に乗った。乗客は多くない。みな、コートやブルゾンを着て、寒そうに腕を組んでいた。

人々のなかに、笙一郎に似た顔を捜した。

笙一郎……おまえは何をやってる。優希はおまえのことを愛しているのに、おまえは人の女を殺して、何をしてる。何様のつもりだ。

彼を憎もうとした。だが、憎しみの感情は湧かない。虚しいばかりで、からだの芯に鈍い疲れをおぼえる。

いつか眠りに落ちていた。気がつくと、埼玉県の大宮駅に着いていた。

電車を降り、ホームのベンチに腰を落とした。

笙一郎の居場所に心当たりはない。外国に行くなど、嘘に決まっている。だったら、どこか……。

彼に気持ちを添わせてみようと試みかけたが、つらくて、やめた。

彼の母親のことを想うと、気持ちを添わせる最初のところで、つまずいた。

自分たちには、いまでもときに、〈想像上の家族〉が必要だった。以前のように、いつかは自分を温かく迎えてくれるはずだと、期待を抱いて生きるためではない。いつか見返し、謝らせてやる、見捨てたことを後悔させ、本当に偉い子だったと言わせてやると、気力を奮いたたせ、どうにか日々を生き抜いてゆくために必要だった。

だが笙一郎には、想像上ではない、本物の母親が現れた。しかもつらい病気にあり、怒りをぶつけられる状態でもなく、謝罪を得られる可能性も断たれていた。

彼なりに努力を積み、名を挙げ、金銭的にも恵まれたのに、よくやった、偉かったと、ほめてもらえることもない。ただ、こちらが保護しなければならない姿で、彼

の母親はいた。

そんな重苦しい日々で、彼に唯一残されていた希望は、優希の存在だったろう。

なのに彼は、自分に資格はないと信じ込んでいた。

「ばかだよ、モウル……」

額を両手に預けた。

誰かのせいにする……ことに、親のせいにするなど虫酸が走ると、梁平はつねに自分に言い聞かせてきた。

何をするにしろ、感じるにしろ、すべては自分の罪であり、自分の責任だった。

うまくやれないことはもちろん、どんなに仕事がうまくいっても、幸福感からは遠く、どれほどうまいものを口にしても、満足できず、性的な快感を一時的に得たところで、決して充足感を得られないことも……そして、人を傷つけてしまうことも、すべて、自分に欠陥があり、劣っており、愚かしい人間だからだと、言い聞かせてきた。

かつて第八病棟の、何人かの子どもたちが、自分がつまらない、最低の、どこか欠陥がある子どもだから、親に捨てられたんだと、信じていたのと同じように。

だけど、あの頃、おまえも言ってくれたし、おれも言ったな、モウル。

おまえのせいじゃない、自分を責めるなって。

言いつづけてくれる相手が必要だったな、モウル。

十七年ぶりに会ったとき、本当は再会すべきじゃなかったのかもしれないと、おまえは言った。いや、おれが言ったのかもしれない。けど、本当は違う。

本当は、おれたちは別れるべきじゃなかったんだ。ずっと一緒にいて、支え合っているべきだった……。

不意に、梁平は膝を押された。

顔を上げて、驚いた。

電車に乗るため、大勢の人々がホームに並んでいた。いつのまにか、月曜の朝のラッシュ時間を迎えていたらしい。

人々の熱気に圧倒され、梁平は立ち上がった。

前に前にと人が流れてゆく。梁平も、その流れに呑まれるままに、電車に乗った。すぐに身動きができなくなった。扉が閉まり、動きだす。

乗客たちは、みな押し黙って、耐えていた。目を閉じ、新聞を読み、吊り広告を眺め、感情を断ったような表情で、時を過ごしていた。

梁平は、目の前の、眼鏡をかけた四十代の男性の額の

汗に、胸が痛んだ。隣の、二十代後半に見える女性の、眉のあいだの深い皺に、やりきれなさをおぼえた。

電車が停まり、扉が開く。人に押され、転げそうになりながら、ホームに降りた。

池袋駅だった。人々が足を速めて、進んでゆく。

梁平は、はじき出されるような恰好で、人波から外れた。ジュースの自動販売機に背中を預け、座り込んだ。

ほとんどの人が無言で、怒りを内にため込んだような表情で、彼の前を通り過ぎてゆく。誰もが、精一杯に見えた。

本当は誰もが、「いいんだよ」と言ってもらう必要があるのかもしれない。日常の暮らしのなかで、おりにふれ、「いいよ、おまえだけのせいじゃない」と、言ってもらいつづける必要があるのかもしれない。

もう、笙一郎のような人間には言えないのだから。

罪を犯した笙一郎には、いいんだよ、おまえだけのせいじゃないとは、言ってやれない。

被害者がいる。被害者の遺族がいる。被害者の人生だけではなく、遺族や、周囲の人々の人生を壊し、大きくゆがめてしまった彼には、いいんだよとは言えない。

もしかしたら、新たな憎悪や、犯罪の可能性を芽生えさせたかもしれない彼には、言ってやれない。

つらい結果が出る前に、言ってやるべきだった。結果を出す前の、きっと子どものうちから、日々の暮らしのなかで、伝えてゆくべきだった。

梁平は駅構内のトイレで顔を洗った。渋谷まで進み、電車を乗り換え、自由が丘に向かった。

まっすぐ向かったはずだが、ホームで休んだり、道の途中で座り込むなどして、笙一郎のマンションの前に来たときには、もう昼近くになっていた。

マンションの前に、トラックが停車していた。引っ越しなのか、なかから荷物が運び出されている。

トラックに積まれているダイニング・テーブルに見おぼえがあった。トラックの荷台をのぞいた。積まれている椅子には、自分も座ったおぼえがある。

作業着姿の青年に、部屋を訊ねた。笙一郎の部屋だった。契約者が、部屋を引き払うため、すべての家財道具を売ったという。

部屋に上がって、室内をのぞいた。ほとんど空になっていた。

梁平は品川に向かった。

事務所も、すでに業者が来たのか、ドアに鍵はかかっ

ておらず、室内は空だった。

何か手がかりでも残っていないかと、しばらく見回したが、無駄だった。

ふと、サイレンの音が聞こえた。

事務所の窓を開けて、道路側を確かめた。警察車両が二台、こちらに向かって走ってくる。

自分を追っているのか、誰かに見られて、通報でもされたのか。窓を閉め、事務所を出た。下は間に合わないと判断し、階段をのぼった。ほどなく、サイレン音がやみ、階段を駆け上がってくる靴音が聞こえた。

梁平は踊り場の陰に隠れた。先にエレベーターが開き、私服警官と制服警官がふたりずつ、事務所のなかへ入っていった。階段から、制服警官がふたりのぼってきて、事務所の前を見張る形で立った。

制服警官のひとりが、階段の上をのぞこうとした。梁平は首をすくめた。

事務所の内側から、何もないという、舌打ちまじりの声が聞こえた。同様の報告を、無線か携帯電話にする声がつづく。

制服警官がひとり、事務所の入口に残り、ほかの警官たちは降りていった。梁平は、上の階でエレベーターに乗り、ビルの外に出た。

ふたたび自由が丘に戻った。

笙一郎が借りていたマンションの前にも、警察車両が停まっていた。

梁平は、近くの公園まで引き返し、コートのポケットから携帯電話を出した。ベンチに腰を下ろし、伊島の携帯電話の番号を押した。

数回の呼び出し音ののち、伊島の野太い声が返ってきた。ほぼ二週間ぶりだが、懐かしく感じられた。

「有沢です」

相手の絶句する間があり、

「いま、どこだ」

「いろいろご迷惑をかけました。いずれあらためて、お詫びしますが……長瀬笙一郎のことを、何か知っていますか」

「どうして」

答えきれずにいると、

「長瀬のマンションか、事務所でも張っていたのか。自分だけで、捕まえる気でいたのか」

伊島が察したように言うのに、

「何か知ってるんですか」

「奴が、バイク便で手紙を送って寄越した。県警の、おれ宛だ」

「手紙……」

「自分が早川奈緒子を殺した、そう書いてある」

「……本当ですか」

「部屋に残されていた指紋と、手紙の指紋が一致した。現場の布団のシーツに血痕があったが、送られてきた便箋にも血がついていた。いまはまだ単純な検査だけだが、一応ＡＢＯ型の血液検査では一致した」

「……方法も、書いてありましたか。動機なども」

「いや。犯行にいたるこまかなことについては、はっきりとは書いていない。その夜、彼女から相談を受けて、話し合っていたとき、つい衝動にかられて、と書いてあった程度だ。彼女にはまったく落ち度はなく、一方的に自分の罪だとあった。ほかには、彼女が黒いワンピースを着ていたこと、ふたりで日本酒を飲みながら話していたということが、書かれていた。状況と一致する。酒瓶とグラスのひとつに残っていた指紋は、やはり手紙の指紋と一致した。有沢……おまえ、どうして自分のせいだなんて言った」

「……おれのせいでもあるんですよ」

「おまえには、奴だとわかっていたのか。かばっていたつもりか」

「いえ、そんな気は……」

「奴は、おまえが逃げていることを知っているのか。警察から、追われているということを」

梁平には、意外な質問に聞こえ、

「どうしてです」と訊き返した。

「こんな手紙を、奴はなぜいま送ってきた。犯行を告白しているだけじゃない。一枚の便箋には、血のついた指紋を、十本そろえて、丁寧に押してあった。ちゃんと検出しろと言わんばかりだった。だから、すぐに結果も出た。しかも送り先は、おれだ。奴は、おまえが疑われているのを知って、わざわざこんなものを寄越したんじゃないのか」

梁平には答えられなかった。

「有沢、早く戻ってこい。つまらん真似をするな。有沢、聞いてるのか」

梁平は電話を切った。

歓声が聞こえ、目を上げた。
五、六歳くらいの三人の子どもが、公園の砂場にたまった雨水を、スコップや小さなバケツでかき出していた。

男の子ふたりと、女の子ひとりという組み合わせに、つい目を引かれた。

男の子ふたりが、女の子の気を引こうと、互いのバケツを取り合うようにして、懸命に水をかき出している。

「喧嘩しないの」

女の子が、すました顔で、注意した。ふたりは、張り合うことをやめず、互いに胸を突いたり、水をかけ合ったりした。喧嘩というより、仲がよく、じゃれているように見えた。女の子は、いやになった様子で、

「もう帰る」

と言った。男の子のうち、ひとりに向かい、

「帰ろう」

と誘い、その子の手を取った。

手を取られた子が、驚いた表情を浮かべた。彼は、女の子と、泣きそうに顔をゆがめたライバルを見比べ、

「いやだよ」

女の子の手を振り払って、公園の奥に駆けだした。

女の子は、悔しそうに頬をふくらませ、もうひとりの子の手を取って、公園から出ていった。

残された男の子が、ゆっくり砂場の前に戻ってきた。彼はバケツを蹴った。転がったバケツを追い、もう一度蹴った。蹴って、その場にしゃがみ込んだ。泣いているように見えた。

梁平は天を仰いだ。

「モウル……おまえは、ばかだ」

7

優希は、梁平と別れたあと、眠らずそのまま出勤し、申し送りの前に、病棟婦長に退職を申し出た。

内田は、驚き、一度は引き止めたが、優希の意志が固いのを察してか、あえて繰り返すこともなく、

「先は決めてるの?」

「まだ何も。でも、大丈夫です」

聡志の保険金や土地を売った金は、償いのために使えればと思っていた。笙一郎を支えに、また笙一郎の支えとなって、きっと暮らしてゆけるはずだと信じた。

内田は、うなずき、

「少し休んで、また働けるようだったら、戻ってきて。いつだってここは、あんたが必要なんだから」

「ありがとうございます。そう言っていただけるだけで

「……」

「で、いつ?」

優希は、まり子を施設に連れてゆく前に、やめる気でいたが、

「できれば一カ月はいてよ。補充や引き継ぎのこともあるから。いま十二月一日か。今年いっぱい、どう」

今度は内田も引かなかった。押し切られる形で、年内いっぱい勤めたうえでの退職と決まった。

優希は、岸川夫人のケアをおこなう際、退職の時期について伝えた。

「そう。一カ月後には、好きな人のそばね」

彼女は明るくほほえんだ。

優希は、恥ずかしくもあり、つらくもあって、腕まくりをする真似をしてみせ、

「でも、年内はしっかり勤めさせてもらいますから」

「じゃあ、わたしも年内は生きのびないとね」

「そんな……」

優希がとがめるような声を出すと、

「あら。ひと月生きのびれば、けっこう幸せなことでしょう。そして、ひと月生きたら、また目標を見つけて、自分で計れるだけの時間、生きのびるように努めるのよ。そうやって、つないでゆくの」

夫人は柔らかく笑った。優希も笑みを返した。

午後三時過ぎ、神奈川県警の私服警察官がふたり、優希を訪ねてきた。初めて見る顔だった。ナース・ステーションの裏の休憩室で、優希は質問を受けた。

また梁平の行方だろうと思っていたが、

「長瀬笙一郎という人物のことなんですがね、お知り合いですよね。お聞きしたいことがあるんですが」

笙一郎が、聡志の上司であったことは、相手はすでに知っていた。彼の行方、また生育歴や性格など、梁平のときよりも詳しく訊ねられた。

また、早川奈緒子という女性を知っているかどうか、とくに笙一郎との関わりについて、質問された。

優希は、ほとんどの質問に、よくわからないと首を傾げるか、はいいいえの単純な答えを返すにとどめた。早川奈緒子が病院を訪れたことも、遠い過去のようにしか感じられず、隠すつもりではなく、ただ話す気になれなかった。

「彼の法律事務所に、真木広美という女性が働いていたのは御存じですか」

「ええ」

「彼女の話だと、長瀬笙一郎氏の母親が、ここに入院しているとのことでしたが」

「はい。入院されてますけど」

「彼は最近面会に来ませんでしたか?」

一瞬迷ったが、どうせ知れることだと思い、

「昨日の午後、見えました」

ふたりの刑事は顔を見合わせた。質問をしていたひとりが、やや身を乗り出して、

「で、何を話してゆきましたか」

「別に。お母様の面会に来られただけですから」

「では、母親に会えますかね。息子さんのことについて、少しお話ししたいんですが」

「無理です」

さえぎるように答えた。相手は眉をひそめたが、説明するのもつらい気がして、

「病棟婦長の許可が要ります」と告げた。

刑事たちは、内田にかけあった。内田は許可を出し、優希は、内田から立ち会うようにと言われた。

優希は仕方なく刑事たちを案内した。病室内の様子に、彼らはショックを受けたようだった。

まり子は、見知らぬ男たちの存在に、おびえた。

刑事たちが、まり子に、二言、三言話しかけたが、彼女は優希の白衣にしがみつき、その背中に隠れようとするばかりだった。

刑事たちは、あきらめた表情で、

「長瀬笙一郎氏は、近いうちにまた面会に来る予定がありますかね」と訊ねてきた。

優希は首を横に振った。

「もう見えないと思います。長瀬まり子さんは、退院されて、施設に移られますから。昨日はその手続きもしてゆかれました」

「では、退院のときに来るでしょう?」

「いえ。看護婦に付添いを頼んでましたから。ご自分は付き添う意志がないようでした」

施設の場所を訊かれ、優希は教えた。

まり子が、何を思ってか、彼女の白衣を引っ張った。

「退院はいつになりますか」

刑事に訊かれ、優希が答えると、まり子は、むずかるような声を上げ、優希の白衣を引っ張りつづけた。

「どうしたの」

優希はまり子にほほえみかけた。

まり子はしきりに首を横に振った。

刑事たちは、いづらくなったのか、またお邪魔するかもしれないがと言い残して、帰っていった。

まり子は、彼らを見送ったのち、

「教えちゃ、だめ」

優希にささやいた。

何をどこまで理解できているのかわからないが、まり子は、真剣な表情で、

「お父ちゃんのこと、教えちゃだめ」と繰り返した。

優希は、急に涙がこぼれそうになり、危うく笑顔にすり替えて、

「大丈夫、嘘を教えたから。お父ちゃん、きっと会いにきてくれるからね。絶対にここに来てくれる」

みずからにも言い聞かせるつもりで、言葉にした。

日勤の仕事を終え、準夜勤の看護婦たちに申し送りをしているとき、伊島がナース・ステーションの前に姿を見せた。

伊島は、仕事ではないので、優希の勤務が終わるのを待つと言った。一階の外来ロビーで、待ってもらうことにした。

優希は、数時間後には、また深夜勤に入ることになっている。いったん白衣を脱ぎ、セーターとパンツ、ブルゾンに着替えて、ロビーに向かった。受付から呼ばれた。伊島が、中庭にいるという伝言を残していた。

まだ五時だったが、外はすっかり日が落ちて暗く、中庭には照明灯がついていた。

伊島は、枯れた芝生の上に置かれたベンチに、腰を下ろしていた。照明灯で照らされているハナミズキの木も、葉がすっかり落ち、裸の幹や枝がいかにも寒そうに見えた。

「お待たせしました。お寒かったでしょう」

優希は頭を下げて歩み寄った。

伊島は、柔和な笑みを浮かべ、

「いや。わたくしごとで来た人間が、病院に来られた方々に迷惑をかけるような場所にいるのは、心苦しくてね。外の空気も吸いたかったし」

「どこかへ入りますか。国道沿いに店がありますけど」

「あなたさえよければ、わたしはここで充分だ。さして寒くもないし、時間をとらせる気もない」

優希は彼の隣に腰を下ろした。

「先日は、ありがとう」

伊島が、膝に手を置き、丁寧に会釈した。奈緒子の葬儀のこととわかった。

「彼女のお骨は、兄貴と一緒に北海道に渡ったよ。祖父母の墓も向こうだそうだ。彼女たちの両親は分家で、多摩に墓がある。相談して、それも移せればと言っていた。彼女が暮らしていた家も、年内には更地だろう」

「うちも、更地になりました」

「みんな、最後は土ってことかな」

伊島が薄くほほえんだ。深い藍色に変わってゆく途中の空を見上げ、

「早くに亡くなった者のことを想うと、人生などたったひとときのことだと、あらためて思い知らされる。明日は我が身かと、少しは悟ったようなことも考えるが……その人が、もう自分と同じ世界にいないという事実は、やはりつらいね。いや、もっと複雑かな……。忙しいあまり、忘れたように時を過ごせていることが、罪のように思うことがある。つらいだけじゃなく、悲しいばかりでもない。虚しいとも言い切れない。死者に対する普通ではない心持ちを、うまく表現できないことが、もどかしい。無理をしてでも、ともに過ごした日々を思い出して、わざと泣きたくなるほどだ……。悲しい、つらいと泣けてるほうが、楽なときがあってね」

優希は黙ってうなずいた。

「長瀬笙一郎から、手紙が来たよ」

「手紙……？」

「わたし宛にね。内容は言えないが」

優希は、思いあたり、

「それで、警察の方が……」

「何が書いてあったか、わかるような口ぶりだが」

優希は、それには答えず、

「有沢君が、来ました。昨夜です」

伊島は、別に驚きもせず、

「有沢が、自分のせいだと言ったのは、奈緒子を傷つけていたことへの、罪悪感ということなんだろうか」

「……だと思います。彼女の安らかな表情を見たときに、彼女の心が、死に傾いていたことが感じられたと、言っていました。それは、自分のせいに違いないと……」

「長瀬が、わたしに手紙を寄越したのは、有沢への疑いを晴らすためのように思えたんだが……有沢に疑いがかかっていることを、誰が彼に教えたんだろうか」

「昨日の午後、彼、病院に来ました」

「そのとき、きみが有沢のことを」

「ええ」

「きみは、誰が奈緒子を殺したのか、知っているね。つ

まり……長瀬は、そのときに？」

優希は答えなかった。

「またここへ来ると、思うかい」

「いいえ」

優希は、さっき刑事たちへ伝えたのと同じことを、彼に話した。彼の母親を施設に届けるのは、自分だということだけ、新たに付け加えた。

「じゃあ、高飛びする用意をしたってわけだ」

「外国に、五年と言ってました」

「心当たりはあるかね」

「欧米が、企業法務の本場だとは言っていましたけど」

伊島は、その答えを吟味するかのように、しばらく語りかけてこなかった。間を置いて、

「有沢から電話があったよ」と言った。

「そうですか」

「興味は、ないかい」

「もう会って、話せましたし」

伊島がため息をついた。

「あんたたちのことが、よくわからない。あんたたち、三人。関係というのか。互いにどう思って、どう関わろうとしているのか。長瀬は、どんな事情があったかわからんが、有沢の恋人を殺した。そのくせ、自分が追われるのを覚悟で、有沢の疑いを晴らすための手紙を送ってきた。有沢のほうは、自分のせいだと言って逃げ、ひとりで長瀬を捜してる。電話の声を聞くかぎりじゃ、恋人を殺されて憎しみのあまり、って感じでもない。ふたりのあいだにいるあなたも、どちらの味方でもない。あなたたちのあいだでは、理解し合えているのかね」

「いえ……」

優希は首を傾げるしかなかった。

「互いに、嘘や秘密にしてることが、多過ぎるんじゃないかい」

「……かもしれません。でも、ときには嘘や秘密に逃げないと、耐えられないようなこともありますから」

「もちろん、そういうことはあるだろうがね。生きてると、どうしたって嘘やごまかしを使わざるを得ないときがある。だが……嘘とか秘密ってのは、慣れやすい。慣れると、真実を告げるほうが簡単なときでさえ、怖くて、嘘を選ぶようになる。かえって傷を大きくしてしまうことだって、あるだろう」

優希は答えることができなかった。

伊島は肩から力を抜くように息をついた。膝に手を置

いて、よしと声を出してから、立ち上がり、

「うちに今度、年寄りを引き取るんだ。ぼけちゃいないが、足腰がかなり弱っててね。少し揉めたが、しばらくやってみようかって……。よかったら、何かアドバイスをもらえないかな」

「ご病気はないんですか」

「ああ。口が達者だから、女房は戦々恐々としてる。だが運動もしないから、早晩歩けなくなるかもしれない」

「遠慮せずに公共の機関や、外部の援助をご利用なさってください。デイサービス、ヘルパー、ショートステイ。家族のことだからと、内側に引き込まれないようになさらないと。奥さんやご自身を犠牲にして頑張っても、親孝行のつもりが、逆の結果になりかねません。閉鎖的にならないことだと思います。子どもは社会の財産と言って、ご近所や学校、保護者のネットワークなどで一緒に見たり、育てたりする考えがありますでしょ。お年寄りにも、同じ考えが必要だと思います」

「しかし、うちの年寄りが財産ってわけにもいかないからね」

伊島がおどけた顔で言う。

優希は、真剣にうなずき、

「伊島さんを産んで、育てられた方です。伊島さんのなさった仕事も、伊島さんのお子さんも、伊島さんがいなければ、存在しなかったわけですから。多くの、よいことが、存在しなかったわけですから」

「いやぁ、いろいろ悪いこともしたよ」

伊島が照れたように言った。ふと、足もとに目を落とし、

「そう、悪いこともだね……。確かに、いいことも、悪いことも、存在しなかったと言えるのかな……」

病棟のほうから笑い声が聞こえてきた。

二階の小児病棟の窓に、クリスマスツリーが見えた。

伊島も、それに目を止めて、

「さっき待合ロビーにいたとき、赤ん坊が母親の腕のなかで笑っていてね、ああいうのを見るのは、嬉しいものだ。子どもの笑顔は、何にもまさるよ」

「お年寄りの笑顔も素敵です。なかには、子どもに戻られて、子どもとまったく同じ笑顔を見せてくださる方もいらっしゃいますよ。生きている方は、たとえ寝たきりになったとしても、亡くなった人は与えられない多くのものを持っていると、信じられる笑顔です」

伊島が、笑顔で振り返り、

「わたしも年をとったら、ここで、あなたに面倒みてもらえるかな」と言った。

優希は、笑みを返し、

「リハビリで、びしびししごきますよ」

退職することは、あえて告げなかった。

伊島が帰ったあと、優希はアパートに戻って休み、深夜勤の時間前に病院に戻った。

病院の周囲には、張り込みらしい人影はなかった。

優希は、白衣に着替えて、八階にのぼった。準夜勤の看護婦からの申し送りを受け、パートナーの若い看護婦と、ケアに回った。

午前二時を過ぎた頃、ナース・ステーションにいた優希は、階段に通じる鉄製の扉が軋るような、妙な音を聞いた。

パートナーの看護婦は、交換用のおむつを用意していて、何かを聞いた様子はなかった。

優希は、患者の観察記録に区切りをつけ、

「アルツハイマー病室の、状態観察に回ってくるから」

相手に言って、カウンターの外に出た。

非常階段に通じる扉を確かめた。異状はなかった。それでも一応は開けて、階段を確かめた。非常灯に照らされた階段の下方に、人の姿らしいものはうかがえない。目を上げたとき、上の踊り場のあたりで、人影が動いた。

「誰っ」

叫ぶように問いかけ、階段をのぼった。

相手も上にのぼってゆく。

「待って。行かないで」

予感があり、呼び止めた。

相手が立ち止まった。

九階のフロアに通じる、扉の前だった。その人物の姿が、優希には意外だった。

「有沢君……」

梁平は、つらそうな苦笑いを見せ、

「また、笙一郎と思ったのか」

「どうして、ここに……」

「あいつは、きっときみのところに現れると思ってね」

「何か連絡があったの」

「いや。だが、あいつは、自分の罪を告白する手紙を警察に送ったんだ。あいつに刑務所が耐えられるか。暗くて、狭い場所だぞ。つまり……すべてを終わらせる気でいるってことじゃないのか？」

「終わらせるって……」

「わかるだろ。ただ、ひとりきりじゃ無理なんだと思う。双海病院にいた頃、おれたちは死について話したことがある。死のイメージは、闇だった。あいつは死そのものよりも、闇を怖がった。闇にひとりで残されるような終わり方は、きっと耐えられないだろう。だけど、明神の森でそうだったように、きみに抱きしめてもらえれば、安心できる。看取られるように終わりたいのか。それとも、永遠に連れ添ってもらいたいのか……殺すことは、自分だけのものにするという意識も、ふくんでいるらしいからな。どちらにしろ、あいつはきみのところへ来るはずだ」

優希は肩から力が抜けるのを感じた。

笙一郎のことで、刑事が訪ねてきて以来、緊張がつづいていた。笙一郎から手紙が送られてきたと、伊島から聞き、緊張はしぜんと高まった。

この緊張が何によるのか、梁平の言葉によって、ようやく理解した。笙一郎が自分を迎えにくるという、予感を抱いていたのだろう……。梁平に言われ、かえって安堵をおぼえた。

「きみは、そうなってもいいと、思ってるんだろう?」

梁平が言う。苦しげな声だった。

優希は、梁平に背中を向け、階段を降りはじめた。

「残されたおれは、どうなるっ」

彼が叫んだ。

優希は、振り返らず、鉄製の扉を押し開いて、廊下に戻った。

ナース・ステーションのほうで、笑い声が聞こえた。老いた男性の笑い声だった。

エレベーター・ホールの前を通り過ぎるとき、一瞬エレベーターの扉が閉まるのが見えた。怪しんだが、エレベーターはもう降りはじめていた。

優希は先にナース・ステーションへ戻った。

アルツハイマー病で入院している、靴好きの老人が、カウンターにもたれかかっていた。なかにいる看護婦に笑いかけ、

「本当だよ。おれが、長年奉公した末に、親方の技を盗んで、初めて作った靴なんだって」

老人は、革靴を手に、目を輝かせていた。

看護婦は、清拭《せいしき》用のタオルを用意しながら、

「わかりましたけど、もうおやすみにならないと」

「どうしたの」

優希は歩み寄った。

年下の看護婦は、ほっとしたように優希を見て、

「主任補。アルツハイマー病室の、徘徊防止用の扉、大丈夫ですか。もしかして開いたままじゃ……」と言う。

優希は老人が持っている靴を確かめた。ふだん枕代わりにしているものとは違い、かなり新しく、高級な品だった。

病室へ駆け戻った。廊下は走らないようにと、日頃後輩に注意していることも忘れていた。

病室の、夜間は閉めてあるアコーディオン式の扉が、開きっ放しになっていた。

もともと循環器を患って入院した患者は、ベッドで眠っていた。

だが、まり子のベッドは空だった。

彼女の車椅子もない。

優希は、病室を出て、エレベーター・ホールに向かった。途中で、階段のほうへ引き返し、鉄製の扉を押し開いた。無人の階段に、

「彼のお母さんがいないの。きっと彼がっ」と叫んだ。

梁平の返事は待たず、エレベーター・ホールに走った。

年下の看護婦が、ナース・ステーションから出て、不安そうな顔をこちらにのぞかせた。

「誰か呼んで。長瀬まり子さんがいないの。わたしが捜すから、ここをきちんと管理していて」

優希は、エレベーターに乗り、一階に降りた。ロビーを見回し、玄関のドアを確かめた。鍵がかかっていた。

救急用の夜間出入口に走った。急患が入ったらしく、出入口脇の救急治療室では、スタッフが治療にあたっていた。救急隊員たちが、廊下から、なかの様子をうかがっている。まり子のことを訊ねた。彼らは見ていなかった。

優希は、中庭に通じる、非常用の出入口に回った。外に出ると、昨夜とは打って変わって、暖かい夜だった。

病院のビルは、南に面した玄関に対し、外来棟が北側に長く延びている。途中で、東側に曲がって、二階建てのリハビリ棟がある。リハビリ棟を過ぎると、また南側に角を曲がって、検査棟がある。つまり敷地全体をコの字に囲む形で建てられており、中庭は、この内側に芝生を敷き、木々を配置して、設けてあった。

優希は、中庭をざっと見て、誰もいないのを確認したのち、表玄関に走った。駐車場も確かめ、正門を外へ出た。左右を注意して見る。

「どうだ」

背後から声が聞こえた。

梁平が走ってくるところだった。

優希は首を横に振った。

梁平は、国道のほうに目をやり、

「車が出ていったような音は？」

「わからない」

「お母さんが、自分で歩いたってことは。病棟内のどこかにいる可能性はどうだ」

優希は、車椅子が消えたこと、エレベーターのこと、笙一郎の姿は見ていないが、彼以外で、まり子が素直にベッドから降り、移動することは、考えられないということを伝えた。

「しかし、あいつだとしたら……どういうつもりだ」

優希にも答えようがなかった。

「とにかく多摩川のほうを見てくる」

梁平が外へ駆けだした。

優希は病院の敷地内に戻った。

職員が出入りに使っている通用門まで走り、外を見た。

国道と多摩川のそれぞれへ通じる道には、どちらを見ても、人影はなかった。

気持ちを鎮め、かかった時間を考えた。遠くへ行けるはずがなかった。病棟に戻りかけて、裏庭のことを思い出した。

リハビリ棟と検査棟の裏手にも、小さい庭がある。焼却施設などもあって、ふだん人は入ってこない。以前、梁平が、暴行の被害にあった少年に、石を投げさせていたところだ。

中庭を横切り、検査棟の裏手に回った。

照明灯の真下に、誰も乗っていない車椅子が置かれていた。ブレーキがかかっていないのか、風によって、きいと軋り、わずかに動いた。

優希は、駆け寄り、車椅子の座席に手を置いた。まだぬくもりが残っている。

奥に目を凝らした。葉の落ちたハクモクレンが並んでいる様子が、薄ら寒く感じられた。

「ほら、お母ちゃん……」

男の声が聞こえた。

もうひとつ向こうの照明灯のそばに、桜の木が一本ある。葉の落ちた木の根もとに、人影があった。

優希は歩み寄った。

照明灯の光が斜めに差すなかに、桜の幹に背中を預け

て、まり子が座っていた。

まり子の正面には、笙一郎が座っていた。

地面は昨日の雨で、まだ少し湿っている。周囲の雑草も、湿りけを得たためだろうか、冬枯れもせず、ほのかに草の香りを放っていた。

「お母ちゃん、食べなよ」

笙一郎が、まり子に対し、何かを差し出した。

まり子が受け取る。パンのようだった。

「春だと、よかったんだけどね」

笙一郎は葉が落ちた桜の枝を見上げた。

まり子は、答えず、手の菓子パンらしいものを口に入れた。むさぼるように食うのに、

「喉につまらせちゃうよ」

笙一郎が、手を伸ばして、まり子の肘を押さえた。

まり子が素直に顔を上げる。

「ゆっくり食べなよ」

笙一郎が言う。

まり子はうなずいた。

まり子の腰の下には、笙一郎のコートが敷かれ、彼女の肩には、冬用の厚手の背広が掛けられていた。

笙一郎は、白いワイシャツにスラックス、ネクタイを外し、靴もはいていなかった。湿った地面に直接あぐらをかいている。

「長瀬君……」

優希は呼びかけた。

笙一郎が振り向いた。驚いた顔が、すぐに弱々しい笑みに変わり、

「靴好きのお爺さん、大丈夫だったかな。靴を上げると、すたすた出ていってさ。おかげで、うまく抜け出すこともできたけど」

「何をやってるの、こんなところで」

笙一郎は、桜の木を見上げ、

「考えたら、うちは、一度も花見をしてないんだよ。そんな家族、普通はないだろ」

「病室に戻りましょう」

優希が、近づこうとすると、

「動かないでくれ」

笙一郎の声が険しくなった。

彼らまで、七、八メートルのところで、優希は足を止めた。が、あえてまた踏み出してゆくと、

「頼むから」

笙一郎は悲しげに言った。自分の膝の脇に置いてあっ

たものを、手に取った。優希に向けて、突き出す。

それが何か、優希はすぐにはわからなかった。

「弾は、ちゃんと出るそうだから」

笙一郎が、脅すというより、恥じているような口調で言った。

ようやく、彼の手にしているものが、拳銃だとわかった。映画やテレビでしか見たことがなく、とても本物のようには思えない。笙一郎が持っていること自体に、現実感がなかった。

本物だとしても、恐れなど少しも湧かなかった。むしろ彼の姿に、痛ましさをおぼえた。おもちゃにしろ、わざわざ本物を手に入れたにしろ、こんなつまらない道具を、自分たちのなかに持ち込まざるを得なかった、彼の心持ちが悲しくてならない。

「どうしたのよ……」

問いかけずにいられなかった。

笙一郎も手を下ろした。

「母親と、一度花見をしたかった。それだけだよ」

「真夜中よ。お母さん、からだが冷える」

「時間がなかった。勘弁してくれるさ、最後の願いだ。双海病院の頃はね、もしお母ちゃんが、とってもいい母親になって迎えにきてくれたら、あれもしたい、これもしたいって、いろいろ想像してた。本当に、たくさん望みがあったように思うんだ。けど、いまはもう何も考えつかない。明神の森には、一緒に出かけてみたかったんだけどね……あのクスを、お母ちゃんにも見せてやりたかった」

「そうすればいいじゃない。一緒に、連れていってあげようよ」

「森も変わっただろうな」

優希は、彼を正面からしっかり見つめ、

「長瀬君、わたしは待ってるよ。互いに支え合っていけるはずだよ」

笙一郎は、顔を伏せ、

「資格がないよ」

「やめてっ。もう関係ないでしょ。いつまでも引きずらないで。あんなことで、わたしたちの一生を決めないで。いくらだって、やり直せるはずでしょ」

笙一郎は、小さく息をつき、

「本当は、最初からやり直すのが一番なんだ。たとえば、生まれてくるところから……」

「そんなことは、無理じゃない。いまからを、これから

を、なんとか変えてゆくしかないでしょ」

「あっという間だった。気がつくと、罪を犯してた。頭で、いくら頑張ろう、やり直そうと思ってもね、衝動的に噴き出すものは、どうしようもない……申し訳ないけど。本当に、申し訳なかったけど」

「……生きてることが、罪滅ぼしになることもあると思うよ。お母さんも、そう言ったことがあるもの」

笙一郎が顔を上げた。

「お母ちゃんが……」

優希は、うなずき、

「生きてるだけでも、罪滅ぼしになるって……」

笙一郎はまり子を見た。

まり子は、手に残っていたパンを、すべて頬張ったところだった。

「どういうつもりで言ったのかな。少しは、おれにも償うつもりもあったのか？」

笙一郎はまり子に訊いた。責める調子はなく、

「でも、償えるのか……本当に？」

最後は自問のようにつぶやいた。

優希は、頭に手をやり、ナース・キャップを外した。

「もし生きてくのがつらいなら……わたしも一緒に、ついていってもいいよ。真っ暗なのは、怖いんでしょう。ひとりで真っ暗ななかにいるのは、怖いんじゃない？」

白い布を折りたたんで地面に置き、彼に歩み寄ろうとした。

「笙一郎っ」

優希の背後から声がした。

梁平が、駆け寄ってきて、優希の隣に立った。

「来てたのか……」

笙一郎がうめくように言った。目を伏せ、

「奈緒子さんのこと、ごめんよ」

梁平は、荒い息をつきながら、

「謝るより、どんなことがあったか聞かせろ。どうしてあんなことになったんだ」

「梁平、頼みがあるんだ。警察官のおまえだから、できることなんだ」

「何を言ってる。こっちに来て、奈緒子のことを聞かせろ」

梁平が前に出ようとした。

「来るな」

笙一郎が拳銃を突きつけた。

梁平は足を止めた。

だが、梁平も同じだったろうが、優希もそれ以上近づけずにいたのは、拳銃を恐れたためではなかった。

笙一郎の、懸命な声、ふるえる目、いまにも崩れてしまいそうな姿を前にして、あまりにつらく、侵しがたいものを感じたためだった。

「梁平……行ってほしいところがあるんだ」

「お母さん、風邪ひいちまうだろ」

「この先の緑地で亡くなっていた、例の母親の遺族と、六月の一週に、多摩川の下流で見つかった女性の遺族に会って、犯人は死んだと伝えてくれないか。肉親を殺した犯人が、のうのうと生きてると思って過ごすのは、つらいことだろ？　犯人が死んだからって、遺族は決して救われやしないだろうけど……少なくとも、事件が終わっていないと、遺族は、新しい人生に、なかなか踏み出せないように思うんだよ」

「六月のって、おまえ……」

「遺族には保険金が渡っている。この顔が、犯人だと公表されると、いろいろ支障があるんだ。偽善もいいところだが、犯人が金を持ってきたなんて、遺族にはたまらないだろ。あくまで被害者が遺族のために残した金だと、思ってもらいたい。だから、逮捕はできなかったけど、おまえが犯人に間違いないと信じる人間は、もう死にましたって、伝えにいってくれないか」

笙一郎は、梁平の答えを待たずに、手を伸ばし、まり子の右手をつかんだ。いぶかしむまり子の手を引き寄せ、自分の胸にあてる。

「お母ちゃん、指を引いてくれ」

まり子の手には、拳銃が握らされていた。

「やめて」

優希は叫んだ。かすれた声しか出なかった。

笙一郎が、潤んだ目で優希を見つめ返し、

「最初に戻るよ」

「……何を言ってるの」

「いろいろ、ありがとう」

「モウル」

笙一郎は、なお優希を見つめていたが、振り切るようにまり子のほうに目を戻し、

「お母ちゃん、最初に戻してくれ。一番最初の闇なら、ひとりでも耐えられるさ。人は、きっとひとりで生まれてくるんだ。それに、いずれは明るくなる闇だよ。お母ちゃんだから、できることだ。母親だから、ぼくを最初に戻せる」

まり子は、不思議そうに、手に握らされているものを見ていた。

撃鉄はすでに起こされていた。

「指切りだよ、お母ちゃん」

笙一郎が優しい声で言った。

まり子は首を横に振った。もがくようにからだを引き、拳銃の引き金から指を抜こうとした。

笙一郎は、両手で彼女の手首をつかんで、離さなかった。

「指切りだよ。わかるだろ、指を引いてくれ」

笙一郎は、拳銃を握らせたまり子の右手を、あらためて胸に引き寄せた。

「もうやめて」

優希は走った。

梁平もついてくる。

次の瞬間、

「まり子、引きなさいっ」

笙一郎が、険しい顔で、父親のような口調で命じた。

優希の目に、まり子の表情が強張るのが見て取れた。

優希が叫ぶのと、赤い火がひらめくのが、同時だった。

それを追って、銃声が響いた。


笙一郎の背中から、はじけ飛ぶように、小さな肉片としぶきが散った。

優希の手が、笙一郎の肩にふれる前に、彼は仰向けに倒れた。

優希は、とっさにひざまずき、倒れた笙一郎の頭の下に手を差し入れ、抱き起こした。

笙一郎の瞳孔はすでに開いていた。呼吸も止まっている。シャツの胸のところが焼け焦げ、淡い煙が上がっていた。皮膚の焼けた臭いがした。背中に穴が開いていた。大量の出血が認められた。

地面に下ろすのが忍びなく、膝に抱いて、彼の唇に息を吹き込んだ。胸に穴が開いているため、心臓マッサージはできない。人工呼吸にも限界を感じ、

「早く、誰か……」

周囲を見回した。

まり子のおびえた顔が、目の前にあった。

彼女の手には、いまも拳銃が握られていた。笙一郎に固く握らされていたため、取れなくなったかのようだった。その手を、ふらりと挙げようとする。

「よせっ」

梁平が駆け寄った。まり子の手首をつかんで、ねじり

上げる。

まり子の手から拳銃が離れ、地面に落ちた。まり子は、梁平につかまれた手を痛がり、わっと泣いた。

「やめてっ」

優希は止めた。まり子の一心に泣く顔を見て、

「子どもなの……子どもなのよ……」

梁平は彼女の手を離した。

まり子は、桜の幹に背中を預け、口を開けて、わぁわぁと声を上げて泣いた。

「人、呼んでくれる」

優希は梁平に頼んだ。

梁平は、無言で、優希の視線の先にあった拳銃を拾い上げた。

優希は深く目を閉じた。

ふたたび目を開くと、梁平が、笙一郎の状態を確かめており、

「ばか野郎……」

ふるえる声で言い、病院の夜間出入口のほうに駆けだした。

優希は笙一郎を見た。見開いた目が痛々しかった。指で優しくふれ、まぶたを下ろした。目の表面をおおっていた潤いが、まぶたに押されて、目尻からこぼれた。その澄んだ滴に、優希は唇をつけた。

まり子がさらに大きく声を上げげた。優希が顔を上げると、抱いてほしそうに、手をぶらぶらと揺らしている。

優希は、笙一郎を膝の上に抱いたまま、まり子に向かって手を伸ばした。

「いらっしゃい」

まり子が、這うようにして、優希に近づいてきた。

優希は彼女の肩を抱き寄せた。

まり子が優希のからだに手を回してきた。優希の胸のあたりに顔をうずめる。

優希は、彼女の髪に頰をつけ、

「大丈夫だよ」

まり子に、そして、膝の上でまだ温かな体温を残している笙一郎に、語りかけた。

「大丈夫だから……何も心配いらないからね。悪くないよ……誰も悪くないから……」

優希は、笙一郎の肩を、あやすように優しく叩きながら、繰り返しささやいた。

「きっと、悪くないからね」

終章　一九九八年　早春

瀬戸内海の波は、岸からは青く、おだやかに見えながら、いったん沖に出ると、黒々とした色に変わり、うねるように荒れていた。

有沢梁平は、山口県柳井港からフェリーに乗り、四国の三津浜港に向かっていた。

一九九八年、二月も明日で終わりという日だった。

空は鈍く曇って、風も冷たい。寒気が上空をおおっていると、天気予報は告げていた。

梁平は、フェリーのデッキに出て、吹きつけてくるしぶきを浴びながら、荒れた波と、彼方に浮かぶ小島を眺めた。

梁平は、昨年十二月、懲戒処分を受け、減給の命令が下った際に、彼のほうから退職願を出し、受理された。

退職となる少し前の時期、長瀬笙一郎を荼毘にふし、久坂優希とともに、笙一郎の母親のまり子を、千葉県にある介護専用施設に送り届けた。

笙一郎の遺骨は、まり子のところにも置いておけず、梁平が預かることになった。そのおり、まり子が何かあったときの保証人を、笙一郎に代わって、梁平が引き受けた。五年後、なおまり子が生きていれば、施設の利用料は、彼が支払うことになる。

笙一郎のことを、神奈川県警は、伊島に出した手紙の内容と、指紋、血液型などによって、早川奈緒子殺害の被疑者と断定した。被疑者死亡事件として書類をまとめ、検察庁に上げたが、結局起訴は見送られた。

笙一郎の死は、梁平と優希の証言により、自殺として処理された。書類上では、笙一郎自身が銃を胸にあて、発砲したと記されているはずだった。

使用した拳銃の出所については、警察が調べて、ほぼ目星はついたらしいが、検挙にはいたらなかった。

また、笙一郎が、まり子の入所する施設に払い込んだ大金の出所についても、噂はあったものの、ついに表面にはあらわれなかった。

梁平は、同じ時期、笙一郎に頼まれたとおり、ふたりの被害者の遺族を訪ねた。退職が決まる前だったため、神奈川県警の刑事を名乗り、あくまで非公式で、秘密な

のだがと断ったうえで、犯人と思われる人物が、被害者に詫びる言葉を残して、自殺したと告げた。

遺族からは、犯人の名前など正体をしきりに訊ねられたが、あくまで自分の個人的な考えであり、確かな物証もないことだからと、教えなかった。そのうえで、

「憎むべき犯人は、きっと死んだと、自分は確信しています。ご遺族の悲しみや怒りが癒えることはないでしょうが、事件をいたずらに引きずることも、おつらいだろうと、このことだけはお伝えしたいと思いました」

笙一郎の受け売りで話しているようで、心苦しかったが、なんとか伝えて、遺族たちのもとを去った。

遺族に渡したと笙一郎が語った金については、遺族からはどんな声も聞かれず、またその出所についても、梁平は何も知り得なかった。

彼自身の、退職後の身の処し方については、伊島から訊かれたおりには、養父母のいる香川に戻るつもりだと答えておいた。

実際には、何も決めていなかった。養父母にも、退職のことは電話で伝えたが、それ以上は話さなかった。彼らも、ただ相槌を返してくるだけで、何かを求めてくるようなこともなかった。

奈緒子の納骨は、十二月の末におこなわれた。梁平は、そのときにはもう退職しており、北海道に赴いて、彼女の遺骨の前に線香を上げた。奈緒子の兄が、祖父母の墓の隣に、小さな墓を建てたばかりで、奈緒子の遺骨が最初に納められた。いずれ両親の遺骨も移すという話だった。

伊島も、このときは同行する予定だったが、急の事件で無理になった。

「つらい事件《やま》はもうたくさんだよ」

電話で話した際、伊島がため息まじりに言った。

老いた親を家に引き取った伊島は、優希の忠告どおり、外部の助けを積極的に活用することにしたと語った。

「やっぱり女房がかなり大変なんだよ。人間は勝手なもので、面倒な仕事はつい人に押しつけちまうし、相手がやってくれると、それを習慣にしちまう。外の助けは必要だよ。もちろん、いたれりつくせりってわけじゃない。お役所仕事は不備が多いし、民間は金がかかる。それでも、いいヘルパーさんがいてな、相談相手がいるってだけでも、精神的に助かってる。ともかく、彼女の忠告に従ってよかった。礼を言わんとな」

その優希は、今年の一月末から、行方がわからずにい

た。

彼女は、まり子を施設に預けたあと、多摩桜病院に戻って、決めてあった期間、働いていた。

病院で親しくなったらしい女性患者が手術をし、しばらく容体が思わしくなかったためか、一月に入っても、なお残って働いていたようだった。その女性患者が持ち直し、退院できるほどになったあたりで、退職した。

その後、まり子が入所した千葉の施設にも、顔を出してはいたらしい。だが、梁平も気づかぬうちに、蒲田のアパートを引き払い、誰にも何も言わずに姿を消していた。多摩桜病院にも、千葉の施設にも、連絡を残してはいなかった。

梁平は、もしやと思い、山口県にある、志穂の実家に連絡をとった。

優希は訪れていた。

梁平も会ったことのある優希の従兄の話では、優希は、志穂と聡志の遺骨を持って現れ、以前話が出ていたとおり、実家の墓に、ふたりの遺骨を納めてほしいと申し出たという。早速、地元の寺に頼み、納骨がおこなわれたのが、梁平が連絡した二日前とのことだった。

優希はまだ滞在しているか、梁平は期待を抱いて、訊ねた。

もういないとの、答えが返ってきた。優希は、志穂の実家ではなく、近くのホテルに泊まっていたらしいが、納骨式のあと、仕事があるからと、すぐに帰ったという。

梁平は、漫然と日々を送りながら、優希を待った。きっと連絡が来ると信じていた。彼のほうからは、定期的に多摩桜病院や、千葉の施設に連絡をとっていた。

二月中旬、梁平のアパートに、優希からの手紙が届いた。消印は、四国の松山だった。

手紙の冒頭には、松山から手紙を出すけれど、もうここにはいないと書いてあった。双海病院を見ようと思ったが、結局足を向けることができず、また石鎚山も、麓から見上げただけで胸が苦しくなり、それ以上近づけなかったということも、書かれていた。

『どうか、捜したりしないでください。ひとりで、自分のこれからを見つめてゆきたいと思っています』

梁平は、優希の手紙を何度も読み返し、彼女がもう自分の前には戻ってこないことを確信した。

アパートを引き払い、笙一郎の遺骨と身の回りのもの以外は、すべて始末した。まり子の入所している千葉の施設をはじめ、連絡が必要なところには、養父母の住所

を伝えておいた。

伊島には、電話で、

「お世話になりました」とだけ告げた。

伊島も、ほとんど話さず、からだに気をつけろとだけ言った。

先に、志穂の実家に向かった。昨日のことだ。

優希の従兄から、あらためて話を聞き、志穂と聡志の遺骨が納められた墓に参って、手を合わせた。

笙一郎の遺骨は、骨壺ごとボストンバッグのなかに収め、一緒に移動していた。どうするというあてはなかった。笙一郎は明神の森に行きたがっていたと、優希から聞いていた。だから、明神の森にまいてやろうかと、ぼんやり考えた程度に過ぎない。

フェリーの最後部のところから、航跡に目をやった。白く泡立った波が、黒々とした波の下に呑まれて、消えてゆく。

多くの人が、自分の前から去った。彼ら、彼女らが、本当にこの世界に生きていたという証は、ほとんど残っていない。笙一郎のことも、遺骨をまいて、自分の手もとから離してしまえば、存在していたという事実すら、あやふやなものに変わってしまいそうだった。


午後の早い時間に、三津浜港に着いた。

かつて優希が、雄作や志穂とともに何度も行き来しただろう港に、梁平も降り立った。

笙一郎の遺骨を収めたバッグを手に、タクシーに乗った。長距離だがと断り、双海小児総合病院を知っているかどうか訊ねた。運転手はうなずいた。

松山市内を横切り、海沿いの国道を走って、双海病院に向かった。道路はきれいに整備されていた。道路脇に見られる住宅も、新しいものが増えている。

病院最寄りの駅舎も、屋根が新しくなり、駅舎の前にあった古びた商店は、コンビニエンス・ストアに変わっていた。

病院の門に通じる道に入ったとき、梁平はしぜんと緊張した。あの当時の人間が残っているとは思えないのに、多くの知った顔に出くわす気がしてならなかった。

門構えは変わらなかった。塀は以前くすんだ灰色だったが、明るいレモン色に塗り替えられていた。ロータリーを回って、病院の玄関前でタクシーを降りた。

玄関を入る前に、病院の正面全体を見回した。ペンキが塗り直されて、新しくなった印象がある一方、かつてに比べ、ずいぶんこぢんまりとしたものに見えた。

駐車場も、もっと広いと思っていたのに、意外に狭かった。これでは車にいたずらをしようとすれば、わけもなく見つかるだろう。

山側に目を向けた。冬枯れしたまま、まだ緑の萌えない木が目立った。常緑樹の緑も、昔より量が減ったように見えたが、まず山そのものが低くなった気がした。

梁平は病院内に入った。

暖房が効いていたが、コートは脱がずにいた。

受付や待合ロビーの位置自体は、変わらなかった。ただ、受付のカウンターの内側には、かつてはなかったOA機器が備えられていた。ロビーのソファも新しいものだった。

診察を待っている子どもと家族の様子は、服装を除けば、雰囲気などまったく同じだった。子どもたちに元気はなく、家族はおおむね疲れている。

売店も同じ場所にあった。改装されたのか、やや間口が広がっていた。入院中らしい子どもが大勢集まっており、待合ロビーの子どもたちより遥かに活気があるのも、昔と変わらなかった。漫画を置いてあるコーナーは、やはり人気のようだが、新設されたゲームコーナーに、より多くの子どもたちが集まっていた。

梁平は、入院患児の家族のような顔をして、奥に進んだ。看護婦とすれ違うたびに、自分が子どもに戻ったような錯覚を抱いて、どぎまぎした。

第八病棟は、同じ場所にあった。やはり外壁はペンキが塗り直され、清潔な印象を抱いた。

いまも精神科病棟なのかどうか、周囲を見回した。病室内の様子は、ほとんどの窓にカーテンが引かれ、うかがえなかったが、二階のベランダには、あの頃と同じ、飛び下り防止用の青いネットが張られていた。

病棟の裏手に回った。サルスベリの木が、枯れることなく、病棟と塀のあいだに、等間隔に植えられていた。いまは葉が落ち、つるつるとした幹がむき出しになっている。

病棟北側の、壁の前に立った。

期待した色も、形も失われていた。子どもたちが描いた絵は、すっかり白いペンキの下に消されていた。

笙一郎は、クスの木に茂った青い水のなかで泳ぐ、キリンとモグラとイルカを描いた。梁平はろうそくの火を描いた。優希は、壁全体を端から端まで貫く、まっすぐな白い線を描いたはずだった。

子どもたちが、思い思いに塗り込めた色彩や形が、壁

から溢れ、目の前で躍るかのようだったのに、記憶のなかにしか、もうあの絵は残っていない。

浄水タンクの前に進んだ。かつて褐色だった表面が、明るい水色に塗り直されていたが、昔と同じ型のタンクだった。今回見た病院の多くの施設が、子ども時代に比べて、やや小さくなった印象を抱いたのに、浄水タンクだけは、いまも高いと感じられた。

優希は、よくあんな高いところまでのぼり、飛んだものだと、いまさらながら驚いた。確かに、死んでもおかしくはなかった。

猫の鳴く声が聞こえた。浄水タンクの足場のところに、太った三毛猫がいた。まさかと思い、目を凝らした。かつての野良猫と似ている。口笛を吹いて呼んでみた。首輪のない猫は、ぷいと顔をそむけて、歩き去った。

養護学校分教室も、同じ場所に、同じ造りで建っていた。午後の授業中なのか、子どもたちの声が聞こえてくる。声だけ聞いていれば、病気や障害を抱えているとは思えないほど明るく、笑い声や、歌声も聞こえてきた。

運動場には、誰も出ていなかった。やはり狭くなったように感じられた。体育用具をしまっていた倉庫は、同じ場所にあったが、木造だったものが、プレハブに変わっていた。

倉庫の裏に回った。塀の上の、金網のフェンスは新しいものに付け替えられていた。背の低かった彼は、背伸びをして、ようやくフェンスの向こう側がのぞけたものだった。いまは胸のあたりから、余裕を持って塀の上に出る。

金網越しに、海に目をやった。

砂浜が狭く感じられた。打ち寄せる波と、背景の空との構図は、思い出のなかでは、もっと雄大で、すべてが輝いていた。いま見る海と砂浜の情景は、あまりに殺風景で、わびしかった。

優希を初めて見た場所を探した。あのあたりだろうと見当はつく。だが、どうしても記憶と結びつかない。もっと光が溢れ、波も青く澄んで、潮の香りが強烈だったと思ってしまう。

病院を出て、明神山に向かった。

登山道の入口周辺の農家は、建て直したのか、新しい建築の家が目についた。農家の庭先に植えられている桜は、まだ蕾すらつけていない。

嵐の日、上から流れ落ちてくる雨水に逆らって登った道は、当時より狭く感じられた。ただし、勾配はきつい

と思った。からだが少しなまってきているのかもしれない。

山登り療法の途中、いつも休憩をとっていた場所は、いまも変わらない位置にあった。奥に進んで、キイチゴを探してみることにした。

だが、林があったところは、木が伐採され、茂みも枯れて、寒々と開けていた。蔓や下草の密生により妖しい雰囲気をたたえていた場所も消え、キイチゴが育ちそうな気配はどこにもなかった。

登山道に戻り、頂上をめざした。息が次第に切れ、さすがに暑くなる。コートを脱いで、腕に抱えた。

頂上に近づくにつれ、ウラジロガシと呼ばれる樫の木が増える。両側を木々に囲まれた道を抜けてゆくと、にぎやかな声が聞こえてきた。何事かと思い、先を急いだ。

急に視界が開けた。頭上をおおう木々はなくなり、雲の多い空が広がる。

頂上の風景には、見おぼえがあった。一面に、丈の短い草が伸び、海側に向かって数脚のベンチが備えられている。

一角に、小学校高学年から中学生と思われる子どもたちの姿があった。

子どもたちは、多くの者がトレーニング・ウェアを着て、ナップザックを背負っていた。二十人前後が、大人たちの号令のもと、整列しようとしている。

全員が指示に従っているわけではなく、数人の大人たちが、まだ頂上のそこここに散っている子どもたちに駆け寄っては、声をかけ、列に入るように命じていた。

梁平は、静かに脇にそれてゆき、子どもたちの注意をあまり引かないだろう位置に移動した。

列に集まる子どもたちの姿を、そっと見つめる。

ある者は、大人たちの声にも答えず、顔をじっと伏せている。ある者は、目を落ち着きなく動かし、周囲の動きに神経を払っている。ある者は、じっと空の一点を見つめ、またある者は、梁平より身長も体重もありそうなのに、親指をしゃぶりつづけていた。貧乏ゆすりをやめない子、ハンカチでしきりに手を拭きつづけている子、大人の女性にくっついて離れない子どももいた。

自己の世界に引きこもっていたり、存在を認めてほしいと、全身で訴えている子どもたちの姿に、梁平は動悸をおぼえた。一瞬、自分もあの列に入らないといけないように錯覚した。

そのとき、列に並んだ子どものひとりが、ベンチに腰

掛けたままでいる少年に、

「ジラフーっ」と叫んだ。

ベンチの少年が振り返った。

首のやや長い子だった。立った姿も、ひょろりと背が高く、キリンと呼ばれるのにふさわしい印象だった。

少年は、億劫そうに歩いて、列のなかに入った。

子どもたち全員が列に戻ったらしく、

「じゃあ、病院に戻るよ。いいね」

列の先頭に立った男性が、子どもたちに言った。返事をする者もいれば、しない者もいる。

列が動きだし、子どもたちは登山道のほうへ歩きはじめた。看護婦や看護士らしい男女が、列の前後で子どもたちを励ましている。一行のうち何人かが、頂上の隅に立った梁平を見たが、ほとんどは無視して、登山道を下っていった。

梁平は、登山道を見下ろせる場所に進み、一行を見送った。ひとりだけ、列の後方から何度もこちらを振り返る少年がいた。首の長い少年だった。

やがて一行の姿は見えなくなり、声も聞こえなくなった。

梁平は、頂上の奥へ進み、海側に向けて備えられたベンチのひとつに、腰を下ろした。

ボストンバッグのファスナーを開き、骨壺を包んだ厚手の布袋を表に出した。海に対して、骨壺の正面を向ける形で、自分の隣に置いた。

嵐の日に、モウルと見たと思った、竜に似たいきものが、いままた見えないかと願って、海を眺めた。

曇っているため、灰色の空と海との境がはっきりしなかった。光は鈍く、波のきらめきも届いてこない。

あきらめて目を落とし、背広の胸ポケットから、優希の手紙を出した。

何度も繰り返し読んだために、皺だらけだった。

封筒から便箋を出し、あらためて読んだ。

冒頭に、捜さないようにという彼女の希望が書かれていたあと、しばらくは抽象的な言葉がつづいていた。

『わたしたちは、世界的な惨事と比べて、自分たちの日常的な悲しみや過ちを、つい、つまらないことと言いがちです。けれど、きまりきった平凡な暮らしをしていても、次から次にふりかかってくる問題は、本当に世界的な惨事とかけ離れているのでしょうか。もしかしたら、深いところでは、同じ根でつながっている場合も少なくないのではないかと、疑います。

わたし自身が、とてもささいなことで、いちいち心をふるわせているために、言い訳めいたそんな考えを抱いたのかもしれません。小さなことに悩み、悔やみ、苛立って、すぐ隣にいる人の、ごく日常的な悲しみやつらさにさえ、充分には心を添わせることができず、日々の仕事に追われるばかりだったというのが、わたしの現実でしたから。

しかもわたしは、本当に自分の現実を生きていたとは、とても言えなかったと思います。受けた傷と、犯した罪と、罪を犯したという罪悪感に、息がつけないほど押さえ込まれて、いくら自分では現実だと思っていても、どこかでゆがみ、無理が生じて、つい幻想的な色合いをふくんでいたようでしたから……。

いつかは、これがわたしの現実、真の自分なのだと、この手に抱きしめられるときが訪れるでしょうか。

以前は、あきらめていました。でも、いまは、きっといつかはと、信じたい気持ちでいます。いくつもの悲しい出来事があったけれど、一方で、多くの人の支えを感じてきました。虚しさに引きこもらず、自分の現実を受け入れるために、努めてゆければと願っています。

ただ、そのためには、秘密や嘘があってはいけないのでしょう。伊島さんにも、同じようなことを言われました。秘密や嘘を持つことが、大人のように言われることもあるけれど、わたしたちは、つらい出来事があるたびに、秘密や嘘ばかりで応じたため、さらに悲しい結果を招いてしまったように思います。真実を明かすことが、周囲をつらくさせる場合にも、秘密や嘘に逃げないこと……真実を明かしたことで起こる、いっそうの悲劇や悪でさえ、受け止めてゆこうとする態度こそが、成長と呼ばれるものに結びつくのかもしれません。

ごめんなさい、わたしはまだ、あなたに嘘をついていました』

優希の手紙は、志穂の遺書について語っていた。

次には、ここまでをいわば前置きのようにして、『母が自殺だったのは、本当です。聡志が、遺体を発見し、遺書を見つけて、ショックを受け、火をつけたということも、間違いありません。けれど、わたしは母の遺書を燃やしてはいませんでした。これを、同封します。あなたが、読んだあとに、最もよいと思う形で、処理してください』

梁平は、志穂の遺書だという手紙のほうも、封筒から出して、開いた。優希の字よりも美しい、草書体で書か

れていた。

　内容は、あの夜、優希が語ったことと、途中までは変わらなかった。自殺の動機としては、もう罪悪感に耐えられなくなっていたこと、疲れてしまっていたこと、そして、子どもたちが成長し、責任をわずかにしろ果たせた気でいたこと……。しかし、決定的に違っていたこともあった。

『ごめんね、優希。せめてあなたたちの幸福を見届けるまで、責任をとりたかったのに。最後まで何もしてあげることのできない母親でした。あなたが、あの男にひどいことをされていたのに、助けてあげられなかった。打ち明けられたのに、信じてあげられなかった。ようやくできた唯一のことが、あの男を殺すことでした。

　あの山で、あなたが、あの男を殺そうとしていることは、登山中の雰囲気でわかりました。あなたが、迷っている様子を見て、初めて決心がついたのです。

　わたしは、何をしていたのだろう……母親として、あなたに何をしてあげられたのだろう……このうえ、あなたになお、父親殺しという罪まで、負わせてしまうのだろうか……。思った瞬間、からだが動いていました。

　霧が深かったけれど、あの男がどこにいるかは、声でわかりました。自分が落ちる危険など考えず……いいえ、落ちてもいいと思いながら、霧のなかを戻ってゆき、あの男の肩が、白い霧のなかから浮かんだ瞬間、全身で突くようにしました。一瞬、彼が振り返ったようにも思いました。見開いた目が、わたしの顔を見たと……。

　錯覚かもしれない。けれど、あの男の、驚きでいっぱいに見開かれた目は、いまも焼きついて離れません。あの目にも、ずっと苦しめられてきました。やはり、かつては夫だった人ですから。

　優希、あなたは、わたしが、あの男を突き落としたことを、知っていたの……知らなかったの……。

　わたしは、このことを訊きたいと思いつつ、訊けなかった。怖かった。もしも事故だと思っているのなら、そのままにしておきたかった。

　でも、最後の最後、打ち明けてしまうわたしの弱さを許してください。懺悔したいのです。神様はもう信じられなくなっていたわたしだから……せめて、あなたに許しを乞いたい。ごめんね、優希。あの男から、あなたを守れなくて。必死に話してくれたのに、信じてあげられなくて。そして、あなたと聡志から、父親を奪ったことも事実であり、片親であることの支障もあったはずだも

の、そのことの許しも乞わねばなりません。

　わたしなりに、あの男を殺して、ただ苦しい、つらいというだけではなかったことも、白状します。復讐を果たした気持ちも、少しはあった。夫だったのだから……夫が、わたしを裏切った形でもあったのだから。まして娘をなんて、あまりにひど過ぎる。

　でも、あのとき以来、一日たりと、罪の意識を忘れて生きることはありませんでした。人を殺したことの罪もあります。加えて、あなたを守れなかったことや、話を信じなかったこと、そして何も知らない聡志にまで、つらい想いをさせたことへの罪も感じ、せめて、償いをしなければと思い、日々、頑張ってきたつもりでした。聡志が就職するまではと思い、あなたが結婚するまではと思いつづけてきました。

　あなたが、大人になったいまも傷ついているのは、当然です。男性を怖がっているのだとしたら、それも仕方のないことです。本当にひどいことだったと思います。あなたの子ども時代は、完全に壊された……いいえ、人生そのものが壊されたに等しい出来事でした。でも、やはり、結婚しないと言われるたびに、わたしの罪を、あらためて突きつけられているようでつらかった……』


　このあとにつづく文面は、以前優希が語ったものと、ほとんど変わらなかった。過去を探ろうとしていた聡志への心配や、将来への気づかい、ふたりの健康や、今後の暮らしに対する心づかいも、綿々とつづられていた。

　そして、次のような言葉で、遺書は締めくくられていた。

『優希、終わりにひとつ、あなたに伝えたいことがあります。あなたは、もしかしたら、あの男とのことについて、いまも、自分が悪かったのではないかと、疑うときがあるんじゃないの。それが心配です。自分を責めるようなことがなければ、いいけれど、もし自分を悪く思うことがあるのなら、これだけは信じてください。あなたは、決して悪くなかった。あのことは、あの男が悪かっただけ。あの男の罪です。あの男にも、つらい過去があったのかもしれないけれど、あなたには関係のないことです。そして、わたしがもっとしっかりしていれば、起きなかったこと。止められたことです。妻としての、母としての、わたしの罪です。子どものあなたは、絶対に悪くない。間違ってもいない。あなたは、本当は、少しも汚れてはいません。きっと、このことは信じてちょうだい。あなたの魂は、美しいままです。

わたしは、自分のことを、愛ということを本当に知っている人間かどうか、疑うことが、昔からありました。あの男を殺してからは、この想いはさらに強まっていました。けれど、いまこの手紙を書いていて、はっきり実感できることは、聡志を愛しているということです。そして、優希、あなたを愛しています。心から、かけがえのない、大切なものと感じられます。

さようなら。ごめんね。母』

梁平は、志穂の遺書をたたみ、封筒に戻した。

優希の手紙をふたたび開いた。

『聡志のショックは、理解できるだろうと思います。父親が自分の姉を、ということだけではなく、まさか母が父をだなんて……。わたしは、母の罪よりも、軽率さを憎みました。遺書なんて残さなくてよかった。罪など告白しないでほしかった。少なくとも、聡志が決して家に戻ってこないことを確かめるべきだった……。もちろん、そんな余裕があれば、母も自殺などはしなかったのでしょう。長い時間苦しみつづけて、限界にいたっていた母の心情も、理解できます。けれど、聡志のことを思うと、なんとか取り返しがつかなかったものかと、悔しくてなりません。

ただ、わたしは、この遺書で、救われもしました。わたしが、父を殺したのではなかったということ……わたしには、あのとき、父にふれたという確かな感触はありませんでした。ただ、わたしでしかあり得ないから、ずっと、わたしが殺したと思ってきました。罪に苦しみ、あがなうことを求めて生きてきました。

殺人の罪が、わたしにはなかったということは、けれど、もう救いではありません。やはり、わたしの存在が、母を罪にかりたてたようなものだと思うから。母が、わたしのことを想い、母親らしいことをしてくれるために、罪を犯したということは、ある面、喜びではあっても、相手が父であれば、やはりつらいことです。母が救ってくれたということを、素直に喜べない結果が、とても悲しい……。

でも、終わりに、母は書いてくれました。父とのことについて、決してわたしが悪いのではないと。この言葉こそが、子どもの頃に聞きたかったものです。打ち明けたときに、即座にもらいたかった言葉です。あなたとモウルも言ってくれたけれど、やはり母から一番に言ってもらいたかった。ただ、遅くても言ってもらえた。与えてもらえた。わずかだけれど、救いです。

最後に、感謝します。

あなたたちとモウルに。

あなたたちのくれた言葉は一生忘れない。もう両親も弟もいないわたしにとって、真に支えとなってくれるのは、あなたたちの、心の底から発せられた、あのときの言葉です。もしかしたら、あらゆる人々が、ただあの言葉だけを求めて、生きているのかもしれません。

明神の森で、手を握り合い、互いにかけ合った言葉を支えに、成長してゆければと願っています。自信は少しもないけれど。永遠に、成長など、できないのかもしれないけれど……。

そして、本当はあなたと一緒に、成長をめざしてゆくべきかもしれないのに、やはり、つらくてなりません。あの夜、わたしは、あなたとモウルを、同時に裏切ったようにも思うから。ただ、後悔はしていません。罪にも感じないよう、心がけています。

ひとりで、あるいは別の、同じように成長を願っている人と出会い、支え合うなかから、子どもの頃からつづいている、かりそめの生き方を捨て、真の現実を受け入れられるように、努めてゆきたいと思っています。

自分を成長させられることに、淡い期待を抱いて。


さようなら、ジラフ。

いろいろ、ありがとう。どうか、元気で』

梁平は便箋をたたんだ。

封筒に戻し、手のなかにしばらく握りしめた。

海から、冷たい風が吹き上げてくる。

背広のポケットから、ライターを出した。

笙一郎の遺品だった。

ライターの石をすり、火をつけた。風に消えそうになり、からだをひねって、陰を作った。

優希からの手紙と、志穂の遺書に、火を移した。

手紙も遺書もすぐに燃え、梁平の指先まで焼く勢いで炎が上がった。持ち替えようとしたとき、海からの風にさらわれた。

空中で、手紙も遺書も燃えつき、黒い灰となって、南東の方角に飛ばされた。

目で追ってゆくと、林の上、はるか彼方に、神の山の峰が、雲の上からのぞいていた。

梁平は、笙一郎の遺骨の入った骨壺を抱き上げ、バッグとコートをベンチに残して、裏手の林に向かった。

頂上の端まで進み、林のなかへ入ってゆこうとしたとき、目を疑った。頂上から、南側の麓へ下ってゆく傾斜

地に、森と呼べるようなものは、まったくなくなっていた。

木々が伐採され、ざっくりと、山肌がえぐり取られたように見える。ぽつんぽつんと残された、わずかな木々越しに、麓の舗装された道路と、新築らしい数軒の家が見通せた。

梁平は、笙一郎の遺骨を抱えたままで、なかば茫然と、傾斜地を下っていった。あれほど茂っていた草や花も枯れたのか、わずかな雑草が残るだけで、地面はごつごつと乾いていた。

雲のあいだから日がのぞいていたが、光の存在は感じられなかった。林や茂みが失われ、陰がないために、光もまた失われたかのようだった。

中腹の、勾配がゆるくなって、地面がやや平らになっているところで足を止めた。

嵐の日、笙一郎と転げて、この近くの水溜まりで止まったはずだと思い出し、方向を変えて、明神の森と呼んでいた場所を探した。

森は消えていた。ひっそりとして、妖しい雰囲気をたたえていた森は、まばらに残る細い樹木と、切り株と、乾いた地面がむき出しになった、やせた山の傾斜地に変わっていた。

目印となるはずの、クスの大木も見当たらない。

何度も周囲を見回し、位置関係を確かめながら行き来して、ようやく、クスが伐採されたあとの、太い切り株を見つけた。

御神木と呼ばれそうなほどの大木だったのに、どうして、あっさりと伐られてしまったのか。切り株の一部に、少し腐ったような跡も見られはしたが、とても信じられなかった。

横穴もなかった。

三人で過ごした、あの横穴と、横穴を囲んでいた木々の根や蔓も、壁となっていた山肌自体が平らに崩され、跡形もなかった。わずかに雑草の生えた傾斜地だけが、太い切り株の前にある。

梁平は、笙一郎の骨壺をクスの切り株の上に置き、横穴があったはずの場所を、足で探ってみた。

枯れた枝葉を払いのけ、乾いた地面に靴先を突き入れた。表面は固かったが、内側は柔らかい。さらに足で掘り返した。土がぼろぼろとこぼれ、小石や枯れた根などが出てくるばかりだった。

三人の思い出も、かけ合った言葉も、すべてがなかっ

たものにされてしまう気がした。

背広を脱いで切り株の上に置き、ワイシャツの袖をまくって、地面に膝をついた。枯れた枝葉を払い、あたり一帯の雑草を引き抜いた。

固い表面は足で蹴って崩し、柔らかい土を手で掘り進めた。しばらく小石ばかりがつづき、爪が石にあたって、はがれそうになった。耐えて、さらに深く掘った。

きっと穴があったはずの場所を、一時間以上掘りつづけた。石のほかに、腐った木の枝、腐った根や葉、ミミズや見たことのない虫も、表にあらわれてくる。土の匂い、泥の匂い、つぶれた草の匂いも立ちのぼってくる。

不意に、石や腐った枝とは違う何かが、土のなかからのぞいた。紐らしい。

掘り進めて、紐の先端をつかみ、地中から引っ張り出した。

紐は意外に長く、先がつながり、泥と一緒に袋のようなものが出てきた。

泥を払い落として、確かめた。

笑みがこぼれた。嗚咽に変わりそうになり、唇を嚙んだ。胸に抱え、笙一郎の骨壺の隣に、腰を落とした。

「モウル……わかるか。これは、おまえのものだよ」

青い色のリュックサックだった。

ファスナーが錆びて壊れていたため、なかが簡単に開いた。

地図が出てきた。泥水がしみて、腐り、ぼろぼろになっていた。一緒に逃げようとして、養護学校分教室の図書室から盗んだものだ。

ここことは違う、別の世界になんて、こんな地図では行けるはずもなかったのに。

「おぼえてるか、モウル……」

おまえが先に、優希を見つけたんだ。

海で、おまえが見つけた。五月だった。水は冷たかったはずなのに、そんなこと少しも感じなかったな。

キイチゴ、おぼえているか。三人で口に入れたときの、あの甘酸っぱさ、草の、土の、少し獣っぽくもあった、あの香りを。

森に初めて入ったとき、怖かったな。横穴のなかに優希を見つけたとき、本当にほっとした。嬉しかった。タオルを彼女に掛け合ったな。彼女は、タオルを洗ってから、返してくれたな。

嵐のなか、優希を捜し、泥のなかに顔を突っ込んだ。クス木が激しく揺れて、ぼおぼおと風がうなっていた。

の幹に顔をつけたときの、木の香り、苔の匂い、雨の味……。嵐が明けた朝、森が内側から光っているように見えただろ。木や茂みのあいだから、もやが立ちのぼるのが、いきものたちの息吹のように見えただろ。

運動会をおぼえているか。リレーをした。おまえはうまく走れないからって、しり込みしたけど、優希が走ろうって誘ったよな。走ってよかっただろ。うまくできることには、意味なんてなかった。一緒に走る、一緒に歩く、そのことに意味があったな。

文化祭のとき、みんなが壁に描いた絵のこと。なくなってはいないよ、本当にはなくなっていない。あらゆるものが、いつかは消えてしまうのだとしても、おれが生きているかぎり、あの絵は存在してる。

そして、モウル、おまえも、優希も、あのときのジラフも、あの頃の姿のままで存在しているんだ。

あの絵を、あの頃の三人を、存在させておくためにも、おれは生きつづけてゆくだろう。そのとき、支えとなってくれるのは、優希が言ったとおり、あの嵐の日の、ここでの言葉だ。

三人ですべてを語った。クスの木に手を回し、三人で泣いた。そのあと、横穴に入って、手を握り合い、身を寄せて、互いに抱き合うようにして、おれたちはずっと同じ言葉ばかりを、かけ合っていた気がするよ。

モウル、おぼえているか。おまえはこう言ってくれた。

優希はこう言ってくれた。

おれたちは、たったこれだけのことを、ただひとつのことだけを、言いつづけていた。

「生きていても、いいんだよ。おまえは……生きていても、いいんだ。本当に、生きていても、いいんだよ」

謝辞

この短くはない物語を書き終え、一番に頭に浮かぶのは、単純ですが、感謝と幸運という言葉です。読者には、目の前にある作品のみが問題であり、それがどんなプロセスを踏んできたかなど、意味をなさないはずです。ですが、著者個人の名前しかここにあらわれないことに、心苦しさもおぼえます。多くの人々の存在により、この物語が現在の形で読者の手もとに届くにいたったのは、間違いないことですから。

幻冬舎の石原正康氏から執筆について話をいただいたのが、同社がまだ形を成す前の、九三年十月のことでした。当時話し合った未熟な案に比べ、量だけでなく、質的にも成長し得たと信じられるのは、人々の有形無形の支えと幸運のたまものです。

たとえば、前作において熱意溢れる編集者と校正の方から教わったことが、ここには大いに生きていますし、その作品で望外の賞をいただけたことで、今回の長い執筆期間を、経済的に、とりわけ精神的に支えてもらえました。選考委員の方々の期待に応えきれたとは、まだとても思えませんが、応えたい想いが支えとなったのは事実です。

幻冬舎との出会いも幸運でした。約束の期間も量も大きく超えながら、作品本位にと受け止めてもらえたうえ、読者に確かな形で届けようと、いまも様々に努めてもらえています。石原正康氏、永島賞二氏をはじめ、多くの編集者、校正の方から、正確な助言や忠告もいただきました。とりわけ執筆前から伴走してくれた大塚瑞子という編集者の感性と判断は、作品に深いところで影響を与えています。印刷、製作の方々の献身的な働きも忘れられません。

家人、親族、友人ら周囲の人間の存在は、物語に大きな影を落としていますが、これは生者にだけ言えるのではありません。執筆中、大切に思っていた人を何人か失いました。つらい、悲しいだけではなく、彼ら死者によ

って励まされ、うながされたと感じたことはたびたびでした。

多くの方が取材を受けてくださり、無礼な質問にも丹念に答えていただきましたし、参考にさせていただいた文献も、ひとつひとつ挙げることはしませんでしたが、ともに多くをここに生かさせていただいています。次の作品からは、作中に引用もさせていただきました。あわせて、深く感謝申し上げます。

『ゲーテ格言集』(高橋健二氏訳/新潮文庫)

『K・ヤスパース　哲学の学校』(松浪信三郎氏訳/河出書房新社)

装幀は、読者と作品をつなぐ窓口ともなるものですが、今回とても素晴らしいもので飾られています。デザインの多田和博氏、イノセンスで深遠な作品の使用を許可してくださった舟越桂氏と関係者の方にも、厚く御礼申し上げます。

最後に、読者の方々には本当に支えられました。様々な形や場所で読者の声を聞く機会があり、ともすれば不安におちいりがちな孤独な作業への、大きな力づけとなりました。

ある日突然といった形で、痛ましい事件が次々と、ごく身近なところでも起きており、胸がふさがれる想いです。物語を書き上げるまでの時間、自分が生きのびることができたことさえ幸運に思えてならず、このことにも、誰にということでなく感謝したい想いです。

結局、人ひとりが生きのびるのに必要な支えが、作品にも与えられたように思います。この物語の登場人物たち、ひとりひとりが生きのびるのに必要な支えといったほうが、より近いのかもしれません。

なお、作中、実名で著した場所など、あくまでフィクションとして、活用させていただいことをお断り申し上げます。霊峰については、万が一興味を持たれて登山を望まれる方がいらっしゃった場合、たくさんの方が大切になさっている場所ですので、どうぞ敬虔な気持ちで登られますよう、お願いいたします。

一九九九年　一月　　天童荒太

この作品は書き下ろしです。
原稿枚数２３８５枚（４００字詰め）。

装　幀　多田和博
カバー作品　舟越桂
『知恵の少年達へ』
写真撮影　落合高仁
『かたい布は時々話す』
名古屋市美術館所蔵
写真撮影　落合高仁
『砂と街と』
写真撮影　近藤正一
写真提供　西村画廊
㈱求龍堂

〈著者紹介〉
天童荒太　1960年愛媛県生まれ。86年「白の家族」で第13回野性時代新人文学賞、93年「孤独の歌声」で第6回日本推理サスペンス大賞優秀作、96年「家族狩り」で第9回山本周五郎賞を受賞。

GENTOSHA

永遠の仔（下）
1999年3月10日　第１刷発行
1999年5月15日　第11刷発行

著　者　天童荒太
発行者　見城 徹

発行所　株式会社 幻冬舎
〒151-0051 東京都渋谷区千駄ヶ谷4-9-7

電話：03(5411)6211（編集）
03(5411)6222（営業）
振替：00120-8-767643
印刷・製本所：中央精版印刷株式会社

検印廃止

ISBN4-87728-286-6 C0093
幻冬舎ホームページアドレス　http://www.gentosha.co.jp